# CARROUSEL MATHÉMATIQUE 3

**TROISIÈME SECONDAIRE**
**TOME 2**

**GUY BRETON**

**JEAN-CHARLES MORAND**

CENTRE ÉDUCATIF ET CULTUREL INC.
8101, boul. Métropolitain Est, Anjou, Qc, Canada. H1J 1J9
Téléphone: (514) 351-6010 Télécopie: (514) 351-3534

Directrice de l'édition
*Emmanuelle Bruno*

Directrice de la production
*Lucie Plante-Audy*

Chargée de projet
*Carole Lortie*

Réviseur linguistique
*François Morin*

Conception et réalisation graphique
*Matteau Parent Graphistes inc.*

Illustrations
*Danielle Bélanger*

Infographie
*Claude-Michel Prévost*
*Mélanie Chalifour*

Illustrations techniques
*Bertrand Lachance*

Dans cet ouvrage, la féminisation des titres de fonctions et des textes s'appuie sur les règles d'écriture proposées par l'Office de la langue française dans le guide *Au féminin*, Les Publications du Québec, 1991.



Dépôt légal : 1er trimestre 1996
Bibliothèque nationale du Québec
Bibliothèque nationale du Canada

ISBN 2-7617-1201-3
Imprimé au Canada
2 3 4 5 00 99 98 97 96

## *Remerciements*

*Les auteurs et l'éditeur tiennent à remercier particulièrement*

*Claire Bourdeau, enseignante au collège Durocher-Saint-Lambert*

*pour son soutien et sa participation durant toutes les étapes de rédaction et d'édition,*

*les personnes suivantes qui ont participé à l'élaboration du projet à titre de consultants et de consultantes :*

*Éric Breton,*
*enseignant, polyvalente des Monts*

*Claude Delisle,*
*conseiller pédagogique, C.S. Black Lake-Disraeli*

*Catherine Girardon-Morand,*
*enseignante, école secondaire Saint-Jean*

*Christiane Lacroix,*
*enseignante, Cégep André-Laurendeau et Collège Lionel-Groulx*

*Caroline Paquin,*
*enseignante, pensionnat du Saint-Nom-de-Marie*

*ainsi que tous ceux et celles qui ont collaboré de près ou de loin au projet.*

# TABLE DES MATIÈRES

## Itinéraire 7

### La composition de transformations



## Itinéraire 8

### Analyse de données statistiques

# AVANT-PROPOS

*En troisième secondaire, on t'incitera à faire un choix de carrière. La mathématique jouera un rôle important dans ce choix. Les auteurs de Carrousel mathématique 3 en sont conscients. C'est pour cette raison que les efforts n'ont pas été ménagés pour te rendre cette mathématique intéressante. Cette année, huit itinéraires constitueront ton périple. Chacun de ces itinéraires te permettra de développer des concepts, d'acquérir des connaissances et de parfaire des habiletés aussi fondamentales que le sens spatial, la représentation des relations, le calcul numérique, le calcul algébrique, etc.*

*Carrousel mathématique 3 veut t'aider à entrer dans le XXI^e siècle en te proposant des activités qui t'amèneront à penser et à raisonner. Il veut également te préparer à être un membre à part entière dans ton milieu en t'invitant à communiquer aux autres ta pensée mathématique, à travailler avec les autres pour faire des consensus et découvrir des stratégies efficaces et des solutions originales aux problèmes proposés.*

*Carrousel mathématique 3 veut également créer une ouverture sur l'utilisation de la technologie mise au point pour le mieux-être de tous. Il te faut maîtriser cette technologie.*

*Carrousel mathématique 3 t'invite aussi à passer à l'action par la réalisation de projets à caractère mathématique. Il veut t'offrir la possibilité de te réaliser et d'acquérir la confiance et l'estime de toi-même.*

*À toi de faire ta part. On ne peut devenir que ce que l'on souhaite devenir ! Bon succès !*

*Les auteurs*

# SIGNIFICATION DES PICTOGRAMMES

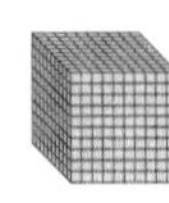

Des pictogrammes variant d'un itinéraire à l'autre annoncent l'étude de nouveaux sujets.

Ce pictogramme signale des idées mathématiques importantes.

Le *Carrefour* est un moment de discussion, de mise en commun, d'approfondissement et d'appropriation de la matière nouvellement présentée.

Le *Jogging* est une suite d'exercices et de problèmes visant à consolider ton apprentissage. Les couleurs des numéros ont chacune une signification particulière :

- ● : exercices et problèmes de base;
- ● : problèmes d'applications;
- ● : problèmes favorisant le développement de la pensée inductive et déductive;
- ● : problèmes à caractère algébrique;
- ● : problèmes favorisant les liens et le réinvestissement des connaissances mathématiques;
- ● : problèmes favorisant l'usage de la calculatrice.

Le *Calculab* poursuit le développement du sens du nombre et des techniques de calcul mental et d'estimation.

La rubrique *Expo-math* invite à connaître ceux et celles qui ont contribué à développer la mathématique à travers les âges.

*La problématique* porte sur les démarches et les méthodes de résolution de problèmes.

Comme son nom l'indique, la rubrique *Problèmes et stratégies* invite à réfléchir sur les stratégies propres à la résolution de problèmes.

La rubrique *Mes projets* constitue une invitation à mettre en application les acquis mathématiques étudiés à travers la réalisation de divers projets plus ou moins élaborés.

*À la logicomathèque* offre l'occasion de développer sa pensée logique et son raisonnement.

Le *Leximath* est un glossaire ou dictionnaire mathématique. Il donne la signification des mots du langage mathématique et présente les principales habiletés de l'itinéraire.

Le *Passeport* permet de vérifier les acquis avant l'évaluation.

# ITINÉRAIRE 5

## AIRE ET VOLUME DES SOLIDES

**Les grandes idées :**

- Notion de volume.
- Mesure d'espace.
- Unités de mesure de volume.
- Volume des prismes.
- Volume des pyramides.
- Volume des boules.
- Aire des solides.
- Calcul de mesures de solides.

**Objectif terminal :**

Résoudre des problèmes portant sur l'aire ou le volume de certains solides.

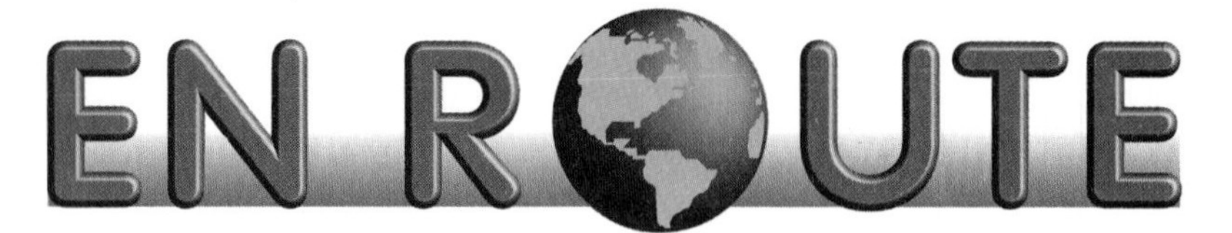


...VERS LES MESURES DES SOLIDES

# NOTION DE VOLUME

## DES ESPACES À MESURER

### Activité 1 Une question de capacité ou de volume

*a)* On se demande lequel de ces deux récipients peut contenir la plus grande quantité de liquide. Que peut-on faire pour le savoir ?

*b)* Combien de verres peut-on remplir avec chaque récipient ?

*c)* On ferme chaque récipient et on le plonge dans une cuve remplie d'eau à pleine capacité. Que va-t-il se produire ? À quoi cela est-il dû ?

*d)* Quel récipient va entraîner le plus grand déversement d'eau ?

*e)* Dans chaque cas, la quantité d'eau déversée est-elle la même que la quantité de liquide contenue dans le récipient ?

*f)* Laquelle de ces deux quantités doit-on considérer si on parle du :

1) coût de fabrication du récipient ?

2) nombre d'enfants que l'on peut désaltérer ?

*g)* Laquelle de ces deux quantités est la mieux décrite par :

1) le terme *capacité* ? 2) le terme *volume* ?

Les objets occupent une **portion d'espace.** La quantité d'espace occupée par un objet correspond à son **volume.** Si cet objet est partiellement évidé et qu'il peut jouer le rôle de récipient, on peut parler alors de sa **capacité.**

La **capacité** d'un objet correspond au volume de sa partie évidée qui lui permet de contenir des liquides ou des matières pouvant se manipuler comme des liquides.

***h)*** On compare l'espace occupé par les deux objets ci-contre. Lequel occupe le plus grand espace ?

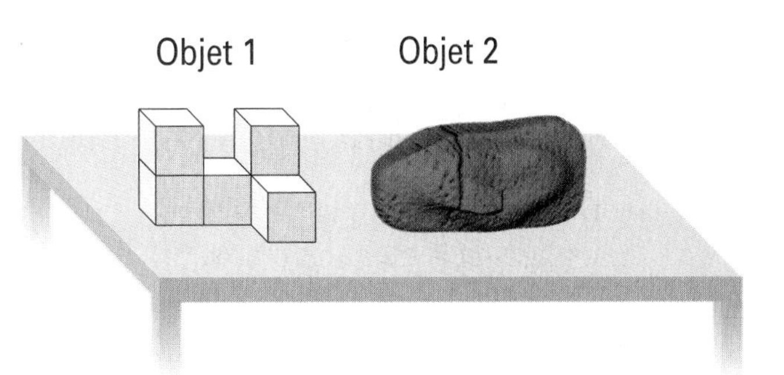


***i)*** L'objet 1 est formé de cubes de 2 cm d'arête. À combien de ces cubes le volume de l'objet 2 peut-il être équivalent ?

Les objets sont généralement irréguliers.
L'idéalisation des objets nous permet de parler de solides géométriques.

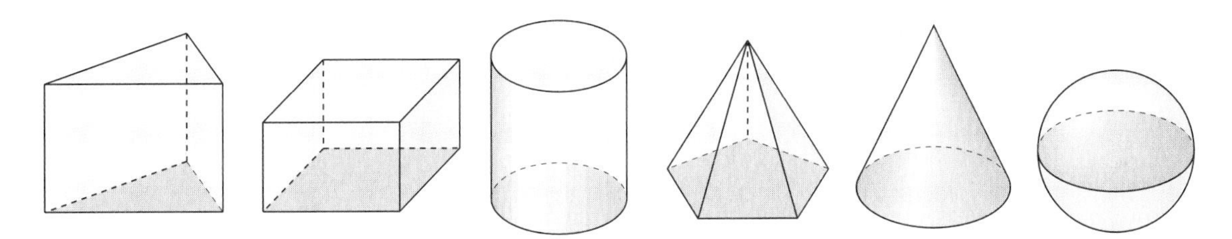

Les solides occupent un espace. Cet espace est délimité par une surface.
On quantifie cet espace en le comparant avec un autre espace pris comme unité de comparaison.

Le volume d'un solide est la **mesure de l'espace** délimité par la surface de ce solide.

Si je comprends bien, un solide est une portion d'espace et le volume est la mesure de cet espace.

Je comprends la même chose ! On va donc mesurer, c'est-à-dire comparer !

Le volume est la mesure qui vient tout de suite à l'esprit quand on regarde un objet ou un solide. Les gens utilisent souvent les termes *grosseur* ou *ampleur* des objets pour désigner leur volume.

***j)*** Outre le volume, quelles autres mesures peut-on prendre sur des solides ?

## Activité 2 Une comparaison de volumes

Dans chaque cas, on fait la description de deux solides et on vous invite à comparer leurs volumes. Faites vos prédictions avant d'assister aux expériences.

***a)*** Deux prismes ont la même hauteur et la même profondeur. Cependant, l'un a la moitié de la largeur de l'autre. Combien de fois le volume du plus petit est-il contenu dans celui du plus grand?

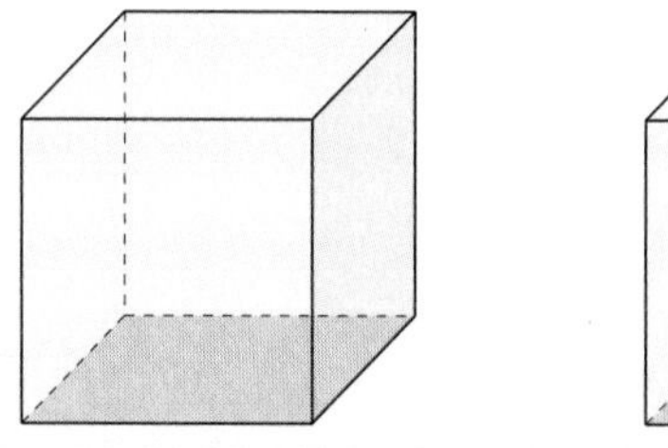

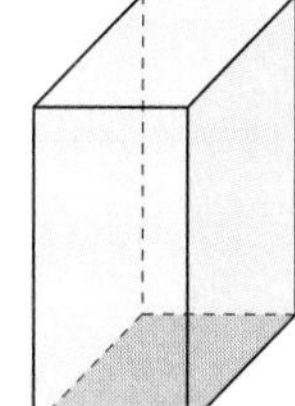

***b)*** Un prisme à base hexagonale et un cylindre ont la même largeur maximale et la même hauteur. Lequel possède le plus grand volume?

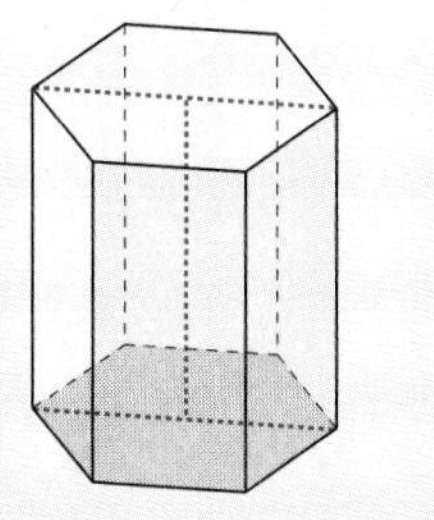

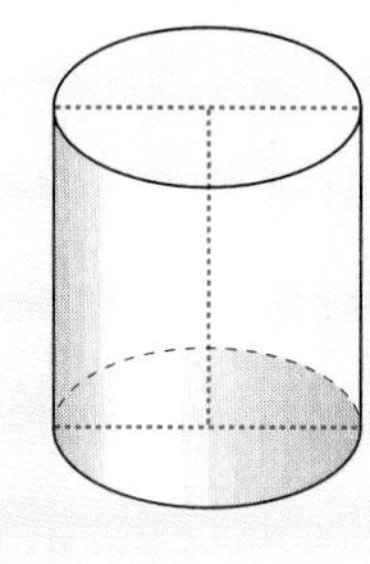

***c)*** Une pyramide à base carrée et un prisme droit sont de même base et de même hauteur. Combien de fois le volume de la pyramide est-il contenu dans celui du prisme?

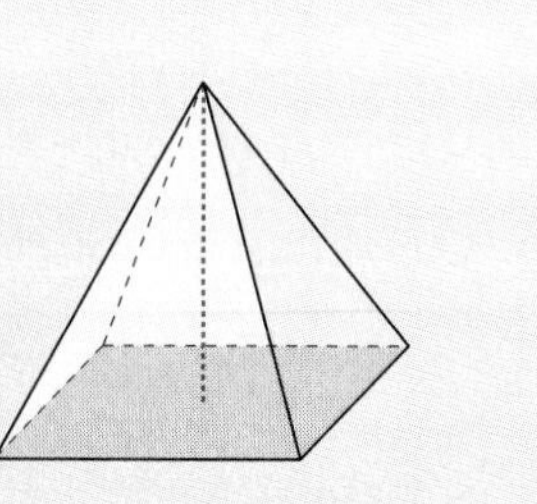

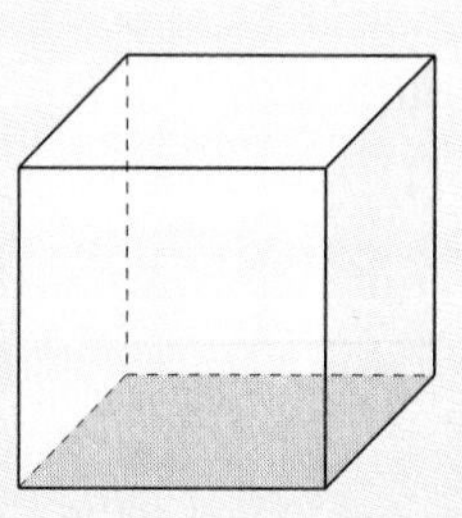

***d)*** Une boule est de même diamètre et de même hauteur qu'un cylindre. Combien de fois le volume de la boule est-il contenu dans celui du cylindre?

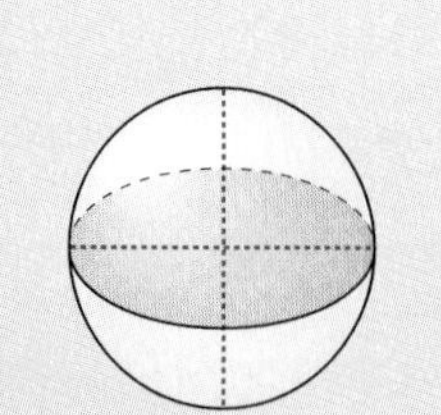

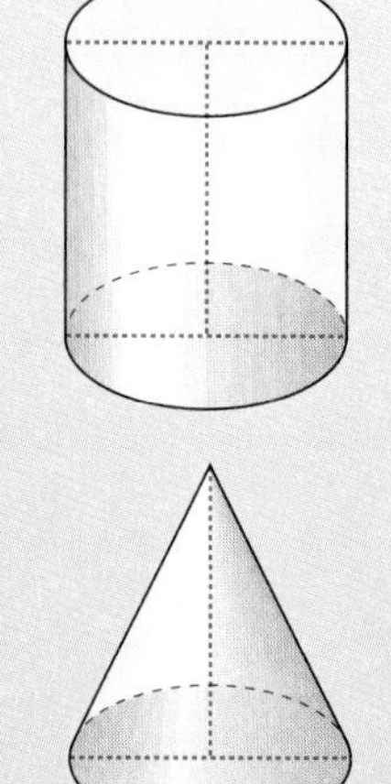

***e)*** Une demi-boule et un cône sont de même diamètre. La hauteur du cône est égale à son diamètre. Combien de fois le volume de la demi-boule est-il contenu dans celui du cône?

## Activité 3 Compter des cubes

Le volume d'un solide est une grandeur. Une bonne façon de se donner une idée du volume d'un solide est de le comparer avec un autre solide plus familier.

***a)*** Combien de cubes y a-t-il dans une boîte de sucre en cubes ?

*Je compte 72 cubes dans l'étage du dessus. Il y a 2 étages de cubes dans une boîte.*

***b)*** Le nombre d'oranges contenues dans une caisse donne-t-il une bonne idée du volume de celle-ci ? Justifie ta réponse.

*Cette caisse contient 96 oranges !*

***c)*** Voici un mur du parcours d'obstacles d'un centre équestre. Combien de briques compte-t-il ?

***d)***

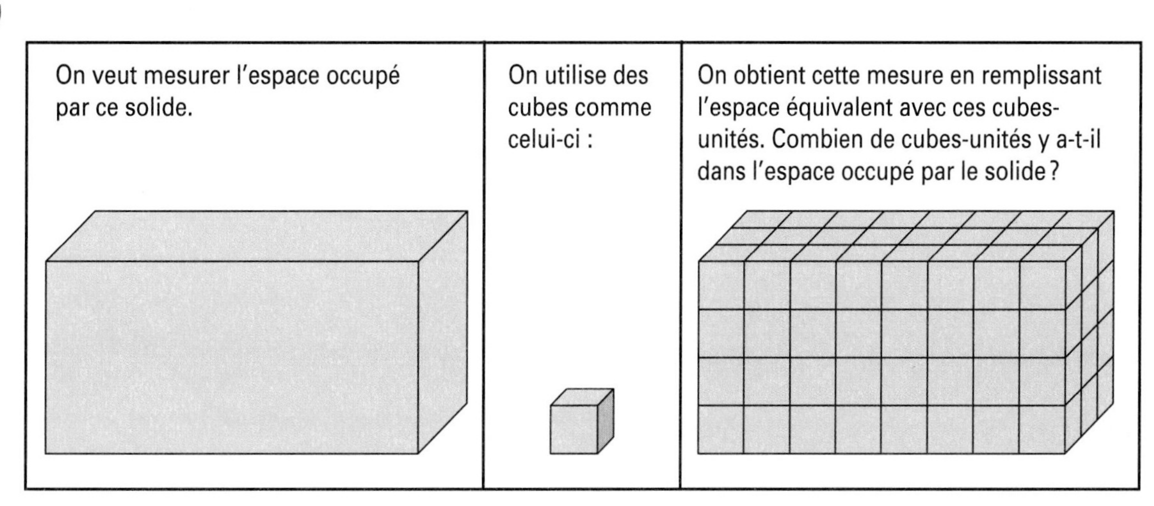

***e)*** Natacha et Paolo discutent de différentes méthodes à suivre pour calculer rapidement le volume du solide précédent. Natacha propose la méthode illustrée à la figure 1 et Paolo, celle illustrée à la figure 2.

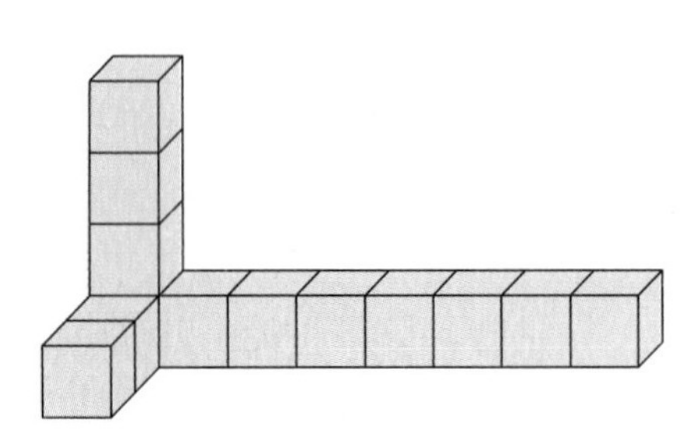

Figure 1 : Squelette du solide.

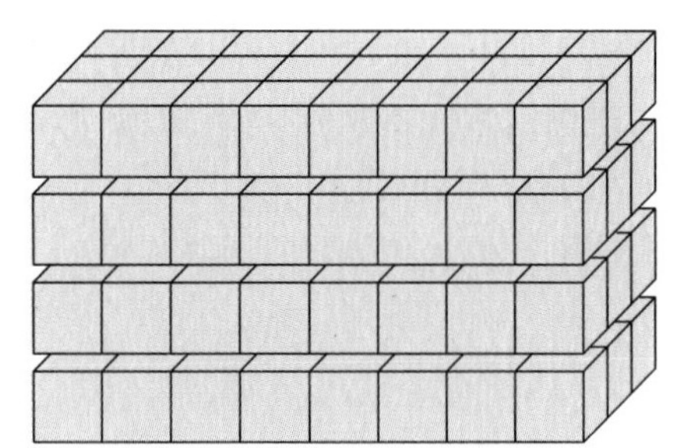

Figure 2 : Étages, tranches ou strates.

1) Décris ces deux méthodes.

2) L'une est-elle meilleure que l'autre ?

***f)*** Ces méthodes sont-elles valables pour tous les solides ? Explique ta réponse.

***g)*** Trouve la mesure de l'espace occupé par le prisme rectangulaire droit correspondant à chaque squelette. Exprime cette mesure en cubes-unités.

1) 2) 3)

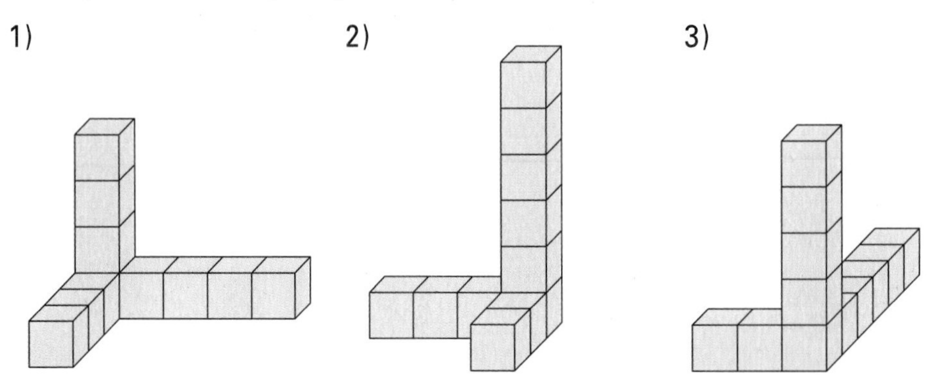

***h)*** Trouve la mesure de l'espace occupé par chacun de ces prismes rectangulaires droits en calculant le nombre de cubes par étage et le nombre d'étages.

1)

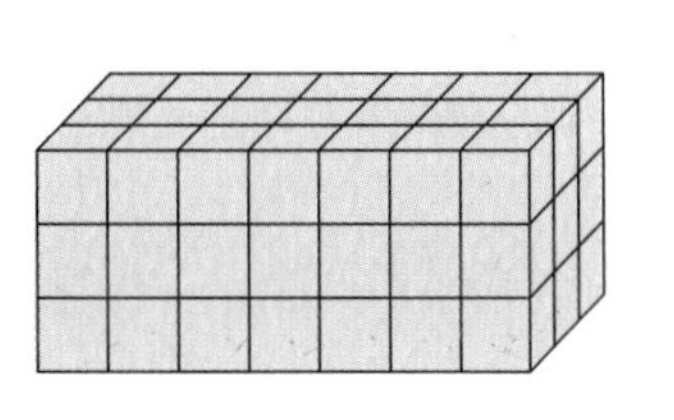

2)

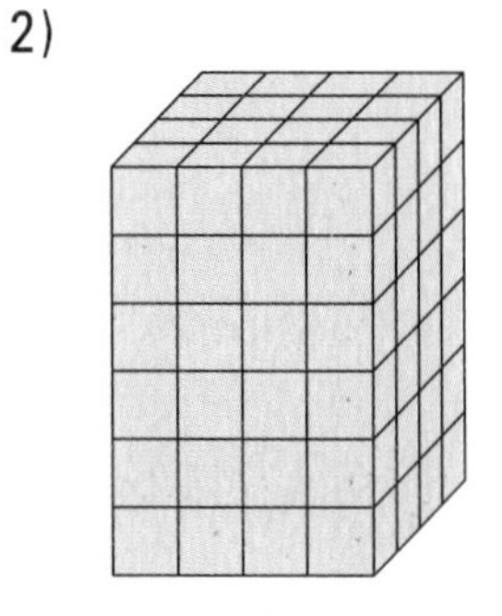

3)

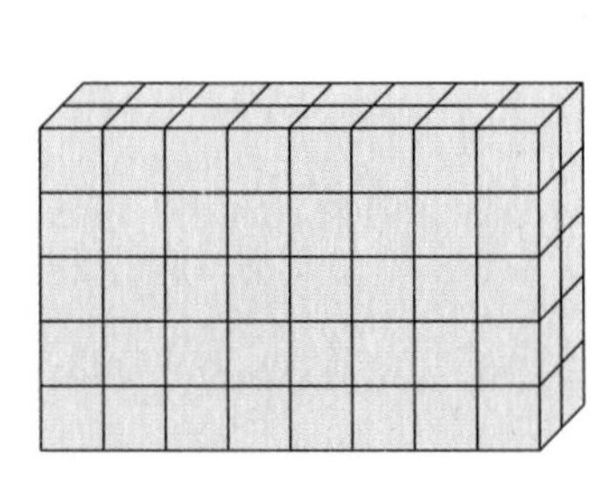

*i)* Combien peut-on construire de prismes droits différents comptant chacun 30 cubes-unités ?

*j)* Combien peut-on construire de prismes droits différents comptant chacun 40 cubes-unités si chaque prisme a deux étages ?

*k)* Quel est le volume des solides illustrés ci-dessous ?

1) 2)

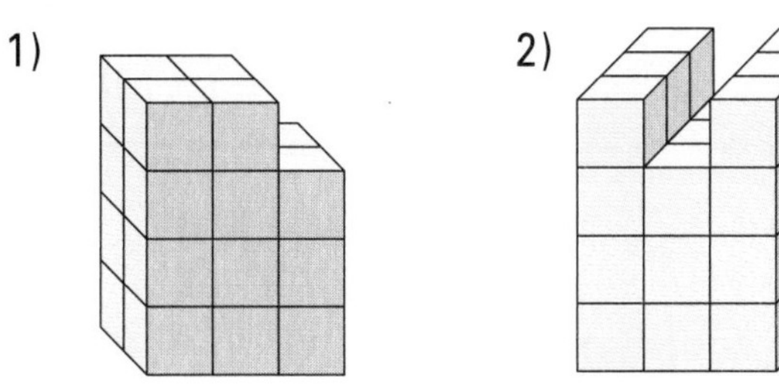

3)

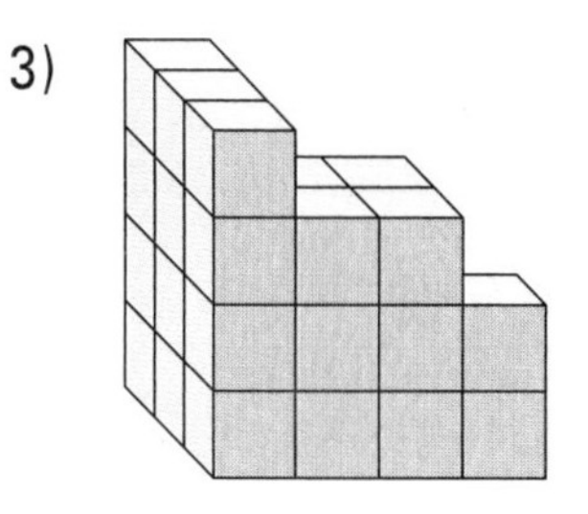

*l)* Quel solide occupe le plus d'espace, A ou B ?
Explique ta réponse.

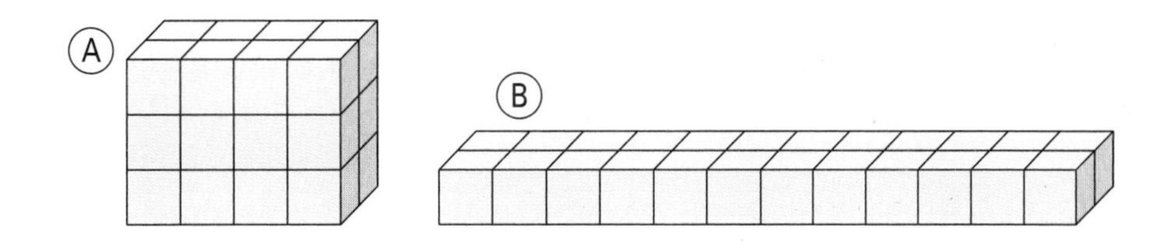


*m)* Comment peut-on calculer le volume d'un prisme qui ne contient pas un nombre entier de cubes-unités dans l'une de ses dimensions ?

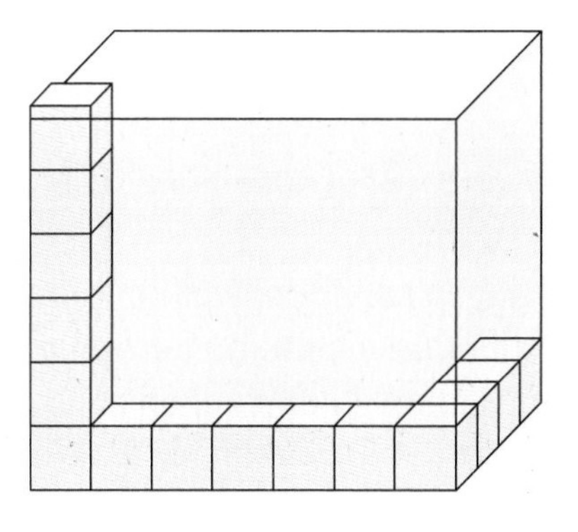

*n)* Calcule le volume de ces solides.

1)

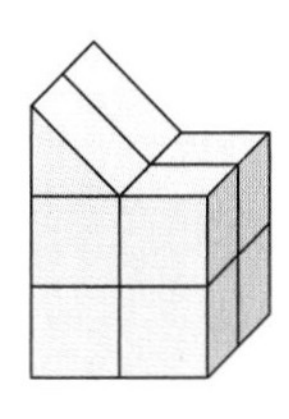

2)

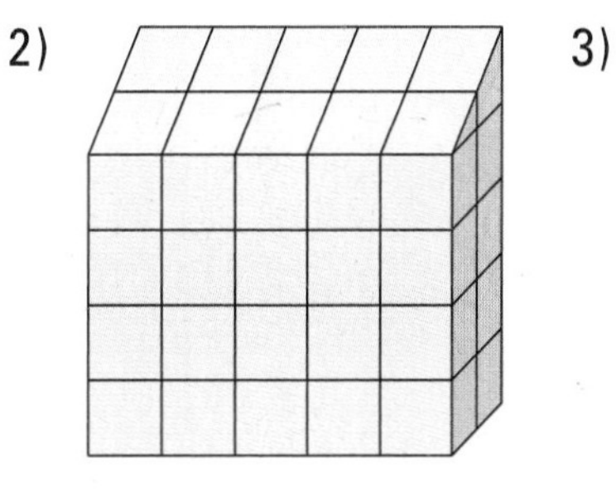

3)

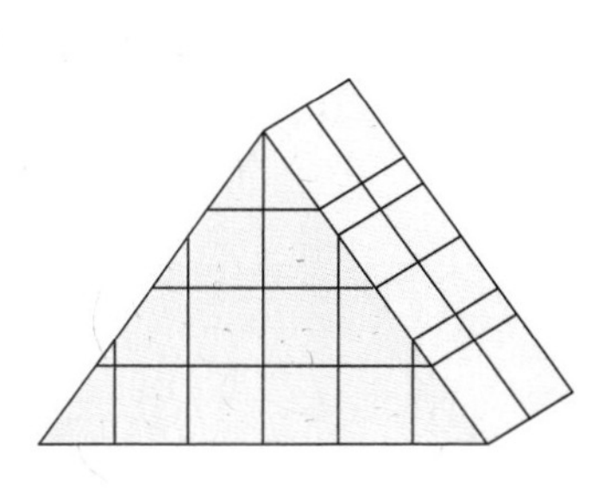

*o)* Est-il possible de construire un prisme droit de 3 étages occupant un espace de 40 cubes-unités ? Si oui, décris ce prisme.

*p)* À l'aide de papier quadrillé, reconstitue les deux prismes rectangulaires droits qui correspondent à ces développements. Quelle propriété importante ces deux prismes possèdent-ils ?

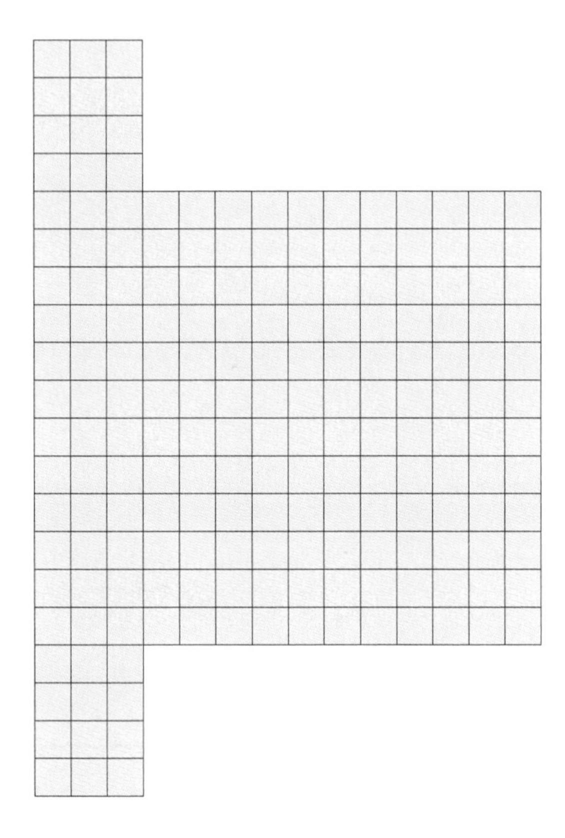

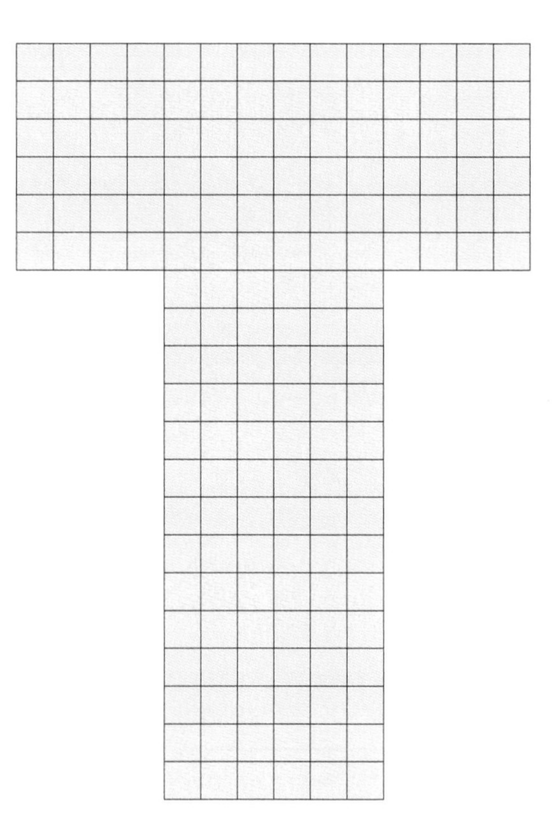

## Activité 4 Des cubes universels

On peut se servir de la plupart des solides familiers de forme appropriée pour **quantifier un espace** ou **déterminer le volume** d'un autre solide. Cependant, afin d'éviter toute confusion, on convient d'employer des **cubes-unités universellement acceptés.**

*a)* Pourquoi privilégie-t-on les cubes plutôt que toute autre forme pour mesurer le volume de solides ?

Les cubes retenus sont ceux dont les dimensions correspondent aux unités de base du système international d'unités.

L'unité de volume principale est le **mètre cube** ($m^3$). Il correspond à l'espace emprisonné dans un cube dont les arêtes mesurent chacune 1 m de longueur.

***c)*** Nomme des appareils ménagers qui ont un volume approximatif de 1 $m^3$.

Une autre unité de volume couramment utilisée est le **décimètre cube** ($dm^3$). Il correspond à un cube dont les arêtes mesurent chacune 1 dm de longueur.

***d)*** À l'aide de cubes (2 cm x 2 cm x 2 cm) ou encore de carrés de 1 dm de côté, construis un cube de 1 $dm^3$.

***e)*** Combien de cubes de 1 $dm^3$ peut-on placer dans un cube de 1 $m^3$? Combien de fois le décimètre cube est-il plus petit que le mètre cube?

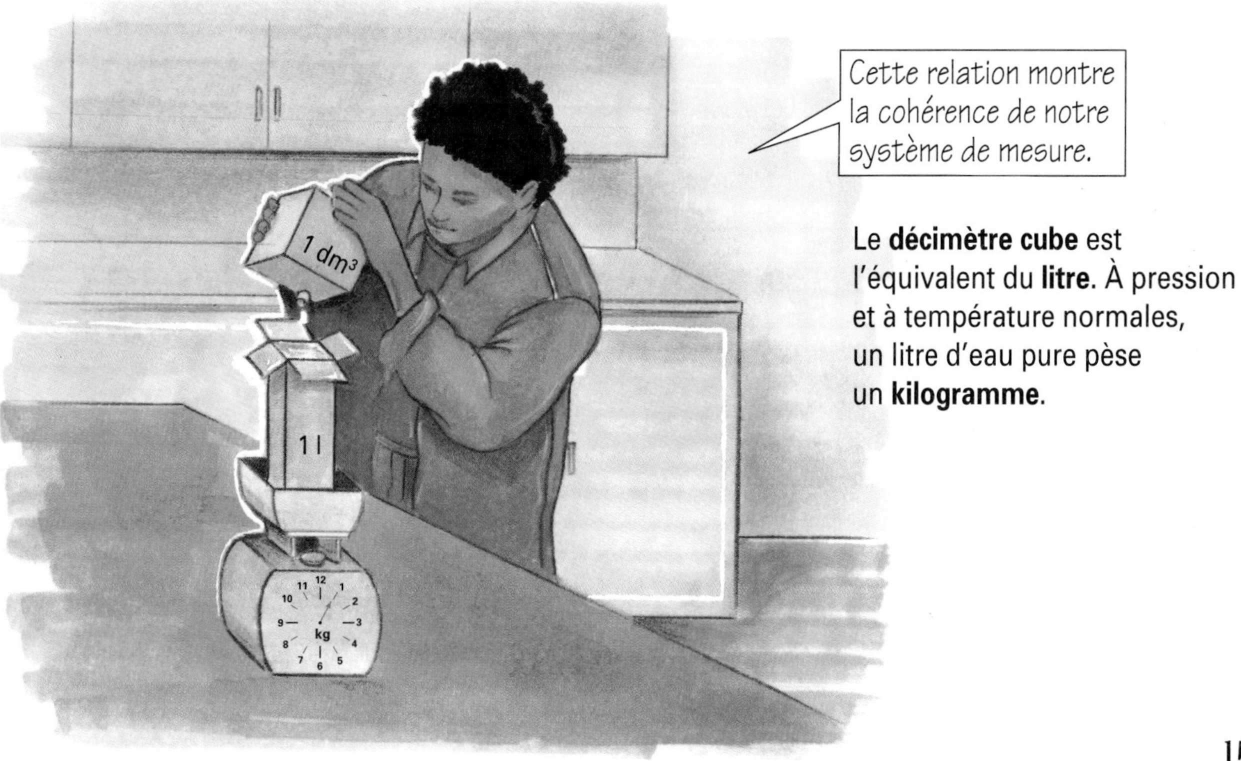


Le **décimètre cube** est l'équivalent du **litre**. À pression et à température normales, un litre d'eau pure pèse un **kilogramme**.

Le **centimètre cube** ($cm^3$) est le volume d'un cube de 1 cm x 1 cm x 1 cm.

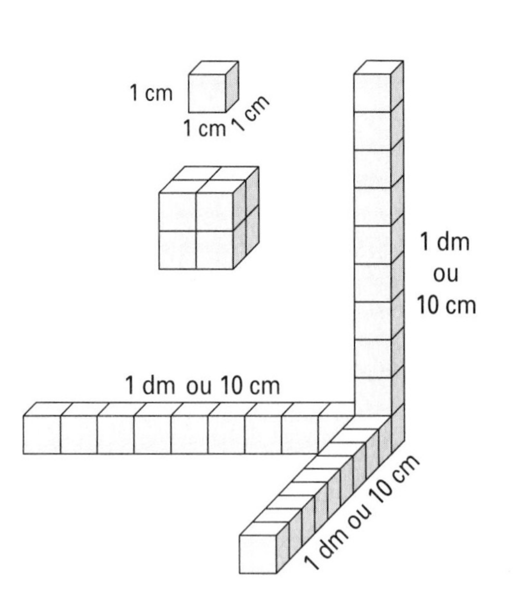


***f)*** Combien de centimètres cubes un cube de 2 cm x 2 cm x 2 cm mesure-t-il?

***g)*** Combien de centimètres cubes y a-t-il dans le décimètre cube?

***h)*** Décris en mots la relation qui permet de transformer une unité de volume en une autre unité de volume :

1) immédiatement plus petite;

2) immédiatement plus grande.

Le **millimètre cube** ($mm^3$) est le volume d'un cube de 1 mm x 1 mm x 1 mm. Il a environ la grosseur d'une tête d'épingle.

***i)*** Combien de millimètres cubes y a-t-il dans 1 $cm^3$? 1 $dm^3$? 1 $m^3$?

UNITÉS DE VOLUME

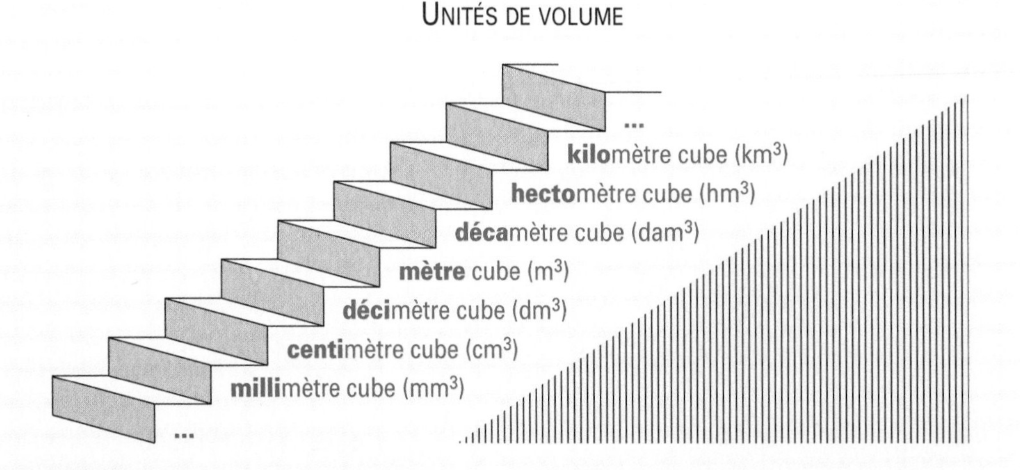


L'unité d'une marche est **1000 fois** plus petite que l'unité de la marche supérieure.

L'unité d'une marche est **1000 fois** plus grande que l'unité de la marche inférieure.

***j)*** Reproduis et complète ce tableau d'équivalence.

1) 1 $km^3$ = ■ $hm^3$ 2) 1 $m^3$ = ■ $dm^3$
3) 1 $hm^3$ = ■ $dam^3$ 4) 1 $dm^3$ = ■ $cm^3$
5) 1 $dam^3$ = ■ $m^3$ 6) 1 $cm^3$ = ■ $mm^3$

*k)* Convertis ces mesures de volume en l'unité indiquée.

1) 85 dm$^3$ = ■ cm$^3$ 2) 4560 cm$^3$ = ■ m$^3$ 3) 45 m$^3$ = ■ cm$^3$

4) 0,65 dam$^3$ = ■ dm$^3$ 5) 3,25 hm$^3$ = ■ m$^3$ 6) 4086 m$^3$ = ■ hm$^3$

*l)* Exprime ces mesures de volume en mètres cubes.

1) 691 200 cm$^3$ 2) 4 hm$^3$

3) 0,76 dam$^3$ 4) 809 dm$^3$

*m)* Exprime ces mesures de volume en centimètres cubes.

1) 2 dm$^3$ 2) 4 570 mm$^3$

3) 32,8 m$^3$ 4) 0,0169 hm$^3$

Les **unités de capacité** sont aussi des unités de volume. On peut donc transformer les unes en les autres.

*n)* Donne les unités de capacité formées à partir du litre.

*o)* Sachant que 1 dm$^3$ = 1 l, trouve la mesure de capacité équivalente.

1) 1 cm$^3$ 2) 1 m$^3$

3) 1 dm$^3$ 4) 1 mm$^3$

*p)* Exprime ces mesures à l'aide d'une unité de volume équivalente.

1) 2,56 l 2) 0,35 cl

3) 2400 ml 4) 0,33 kl

On retiendra que :

1° Le volume d'un solide est la quantité d'espace occupée par ce solide.

2° On quantifie le volume d'un solide en recourant à des cubes-unités dont l'arête est une unité de base du système international d'unités.

km$^3$ hm$^3$ dam$^3$ m$^3$ dm$^3$ cm$^3$ mm$^3$

x 1000 x 1000 x 1000 x 1000 x 1000 x 1000

÷ 1000 ÷ 1000 ÷ 1000 ÷ 1000 ÷ 1000 ÷ 1000

Chaque unité de volume vaut 1000 fois l'unité immédiatement inférieure et un millième de l'unité immédiatement supérieure.

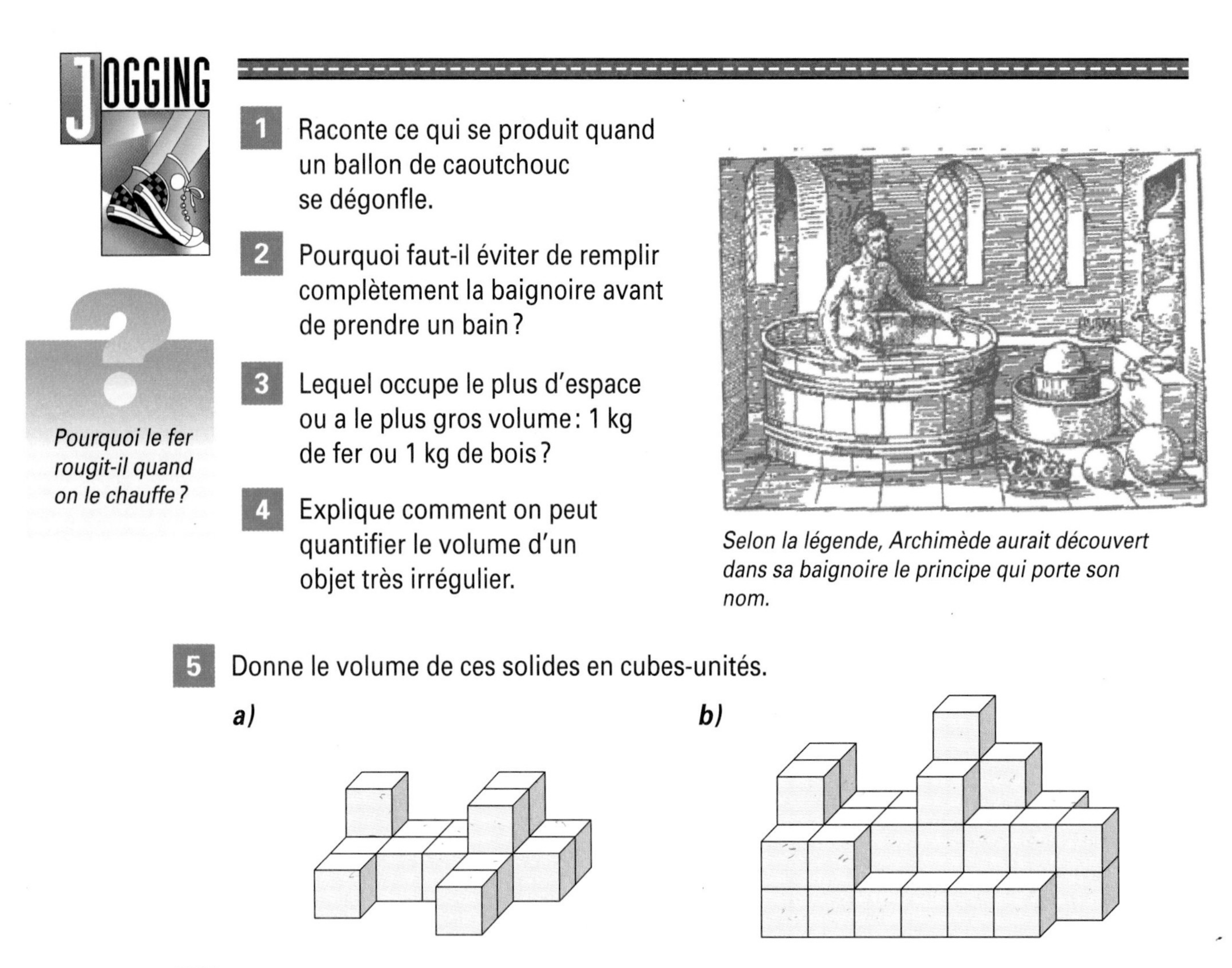


**1** Raconte ce qui se produit quand un ballon de caoutchouc se dégonfle.

**2** Pourquoi faut-il éviter de remplir complètement la baignoire avant de prendre un bain ?

**3** Lequel occupe le plus d'espace ou a le plus gros volume : 1 kg de fer ou 1 kg de bois ?

**4** Explique comment on peut quantifier le volume d'un objet très irrégulier.

*Pourquoi le fer rougit-il quand on le chauffe ?*

*Selon la légende, Archimède aurait découvert dans sa baignoire le principe qui porte son nom.*

**5** Donne le volume de ces solides en cubes-unités.

***a)***

***b)***

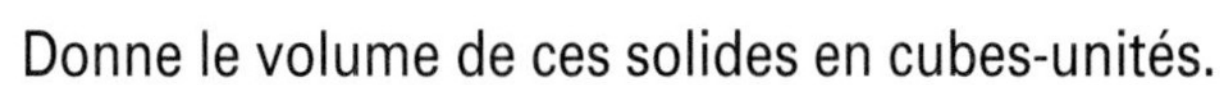

**6** Donne le volume de ces solides en cubes-unités.

***a)***

***b)***

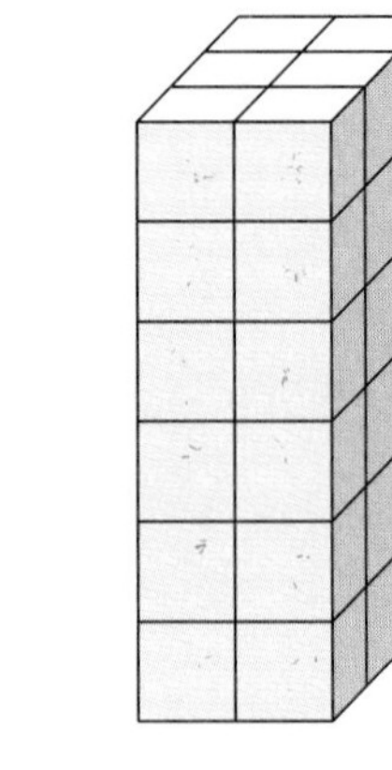

***c)***

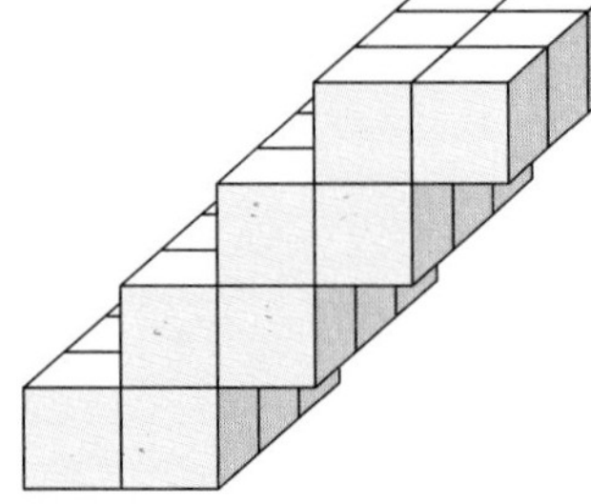

***d)***

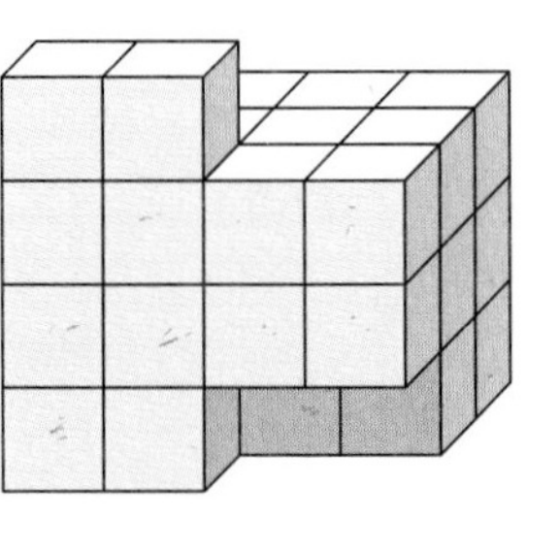

**7** On veut compléter les prismes droits rectangulaires définis par ces squelettes. Combien de cubes-unités chaque prisme contiendra-t-il ?

*a)*

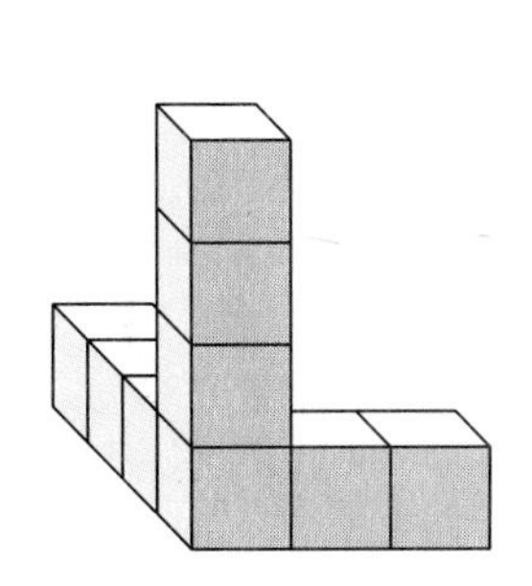

*b)*

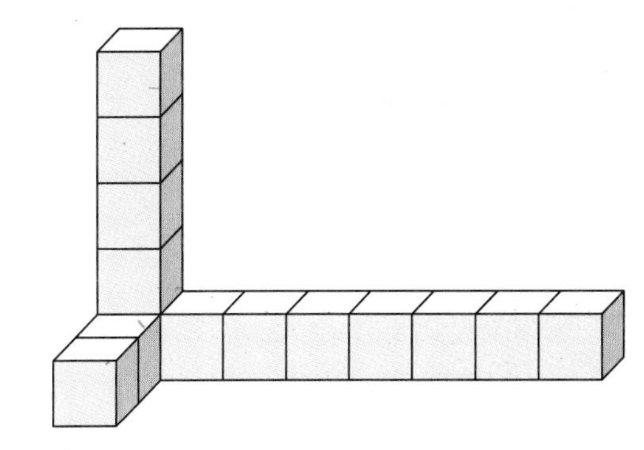

*c)*

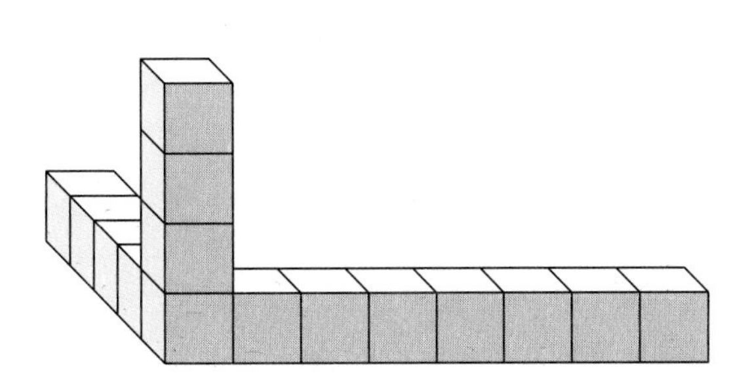

*d)*

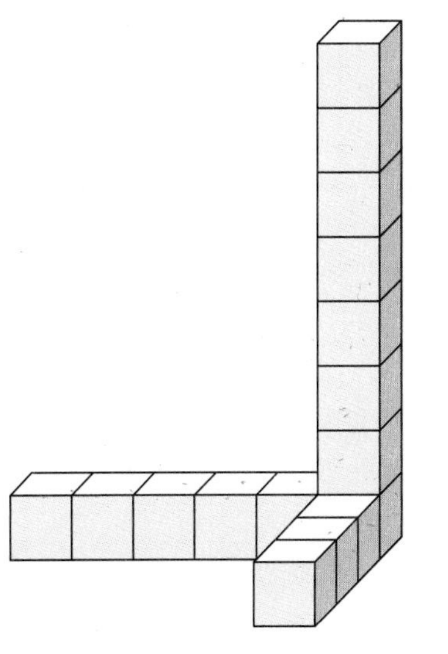

**8** Voici un autre objet fabriqué à l'aide de cubes-unités. Qu'arrive-t-il à son volume si :

*a)* on double le nombre de cubes par étage ?

*b)* on double le nombre d'étages ?

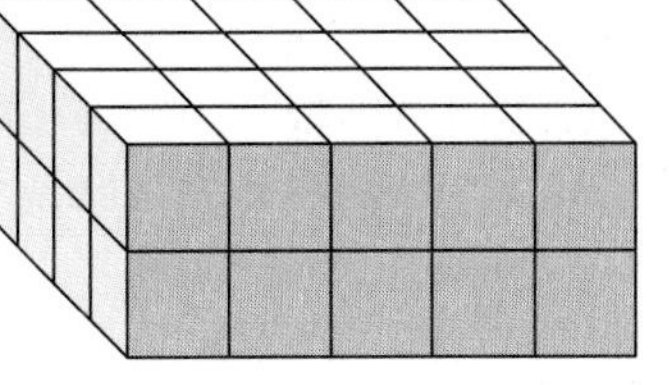

**9** Voici un objet fabriqué à l'aide de cubes-unités. Qu'arrive-t-il à son volume si :

*a)* on double sa hauteur ?

*b)* on double sa hauteur et sa profondeur ?

*c)* on double sa hauteur, sa profondeur et sa largeur ?

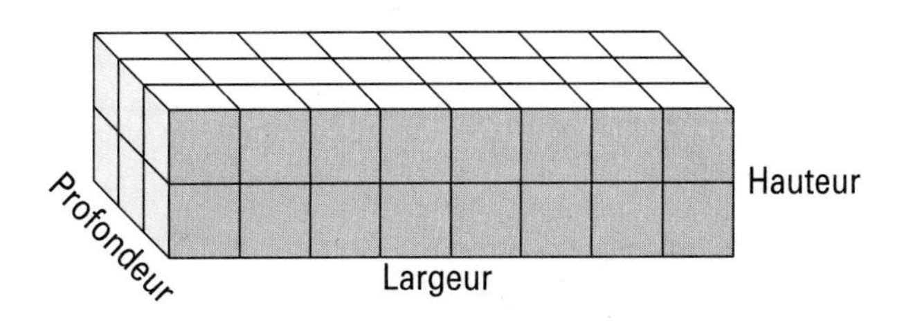

**10** Dans un bahut, on peut mettre 36 boîtes à chaussures. Combien peut-on en loger si :

*a)* on double la hauteur du bahut ?

*b)* on double toutes les dimensions du bahut ?

**11** Un L est construit avec 4 cubes de 1 cm d'arête. Par homothétie dans l'espace, on l'associe à un solide qui double ses dimensions.

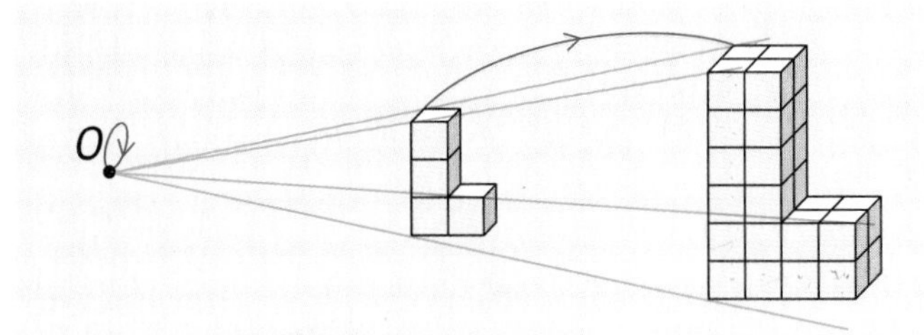


*a)* Quel est le volume de l'image ?

*b)* Quelles sont les aires du solide et de son image ?

**12** Quelle distinction y a-t-il entre les unités de longueur, les unités d'aire et les unités de volume de notre système de mesure ?

**13** Donne la somme des mesures des arêtes, la somme des aires des faces et le volume de chacun de ces prismes droits. L'unité de construction est un cube de 1 cm$^3$.

*a)*

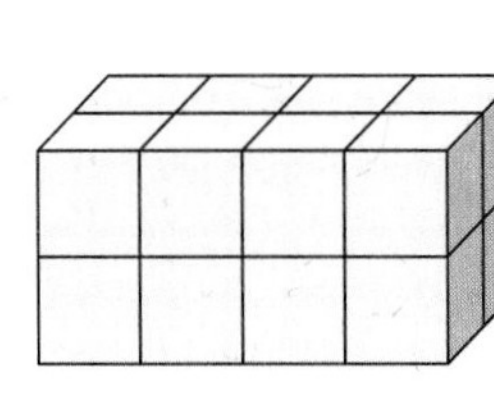

*b)*

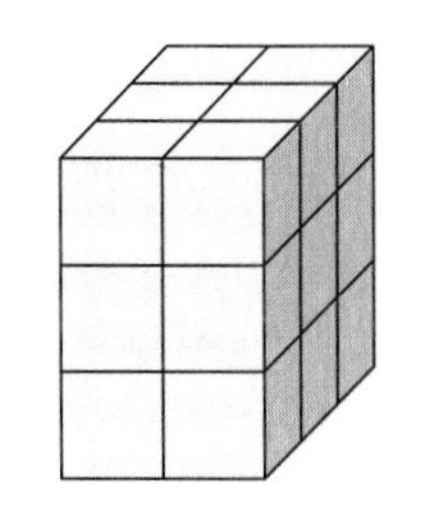

*c)*

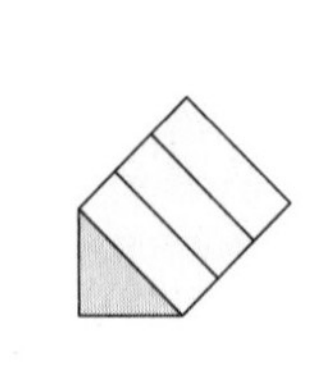

**14** Quel est le volume de chacun des solides suivants si on a utilisé des cubes de 1 cm$^3$ ?

*a)*

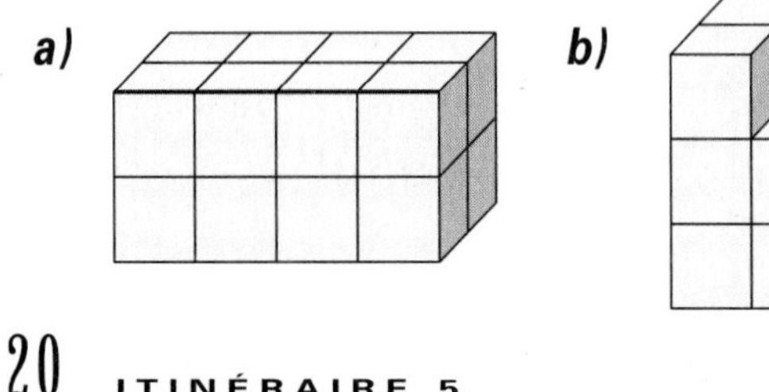

*b)*

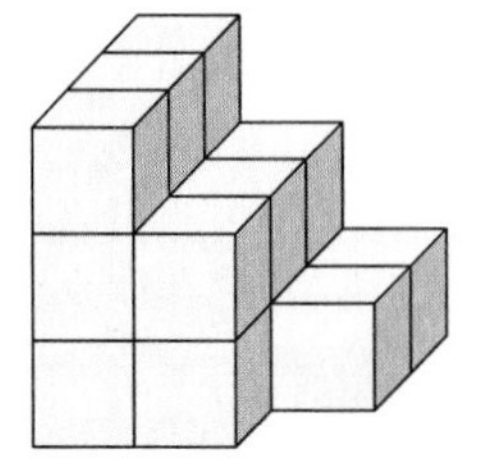

*c)*

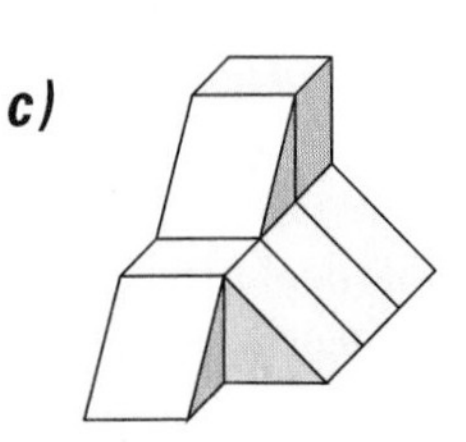

**15** Combien de briques de beurre de 4,7 cm x 4,7 cm x 8,4 cm la caisse ci-contre peut-elle contenir si ses parois ont 1 cm d'épaisseur?

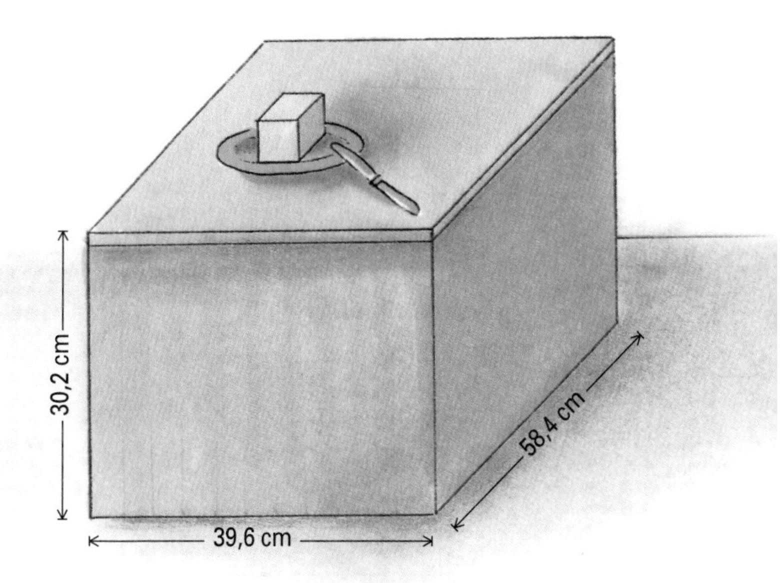


**16** La benne d'un camion contient 8 boîtes de papier sur la largeur, 18 boîtes sur la longueur et 6 boîtes sur la hauteur.

*a)* Combien de ces boîtes la benne du camion contient-elle?

*b)* Chaque boîte de papier contient à son tour 3 étages de 48 blocs-notes par étage. Combien de blocs-notes y a-t-il dans ce camion?

**17** Une municipalité estime que chaque citoyen ou citoyenne produit 2 kg de déchets par jour, soit à peu près l'équivalent d'un cube de 3 dm d'arête. Cette municipalité compte 5000 personnes. Peut-on entreposer dans la classe les déchets d'une journée de cette municipalité?

**18** Quelles sont les unités de volume les plus utilisées dans la vie de tous les jours?

**19** Quel est le volume d'une cervelle de colibri?

*Quelle unité utilise-t-on pour parler du volume d'une cellule?*

*Les plus petits nids sont construits par les colibris. Certains nids ne sont pas plus grands que la moitié d'un œuf de poule.*

**20** Quelle unité utilise-t-on généralement pour exprimer le volume ou la capacité :

*a)* d'un contenant de crème?

*b)* d'une piscine creusée?

*c)* d'un tronc d'arbre?

*d)* d'un chargement de gravier?

**21** On a placé 48 boîtes de céréales sur une étagère d'un supermarché. Chaque boîte a un volume de 121,8 cm³. Quelle quantité d'espace est occupée par ces boîtes sur l'étagère?

**22** Une compagnie de recyclage fournit un conteneur à l'école du secteur pour recueillir le papier journal. Le conteneur a un volume de 54 m³. Sa longueur est de 6 m. Donne quelques mesures possibles pour sa largeur et sa hauteur.

**23** Un transporteur a une charge de 18 palettes. Chaque palette contient 24 boîtes. Chaque boîte a un volume de 0,8 m³. Quel est le volume de la charge de ce transporteur ?

**24** Voici les ingrédients d'une recette de gâteau blanc. Indique les quantités qui conviennent. On te donne une marge d'erreur. Si ta proposition est à l'intérieur de cette marge, accorde-toi un point. Un score de 5 et plus est excellent.

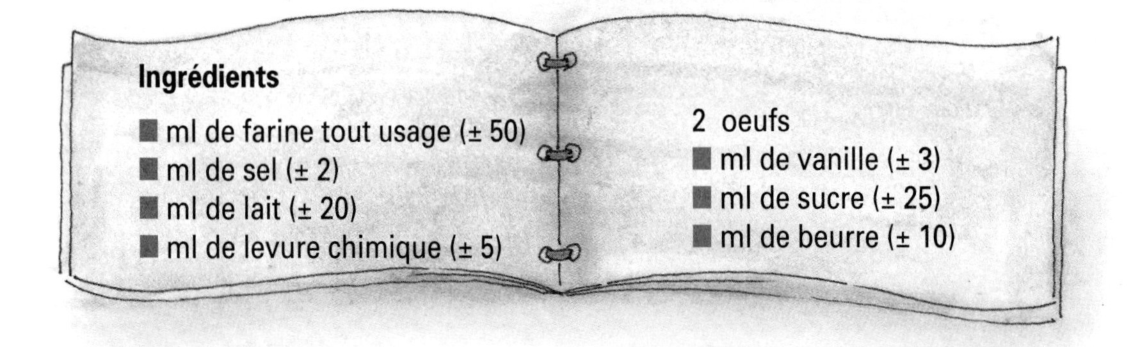


**25** Donne approximativement le volume de ces objets familiers en utilisant l'unité la plus appropriée.

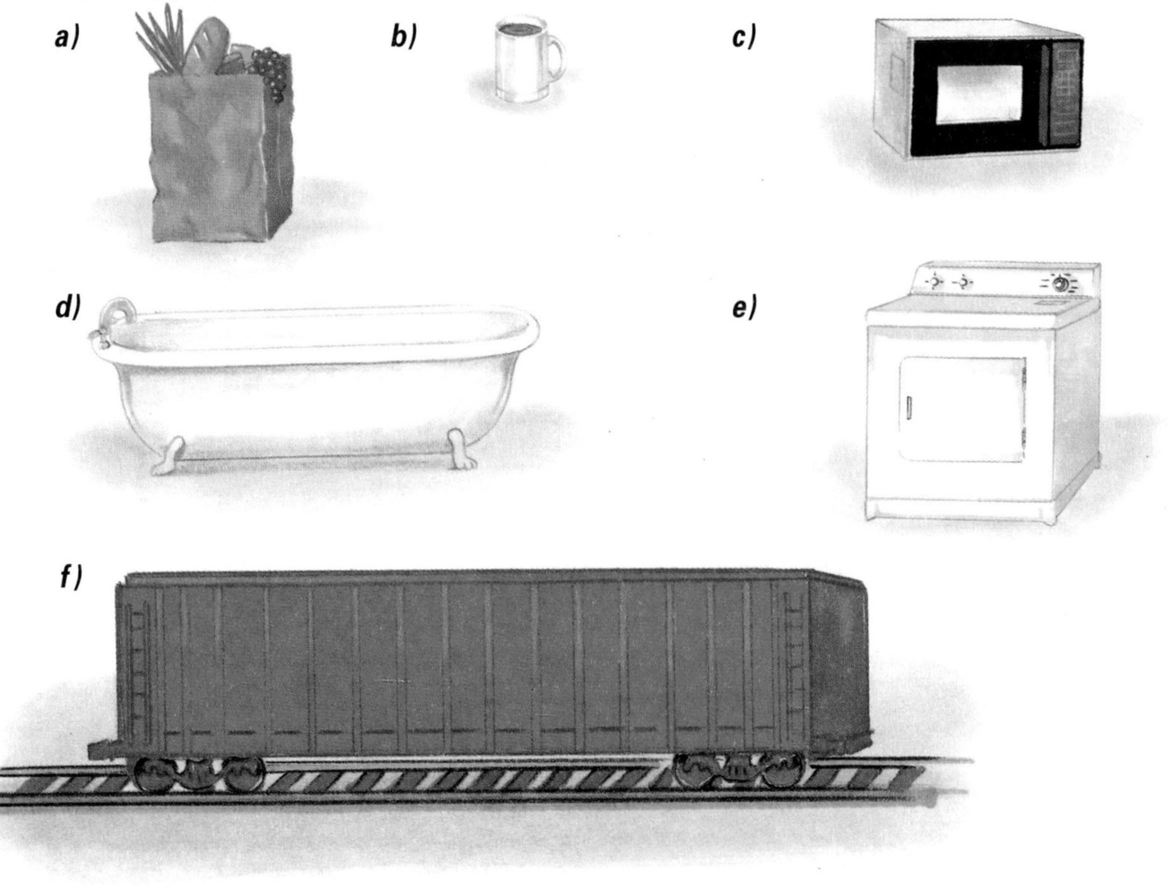

**26** Laquelle des trois mesures données correspond approximativement au volume ou à la capacité de :

| | | | |
|---|---|---|---|
| ***a)*** une salle de classe ? | A) 6 500 $m^3$ | B) 2 400 hl | C) 250 000 $cm^3$ |
| ***b)*** un réfrigérateur ? | A) 0,8 $m^3$ | B) 50 l | C) 7 500 $cm^3$ |
| ***c)*** une bouteille de correcteur liquide ? | A) 180 $mm^3$ | B) 0,18 l | C) 18 $cm^3$ |
| ***d)*** un pot de confitures ? | A) 0,5 l | B) 75 $cm^3$ | C) 350 $mm^3$ |

**27** On a fabriqué ces objets à l'aide de cubes de 2 cm d'arête. Quel est le volume de chacun d'eux ?

***a)***

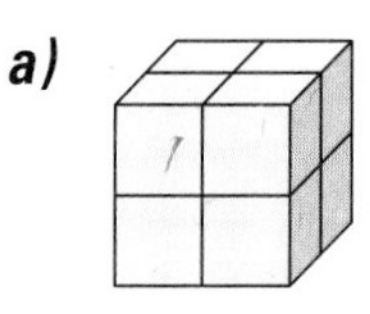

***b)***

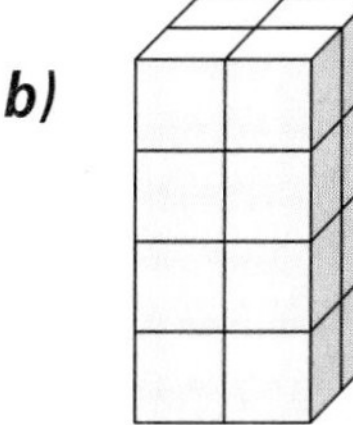

**28** On a fabriqué ces objets à l'aide de cubes de 1 dm d'arête. Quel est le volume en centimètres cubes de chacun d'eux ?

***a)***

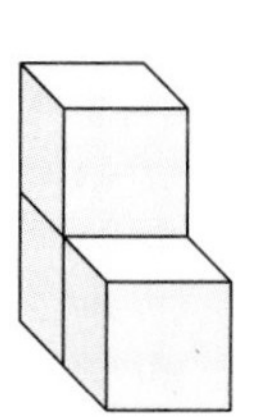

***b)***

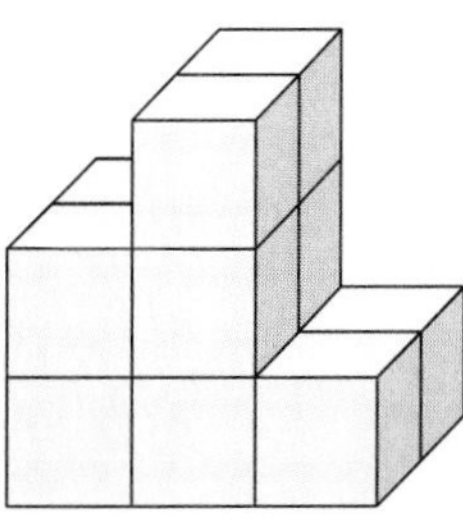

**29** Un congélateur a une capacité de 0,8 $m^3$. Combien de contenants de crème glacée d'une capacité de 1 l peut-on y ranger au maximum si chaque contenant a la forme d'un prisme rectangulaire ?

**30** Une géologue estime qu'un certain glacier a un volume de 2,5 $km^3$. En idéalisant la situation, combien de blocs de glace de 1 $m^3$ pourrait-on y découper ?

*La couche de glace qui recouvre le pôle Sud a une épaisseur de 4 km !*

*Oiseau des régions antarctiques, le manchot empereur vit sur la banquise. Il est incapable de voler, mais il peut plonger à plus de 265 m de profondeur !*

**31** Voici des tables de valeurs montrant des relations entre différentes unités de volume. Donne la règle décrivant chaque relation.

*a)*

| Mesure (en $cm^3$) | 0 | 50 | 100 | 150 | 400 | 800 | 1200 | ... | $n$ |
|---|---|---|---|---|---|---|---|---|---|
| Mesure (en $dm^3$) | ■ | ■ | ■ | ■ | ■ | ■ | ■ | ... | ■ |

*b)*

| Mesure (en $cm^3$) | 0 | 50 | 100 | 150 | 400 | 800 | 1200 | ... | $n$ |
|---|---|---|---|---|---|---|---|---|---|
| Mesure (en $mm^3$) | ■ | ■ | ■ | ■ | ■ | ■ | ■ | ... | ■ |

?

*Combien de fois le volume du corps d'un nouveau-né est-il plus petit que celui d'un adulte ?*

**32** D'après les tables de valeurs précédentes, les relations de transformation des unités de volume sont-elles des relations de variation directe ? Explique ta réponse.

**33** Exprime chaque mesure en utilisant l'unité indiquée.

*a)* 34 $cm^3$ = ■ $mm^3$ *b)* 5,4 $dam^3$ = ■ $m^3$ *c)* 84,2 $dm^3$ = ■ $mm^3$

*d)* 4580 $mm^3$ = ■ $m^3$ *e)* 0,045 $km^3$ = ■ $m^3$ *f)* 0,62 $hm^3$ = ■ $m^3$

*g)* 6,04 $dm^3$ = ■ $dam^3$ *h)* ■ $cm^3$ = 480 $mm^3$ *i)* ■ $dam^3$ = 48 085 $cm^3$

**34** Exprime chaque mesure en utilisant l'unité donnée.

*a)* 84 l = ■ dl *b)* 504 cl = ■ ml *c)* 0,2 kl = ■ dl

*d)* 4580 l = ■ kl *e)* 0,045 hl = ■ dl *f)* 0,62 dl = ■ ml

*g)* 6,04 hl = ■ dl *h)* ■ ml = 480 cl *i)* ■ ml = 0,008 l

**35** Dans chaque cas, trouve l'unité qui convient.

*a)* 27 $m^3$ = 0,027 ■ *b)* 2,45 $cm^3$ = 2450 ■ *c)* 0,025 l = 25 ■

**36** Calcule le résultat.

*a)* 21 $m^3$ + 3,51 $dm^3$ + 48 $cm^3$ = ■ $cm^3$

*b)* 32 $cm^3$ – 8475 $mm^3$ = ■ $mm^3$

*c)* 7,29 $m^3$ + 625 $dm^3$ – 2,475 $m^3$ + 24,5 $cm^3$ = ■ $dm^3$

*d)* 6,5 hl + 25 dl – 3,75 l + 48,5 ml = ■ l

*e)* 450 $cm^3$ + 56 $dm^3$ – 2310 cl = ■ cl

**37** Place par ordre croissant les mesures suivantes.

27 $cm^3$ 25 250 $mm^3$ 750 ml 0,000 729 $m^3$ 0,343 l

**38** Place par ordre décroissant les mesures suivantes.

64 $dm^3$ 0,054 $m^3$ 75 l 0,000 058 $dam^3$ 4 250 cl

**39** Dans chaque cas, trouve l'intrus.

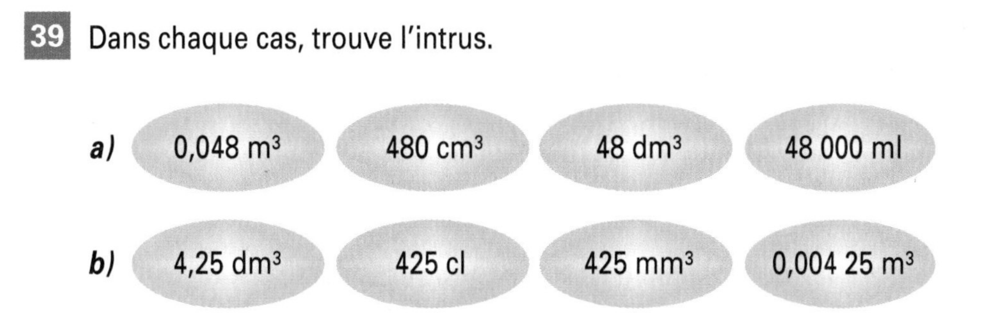

*a)* 0,048 m³ | 480 cm³ | 48 dm³ | 48 000 ml

*b)* 4,25 dm³ | 425 cl | 425 mm³ | 0,004 25 m³

**40** À l'aide d'un tuyau flexible à débit constant, on remplit ces divers récipients. On considère la relation entre le temps qui passe et la hauteur de la colonne de liquide dans le récipient. Associe chaque récipient au graphique correspondant.

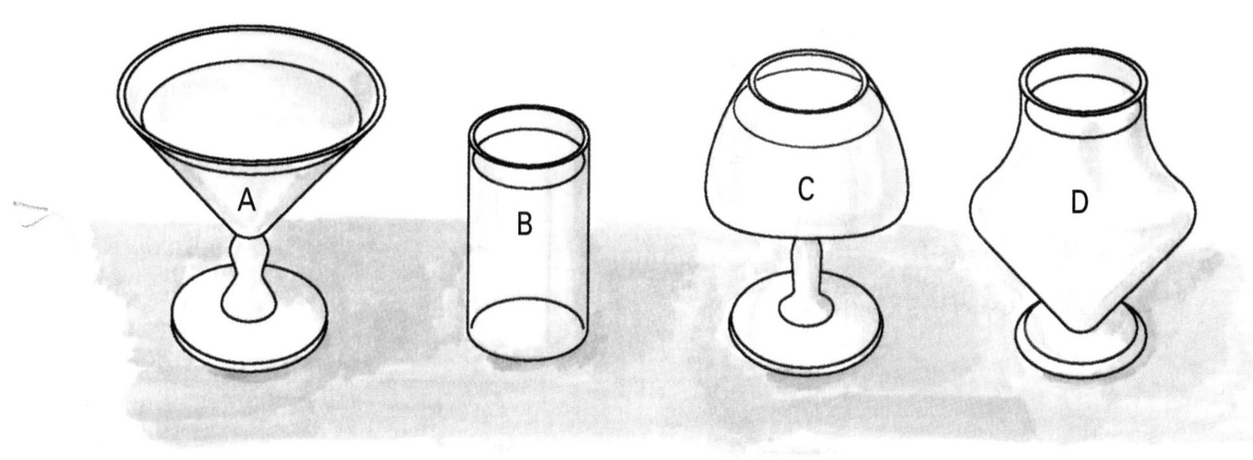


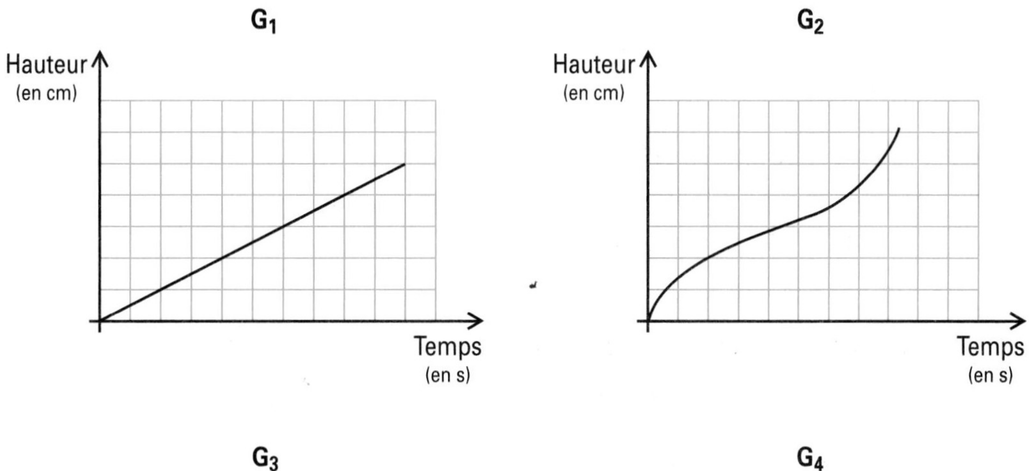

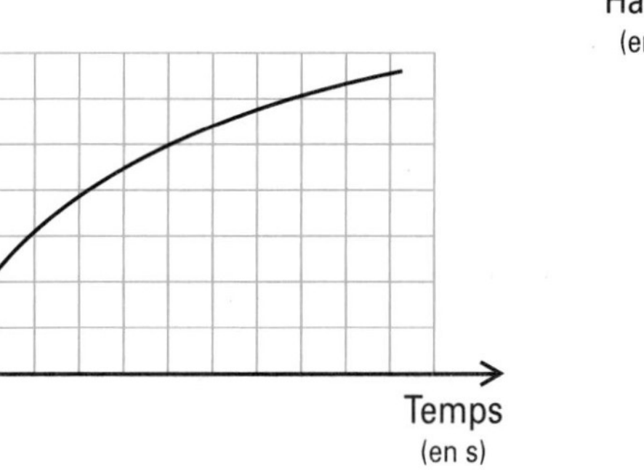


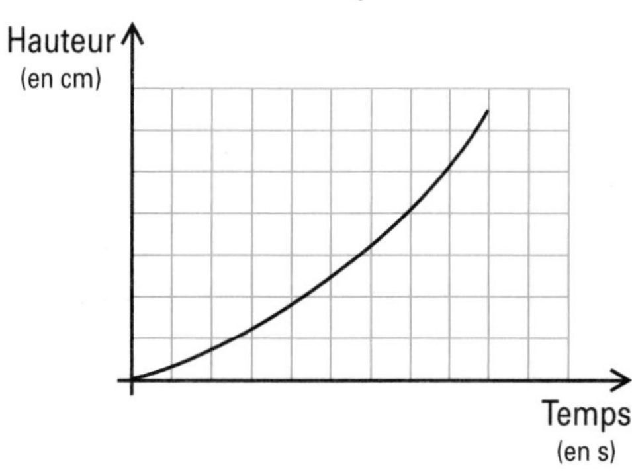

**41** On verse de l'eau dans un récipient. Pendant le remplissage, le débit de l'eau est constant et la hauteur varie comme l'indique le graphique ci-contre. Esquisse la forme de ce récipient.

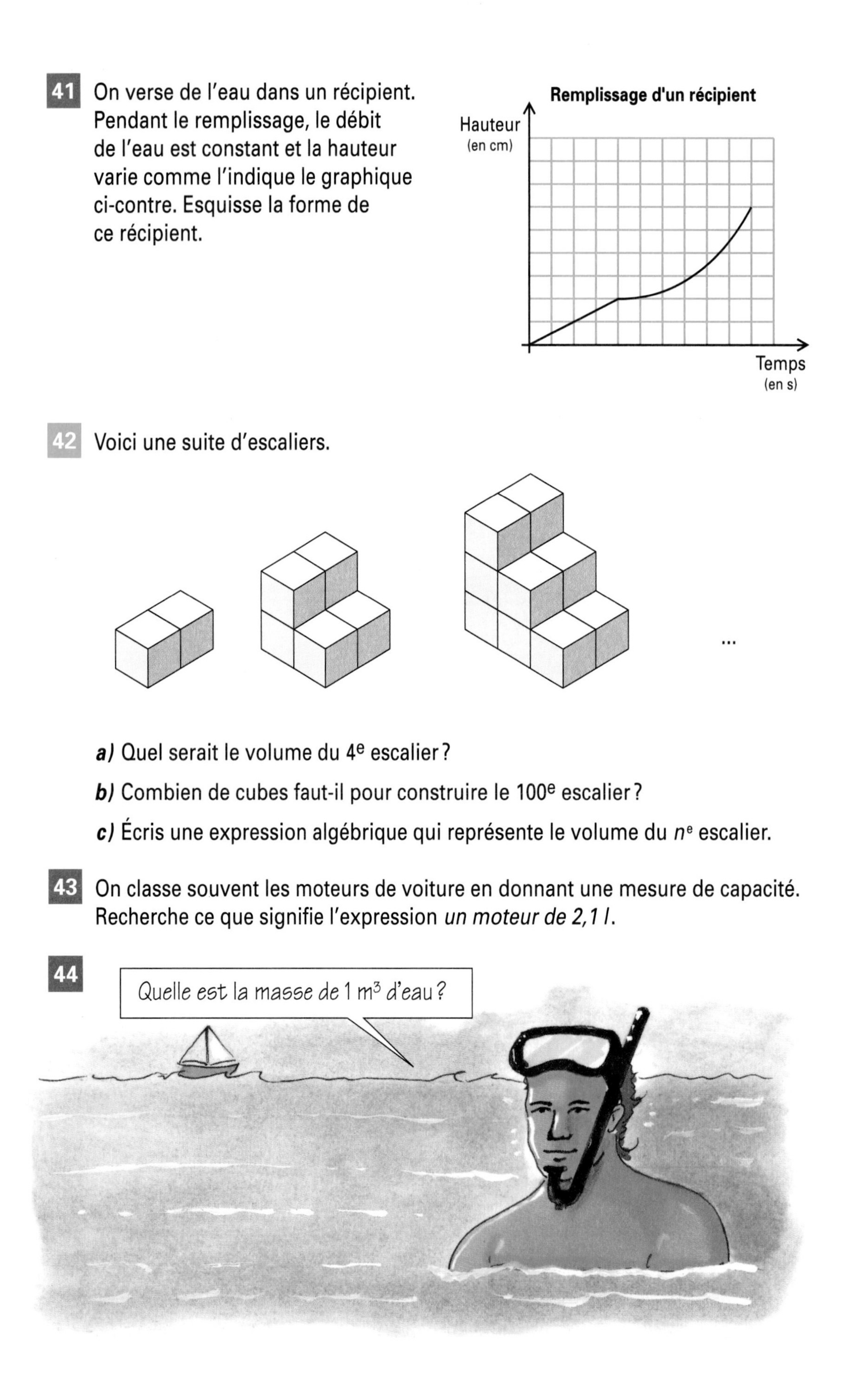


**42** Voici une suite d'escaliers.

***a)*** Quel serait le volume du 4$^e$ escalier ?

***b)*** Combien de cubes faut-il pour construire le 100$^e$ escalier ?

***c)*** Écris une expression algébrique qui représente le volume du $n^e$ escalier.

**43** On classe souvent les moteurs de voiture en donnant une mesure de capacité. Recherche ce que signifie l'expression *un moteur de 2,1 l*.

**44**

1. Dans chaque cas, le résultat est-il plus petit ou plus grand que le premier nombre formant l'expression ?

   *a)* 98 x 0,72   *b)* 120 ÷ 0,8   *c)* 225 x 1,2   *d)* 184 ÷ 1,02

2. Dans chaque cas, le résultat est-il plus petit ou plus grand que le second nombre formant l'expression ?

   *a)* 80 % de 130.   *b)* 120 % de 36.   *c)* $\frac{3}{4}$ de 30.   *d)* $\frac{5}{4}$ de $\frac{2}{3}$.

3. Calcule mentalement ($\pi \approx 3,14$).

   *a)* 3 ÷ 0,6   *b)* 12 x 0,75   *c)* 2 ÷ 0,04   *d)* 0,75 x 0,75

   *e)* 0,4 x 2,3   *f)* $2\pi$   *g)* $10\pi$   *h)* $\pi \div 2$

4. Calcule mentalement la puissance.

   *a)* $0,1^2$   *b)* $0,5^2$   *c)* $0,01^2$   *d)* $0,9^2$

5. Vrai ou faux ?

   *a)* 5,3 – 2,42 = 2,95   *b)* 4 + 0,3 = 0,43   *c)* 4,7 – 0,23 = 4,04

   *d)* 6 x 0,4 = 0,24   *e)* 42 ÷ 0,6 = 0,7   *f)* 3 ÷ 0,6 = 0,2

6. Dans chaque cas, estime le quotient.

   *a)* 6,23 ÷ 8,95   *b)* 12,5 ÷ 23,95   *c)* 3,06 ÷ 4,15   *d)* 0,32 ÷ 0,03

7. Estime la valeur de chaque expression.

   *a)* $2\pi(4)^2$   *b)* $2\pi(12)$   *c)* $\pi 9^2$   *d)* $\pi 12^2$   *e)* $\pi 9^3$

8. Dans chaque cas, estime la réponse.

   *a)* Une voiture consomme 9,6 l d'essence aux 100 km. L'essence se vend 0,595 $ le litre. Quel sera le coût de la consommation d'essence pour parcourir 880 km ?

   *b)* On veut recouvrir de bitume une piste circulaire de 190 m de rayon sur 1 m de largeur. On estime le coût des travaux à 250 $ le mètre carré. À combien la dépense s'élèvera-t-elle ?

# VOLUME DES PRISMES

## À LA RECHERCHE D'UNE FORMULE DE BASE

### Activité 1 Volume de prismes

Allons plus loin dans la recherche d'une façon de calculer le volume des prismes. La démarche qui suit est au coeur de cette recherche.

***a)*** Dans chaque cas, justifie ta réponse. Dans un prisme, existe-t-il un lien entre :

1) le nombre de cubes par étage et l'aire de la base ?

2) le nombre d'étages et la hauteur ?

***b)*** Si oui, quelle formule peut-on proposer pour calculer le volume de prismes ?

***c)*** Cette formule est-elle valable dans les cas où le nombre d'étages n'est pas un entier ? Donne un exemple.

Un prisme peut être vu comme un empilage de feuilles congrues. La grandeur de la feuille correspond à l'aire de la base du prisme. De plus, le nombre de feuilles détermine la hauteur du prisme.

***d)*** Si l'on diminue l'épaisseur des feuilles, que faut-il faire pour conserver la même hauteur ?

On peut imaginer un empilage d'un grand nombre de surfaces très minces formant un prisme d'une certaine hauteur. Cette idée confirme la formule servant à calculer le volume d'un prisme :

**Volume d'un prisme = aire de la base • hauteur**

$$V_{(\text{prisme})} = A_b \cdot h$$

***e)*** Détermine le volume des prismes suivants. Les dimensions sont données en centimètres.

1) Prisme rectangulaire.

2) Prisme dont la base est un triangle rectangle.

3) Prisme dont la base est un parallélogramme.

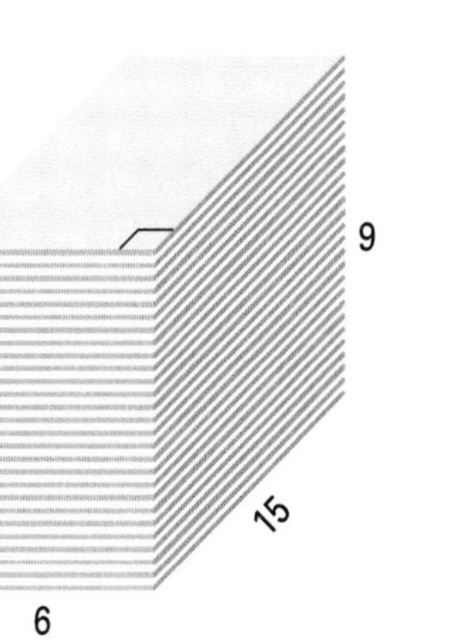


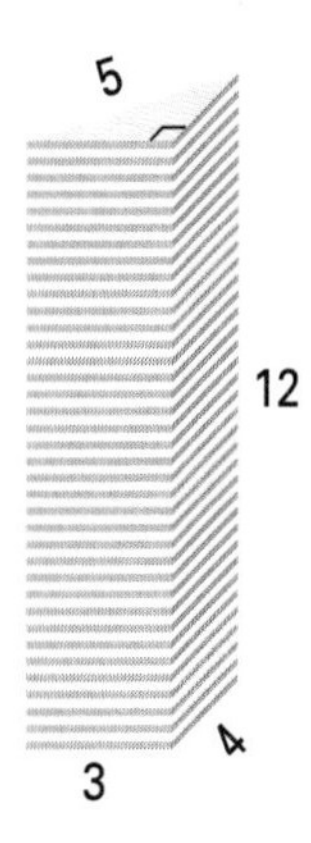


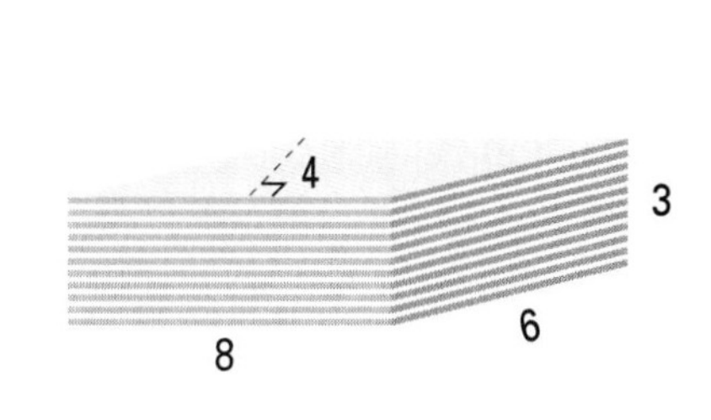


4) Prisme dont la base est un trapèze.

5) Prisme dont la base est un losange.

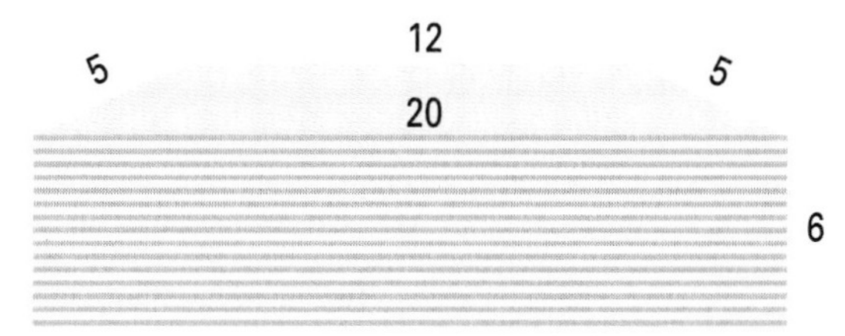


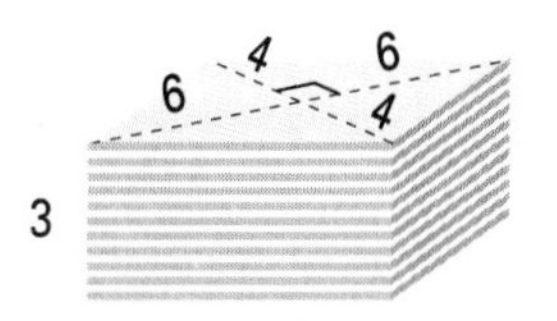

***f)*** On a déformé une pile de feuilles formant un prisme en frappant sur l'un de ses côtés. On a ainsi obtenu le second solide.

1) Ces deux solides ont-ils la même hauteur?

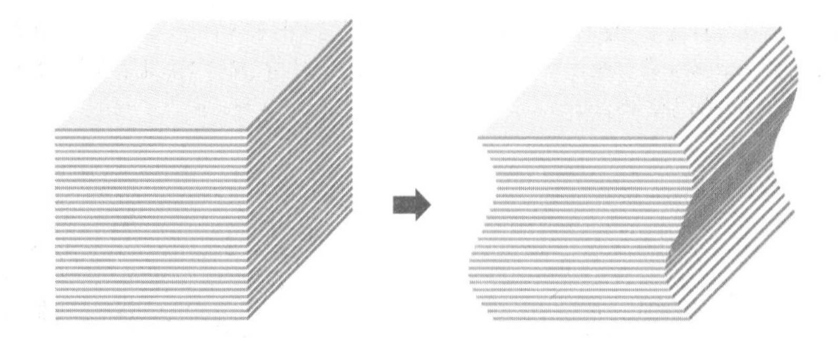

2) Les feuilles (ou portions de plan) qui se correspondent d'un solide à l'autre ont-elles la même aire?

3) Ces deux solides ont-ils le même volume?

Le mathématicien Cavalieri s'est fait connaître en énonçant, entre autres, le principe suivant :

Deux solides de même hauteur ont le même volume si toutes les sections déterminées par des plans parallèles à la base ont la même aire.

*Bonaventura Cavalieri (1598-1647) s'intéressa à la composition des solides qu'il considérait comme des empilages de papier très fin.*

***g)*** Cela signifie-t-il qu'une pile conserve le même volume quelle que soit la forme qu'on lui donne?

***h)*** Calcule le volume des solides suivants. Les mesures sont données en centimètres.

1) Prisme déformé à base rectangulaire.

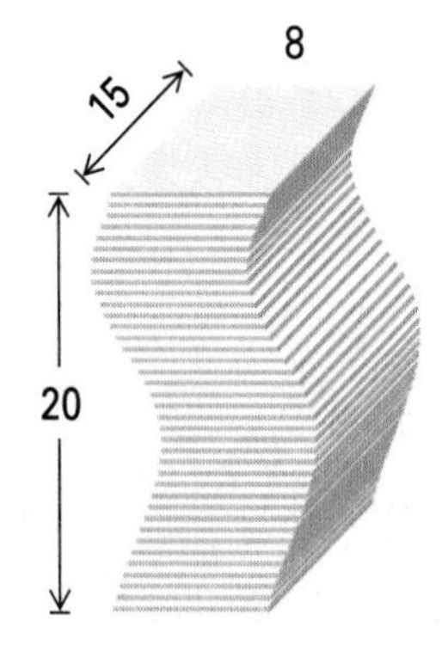


2) Prisme oblique à base rectangulaire.

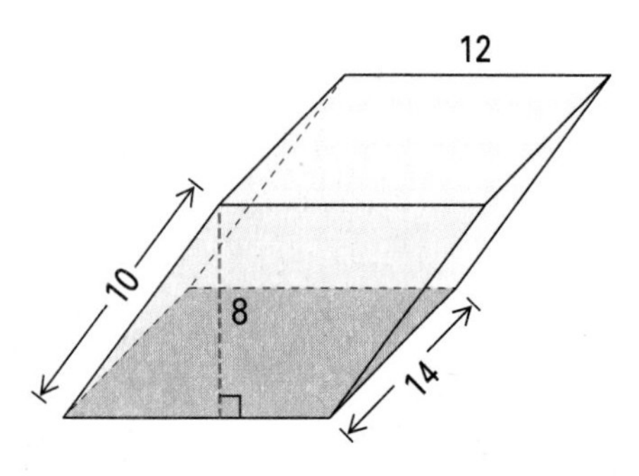

Tout prisme à base quelconque peut également être considéré comme un empilage de feuilles très minces ou de portions de plan congrues.

***i)*** Calcule le volume de ces prismes, sachant que les bases sont des polygones réguliers.

1) Prisme à base hexagonale régulière de 8 cm de côté, de 6,9 cm d'apothème et de 10 cm de hauteur.

2) Prisme à base octogonale régulière de 6 cm de côté, de 7,24 cm d'apothème et de 8 cm de hauteur.

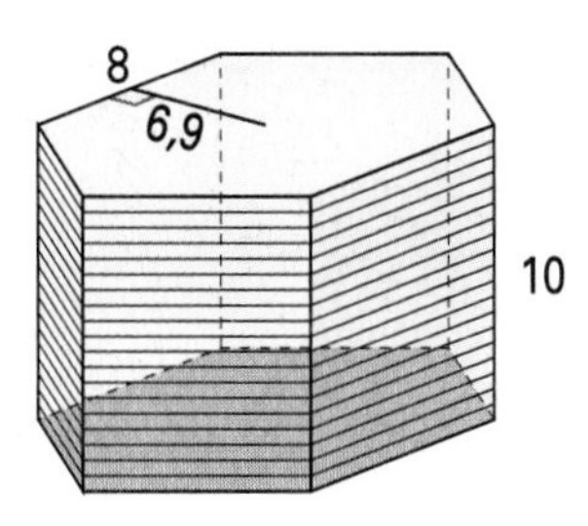


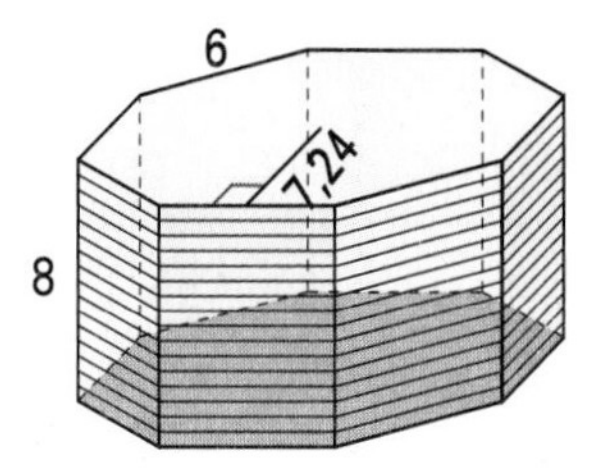


***j)*** Vers quel solide tend une suite de prismes à base régulière lorsqu'on augmente le nombre de côtés des bases?

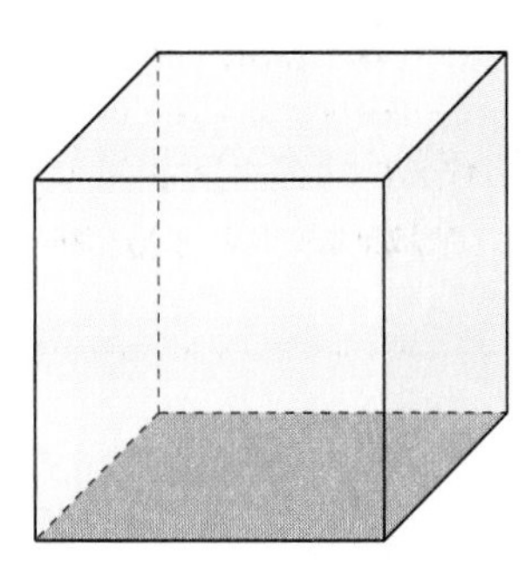

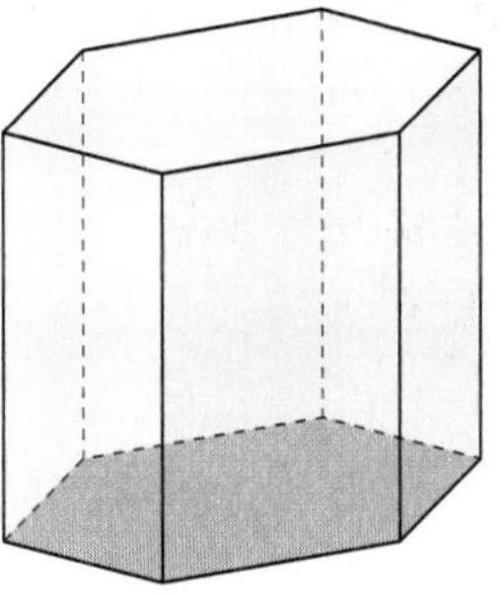

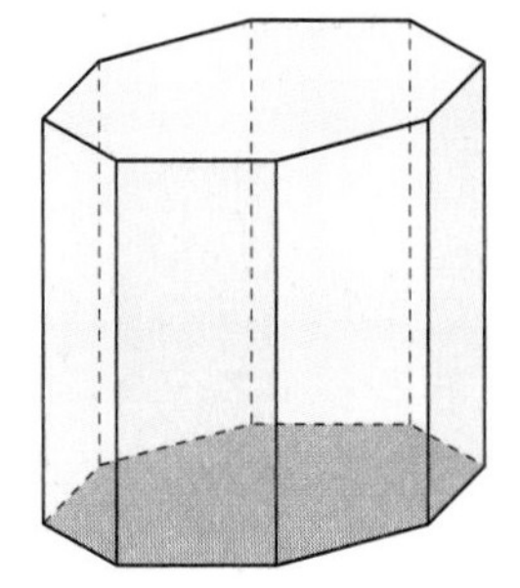

...

***k)*** À ton avis, la formule $V = A_b \cdot h$ est-elle valable pour calculer le volume d'un cylindre? Justifie ta réponse.

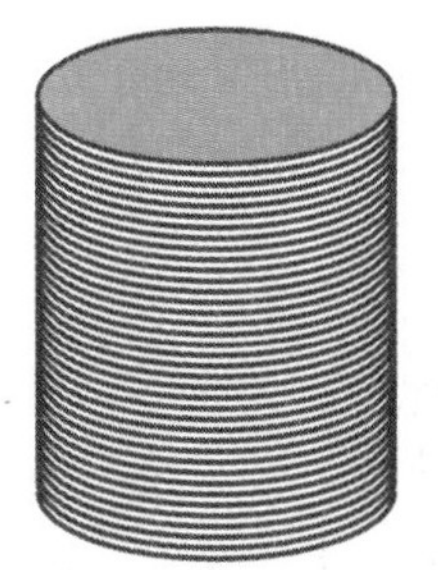

***l)*** Quel est le volume des cylindres ci-dessous?

1) Cylindre de 12 cm de hauteur et de 7 cm de diamètre.

2) Cylindre de 11 cm de hauteur et de 3 cm de diamètre.

*m)* Les pyramides, les cônes et les boules peuvent-ils être considérés comme des empilages de portions de plan congrues ?

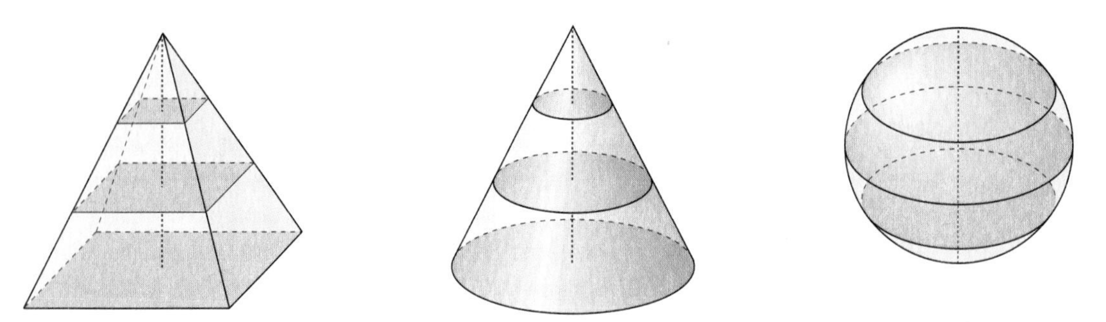

Il nous faudra donc trouver une autre façon de calculer le volume de ces solides.

En résumé :

Tout solide pouvant être considéré comme un empilage de portions de plan congrues a un volume que l'on peut calculer à l'aide de la formule suivante :

$$V = A_b \cdot h$$

QU'EN PENSEZ-VOUS ?

*n)* Au moyen d'un carton carré de 20 cm de côté, on veut fabriquer une boîte sans couvercle ayant le plus grand volume possible. Pour fabriquer la boîte, on enlève un même carré aux 4 coins, puis on plie et on colle les côtés. Construisez une table de valeurs et un graphique montrant la relation entre la mesure du côté des petits carrés et le volume de la boîte formée. À l'aide de cette table et de ce graphique, trouvez les dimensions de la boîte qui a le plus grand volume.

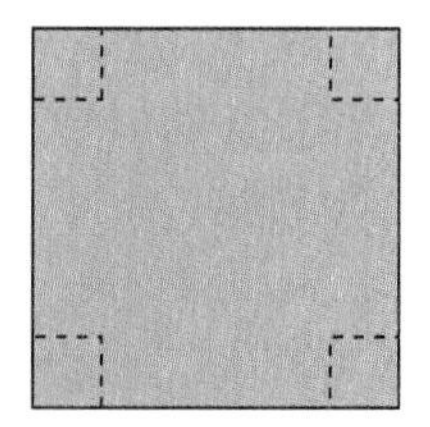

*o)* Considérons une feuille de papier rectangulaire. Il existe deux façons de rouler la feuille afin de former un cylindre. Ces deux cylindres ont-ils le même volume ? Vérifiez votre réponse.

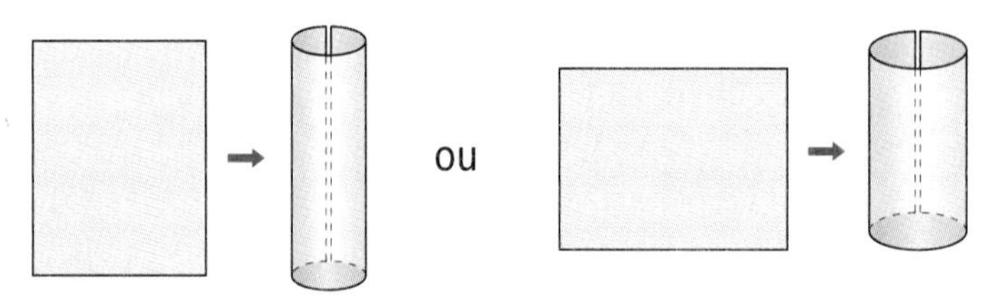


*p)* Expliquez ce dernier fait à partir de la formule du volume du cylindre.

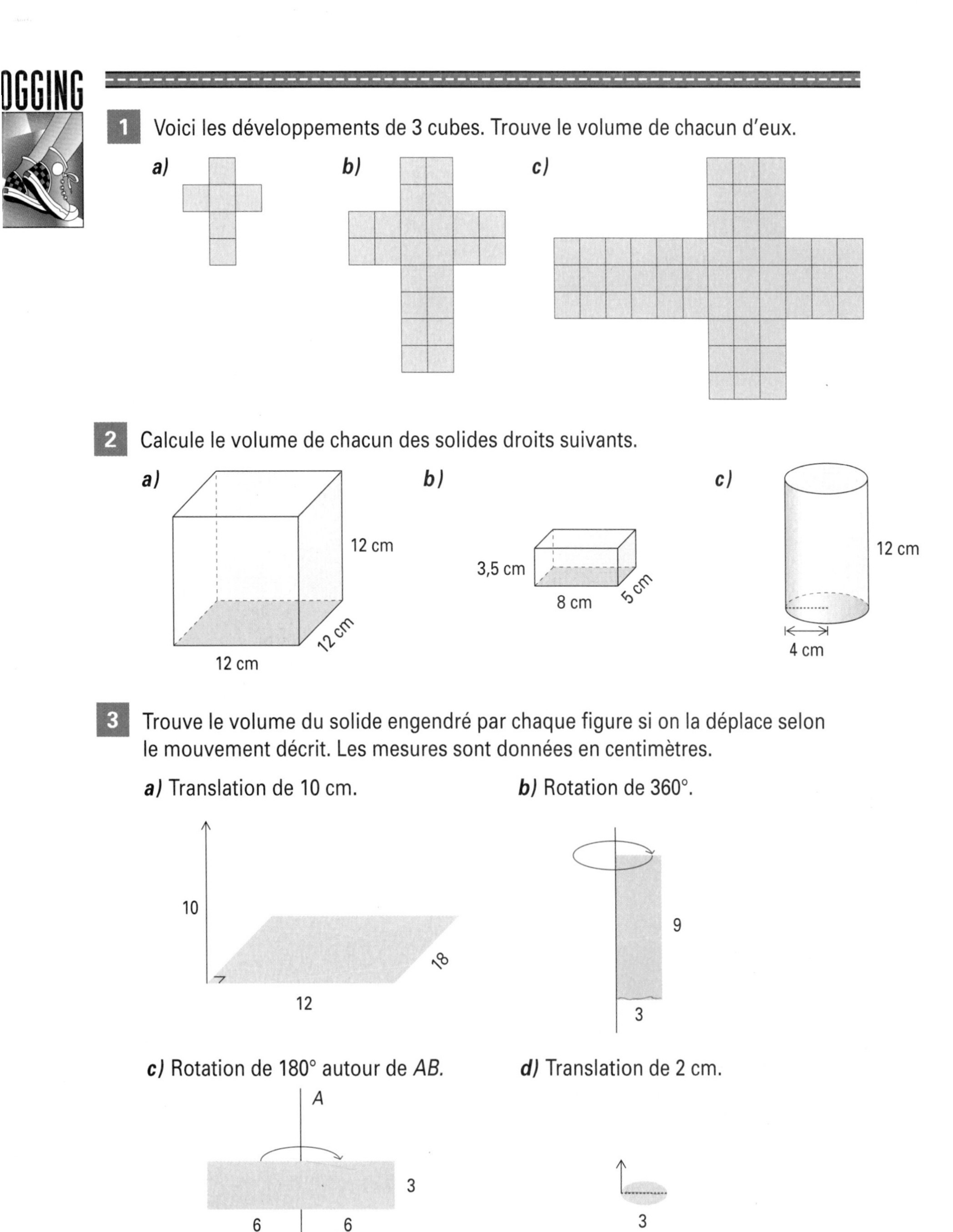


**1** Voici les développements de 3 cubes. Trouve le volume de chacun d'eux.

**2** Calcule le volume de chacun des solides droits suivants.

**3** Trouve le volume du solide engendré par chaque figure si on la déplace selon le mouvement décrit. Les mesures sont données en centimètres.

*a)* Translation de 10 cm.

*b)* Rotation de 360°.

*c)* Rotation de 180° autour de *AB*.

*d)* Translation de 2 cm.

**4** Donne le volume des solides qu'on peut reconstituer avec ces développements.

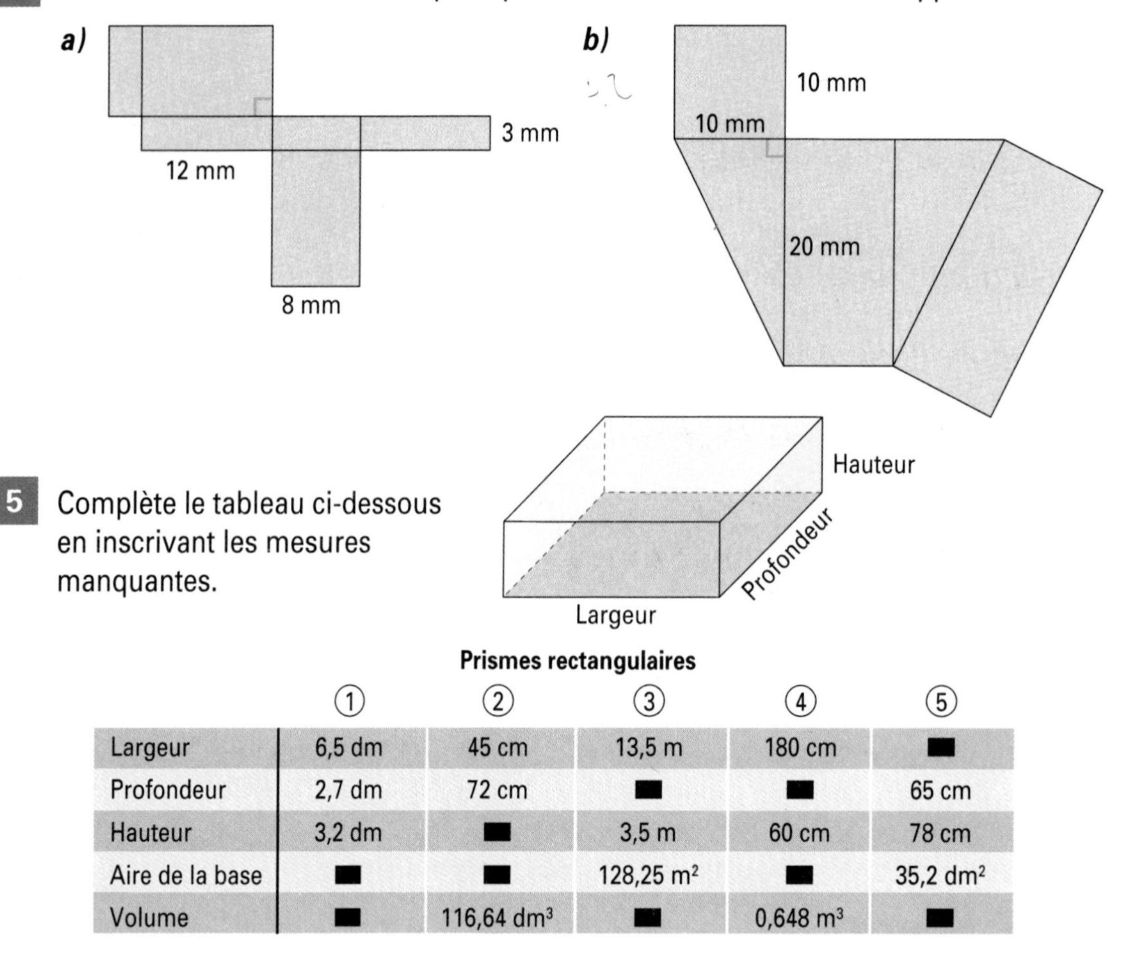


**5** Complète le tableau ci-dessous en inscrivant les mesures manquantes.

**Prismes rectangulaires**

| | ① | ② | ③ | ④ | ⑤ |
|---|---|---|---|---|---|
| Largeur | 6,5 dm | 45 cm | 13,5 m | 180 cm | ■ |
| Profondeur | 2,7 dm | 72 cm | ■ | ■ | 65 cm |
| Hauteur | 3,2 dm | ■ | 3,5 m | 60 cm | 78 cm |
| Aire de la base | ■ | ■ | 128,25 m² | ■ | 35,2 dm² |
| Volume | ■ | 116,64 dm³ | ■ | 0,648 m³ | ■ |

**6** Voici une boîte d'allumettes et son couvercle.

*a)* Calcule son volume.

*b)* Si on exerce une pression sur le couvercle de la boîte, il s'affaisse. Le solide qui lui correspond conserve-t-il son volume ?

*c)* À la limite, quel volume obtiendra-t-on ?

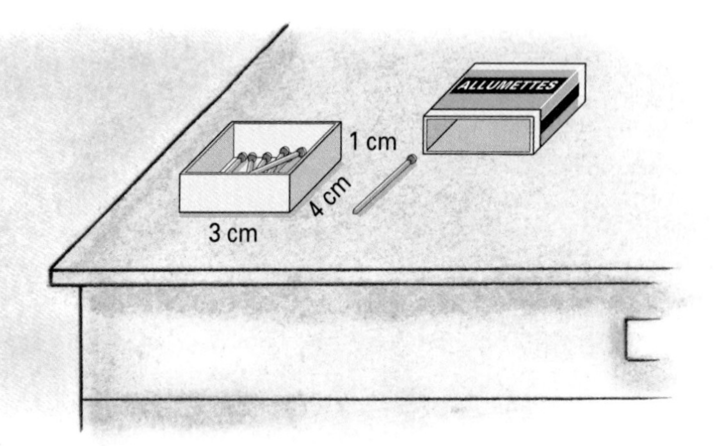


**7** Donne les dimensions possibles d'un prisme droit dont le volume est de 540 cm³.

**8** Quelles peuvent être les dimensions d'un cylindre droit dont le volume est approximativement de 225 cm³ ?

**9** L'épaisseur d'une pièce de 25 ¢ est de 1,625 mm et son diamètre est d'environ 24 mm. Quel est le volume d'un rouleau de pièces de 25 ¢ d'une valeur de 10 $ ?

**10** La somme des longueurs de toutes les arêtes d'un cube est 96 cm. Calcule le volume de ce cube.

**11** Vrai ou faux?

Dans une boîte à base rectangulaire dont les dimensions sont 25 cm sur 15 cm sur 8 cm, on peut mettre 24 cubes de 5 cm d'arête. Justifie ta réponse.

**12** De deux prismes de même hauteur, lequel a le plus grand volume?

**13** De deux cylindres de même base, lequel a le plus grand volume?

**14** Considérons un prisme triangulaire. Décris le changement du volume si :

***a)*** on double l'aire de la base;

***b)*** on double la hauteur;

***c)*** on double l'aire de la base et la hauteur.

**15** Est-il possible que deux prismes rectangulaires aient le même volume sans avoir la même aire de base? Justifie ta réponse.

**16** Que doit-on faire pour quadrupler le volume d'un cylindre sans modifier sa hauteur?

**17** Décris au moins trois façons différentes de doubler le volume d'un prisme triangulaire.

**18** On réduit de moitié le rayon d'un cylindre. A-t-on réduit son volume de moitié?

**19** Le père de Lyne est un aquariophile. Il possède deux aquariums, l'un dans sa cuisine et l'autre dans son salon. Celui du salon est deux fois plus long, trois fois plus large et deux fois plus profond que celui de la cuisine. Combien de fois l'aquarium du salon est-il plus grand que celui de la cuisine?

*L'aquariophile fait l'élevage en aquarium de poissons d'ornement.*

**20** Un casier à homards a la forme d'un demi-cylindre de 40 cm de rayon sur 1 m de longueur. Quel volume correspond à un tel solide ?

**21** Un cylindre a une hauteur de 10 cm et un rayon de 8 cm. Modifie-t-on son volume si on diminue de moitié sa hauteur et si on double son rayon ? (Fais ta prédiction et vérifie cette relation.)

**22** On place des cubes de 3 cm d'arête dans une boîte cubique de 24 cm d'arête.

***a)*** Combien de cubes pourra-t-on y placer ?

***b)*** Est-il vrai qu'on en placerait deux fois moins si les cubes avaient 6 cm d'arête ? Justifie ta réponse.

**23** Un coffre-fort en forme de prisme rectangulaire a un fond de 4 dm de largeur sur 3 dm de profondeur. Si son volume est de 30 000 cm$^3$, quelle est la hauteur de ce coffre-fort ?

**24** Une boîte en carton mesure 90 cm de hauteur. Sa largeur représente les $\frac{3}{5}$ de sa hauteur et sa profondeur, les $\frac{2}{3}$ de sa hauteur.

***a)*** Calcule l'aire de la base.

***b)*** Calcule le volume de cette boîte.

**25** Certains enseignants et enseignantes préfèrent une craie épaisse qui fait peu de poussière. Calcule le volume de la craie que l'on voit ci-dessous.

**26** Quel volume de chocolat cette boîte peut-elle contenir ? (Les bases sont des triangles équilatéraux.)

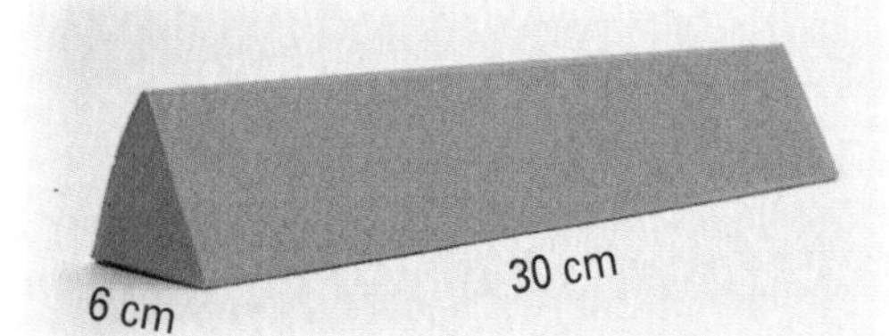

**27** Un tuyau de plomberie a un diamètre intérieur de 9,5 cm et une longueur de 243,5 cm. Combien de litres d'eau peut-il contenir ?

**28** Pour préparer un jus d'orange à partir d'un concentré congelé de 474 ml, on ajoute trois mesures équivalentes d'eau. Combien de verres cylindriques de 5 cm de diamètre et de 9 cm de hauteur peut-on remplir jusqu'à 1 cm du bord ?

**29** Un tube de rouge à lèvres a la forme d'un prisme droit hexagonal. Le côté de l'hexagone régulier mesure 10 mm, sa hauteur est de 70 mm et l'apothème de sa base mesure 8,66 mm.

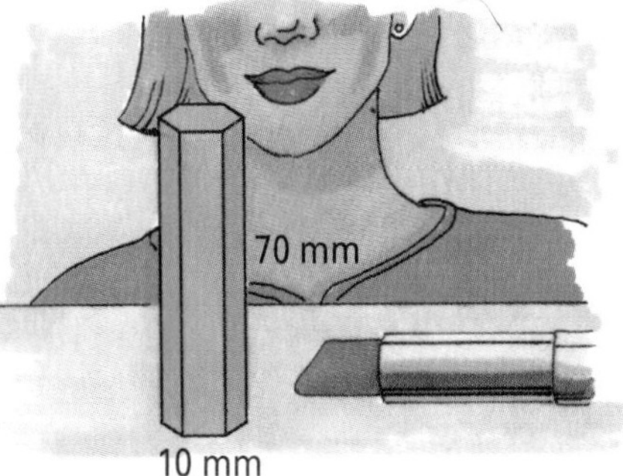


*a)* Calcule l'aire de la base de l'hexagone régulier.

*b)* Calcule le volume du tube de rouge à lèvres.

*c)* Exprime ce volume en centimètres cubes.

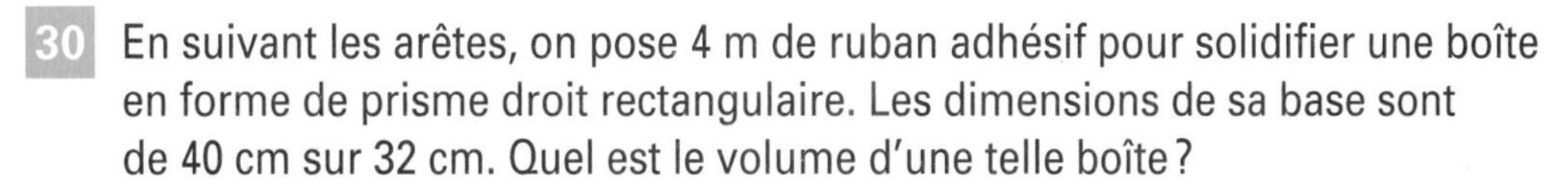

**30** En suivant les arêtes, on pose 4 m de ruban adhésif pour solidifier une boîte en forme de prisme droit rectangulaire. Les dimensions de sa base sont de 40 cm sur 32 cm. Quel est le volume d'une telle boîte ?

**31** On fait varier la mesure de l'arête d'un cube. Cela fait varier l'aire de sa base et son volume.

*a)* Remplis la table de valeurs suivante.

| Arête (en cm) | 0 | 1 | 2 | 3 | 4 | 5 | 6 | ... | $a$ |
|---|---|---|---|---|---|---|---|---|---|
| Aire de la base (en cm²) | ■ | ■ | ■ | ■ | ■ | ■ | ■ | ... | ■ |
| Volume (en cm³) | ■ | ■ | ■ | ■ | ■ | ■ | ■ | ... | ■ |

*b)* Trace le graphique cartésien de la relation entre la mesure de l'arête et l'aire de la base, puis donne sa règle ($A$ = ■).

*c)* Trace le graphique cartésien de la relation entre la mesure de l'arête et le volume du cube, puis donne sa règle ($V$ = ■).

**32** On fait varier le rayon d'un cylindre en laissant constante sa hauteur de 10 cm. Cela fait varier son volume.

*a)* Remplis la table de valeurs suivante.

| Rayon (en cm) | 0 | 1 | 2 | 3 | 4 | 5 | 6 | ... | $r$ |
|---|---|---|---|---|---|---|---|---|---|
| Volume (en cm³) | ■ | ■ | ■ | ■ | ■ | ■ | ■ | ... | ■ |

*b)* Trace le graphique cartésien de la relation entre le rayon et le volume du cylindre.

*c)* Complète la règle de cette relation ($V$ = ■).

*d)* Peut-on dire ici que le volume est directement proportionnel au rayon du cylindre ? Justifie ta réponse.

**33** Cette fois, on fait varier la hauteur du cylindre en conservant un rayon de 5 cm. Cela fait varier son volume.

*a)* Remplis la table de valeurs suivante.

| Hauteur (en cm) | 0 | 1 | 2 | 3 | 4 | 5 | 6 | ... | *h* |
|---|---|---|---|---|---|---|---|---|---|
| Volume (en cm³) | ■ | ■ | ■ | ■ | ■ | ■ | ■ | ... | ■ |

*b)* Trace le graphique cartésien de la relation entre la hauteur et le volume du cylindre.

*c)* Complète la règle de cette relation ($V$ = ■).

*d)* Peut-on dire ici que le volume est directement proportionnel à la hauteur du cylindre ? Justifie ta réponse.

*Pourquoi les bombes aérosol sont-elles dangereuses ?*

**34** Un contenant cylindrique pour fixatif à cheveux a une hauteur de 20 cm et un diamètre de 6 cm. En guise de promotion, on a augmenté son contenu de 25 % en modifiant seulement sa hauteur. Quelle est la hauteur du nouveau contenant ?

**35** Une boîte de conserve cylindrique a un rayon de 44,6 mm. Quelle doit être la hauteur approximative de cette boîte, en centimètres, pour que sa capacité soit de 1 l ?

**36** Pour asseoir une tour, on construit une fondation à base rectangulaire ayant les dimensions données sur l'illustration ci-contre. Combien de chargements de ciment faut-il pour la construire si un chargement contient environ 7 m³ de ciment ?

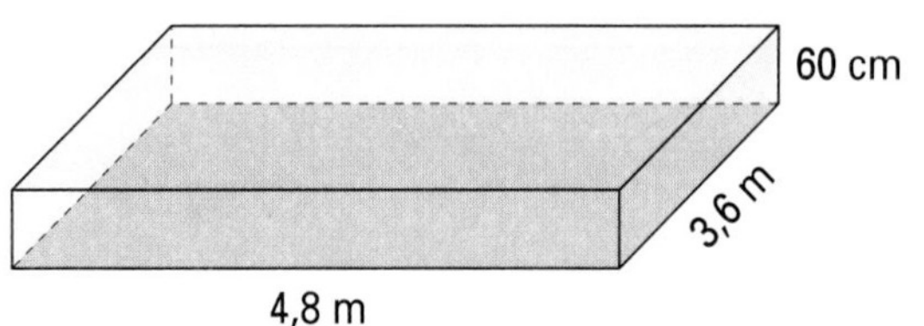


**37** On veut transvider un potage de la grande casserole à la plus petite.

*a)* Est-ce possible ?

*b)* Si oui, quelle hauteur le potage atteindra-t-il dans la petite casserole ?

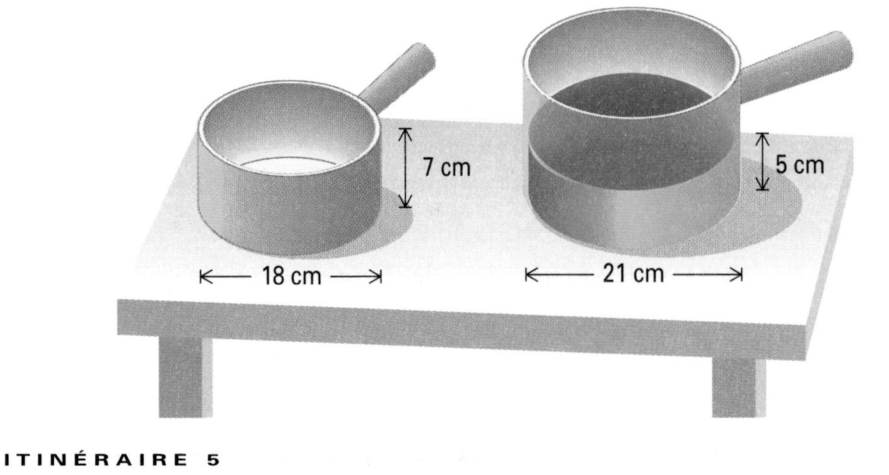

**38** Un pot à fleurs cylindrique vide pèse 600 g. Son diamètre intérieur est de 10,5 cm. On met de l'eau jusqu'à ce que le vase pèse 1 kg. Quelle est la hauteur de la colonne d'eau ?

**39** Quelle expression algébrique représente le volume de chaque prisme ?

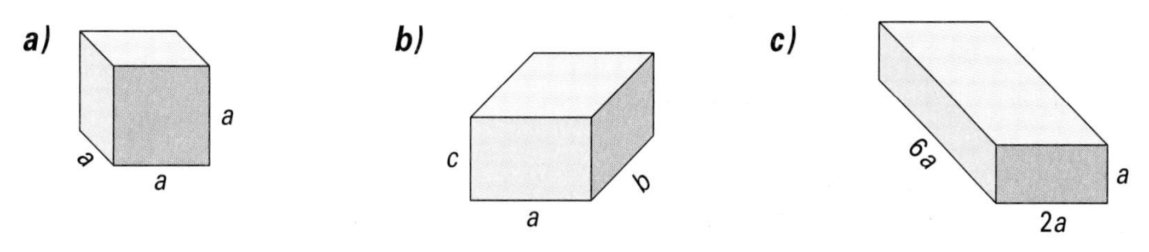


**40** Quelle expression algébrique représente le volume du solide dessiné ?

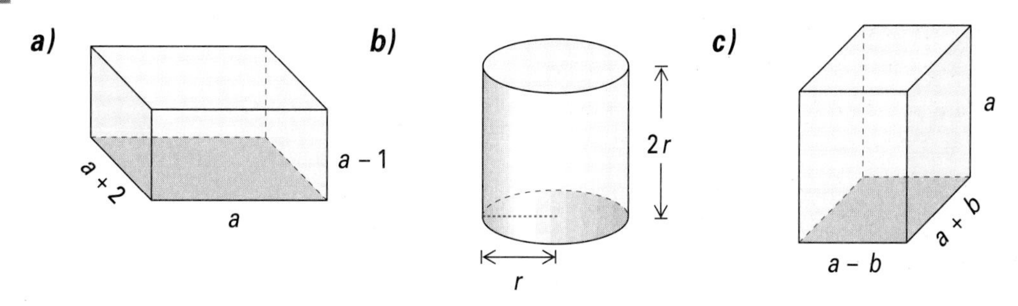


**41** Dessine un prisme dont le volume pourrait être représenté par les expressions algébriques suivantes.

***a)*** $2ab$

***b)*** $a^2b$

***c)*** $4a^3$

***d)*** $24x^3$

**42** Voici des expressions représentant la mesure de l'arête de cubes. Dans chaque cas, quelle expression algébrique représente le volume du cube ?

***a)*** $c$

***b)*** $2x$

***c)*** $(a - 1)$

***d)*** $(a - b)$

**43** Nathalie fait chauffer une soupe dans un récipient de 20 cm de diamètre. Pour bien mélanger les ingrédients, elle brasse la soupe avec une cuillère de 22 cm de long. Nathalie vient d'échapper cette cuillère dans le récipient. Quel doit être le volume minimal de soupe nécessaire pour que la cuillère soit complètement immergée ? Justifie chacune des étapes de la démarche qui te permet de résoudre ce problème.

**44** Le cuisinier d'une cafétéria fait fondre une brique de beurre de 6 cm x 6 cm x 10 cm dans un poêlon cylindrique de 20 cm de diamètre. Quelle est la hauteur du beurre fondu dans le poêlon ?

**45** Les contenants prismatiques de 1 l de lait ont une base mesurant 7 cm sur 7 cm.

*a)* Quelle est la hauteur de la colonne de lait dans chaque contenant ?

*b)* Si, au lieu d'une base carrée, les contenants avaient une base circulaire de 7 cm de diamètre, quelle serait la hauteur de la colonne de lait ?

**46** La hauteur d'un verre cylindrique est de 13 cm. Dans le verre, on a placé obliquement une paille de 15 cm, comme le montre la figure ci-contre. La paille arrive à égalité avec le bord du verre. Trouve le volume de ce verre cylindrique. Justifie chaque étape de ta démarche.

# VOLUME DES PYRAMIDES

## À LA RECHERCHE D'UNE FORMULE DE BASE

Voici quelques activités portant sur le volume des pyramides.

### Activité 1 Pyramide vs prisme

Voici une pyramide et un prisme de même base et de même hauteur.

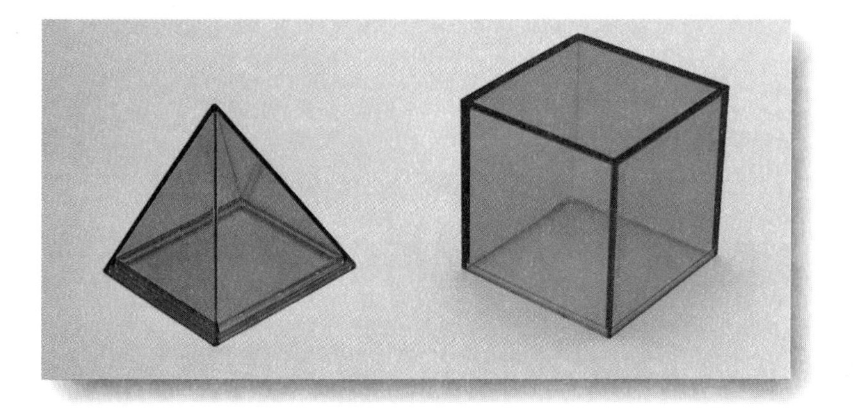

*a)* Combien de fois le volume de la pyramide est-il contenu dans celui du prisme ? Fais tes prédictions. Nous allons effectuer l'expérience.

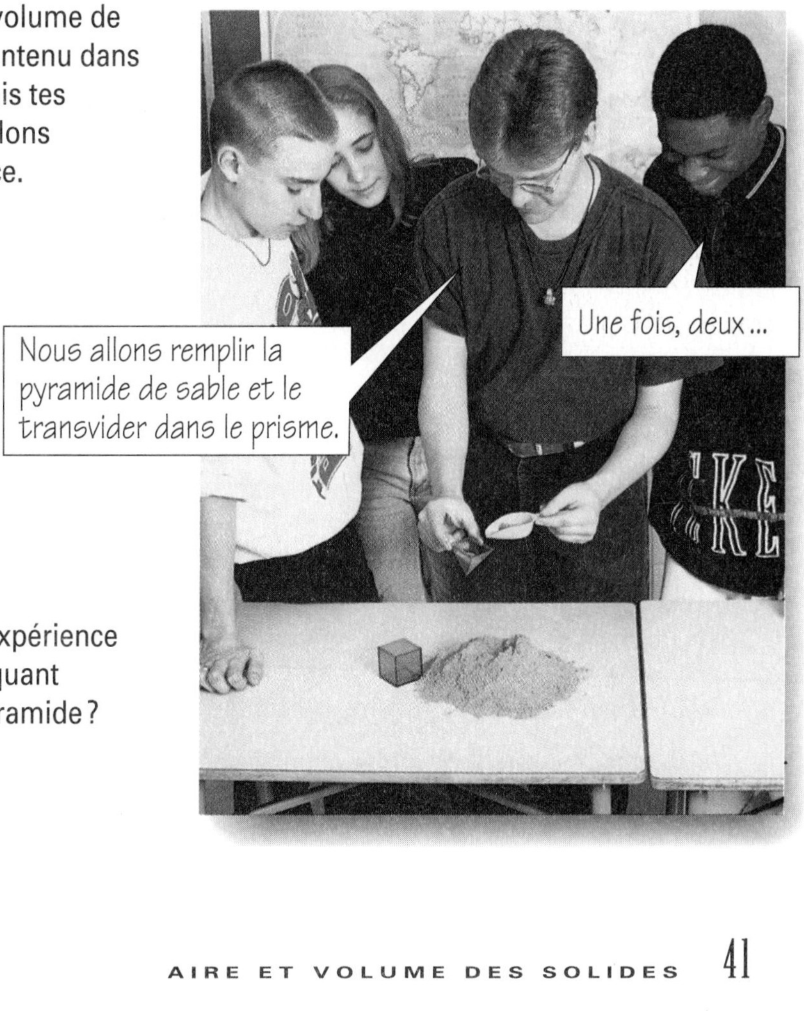

*b)* Quel résultat cette expérience nous indique-t-elle quant au volume d'une pyramide ?

## Activité 2 La reconstitution du cube

Voici trois pyramides identiques à base carrée et d'une hauteur égale au côté du carré.

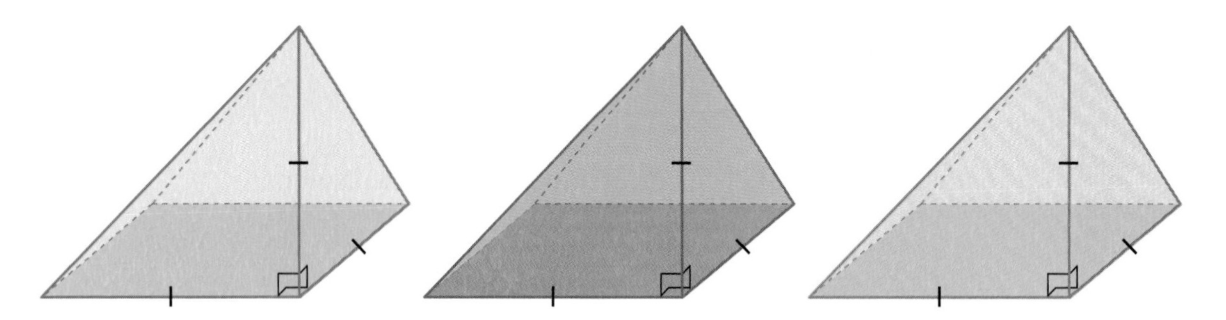

***a)*** Que peut-on dire des arêtes de ces trois pyramides ?

***b)*** Ces trois pyramides occupent-elles le même espace ou, en d'autres mots, ont-elles le même volume ?

On a assemblé ces trois pyramides pour former un prisme.

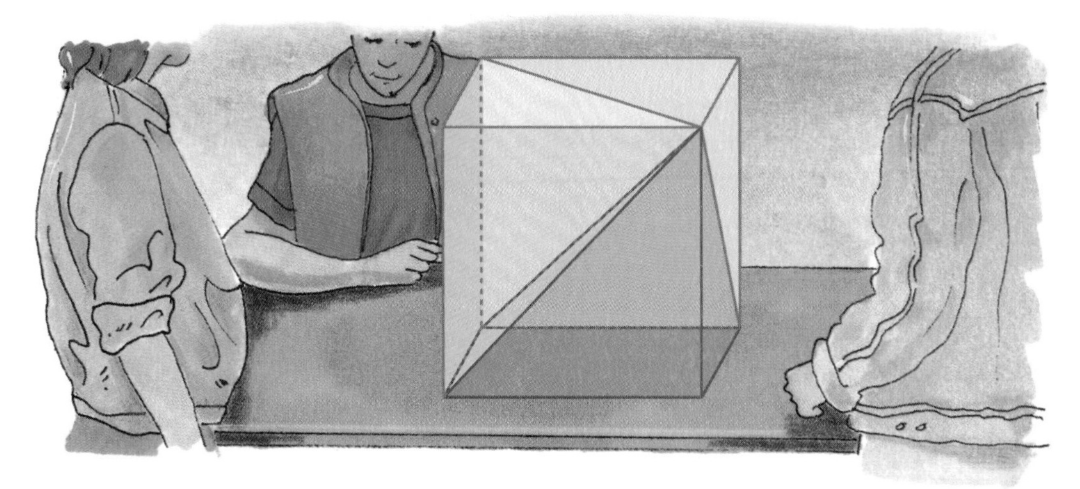

***c)*** Quelle sorte de prisme a-t-on obtenu ?

***d)*** Que doit-on faire pour calculer le volume de ce prisme ?

***e)*** Décris la relation que l'on peut déduire concernant le volume de chaque pyramide et celui du prisme.

***f)*** Vrai ou faux ?

1) Les pyramides et le prisme présentés ici ont la même base.

2) La hauteur des pyramides est aussi celle du prisme.

***g)*** Quelle conclusion cette activité t'inspire-t-elle pour calculer le volume d'une pyramide à partir de ses dimensions ?

## Activité 3 Les pyramides à base triangulaire

Les pyramides triangulaires sont au coeur du calcul du volume des solides. Elles sont remarquables à plusieurs égards. On peut d'abord constater que:

Toute pyramide triangulaire peut être associée à un prisme triangulaire de même base et de même hauteur.

Pour le constater, il suffit de translater sa base suivant l'une de ses arêtes latérales. En reliant les sommets homologues, on forme ce prisme triangulaire.

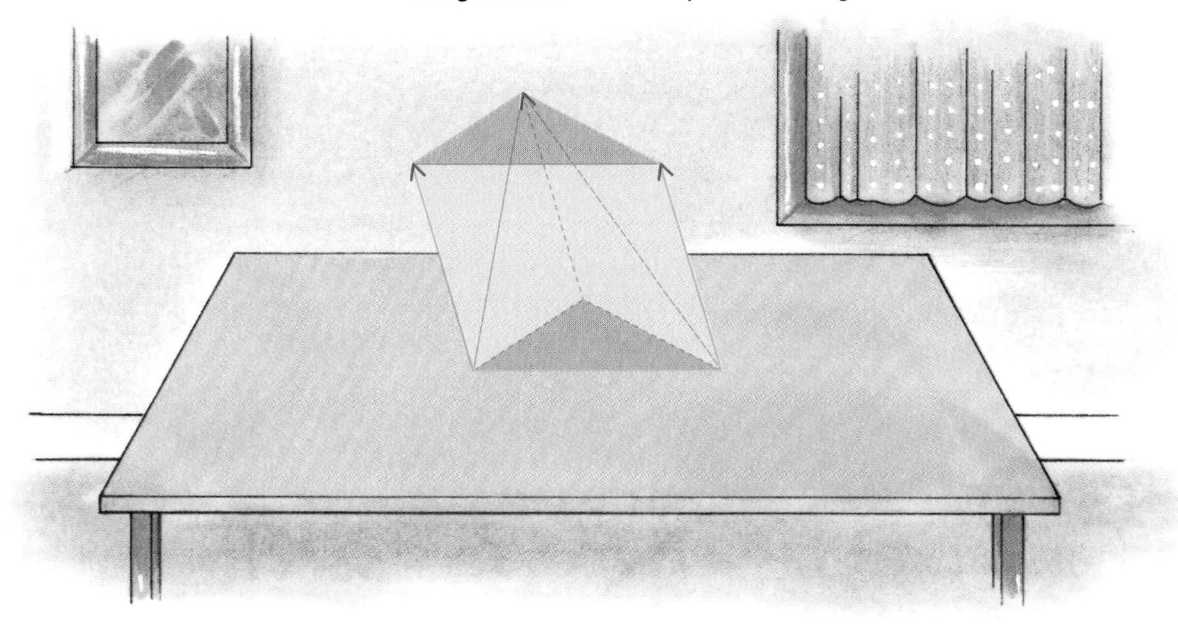

On peut décomposer le prisme obtenu en trois pyramides de même volume que la pyramide initiale.

Voici ces trois pyramides.

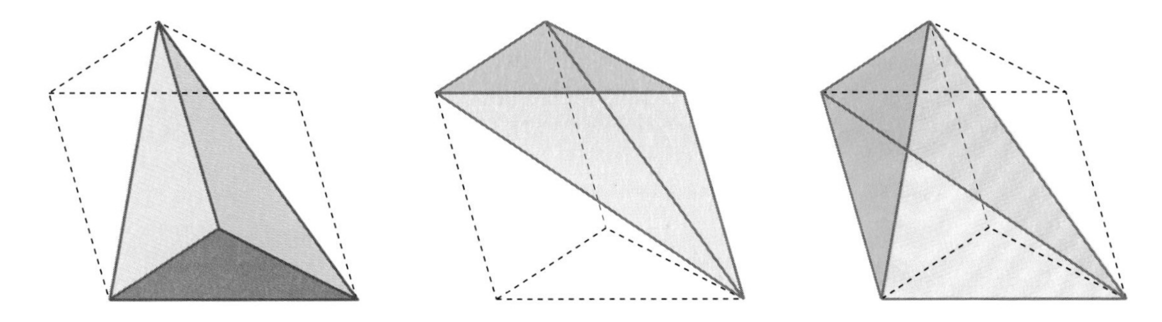

Il reste à montrer qu'elles ont le même volume. C'est ce que nous allons faire.

1° On peut d'abord constater que, prises deux à deux, ces pyramides ont des bases congrues et des hauteurs congrues. En effet :

① Les bases *ADE* et *BCF* sont congrues car elles sont associées par translation. Les hauteurs correspondent toutes deux à la distance entre les deux bases.

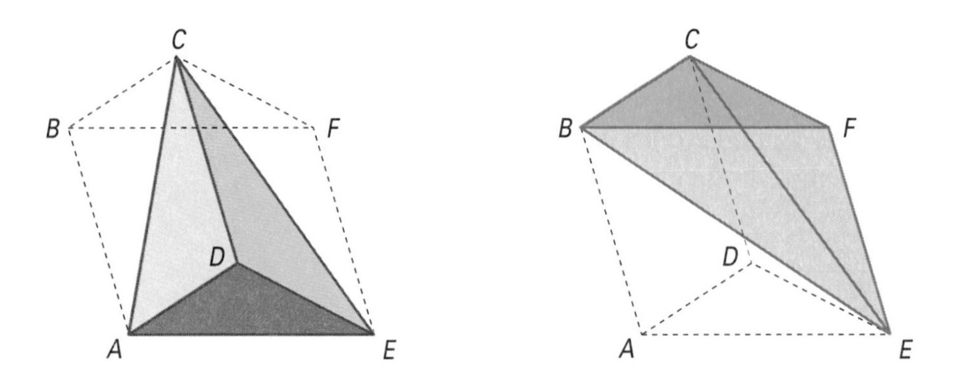


② Les bases *ACD* et *ABC* sont congrues comme moitiés du même parallélogramme. Les hauteurs sont toutes deux issues du sommet *E* et abaissées perpendiculairement au plan de la base.

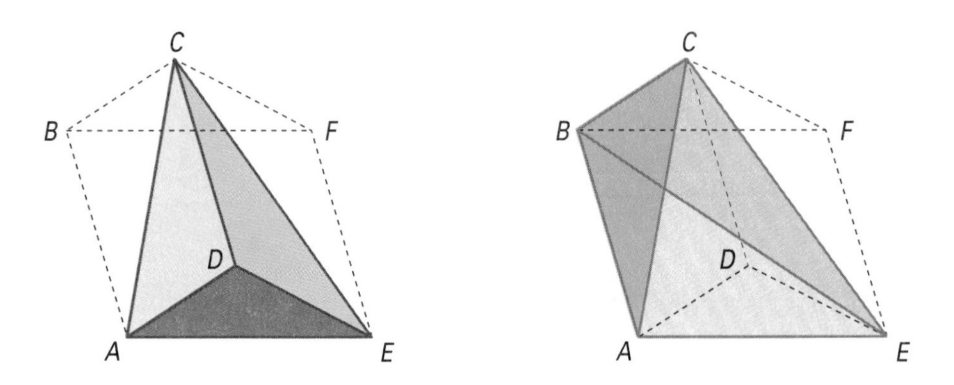


Prises deux à deux, ces pyramides ont donc la même aire de base et la même hauteur.

2° Si l'on pose ces paires de pyramides sur leur base dans un même plan et que l'on trace des plans parallèles à ce plan de base, on retrouve la situation du principe de Cavalieri :

Si deux solides ont la même hauteur et que toutes les paires de sections engendrées par des plans parallèles aux plans des bases ont la même aire, alors les deux solides ont le même volume.

Considérons le sommet de chaque pyramide comme le centre d'homothéties dans l'espace. Les sections sont alors les images des bases par une réduction de même rapport. Ces **images réduites** de figures congrues sont alors congrues et **ont nécessairement la même aire.**

Cas 1

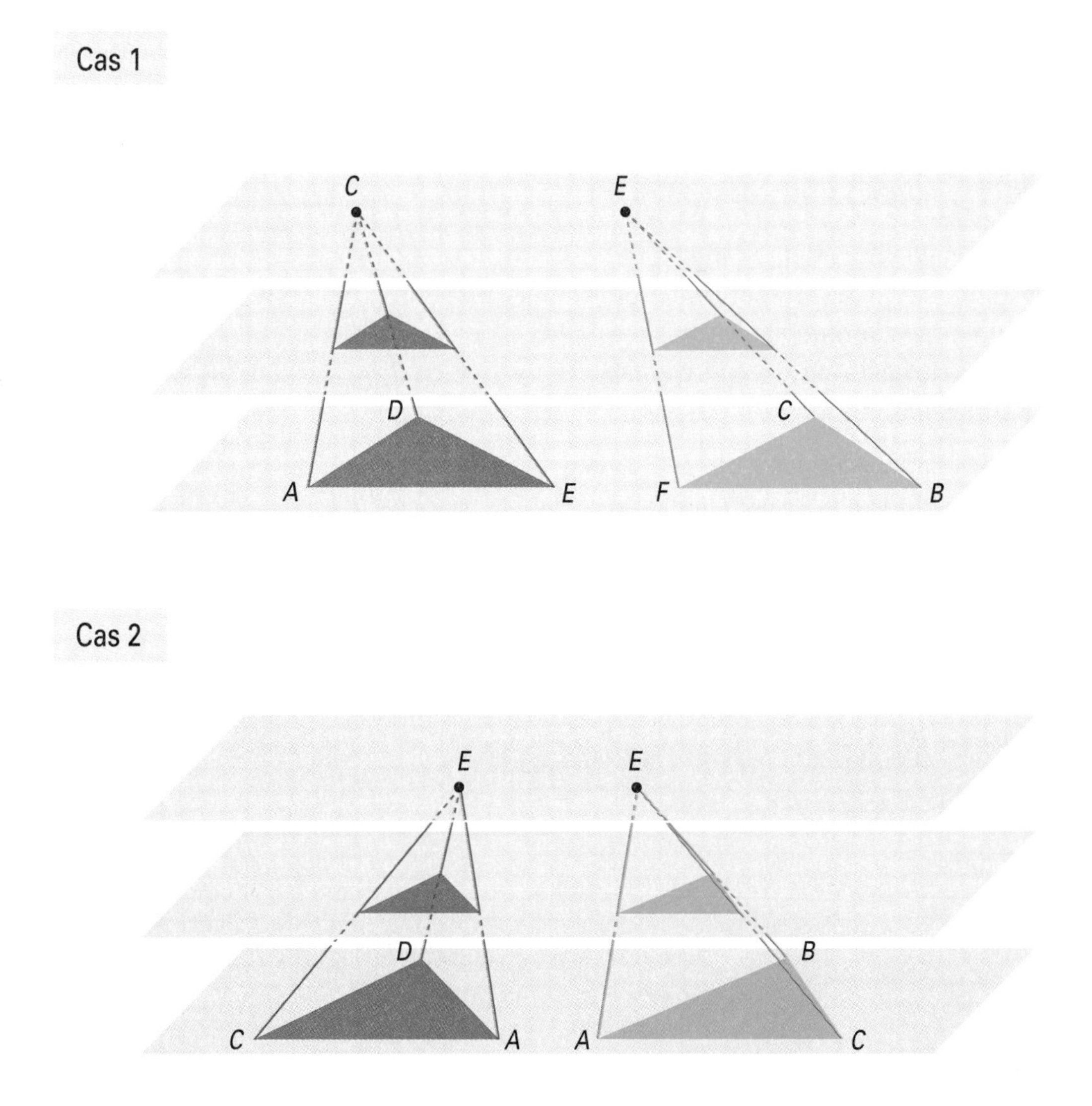


Selon le principe de Cavalieri, les paires de pyramides ont donc le même volume.

3° La pyramide rouge a un volume identique à celui de la pyramide bleue et à celui de la pyramide verte. Le volume de chacune des trois pyramides triangulaires représente donc le **tiers du volume du prisme triangulaire**.

Le volume d'une pyramide triangulaire est égal au tiers du volume du prisme triangulaire qui lui correspond, c'est-à-dire le tiers du produit de l'aire de la base par sa hauteur.

$$\text{Volume}_{(\text{pyramide triangulaire})} = \frac{1}{3} \cdot (\text{aire de la base} \cdot \text{hauteur}) = \frac{1}{3} A_b \cdot h$$

## Activité 4 Toutes sortes de pyramides

Imaginons une pyramide triangulaire quelconque dont le sommet *S* se met en mouvement sur un plan parallèle au plan de la base. On engendre ainsi plusieurs pyramides.

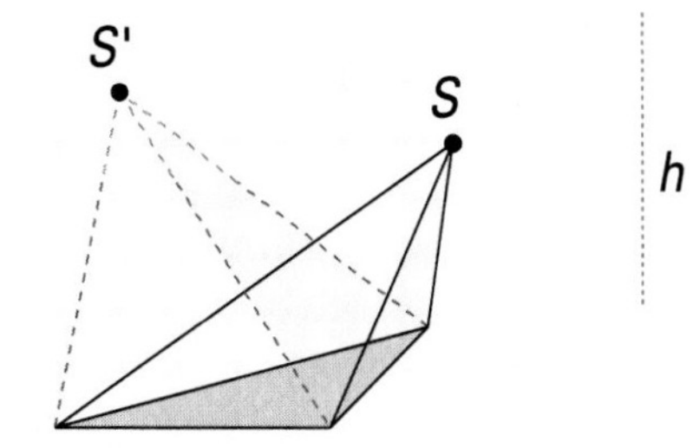


***a)*** Les pyramides engendrées ont-elles la même aire à la base et la même hauteur ?

***b)*** Quelles conclusions immédiates peut-on tirer en observant les pyramides ainsi engendrées ?

## Activité 5 Au-delà des pyramides triangulaires

On peut encore se poser bien des questions à propos du volume des pyramides. Entre autres :

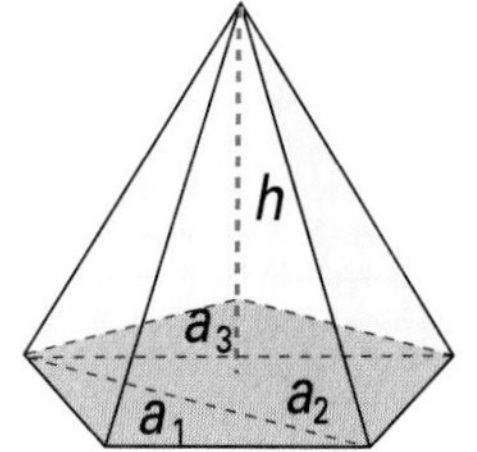


***a)*** Est-il vrai que toute pyramide, quelle que soit la forme de sa base, est décomposable en pyramides triangulaires ?

Considérons une pyramide à base pentagonale.
Cette pyramide est décomposable en 3 pyramides triangulaires.

***b)*** Supposons que l'aire de chaque base est $a_1$, $a_2$, $a_3$ et que $h$ est la hauteur. Complète l'équation qui représente alors le volume de la pyramide pentagonale.

$$V_{(\text{pyramide})} = \frac{1}{3}a_1h + \frac{1}{3}a_2h + \ldots$$

D'après la propriété de distributivité, on peut écrire cette équation comme suit :

$$V_{(\text{pyramide})} = \frac{1}{3}h\,(a_1 + a_2 + a_3)$$

***c)*** Que représente la somme entre parenthèses ?

***d)*** Quelle expression correspond au volume de cette pyramide pentagonale ?

***e)*** Peut-on faire le même raisonnement pour toute pyramide ayant une base de forme quelconque ? Que doit-on en conclure ?

***f)*** Quel solide obtient-on à la limite si on augmente le nombre de côtés de la base d'une pyramide régulière ?

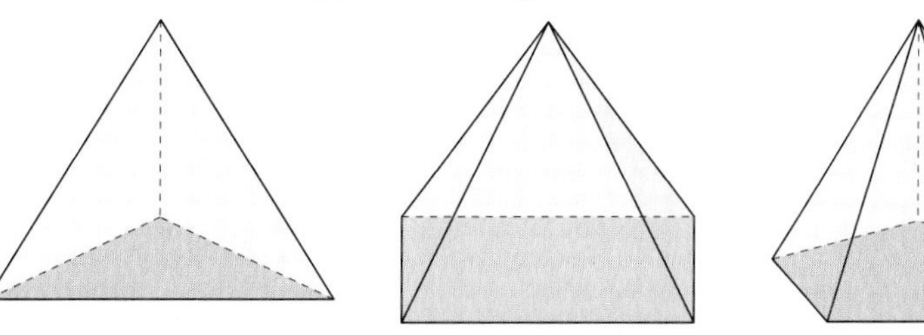

…

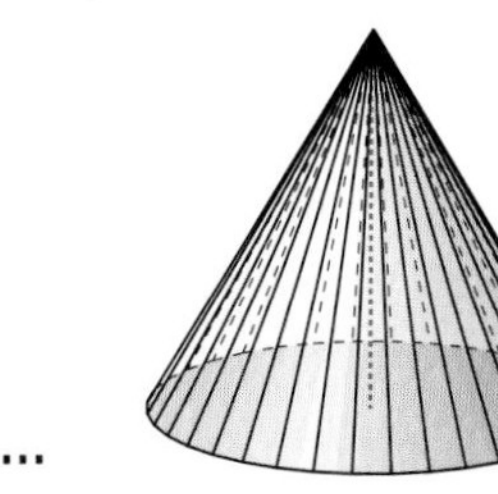

***g)*** Quelle formule permet alors de calculer le volume d'un cône ?

En résumé :

Le volume de toute pyramide ou de tout cône peut être calculé à l'aide de la formule suivante :

$$V_{(\text{pyramide})} = \frac{(A_b \cdot h)}{3} \quad \text{et} \quad V_{(\text{cône})} = \frac{(A_b \cdot h)}{3}$$

## JOGGING

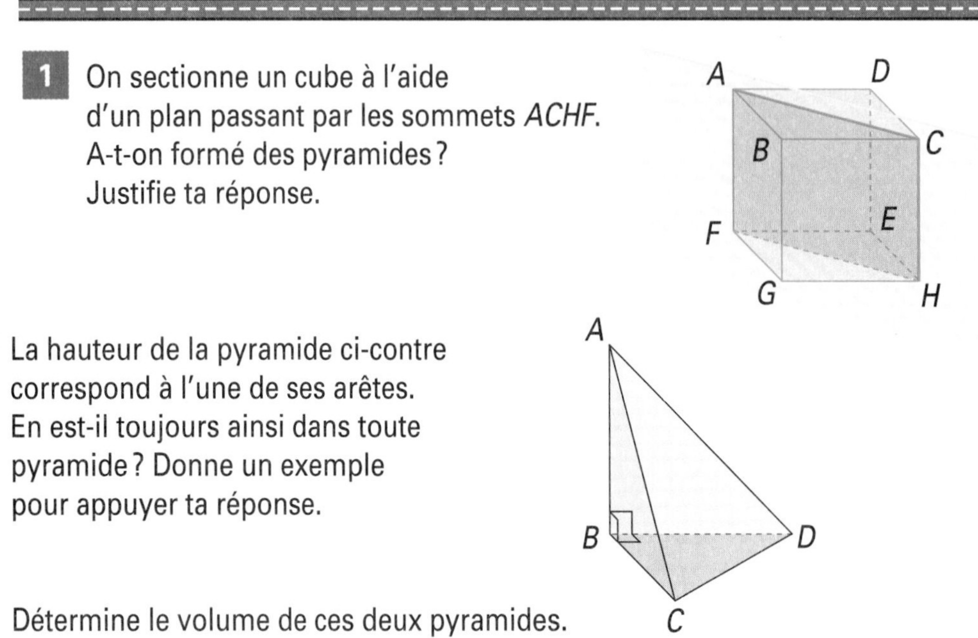


**1** On sectionne un cube à l'aide d'un plan passant par les sommets *ACHF*. A-t-on formé des pyramides? Justifie ta réponse.

**2** La hauteur de la pyramide ci-contre correspond à l'une de ses arêtes. En est-il toujours ainsi dans toute pyramide? Donne un exemple pour appuyer ta réponse.

**3** Détermine le volume de ces deux pyramides.

***a)*** Pyramide régulière à base triangulaire.

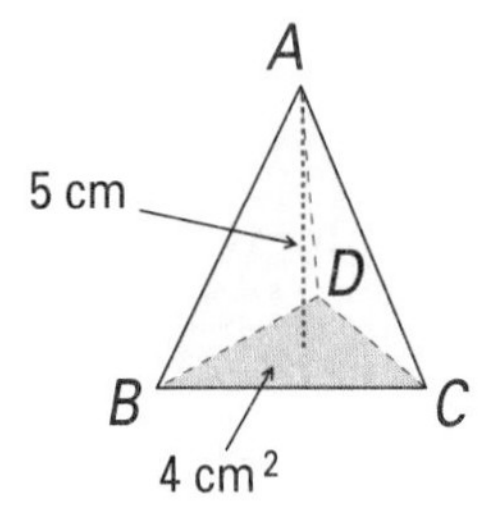


***b)*** Pyramide régulière à base carrée.

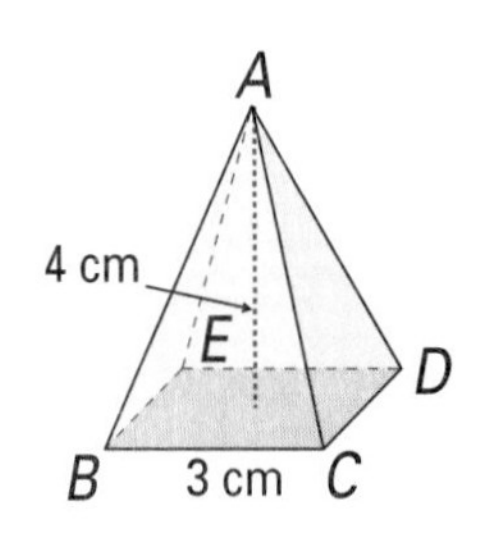


**4** Parfois, la hauteur d'une pyramide n'est pas donnée directement. Cependant, il est possible de la calculer dans les cas suivants.

***a)*** Quelle relation permet ici de calculer la hauteur?

***b)*** Calcule cette hauteur pour chacune de ces pyramides. Les mesures sont données en centimètres.

1)

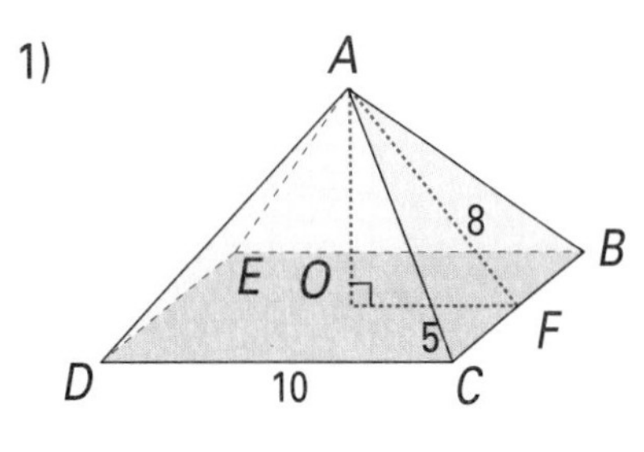


2)

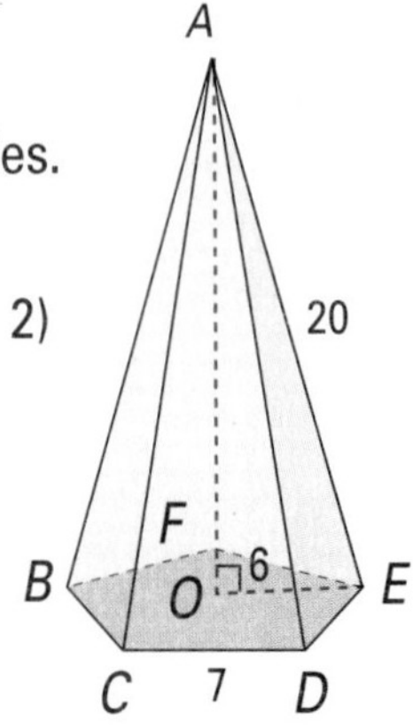

**5** Calcule le volume de ces solides.

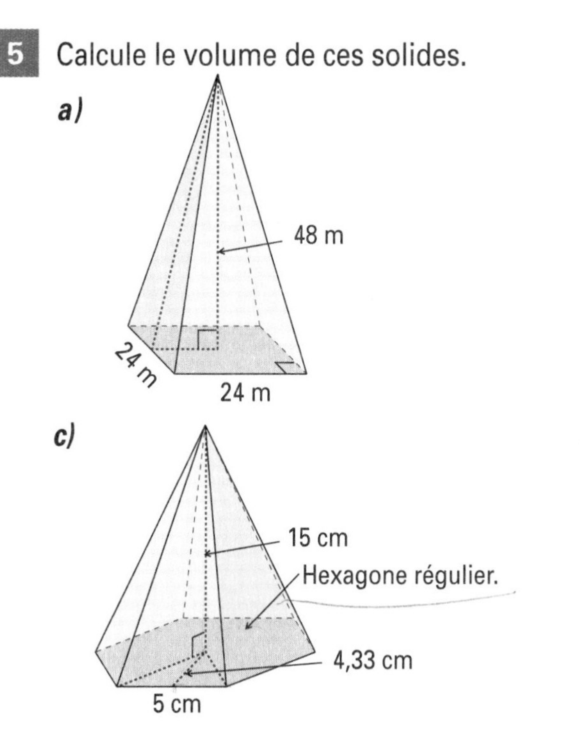


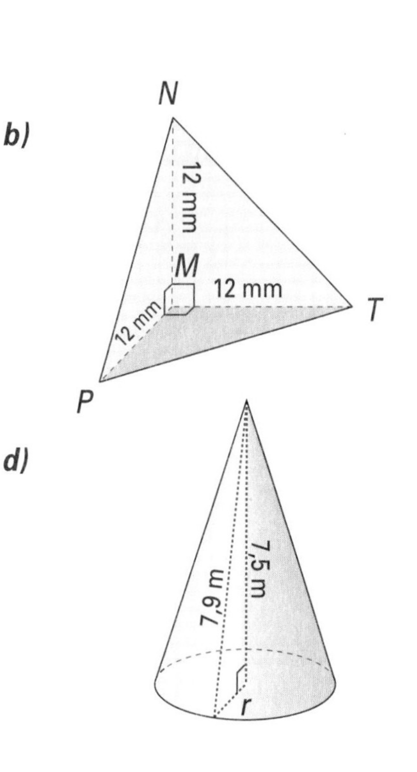


**6** Voici le développement d'une pyramide régulière dont les mesures sont données en centimètres. Dispose-t-on de suffisamment d'informations pour calculer le volume de cette pyramide ?

Si oui, calcule-le. Sinon, quelle donnée nous manque-t-il ?

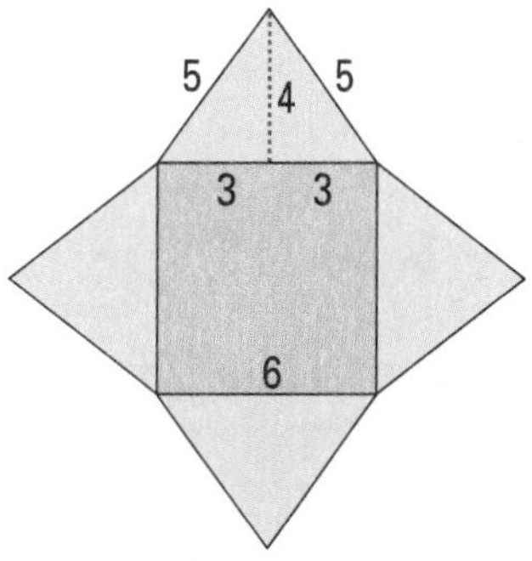


**7** À Teotihuacan, au Mexique, il y a deux pyramides régulières à base carrée : la pyramide du Soleil et la pyramide de la Lune. Elles étaient là bien avant les Aztèques et même les Toltèques. La pyramide du Soleil a une hauteur d'environ 63 m et une base carrée de 225 m de côté. Calcule le volume de cette pyramide.

*La ville de Teotihuacan fut détruite et abandonnée vers l'an 750 pour des raisons inconnues. Son nom signifie « cité des dieux » dans la langue des Aztèques.*

**8** Un cône de révolution a un rayon de 8 cm et une hauteur de 4,8 cm. Un cylindre a un rayon de 8 cm. Quelle doit être la hauteur du cylindre si on souhaite qu'il ait le même volume que le cône ?

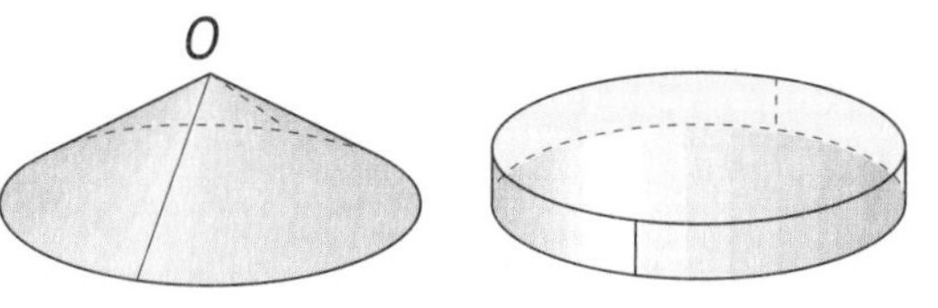

**9** Ce cube a un volume de 1 dm³.
On a représenté la pyramide *DEFG*.
Calcule le volume de cette pyramide.

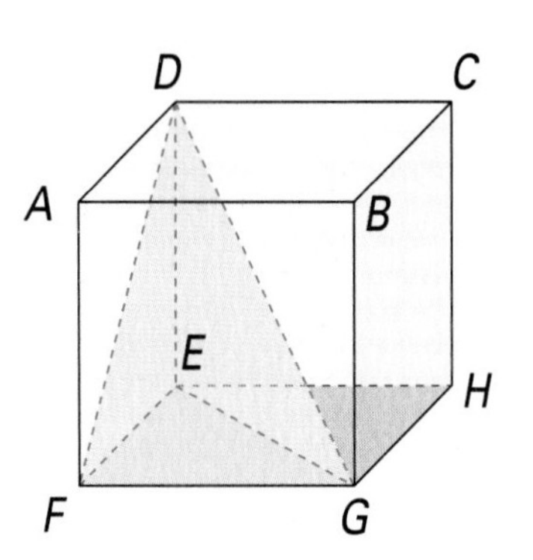


**10** Les pyramides de Kheops, Khephren et Mykerinus sont situées sur le plateau de Gizeh. Elles sont protégées par le Sphinx. Ces pyramides sont régulières et ont des bases carrées. À l'origine, la première avait approximativement une hauteur de 146 m sur une base de 233 m de côté. La seconde avait approximativement une hauteur de 138 m et une base de 216 m de côté. La hauteur de la troisième était d'environ 66 m et sa base était d'environ 108 m de côté. Quelle est la différence des volumes entre la plus grande et la plus petite de ces pyramides ?

*On connaît la quatrième dynastie des pharaons (Kheops, Khephren et Mykerinus) grâce aux pyramides que ces souverains ont fait édifier sur le plateau de Gizeh. C'est le pharaon Khephren qui fit construire le Sphinx.*

**11** Quels sont les volumes des deux cônes qu'on peut engendrer en faisant tourner le triangle autour des droites *AB* ou *BC* ?

A
15 mm
B 20 mm C

**12** Voici deux modèles de tente de camping. Laquelle offre le plus d'espace à l'intérieur ?

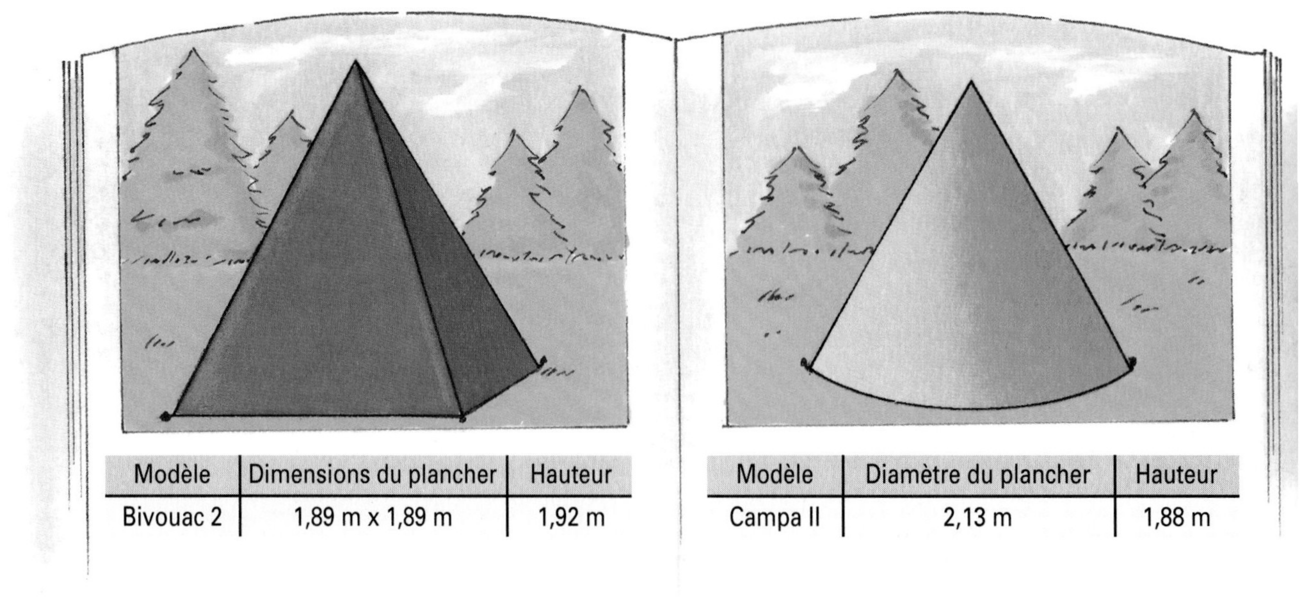

| Modèle | Dimensions du plancher | Hauteur |
|---|---|---|
| Bivouac 2 | 1,89 m x 1,89 m | 1,92 m |

| Modèle | Diamètre du plancher | Hauteur |
|---|---|---|
| Campa II | 2,13 m | 1,88 m |

**13** On coupe en son milieu et parallèlement à sa base une pyramide droite à base rectangulaire de 10 dm sur 8 dm. Sa hauteur est de 12 dm. On forme ainsi une petite pyramide au sommet. Combien de fois le volume de cette petite pyramide est-il contenu dans celui de la grande ?

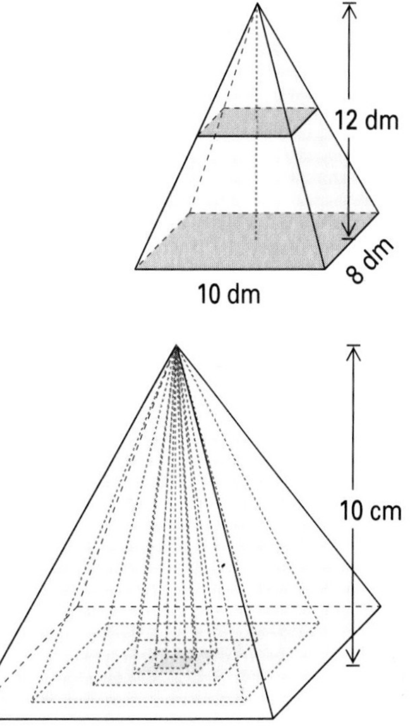


**14** On a une pyramide régulière à base carrée de 10 cm de hauteur. On fait varier la mesure de l'arête de sa base et on observe son volume.

***a)*** Complète la table de valeurs ci-dessous pour cette relation.

| Arête de la base (en cm) | Volume (en cm³) |
|---|---|
| 1 | ■ |
| 2 | ■ |
| 4 | ■ |
| 10 | ■ |

***b)*** Peut-on dire que le volume est proportionnel à la mesure de l'arête de la base de cette pyramide ? Justifie ta réponse.

**15** Certaines personnes croient que les pyramides répandent une énergie bénéfique. On a donc construit le squelette d'une pyramide dans un champ au-dessus de quelques choux. Toutes les arêtes de la pyramide illustrée mesurent 1 m.

***a)*** Quelle est la hauteur de cette pyramide ?

***b)*** Quel est son volume ?

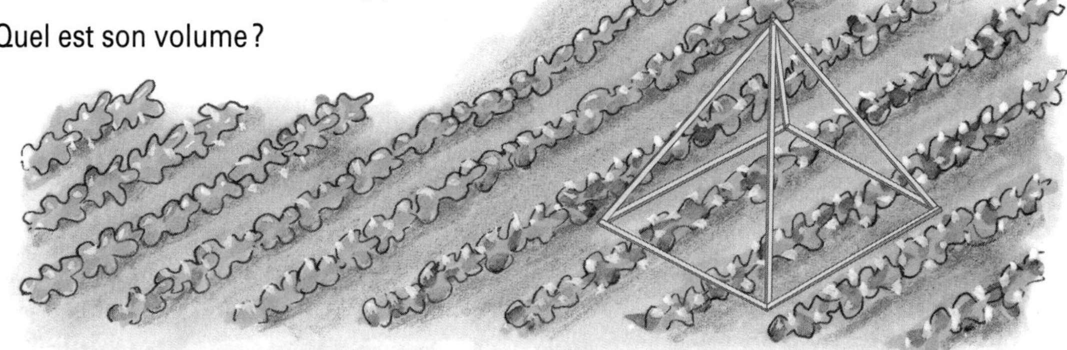

**16** Quel est le volume de chacune de ces pyramides à base régulière ? (Les mesures sont données en centimètres.)

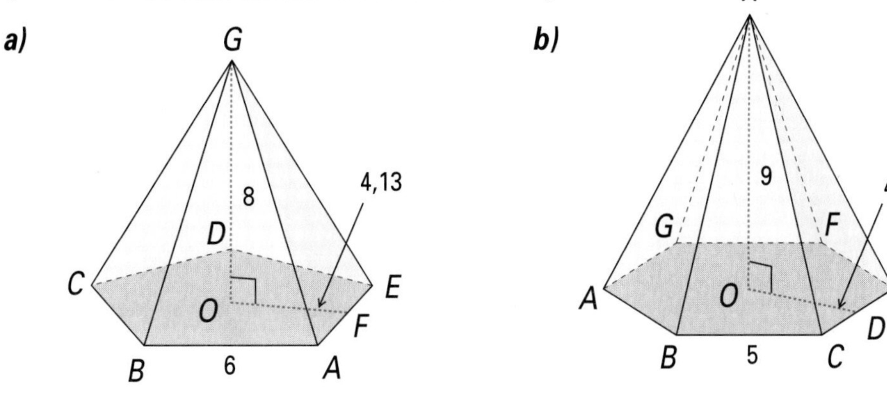

**17** Un projecteur est situé à 5 m au-dessus du plancher d'une scène. Le diamètre du disque de lumière sur le plancher a 2 m. Quel est le volume de ce cône de lumière ?

**18** On augmente progressivement le rayon de la base d'un cône en laissant sa hauteur fixe, soit 10 cm. On constate que le volume varie.

| Rayon (en cm) | Volume (en cm³) |
|---|---|
| 0 | ■ |
| 1 | ■ |
| 2 | ■ |
| 3 | ■ |
| 6 | ■ |

*a)* Complète cette table de valeurs pour la relation entre le rayon et le volume.

*b)* Trace le graphique cartésien de cette relation.

*c)* Décris en mots la relation observée.

**19** Sur un terrain, on a monté une tente à base régulière octogonale. Elle mesure 2 m de hauteur. Calcule le volume d'air contenu dans cette tente si le côté et l'apothème de la base mesurent respectivement 1 m et 1,2 m.

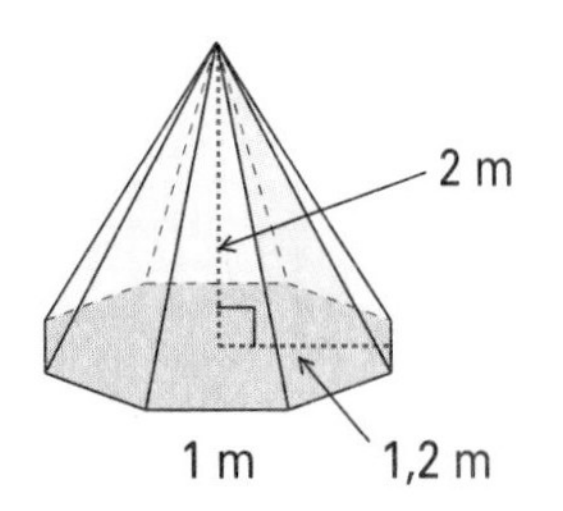


**20** On veut déterminer le volume de la pyramide ci-dessous. Complète la démarche proposée en justifiant chaque étape.

1° La mesure de l'angle *ADC* est de 180° – (30° + 60°), ou 90°, car ■.

2° Le triangle *ADC* est rectangle, car ■.

3° L'aire du triangle *ADC* est de $\frac{12 \times 8}{2}$ unités carrées, car les côtés de l'angle droit sont respectivement la base et ■.

4° Le volume de la pyramide est ■.

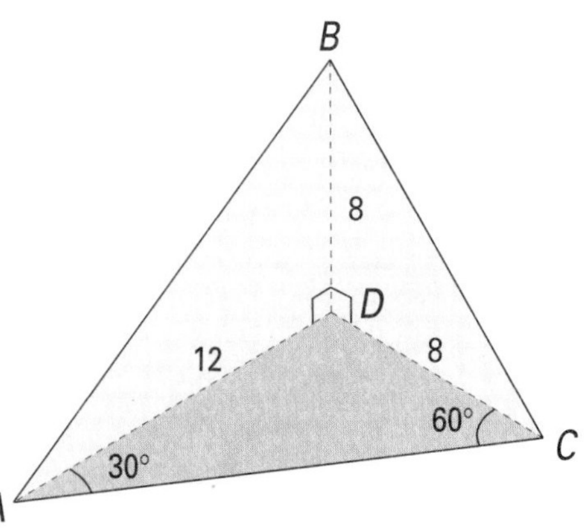

Voici 20 énoncés qui décrivent des comportements possibles en résolution de problèmes. Quels sont les tiens ? Réponds le plus honnêtement possible en donnant l'une des trois réponses suivantes :

**Avant de commencer à résoudre le problème, que faites-vous ?**

1. Je lis le problème plus d'une fois.
2. J'essaie de comprendre ce qu'on demande.
3. Je reformule le problème en mes propres mots.
4. Je me demande quelles informations sont nécessaires pour résoudre le problème.
5. Je sors les données pertinentes pour résoudre le problème.
6. Je fais un dessin pour m'aider à comprendre le problème.
7. Je cherche la signification des mots que je ne comprends pas.

**Pendant que vous travaillez à résoudre le problème, que faites-vous ?**

8. Je me demande si j'ai déjà résolu un problème semblable.
9. Je me demande quelles stratégies me permettraient de résoudre le problème.
10. Je pense à diviser le problème en sous-problèmes.
11. Je relis le problème après un certain temps pour me concentrer sur le but à atteindre.
12. Je cherche à déduire les données manquantes des autres données.
13. J'évalue si je me suis rapproché du but.
14. J'essaie d'évaluer la réponse par le simple bon sens et l'estimation.
15. Je vérifie mon travail étape par étape pendant la résolution.

**Après avoir résolu le problème, que faites-vous ?**

16. Je m'interroge sur ma démarche dans ses grandes lignes pour déterminer si elle est correcte.
17. Je vérifie mes calculs pour voir s'ils sont exacts.
18. Je vérifie si la réponse que j'ai trouvée est sensée.
19. J'écris une réponse complète.
20. Je me demande s'il est possible de résoudre le problème d'une autre façon.

Plus on met en pratique ces bons comportements, meilleures sont nos chances de résoudre des problèmes.

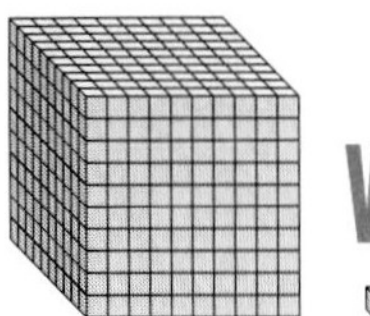

# VOLUME DE LA BOULE

## À LA RECHERCHE D'UNE FORMULE

### Activité 1 Boule vs cylindre

Voici une boule et un cylindre de même diamètre et de même hauteur.

***a)*** Combien de fois le volume de la boule est-il contenu dans celui du cylindre ? Fais tes prédictions. Nous allons ensuite effectuer l'expérience.

***b)*** Quelle fraction du volume du cylindre a-t-on obtenue ?

***c)*** Quel est le volume du cylindre si on utilise $2r$ comme diamètre et comme hauteur ?

***d)*** Alors, quel est approximativement le volume de la boule par rapport à celui du cylindre ?

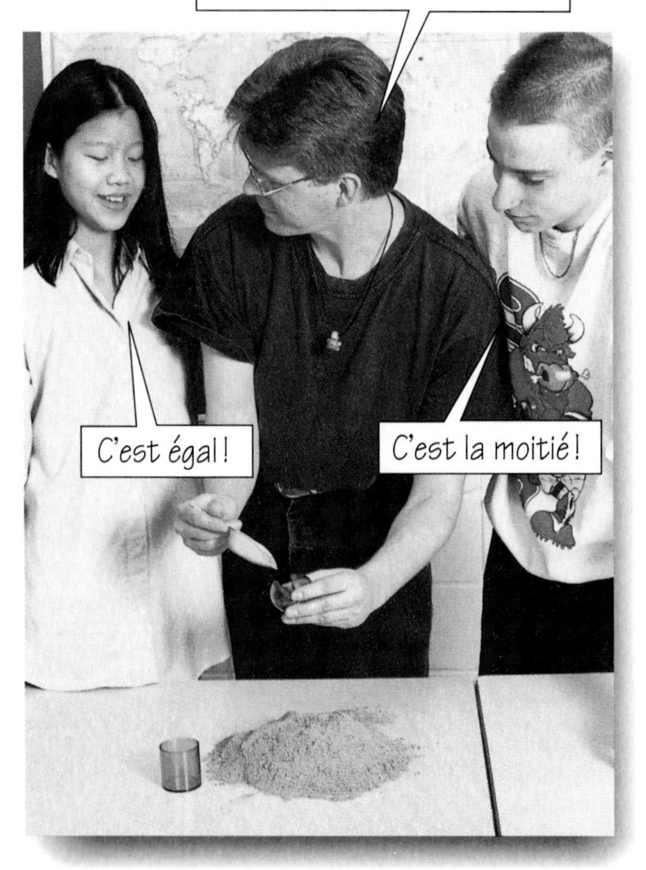

## Activité 2 Boule vs cône

Voici une boule et un cône de même diamètre et de même hauteur.

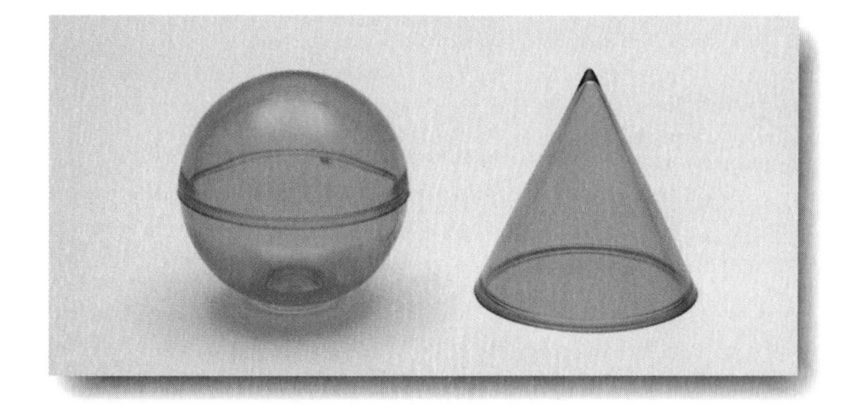

***a)*** Combien de fois le volume du cône est-il contenu dans celui de la boule ? Fais tes prédictions avant d'effectuer l'expérience suivante.

***b)*** Quel est le volume du cône ?

***c)*** Quel est alors le volume de la boule ?

Les activités 1 et 2 mènent-elles aux mêmes conclusions en ce qui concerne le volume de la boule ?

## Activité 3 Volume de la boule vs aire de la sphère

Les deux activités précédentes montrent que le volume de la boule est $\frac{4\pi r^3}{3}$. On peut parvenir à ce même résultat en recourant à la formule de base du calcul du volume des solides tels que les pyramides et les cônes.

Voici une balle de baseball et son recouvrement étendu.

*a)* Quelle est approximativement l'aire de ce recouvrement ?

Par de savants calculs, on établit que l'aire de la sphère est équivalente à $4\pi r^2$, soit l'équivalent de 4 fois l'aire de sa plus grande section.

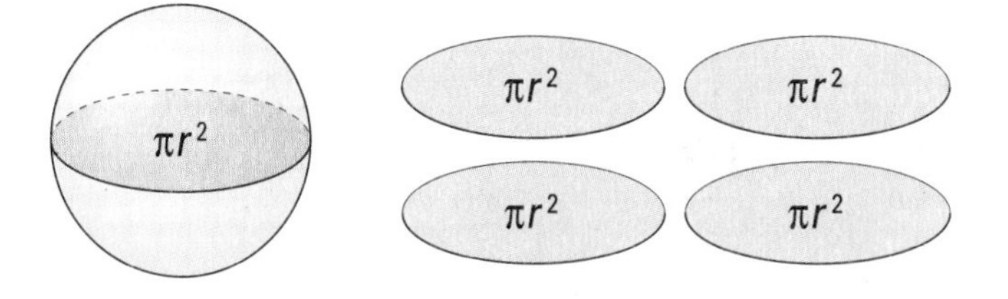


L'aire de la sphère équivaut à $4\pi r^2$ unités carrées.

On peut considérer la boule comme un solide formé d'un grand nombre de petites pyramides régulières à base triangulaire dont la hauteur est le rayon de la boule.

Le volume de la boule est alors égal à la somme des volumes de toutes les petites pyramides.

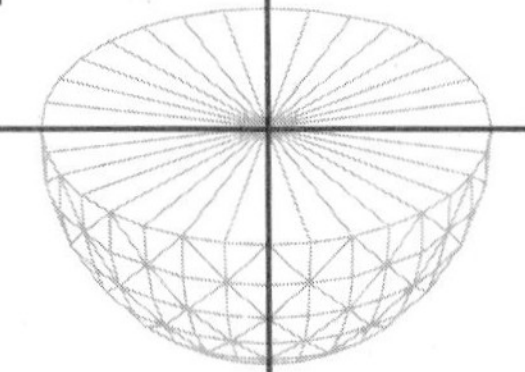

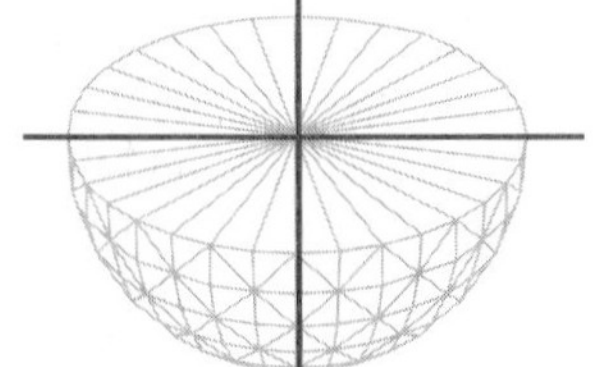

Si on déploie chaque quartier de pyramides sur leur base, on obtient :

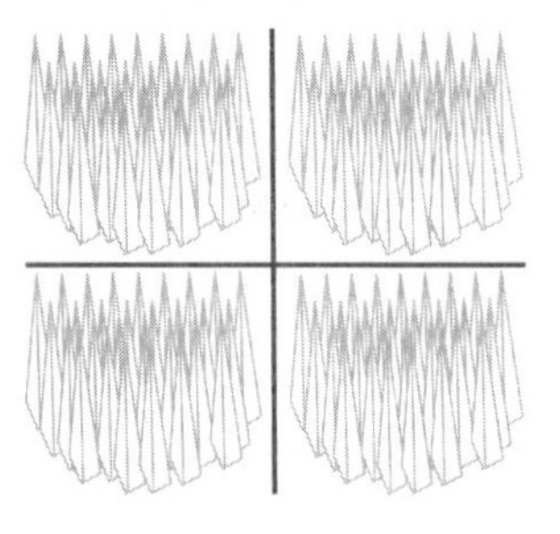

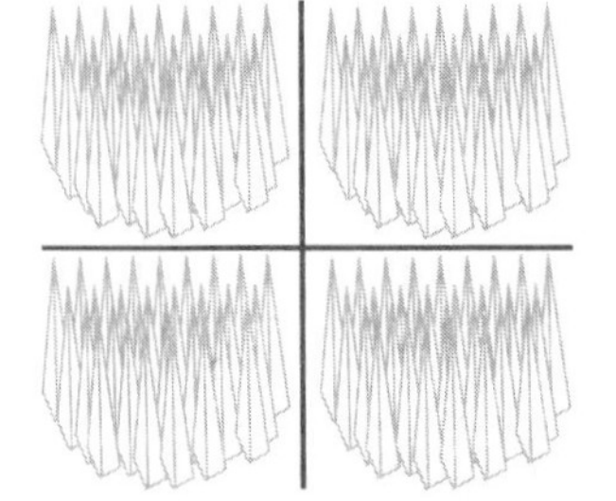

*b)* Quelle est l'aire de l'ensemble des bases de ces pyramides ?

*c)* Quelle est la hauteur de ces pyramides ?

Si l'on désigne l'aire des bases des petites pyramides par $a_1$, $a_2$, $a_3$, ... et par $r$ le rayon, le volume de la boule est alors :

$$\begin{aligned}\text{Volume}_{\text{(boule)}} &= \frac{1}{3}a_1r + \frac{1}{3}a_2r + \frac{1}{3}a_3r + ...\\ &= \frac{1}{3}r(a_1 + a_2 + a_3 + ...)\\ &= \frac{1}{3}r(\text{aire de la sphère})\\ &= \frac{1}{3}r(4\pi r^2)\\ &= \frac{4\pi r^3}{3}\end{aligned}$$

On confirme donc le résultat des activités précédentes.

Nos observations permettent de partager les principaux solides en deux grandes catégories en ce qui a trait à leur volume :

| Solides | Volume |
|---|---|
| Prismes et cylindres | Volume = (aire de la base) • (hauteur) |
| Pyramides, cônes et boules* | Volume = $\frac{1}{3}$(aire de la base) • (hauteur) |

* Dans le cas de la boule, l'aire de la base est celle de la sphère, et la hauteur est le rayon.

**1** On veut recouvrir une boule à l'aide de 4 disques de cuir de même diamètre que la boule.

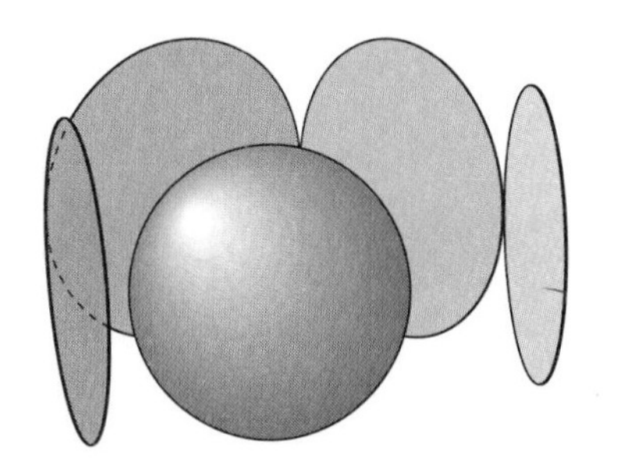

***a)*** A-t-on en principe suffisamment de cuir ?

***b)*** Est-on physiquement capable de cacher toute la boule de cette façon ?

**2** Lequel de ces deux morceaux de pomme a une surface de pelure équivalente à sa surface de chair apparente ?

Demi-pomme.

Quart de pomme.

**3** Calcule l'aire de ces sphères.

*a)* 12 mm

*b)* 4 cm

**4** Calcule le volume de ces boules.

*a)* 3 cm

*b)* 3,8 dm

**5** Quel est le volume d'une boule dont la sphère a une aire de $64\pi$ $m^2$ ?

**6** Quelle est l'aire de la sphère d'une boule dont le volume est de 3053,6281 $dm^3$ ?

**7**

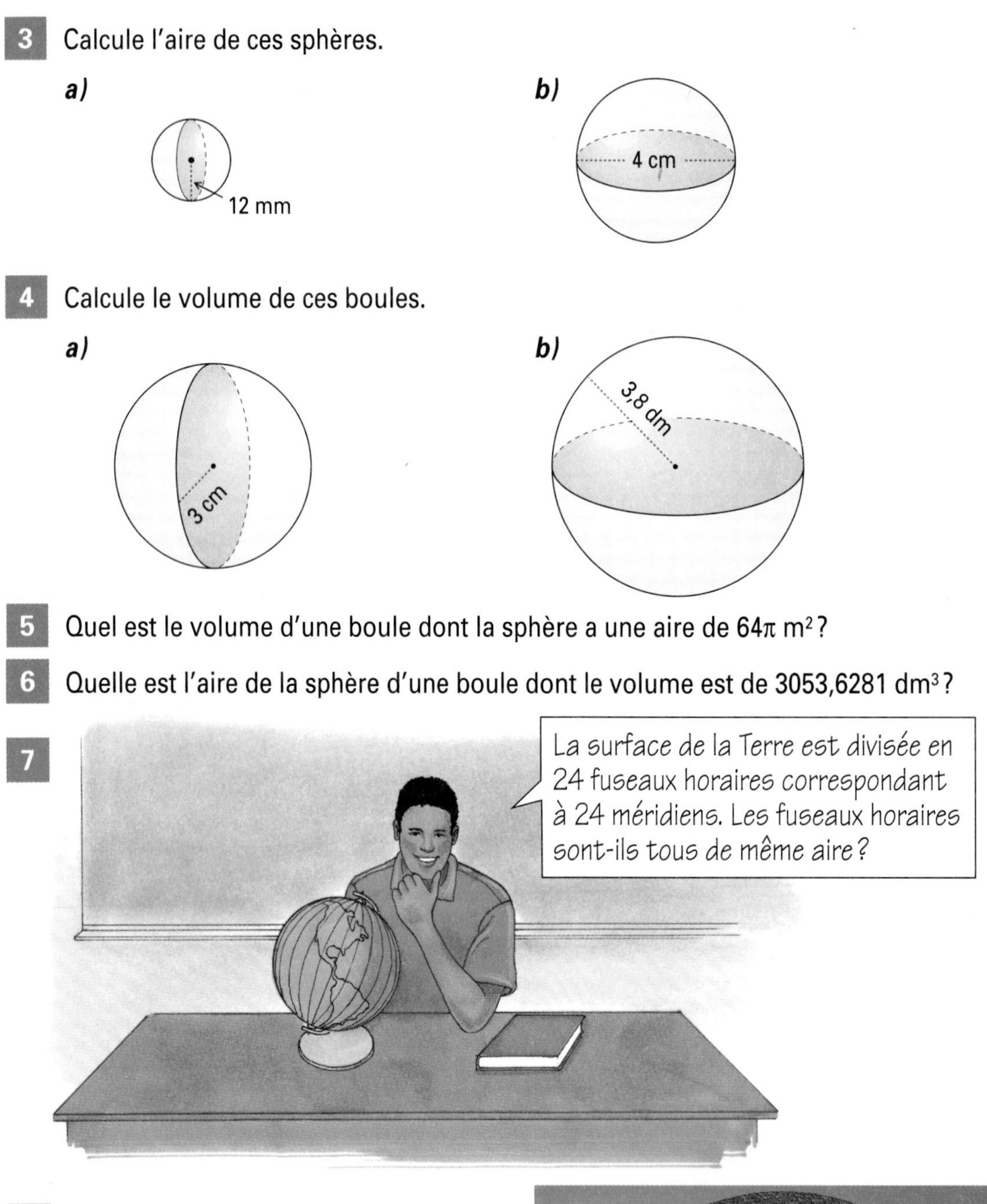


**8** Sur l'île Sainte-Hélène, on peut voir un dôme géodésique de forme sphérique appelé Biosphère. Quel est le volume approximatif de cette construction si son diamètre est de 78 m ?

*Chef-d'oeuvre architectural de l'Expo 67, la Biosphère est un centre d'observation environnemental sur l'eau et sur l'écosystème « Saint-Laurent-Grands-Lacs ».*

**9** À l'aide d'un robinet à débit constant, on remplit une boule. Chaque minute, on note la hauteur du liquide dans la boule. Esquisse un graphique montrant comment évolue cette hauteur en relation avec le temps qui passe.

**10** Quelle expression algébrique peut représenter le volume d'une boule de $(x + 1)$ unités de rayon ?

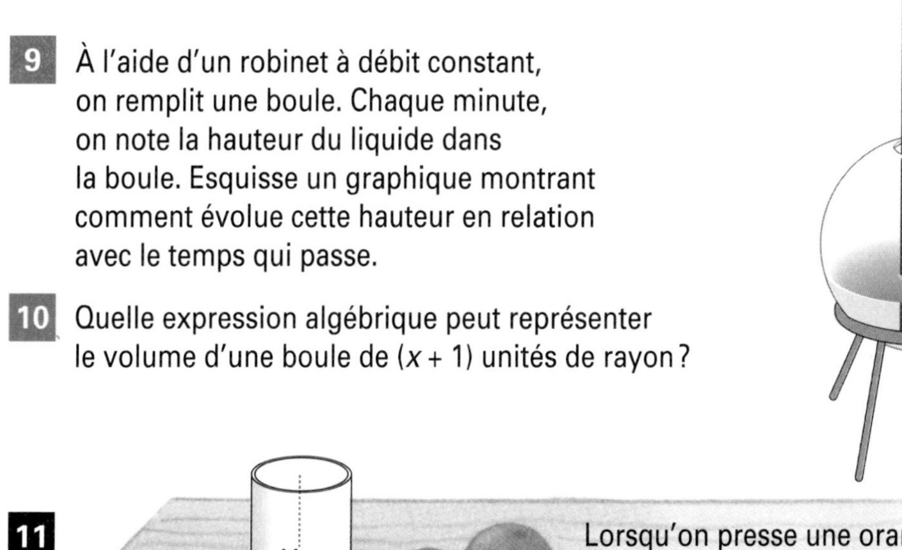


**11** Lorsqu'on presse une orange pour en extraire le jus, on prend environ 70 % de son volume. Combien faut-il d'oranges dont le diamètre est de 7 cm pour remplir un verre comme celui ci-contre ?

**12** On a placé trois balles de tennis de 10 cm de diamètre dans un cylindre ayant un même diamètre et une hauteur de trois balles. Quel pourcentage de l'espace n'est pas occupé par les balles ?

**13** Un cornet est servi avec une boule complète de crème glacée. Le diamètre de la boule et du cône est de 6,5 cm. La hauteur du cône est de 10 cm. On laisse fondre la crème glacée dans le cône. Quelle est la mesure de l'espace inoccupé par la crème ? (On suppose que le volume de la crème glacée demeure le même une fois qu'elle est fondue.)

6,5 cm

10 cm

**14** La Terre a un rayon équatorial approximatif de 6380 km.

***a)*** Calcule l'aire de la surface de la Terre.

***b)*** Quelle partie du globe le Canada occupe-t-il avec ses 9 975 000 km$^2$ ?

***c)*** Quel est le volume de la Terre ?

***d)*** Sachant que 1 m$^3$ de terre pèse environ 5520 kg, détermine la masse de la Terre.

***e)*** Sachant que le rayon de la Lune équivaut approximativement au quart de celui de la Terre, calcule le volume de la Lune.

***f)*** Quel est le rapport des volumes de la Lune et de la Terre ?

**15** Explique comment tu t'y prendrais pour déterminer le volume de cette ampoule électrique.

*Pourquoi une ampoule électrique éclaire-t-elle ?*

## LES VISAGES DES SOLIDES

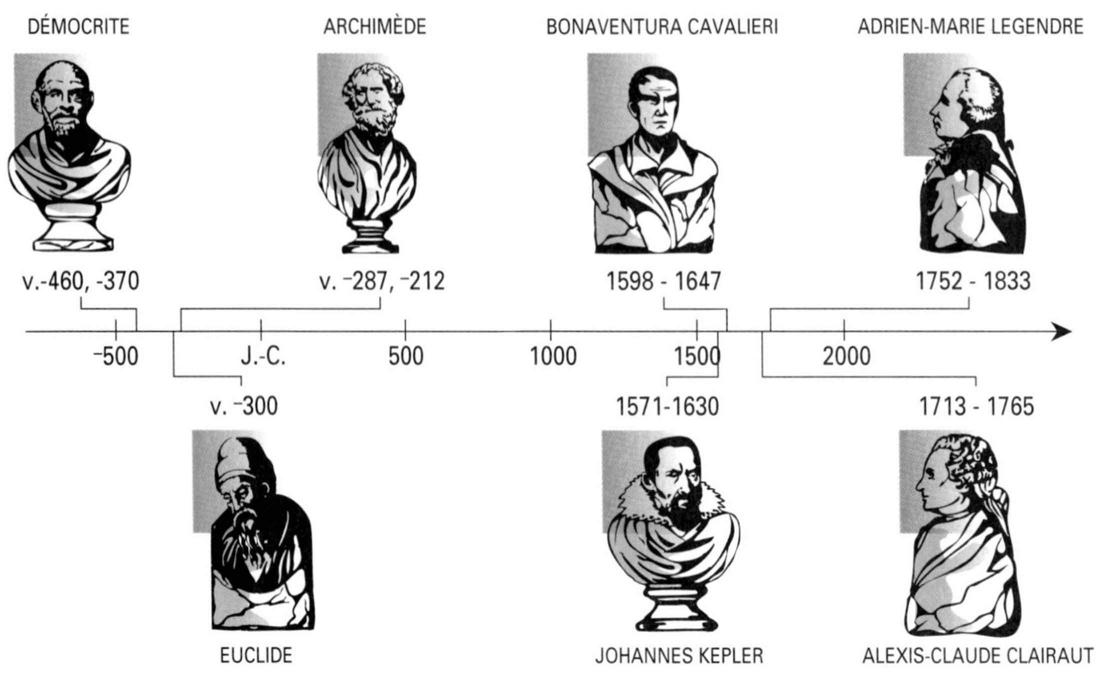


## LES CONNAISSEZ-VOUS ?

Parmi ces mathématiciens, identifiez :

***a)*** celui qui, dans son célèbre livre les *Éléments*, a rapporté la plus ancienne démonstration connue de la formule du volume d'une pyramide ;

***b)*** celui qui fut un célèbre astronome allemand du XVII$^{e}$ siècle et qui a montré que les planètes tournent autour du Soleil en suivant des orbites elliptiques. Amateur de bon vin, il était irrité par la malhonnêteté de négociants de son temps. Il a écrit un petit traité sur la mesure du volume des tonneaux de vin ;

***c)*** celui qui a donné son nom à un principe permettant de déterminer le volume de certains solides en considérant ces solides comme des empilages de feuilles très minces ;

***d)*** celui qui fut un grand géomètre français et qui a écrit le livre de géométrie le plus populaire du XIX$^{e}$ siècle ;

***e)*** celui qui, selon Archimède, a établi la formule du volume du cylindre et celle du volume du cône ;

***f)*** celui qui, intrigué par la comète de Halley, s'est consacré à l'étude de la forme de la Terre ;

***g)*** celui qui, considéré comme un génie incontesté, fut surnommé le « dieu des mathématiques ». Il pria ses proches de mettre sur sa pierre tombale un cylindre renfermant une boule de même hauteur parce que la découverte de la relation entre ces deux solides le réjouissait.

## CURIOSITÉS

Les figures planes présentent parfois certaines curiosités.

*a)* Calcule l'aire du carré et l'aire du disque si le côté de l'un est le rayon de l'autre.

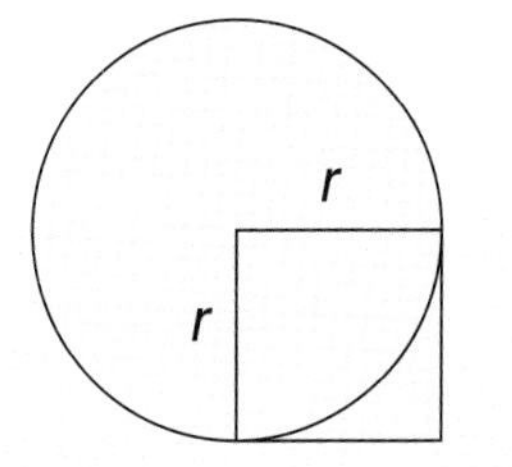


*b)* Établis le rapport entre l'aire du disque et l'aire du carré. Quel est ce fameux nombre ?

*c)* À quel autre rapport ce nombre équivaut-il ?

Dans l'espace, on observe aussi quelques curiosités.

*d)* Voici une boule et un cylindre de même diamètre et de même hauteur.

1) Calcule l'aire de la sphère.

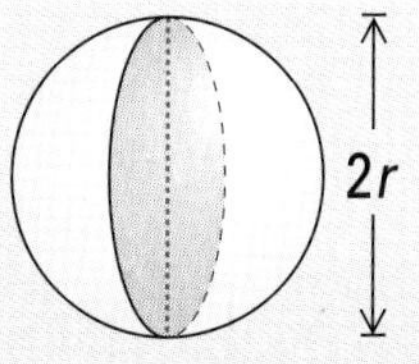


2) Calcule l'aire latérale du cylindre si son rayon est $r$ et sa hauteur, $2r$.

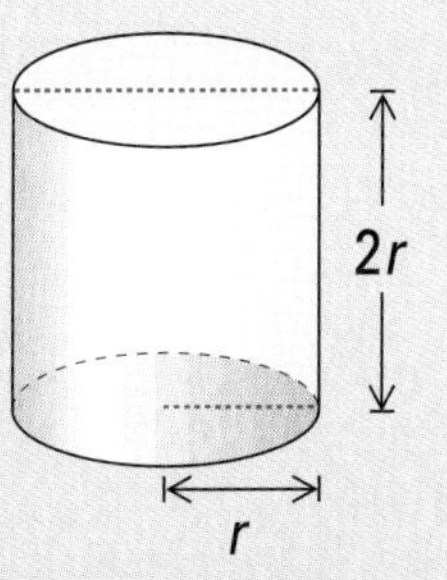


3) Quelle est cette curiosité ?

*e)* Voici cette fois une boule de rayon $r$, un cylindre et un cône de même rayon et de même hauteur que la boule. Calcule le volume de chacun.

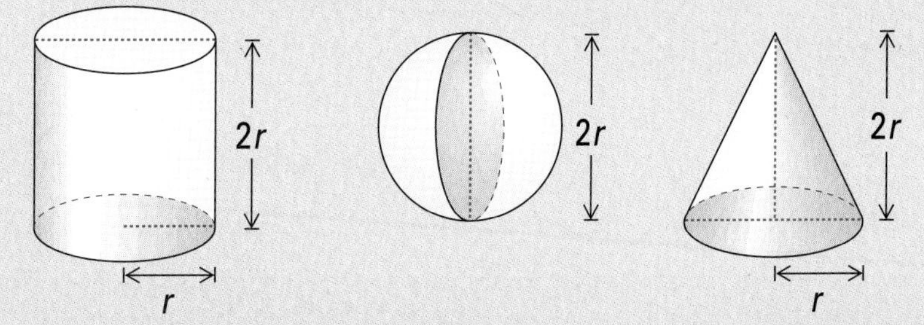


*f)* Quelle relation peut-on observer entre les volumes de ces trois solides ?

# AIRE DES SOLIDES

## À LA RECHERCHE D'UNE FORMULE DE BASE

La principale mesure des solides est sans contredit le volume. Cependant, il est parfois utile de connaître l'aire totale d'un solide. L'**aire totale** d'un solide comprend généralement l'**aire des bases** et l'**aire latérale**.

### Activité 1 Le contenant plutôt que le contenu

***a)*** Donne en tes mots une définition acceptable de l'aire latérale.

***b)*** Explique une façon de trouver l'aire latérale du prisme droit rectangulaire projeté sur l'écran si sa base mesure 5 cm sur 12 cm et que sa hauteur est de 10 cm.

***c)***

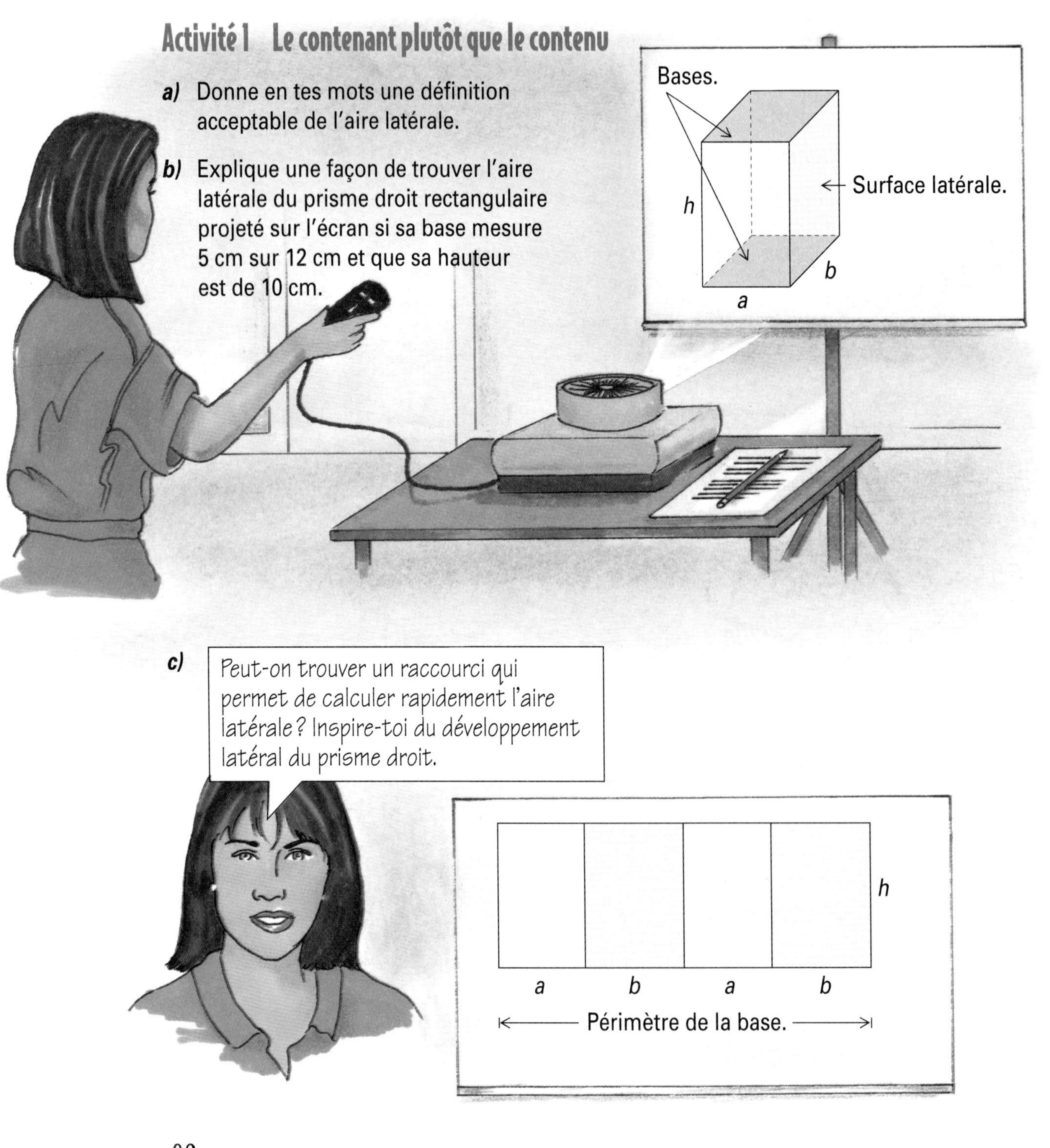

*d)* Quelle formule proposes-tu pour calculer l'aire latérale d'un prisme droit ?

*e)* Calcule l'aire latérale des prismes droits suivants. Les mesures sont données en centimètres.

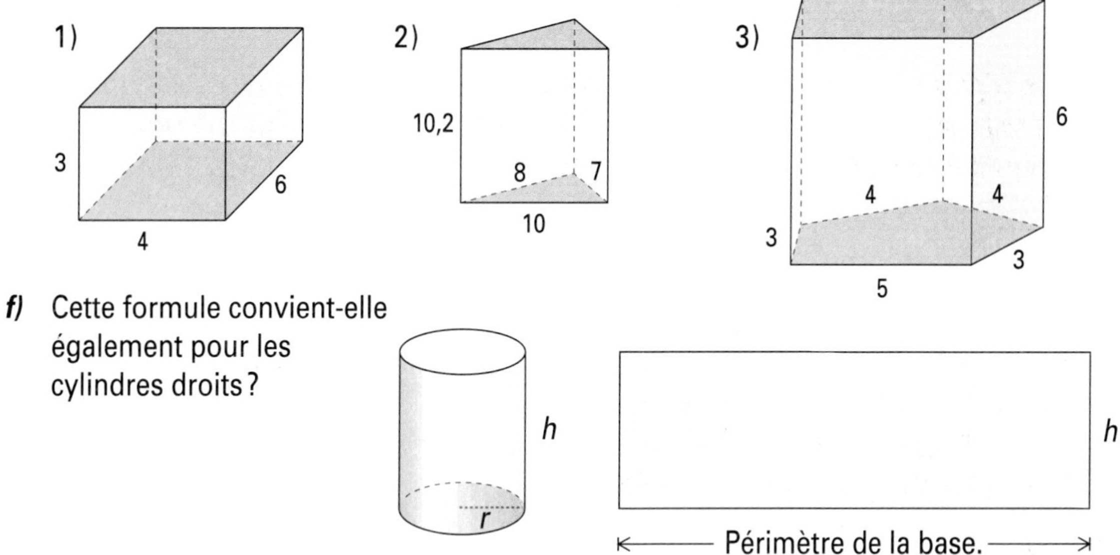


*f)* Cette formule convient-elle également pour les cylindres droits ?

*g)* Écris une formule qui permet de calculer l'aire totale d'un prisme droit ou d'un cylindre droit.

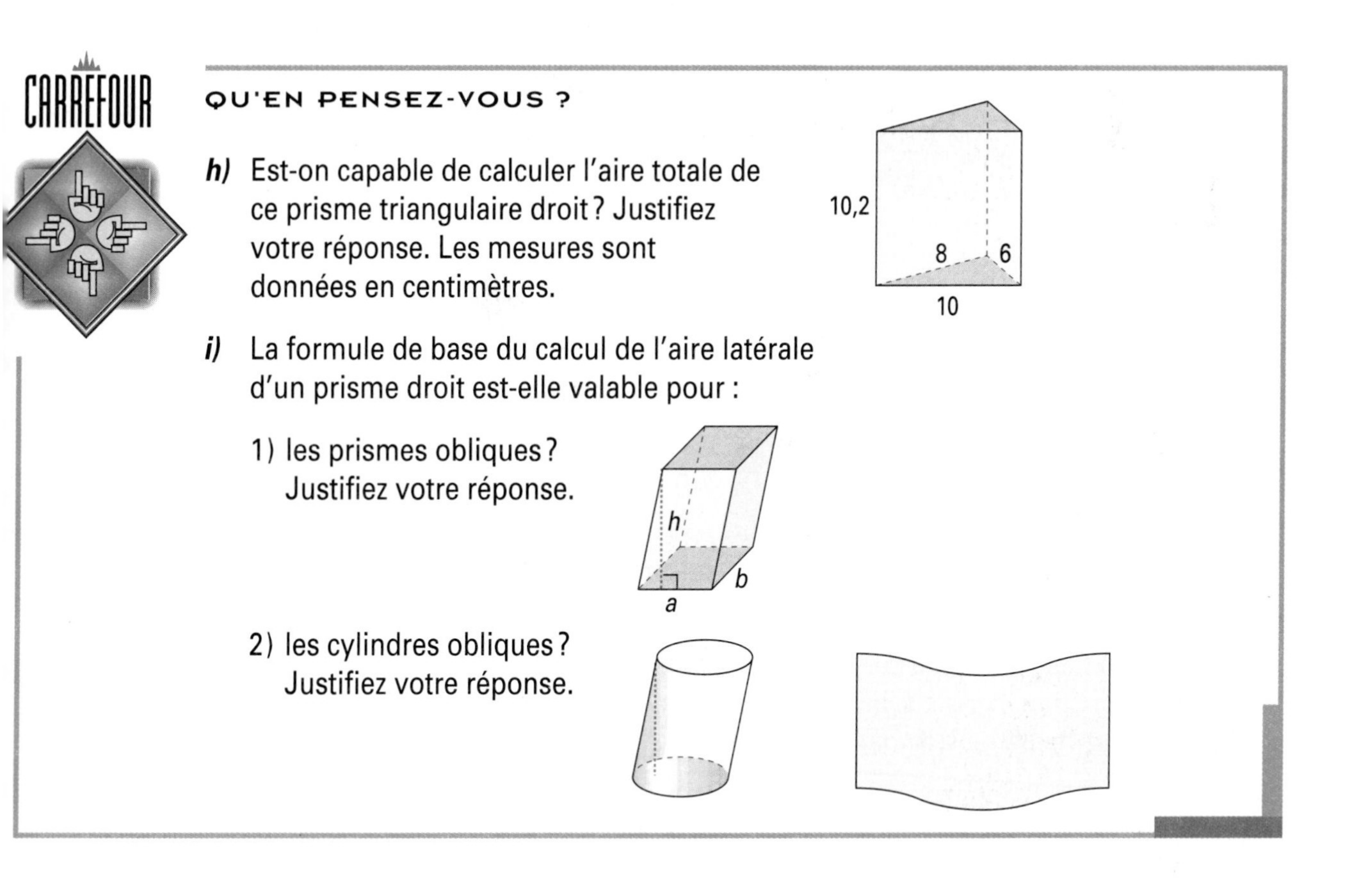


**QU'EN PENSEZ-VOUS ?**

*h)* Est-on capable de calculer l'aire totale de ce prisme triangulaire droit ? Justifiez votre réponse. Les mesures sont données en centimètres.

*i)* La formule de base du calcul de l'aire latérale d'un prisme droit est-elle valable pour :

1) les prismes obliques ? Justifiez votre réponse.

2) les cylindres obliques ? Justifiez votre réponse.

Pour le calcul de l'aire d'un prisme droit ou d'un cylindre droit, on a les formules suivantes :

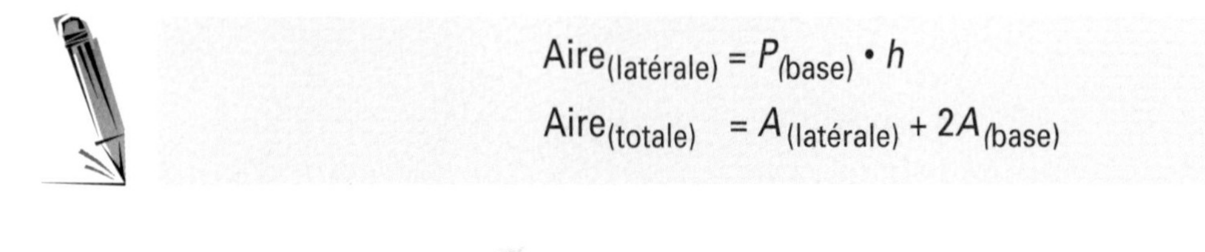

$$\text{Aire}_{(\text{latérale})} = P_{(\text{base})} \cdot h$$

$$\text{Aire}_{(\text{totale})} = A_{(\text{latérale})} + 2A_{(\text{base})}$$

## Activité 2 L'aire de pointes

Voici une pyramide régulière droite. On veut trouver son aire latérale. À cette fin, on a représenté son développement.

*a)* Qu'entend-on par pyramide régulière?

*b)* Dans une pyramide régulière, les triangles formant la surface latérale sont-ils tous congrus?

*c)* La hauteur des triangles formant la surface latérale est-elle la même que la hauteur de la pyramide?

*d)* Pour éviter la confusion, on utilise deux termes : *hauteur* et *apothème* d'une pyramide. Donne une définition acceptable de ces deux mots dans le cas d'une pyramide régulière.

*e)* Explique pourquoi l'aire latérale de la pyramide régulière est la moitié de l'aire d'un rectangle ayant comme base le périmètre de la base et comme hauteur, l'apothème des triangles.

*L'apothème d'une pyramide n'est pas la même chose que l'apothème d'un polygone régulier.*

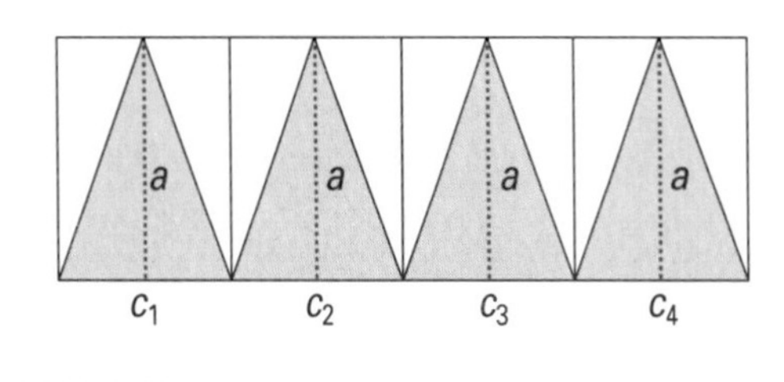

***f)*** Peut-on faire le même raisonnement avec les pyramides régulières à base triangulaire ou à base pentagonale ou autres?

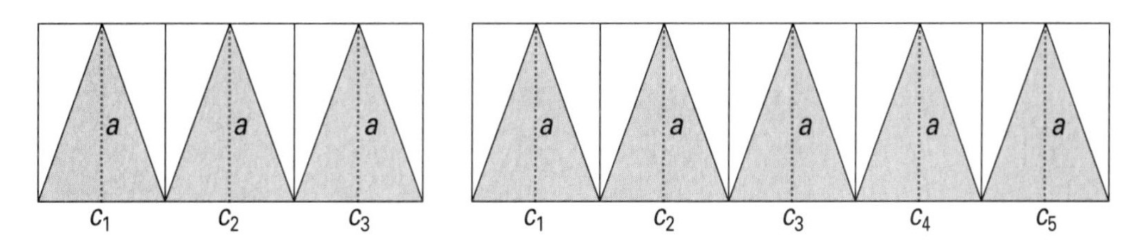


***g)*** Peut-on appliquer la même formule à une pyramide non régulière? Pourquoi? (Pour t'aider à répondre, imagine le développement d'une pyramide droite dont la base est un rectangle très étroit.)

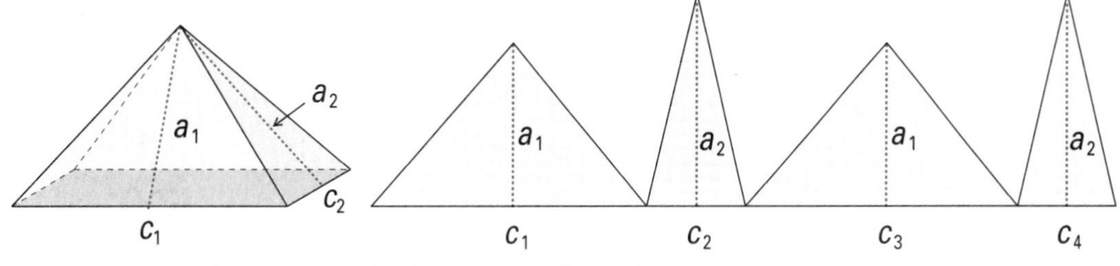


***h)*** Que doit-on faire pour calculer l'aire latérale d'une pyramide droite non régulière?

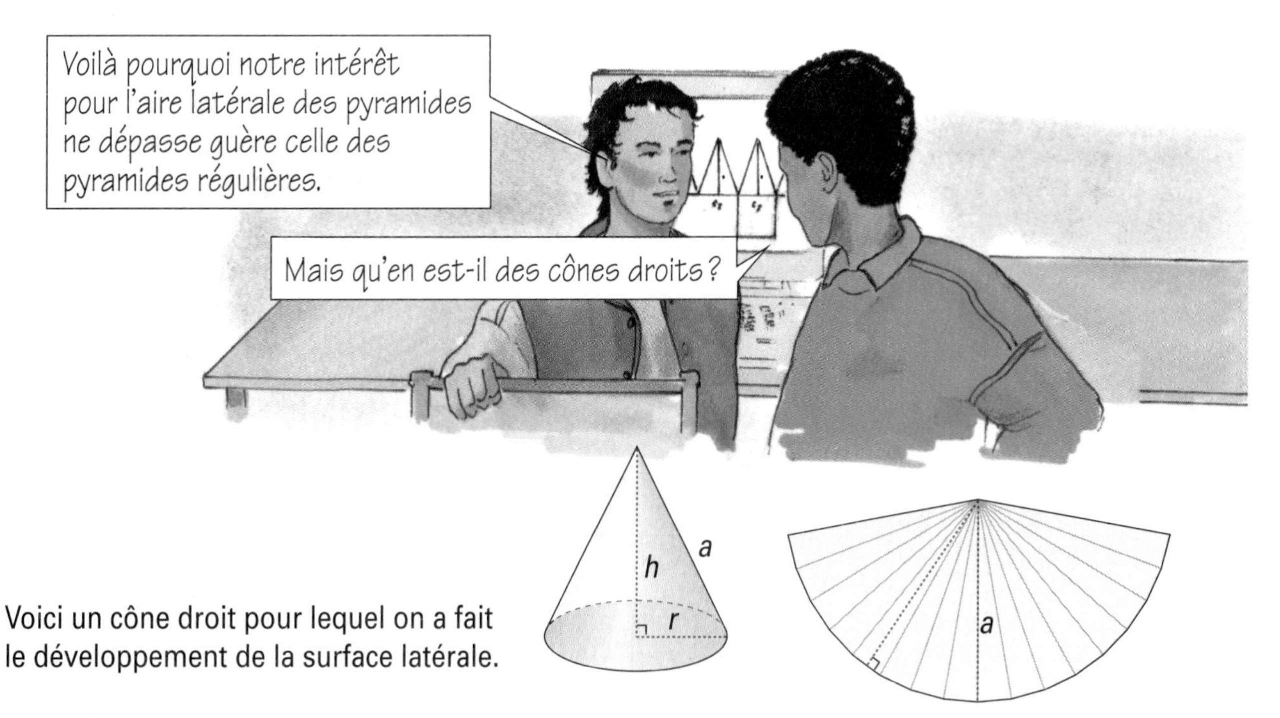


Voici un cône droit pour lequel on a fait le développement de la surface latérale.

La surface latérale se rapproche de celle formée par la juxtaposition au même sommet de plusieurs triangles congrus.

***i)*** Vers quelle mesure du cône tend la somme des bases des triangles?

***j)*** Vers quelle mesure du cône tend la hauteur des triangles?

***k)*** Quelle formule peut-on utiliser pour calculer l'aire latérale d'un cône?

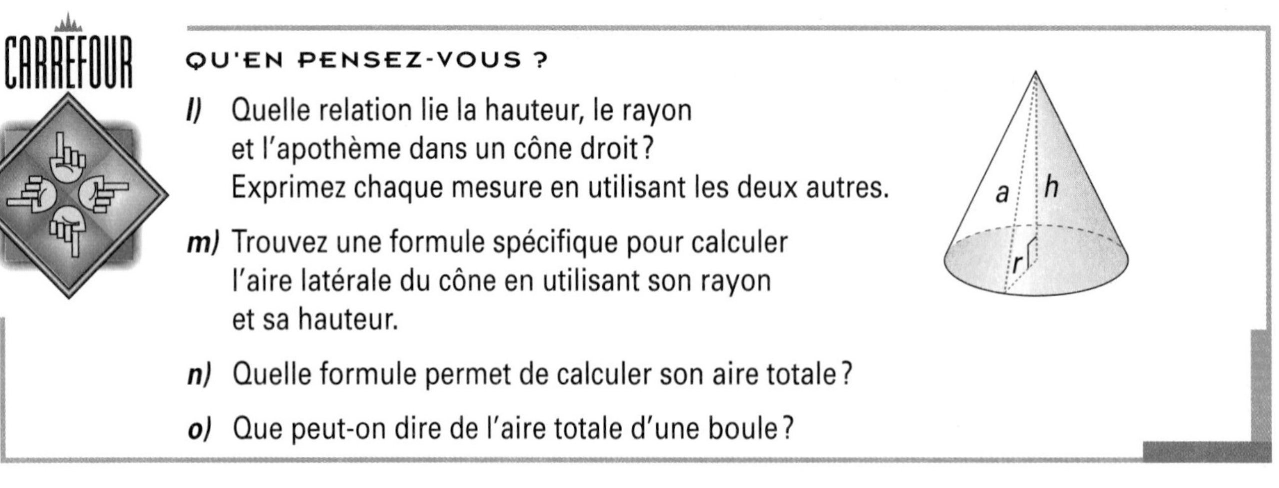

CARREFOUR

**QU'EN PENSEZ-VOUS ?**

***l)*** Quelle relation lie la hauteur, le rayon et l'apothème dans un cône droit? Exprimez chaque mesure en utilisant les deux autres.

***m)*** Trouvez une formule spécifique pour calculer l'aire latérale du cône en utilisant son rayon et sa hauteur.

***n)*** Quelle formule permet de calculer son aire totale?

***o)*** Que peut-on dire de l'aire totale d'une boule?

On observe donc les formules de base suivantes pour le calcul de l'aire latérale et de l'aire totale des principaux solides.

| Solides | Aire latérale | Aire totale |
|---|---|---|
| Prismes droits<br>Cylindres droits | $A_{(\text{latérale})}$ = (périmètre de la base) • (hauteur) | $A_{(\text{totale})} = A_{(\text{latérale})} + A_{(\text{des bases})}$ |
| Pyramides régulières droites<br>Cônes droits | $A_{(\text{latérale})} = \frac{(\text{périmètre de la base}) \cdot (\text{apothème})}{2}$ | $A_{(\text{totale})} = A_{(\text{latérale})} + A_{(\text{de la base})}$ |
| Boules | $A_{(\text{latérale})} = A_{(\text{totale})} = 4\pi r^2$ | |

**1** L'aire du développement d'un solide correspond-elle à son aire totale?

**2** Calcule l'aire latérale des solides suivants.

***a)*** Prisme droit à base carrée.

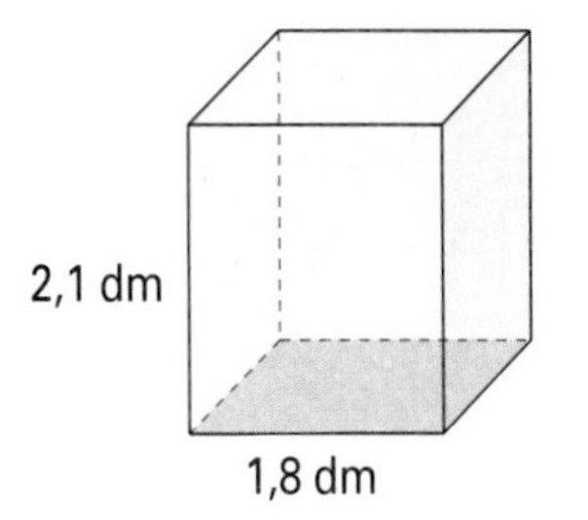


***b)*** Cône circulaire droit.

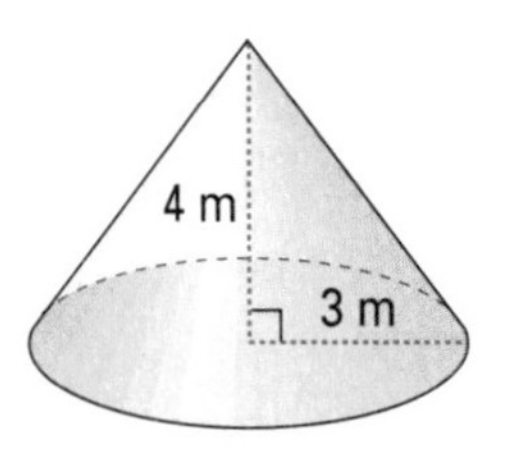


***c)*** Pyramide régulière à base pentagonale.

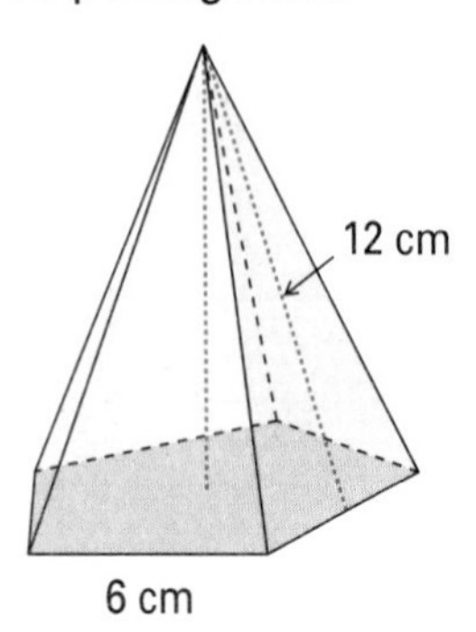


***d)*** Sphère de 30 mm de diamètre.

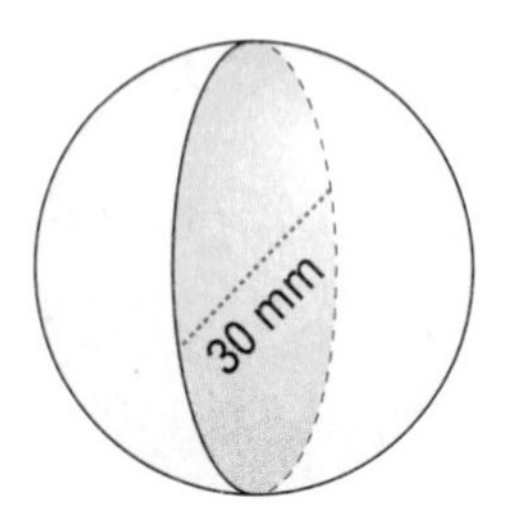

**3** Calcule l'aire totale des solides suivants.

*a)* Cylindre droit.

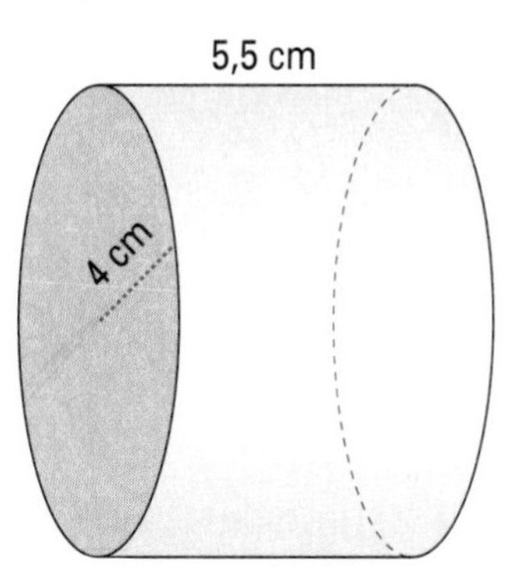


*b)* Prisme droit dont la base est un triangle rectangle.

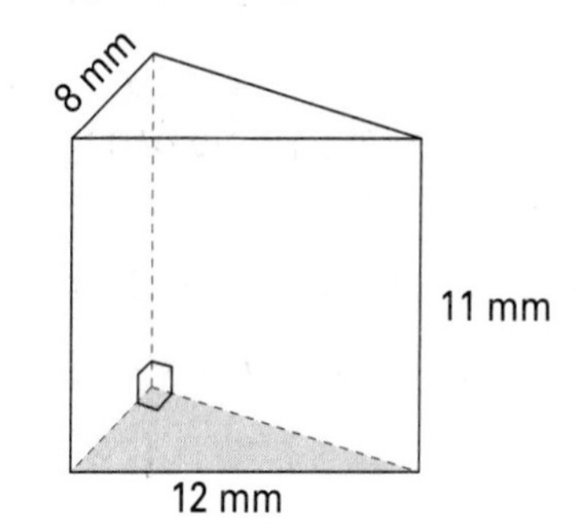


*c)* Prisme droit dont la base est un parallélogramme.

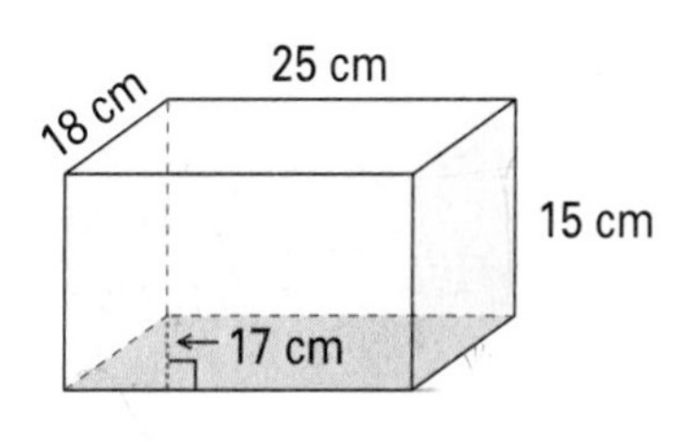


*d)* Prisme droit dont la base est un polygone quelconque.

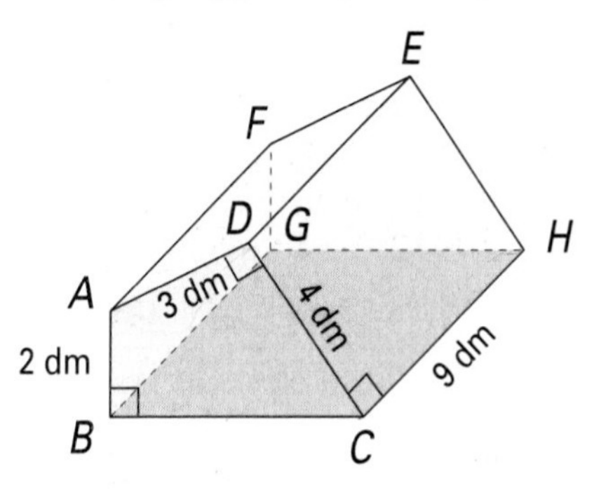


**4** Quelle est l'aire de ce filet à papillons?

50 cm

30 cm

*Pourquoi la vie des papillons est-elle si brève ?*

**5** Les amis et amies de Michaël ont organisé une fête surprise pour son anniversaire. En cette occasion, on a acheté un gâteau de 30 cm de diamètre et de 10 cm de hauteur.

*a)* Quelle est l'aire de la glace sur ce gâteau?

*b)* Quel est le volume de chacun des 10 morceaux qu'on espère se partager également?

**6** Reproduis et complète cette table.

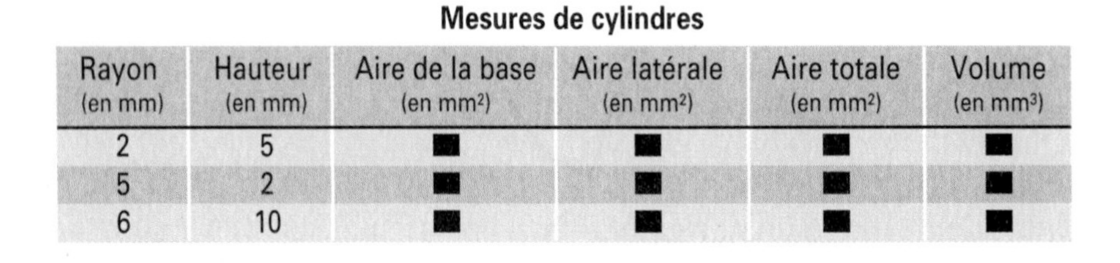

**Mesures de cylindres**

| Rayon (en mm) | Hauteur (en mm) | Aire de la base (en mm²) | Aire latérale (en mm²) | Aire totale (en mm²) | Volume (en mm³) |
|---|---|---|---|---|---|
| 2 | 5 | ■ | ■ | ■ | ■ |
| 5 | 2 | ■ | ■ | ■ | ■ |
| 6 | 10 | ■ | ■ | ■ | ■ |

**7** Un prisme à base carrée a un volume de 648 cm³ et une hauteur de 8 cm. Détermine :

***a)*** son aire latérale ; ***b)*** son aire totale ; ***c)*** la somme de ses arêtes.

**8** Un cube a un volume de 68,921 cm³. Détermine :

***a)*** son aire latérale ; ***b)*** son aire totale ;

***c)*** la distance entre deux sommets diamétralement opposés ou n'appartenant pas à une même face.

**9** La serre illustrée ci-contre a la forme d'un demi-cylindre. Elle mesure 7 m de largeur sur 15 m de longueur.

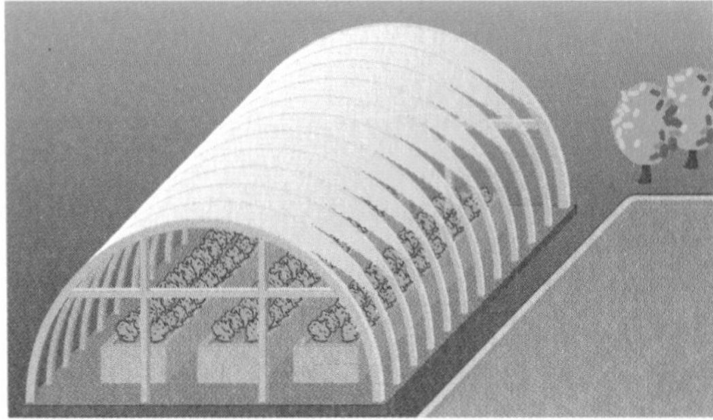

***a)*** Calcule le volume de cette serre.

***b)*** Calcule la quantité de revêtement en plastique nécessaire pour recouvrir la serre.

**10** Voici deux prismes droits à base rectangulaire. Les mesures sont données en décimètres.

Solide A

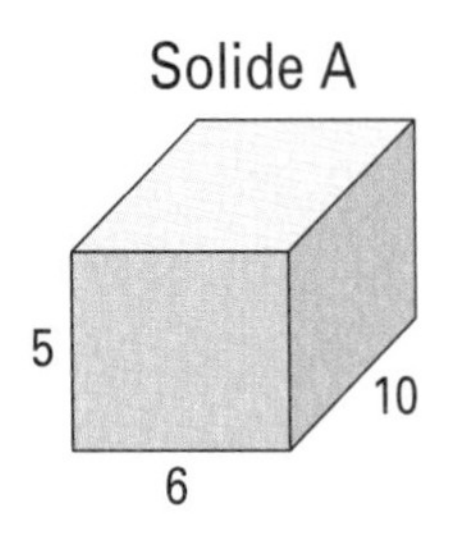


Solide B

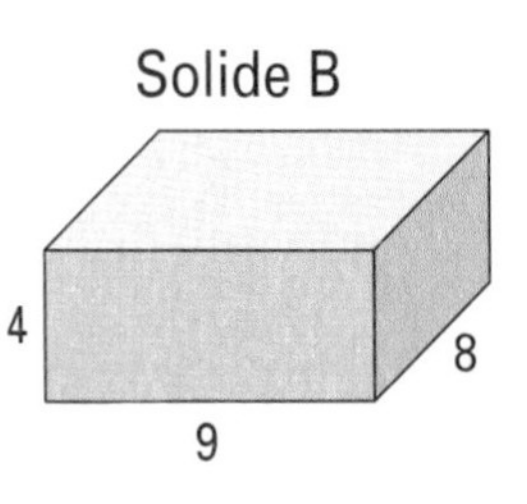


***a)*** Calcule leur aire totale. ***b)*** Calcule leur volume.

***c)*** Peut-on affirmer que deux prismes droits à base rectangulaire et de même aire totale ont le même volume ?

**11** On a construit deux prismes de même volume, soit 36 cm³. Ces deux solides ont-ils nécessairement la même aire totale ? Vérifie ta réponse.

**12** En doublant le rayon d'une boule de 5 cm, double-t-on :

***a)*** son aire totale ? ***b)*** son volume ?

**13** Des pastilles pour le rhume ont un diamètre de 1 cm et une épaisseur de 0,25 cm. On les pose l'une sur l'autre de façon à former un cylindre. On s'intéresse à la relation entre le nombre de pastilles et l'aire latérale du cylindre ainsi formé.

***a)*** Complète la table de valeurs suivante pour cette relation.

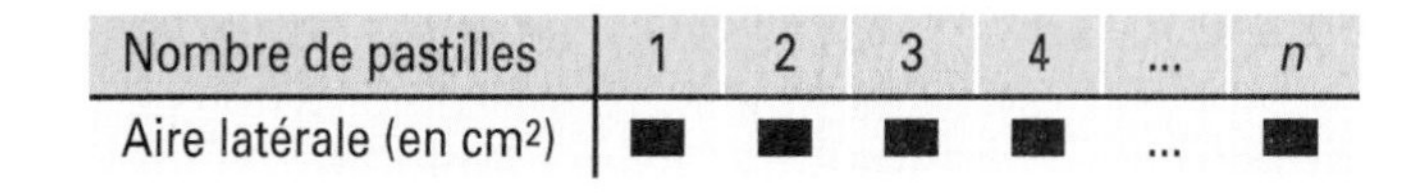

| Nombre de pastilles | 1 | 2 | 3 | 4 | ... | $n$ |
|---|---|---|---|---|---|---|
| Aire latérale (en cm$^2$) | ■ | ■ | ■ | ■ | ... | ■ |

***b)*** A-t-on ici une situation de proportionnalité ?

***c)*** Quelle serait l'aire latérale d'une colonne de 28 pastilles ?

***d)*** Quelle serait l'aire totale d'une colonne de 20 pastilles ?

**14** Quand une bulle de savon se pose sans éclater sur une surface d'eau, elle se transforme en une demi-boule dont le rayon est $\sqrt{2}$ fois le rayon de la bulle. Une demi-bulle provient d'une bulle de 2 cm de diamètre.

***a)*** Quel est son volume ?

***b)*** Quelle est son aire totale ?

**15** On veut fabriquer une boîte de carton ayant les dimensions données dans l'illustration ci-contre. Quelle sera l'aire totale du carton nécessaire ? (Les mesures sont données en centimètres.)

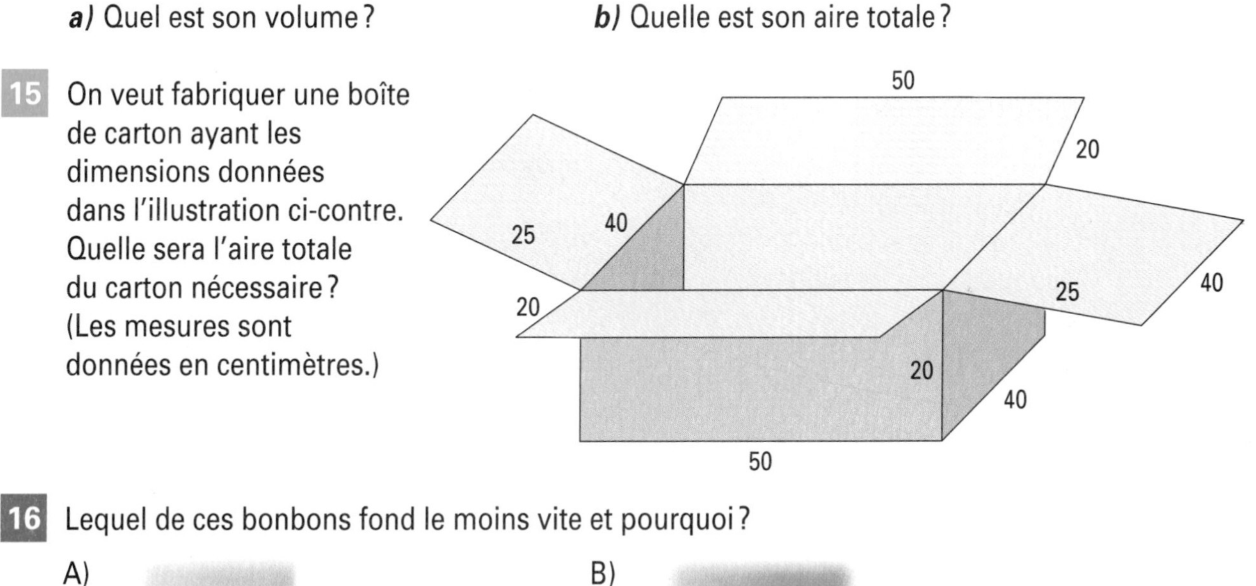


**16** Lequel de ces bonbons fond le moins vite et pourquoi ?

A)

B)

**17** Lequel de ces tuyaux de drainage est le plus efficace pour assécher un terrain ? Justifie ta réponse.

A)

B)

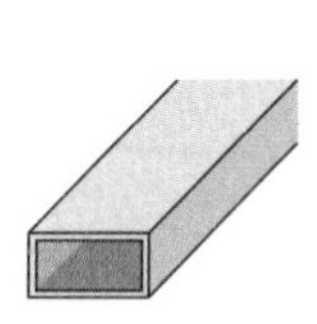

C)

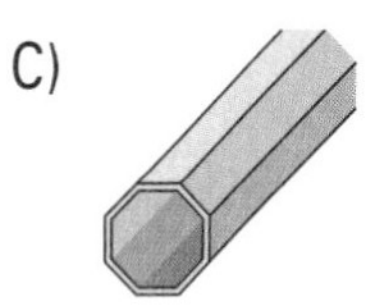

**18** Lequel du cube ou de la boule de même volume a la plus petite aire totale ? Donne un exemple appuyant ta réponse.

**19** On compare l'aire totale et le volume d'un cube pour différentes longueurs d'arête.

*a)* Complète la table de valeurs ci-contre.

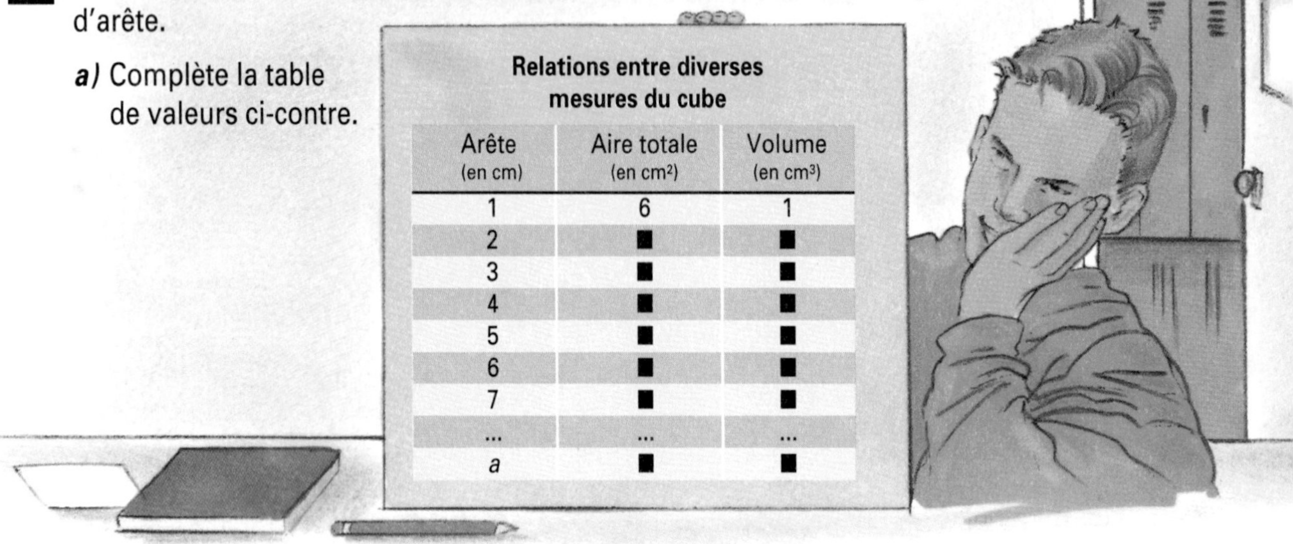

**Relations entre diverses mesures du cube**

| Arête (en cm) | Aire totale (en cm²) | Volume (en cm³) |
|---|---|---|
| 1 | 6 | 1 |
| 2 | ■ | ■ |
| 3 | ■ | ■ |
| 4 | ■ | ■ |
| 5 | ■ | ■ |
| 6 | ■ | ■ |
| 7 | ■ | ■ |
| ... | ... | ... |
| $a$ | ■ | ■ |

*b)* Pour quelle longueur de l'arête le nombre indiquant l'aire totale est-il le même que celui indiquant le volume ?

*c)* Décris en mots la relation entre la longueur de l'arête du cube et son aire totale.

*d)* Décris en mots la relation entre la longueur de l'arête du cube et son volume.

*e)* Décris en mots la relation entre l'aire totale du cube et son volume.

**20** Environ 250 ans av. J.-C., Archimède, mathématicien grec reconnu pour ses travaux sur les aires et les volumes, observa que l'aire d'une sphère est égale à l'aire latérale du cylindre qui la contient exactement. Quelle est l'aire latérale du cylindre qui contient une boule de $a$ cm de rayon ?

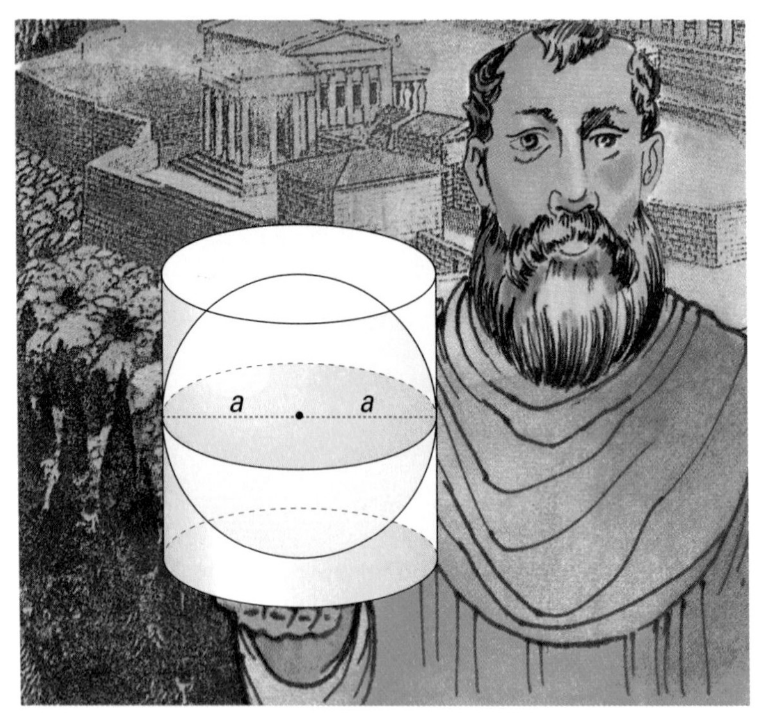


**21** Existe-t-il un lien entre l'aire totale d'une boule et son volume ? Afin de répondre à cette question, calcule l'aire totale d'une boule et son volume pour différentes longueurs de rayon. Décris en mots le lien que tu y vois.

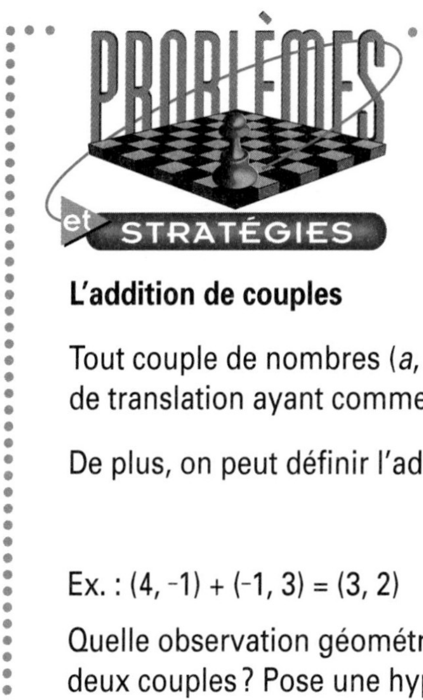


Stratégie : Poser une hypothèse et la vérifier.

**L'addition de couples**

Tout couple de nombres $(a, b)$ définit, dans un plan cartésien, une flèche de translation ayant comme origine (0, 0) et comme extrémité $(a, b)$.

De plus, on peut définir l'addition de deux couples comme suit :

$$(a, b) + (c, d) = (a + c, b + d)$$

Ex. : (4, -1) + (-1, 3) = (3, 2)

Quelle observation géométrique peut-on faire à propos de la somme de deux couples ? Pose une hypothèse et vérifie-la.

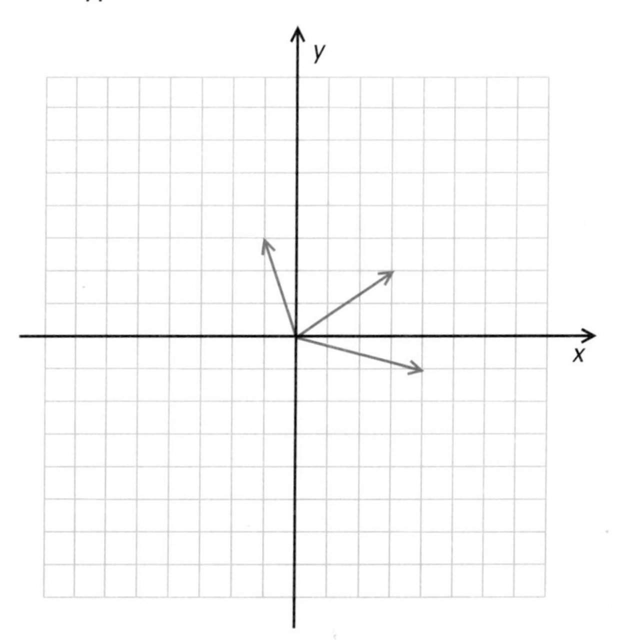


**Les puissances de 2**

La représentation décimale de $(\frac{1}{2})^1$ est 0,5 et a une décimale. Celle de $(\frac{1}{2})^2$, ou $\frac{1}{4}$, est 0,25 et a deux décimales. Sans rien calculer, prédis le nombre de décimales de $(\frac{1}{2})^9$, ou $\frac{1}{512}$.

L'hypothèse se vérifie-t-elle également pour $(\frac{1}{5})^n$ ?

**Une relation entre des nombres**

Quelle relation lie les nombres $a$, $n$ et $n + 1$ lorsque $a^2 = 2n + 1$ ?

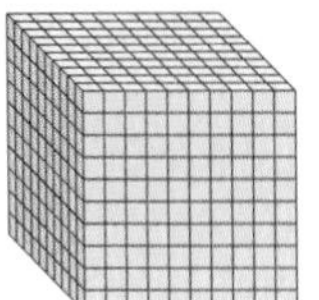

# MESURE DE SOLIDES DÉCOMPOSABLES

## LES SOLIDES COMPLEXES

Les êtres humains et la nature inventent toutes sortes de formes plus ou moins complexes.

*Le Dôme de la Roche, Jérusalem.*

Souvent, les solides complexes sont décomposables en solides plus simples. On peut alors calculer plus facilement leur aire ou leur volume.

### Activité Du complexe au plus simple

Voici des objets qui évoquent des solides complexes. Indique en quels solides plus simples ils sont décomposables.

1) 2) 3)

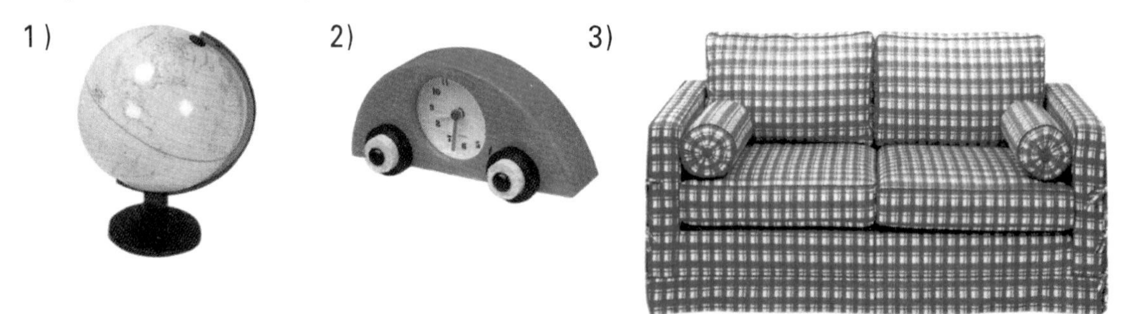

À partir des mesures des arêtes ou des surfaces d'un solide, il est généralement possible de déduire les mesures d'aire et de volume.

Pour tous les solides non décomposables, il faut recourir à d'autres techniques. Pour le volume, la technique la plus simple est souvent d'immerger l'objet et de mesurer le volume d'eau déplacée.

# JOGGING

**1** En quels solides plus simples ces objets peuvent-ils être décomposés ?

*a)*

*b)*

*c)*

**2** Voici un objet aux formes bizarres.

*a)* Explique comment on peut fabriquer un tel objet.

*b)* Cet objet a un diamètre de 8 cm et une longueur de 20 cm. Détermine son volume.

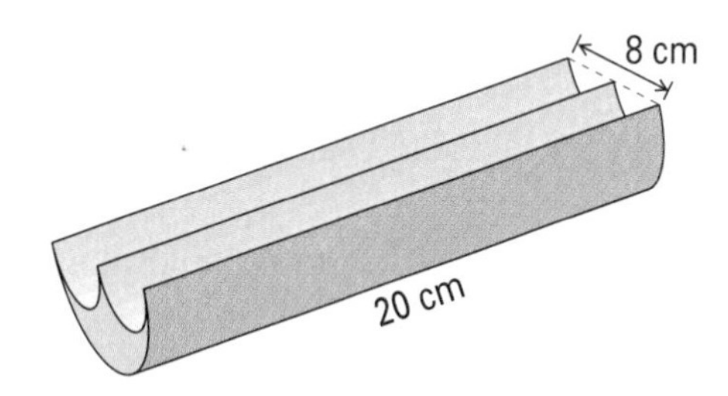


**3** Un presse-agrumes a la forme d'une demi-boule dans un cylindre de même hauteur. Quelle quantité de jus, en décilitres, peut-il recueillir si le diamètre de la base est de 12 cm ?

**4** Un prisme droit rectangulaire a une hauteur de 18 cm et une base de 12 cm sur 9 cm. On y coupe un prisme triangulaire à 4 cm de chaque côté d'un des sommets.

*a)* Calcule le volume du prisme droit tronqué, tel qu'il apparaît dans l'illustration.

*b)* On colle une étiquette enveloppant ce prisme droit. Calcule l'aire de cette étiquette.

**5** Une machiniste perce 4 trous dans une plaque d'acier rectangulaire de 15 mm d'épaisseur avec une mèche de 8 mm de diamètre. Calcule le volume de la plaque après qu'elle ait percé les trous.

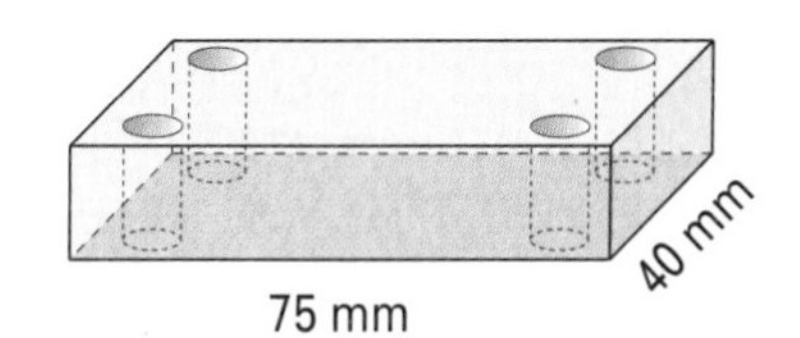

**6** On a évidé un cube du plus grand cône possible.

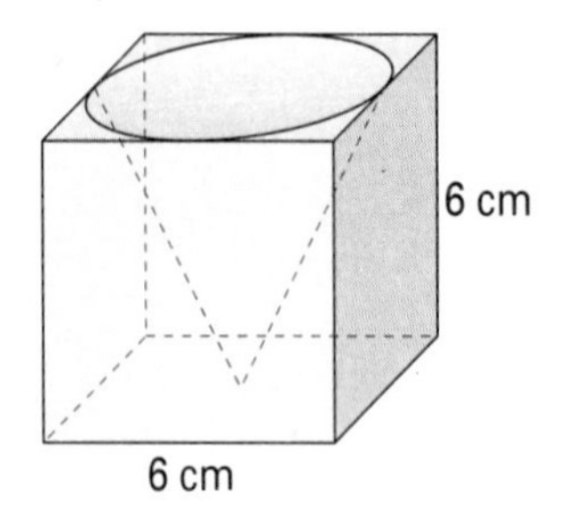


*a)* Quelle est l'aire totale du solide restant ?

*b)* Quel est le volume du solide restant ?

**7** Un médicament en poudre se vend en capsules ayant la forme ci-dessous. Les dimensions sont fournies sur la figure. Quelle quantité de médicament, en milligrammes, y a-t-il dans 100 capsules ? (Les capsules sont entièrement remplies et 1 mm$^3$ contient 0,0006 g de ce médicament.)

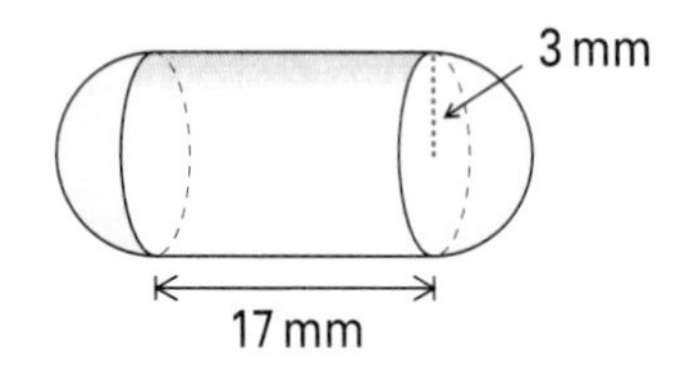


**8** Triste vie que celle des oiseaux en cage !
Quel crime ont-ils commis pour qu'on les emprisonne ainsi ?

*a)* Calcule l'espace dont disposent les oiseaux qui vivent dans cette cage.

*b)* On veut recouvrir cette cage d'un voile noir. Celui-ci doit excéder de 5 cm le bas de la cage pour permettre aux oiseaux de dormir. Combien de tissu faut-il acheter ?

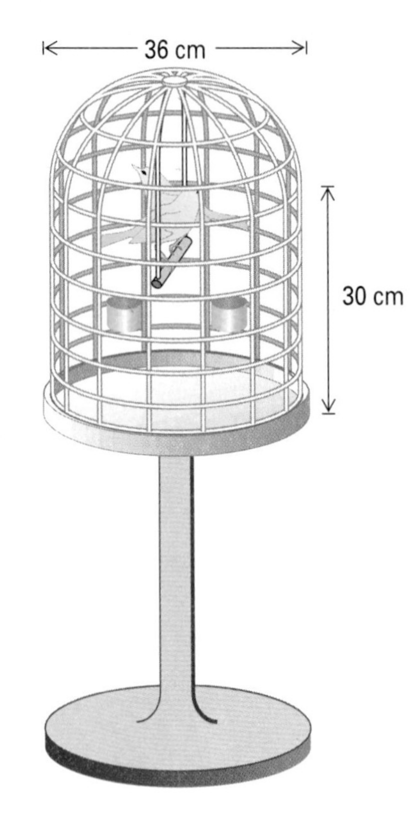

*L'ancêtre de tous les oiseaux serait l'archéoptérix. Cet animal étrange vivait aux côtés des dinosaures il y a environ 150 millions d'années.*

**9** Dans une école, on peut se laver les mains dans une fontaine cylindrique dont le diamètre intérieur est de 84 cm. Au centre, il y a un cylindre d'où provient l'eau. Son diamètre est de 10 cm. La profondeur de la fontaine est de 20 cm. Combien de litres d'eau cette fontaine peut-elle contenir ?

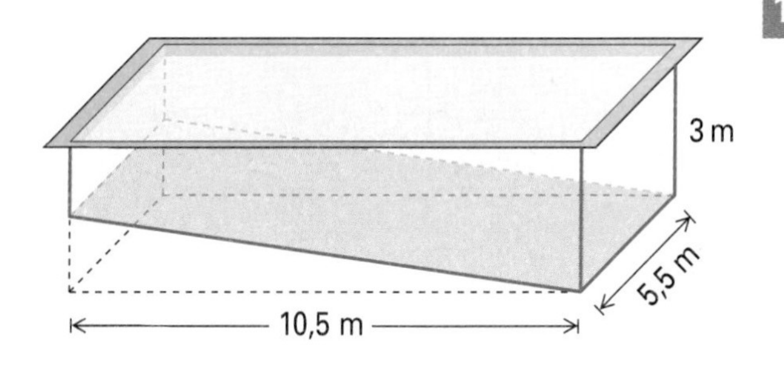


**10** Une piscine a la forme d'un prisme droit rectangulaire auquel on aurait retranché un prisme droit triangulaire. Sa profondeur varie de 1,5 m à 3 m, comme le montre ce dessin. On la remplit jusqu'à 15 cm du bord. Combien de litres d'eau contient-elle ?

**11** On doit entreprendre des travaux pour rénover cette vieille église de village. On doit d'abord refaire le toit et installer un nouveau système de chauffage.

*a)* Il faut remplacer les bardeaux du toit. Quelle est sa superficie ?

*b)* On veut connaître la capacité requise du nouveau système de chauffage. Quel est le volume d'air à chauffer (si l'on ne tient pas compte de l'épaisseur des murs et du toit) ?

5 m

7 m

28,5 m

14,8 m

**12** Un morceau de polystyrène a la forme d'un prisme droit rectangulaire. On veut y découper le plus grand cylindre possible. Quel sera le volume de la partie restante ?

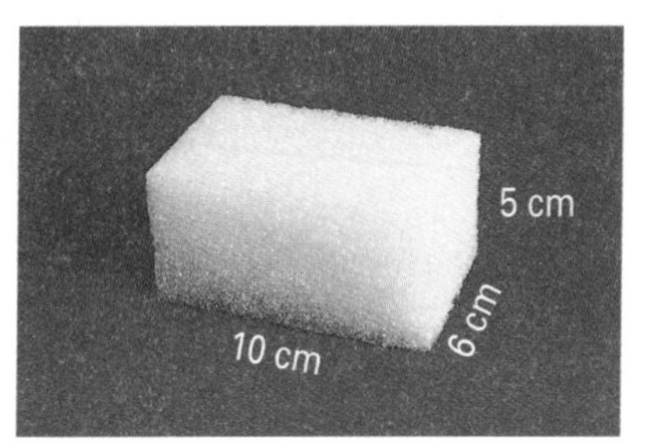

**13** Voici le dessin d'une bobine utilisée pour enrouler les fils électriques. Le petit cylindre intérieur a un diamètre de 3 cm et une longueur de 28 cm. Le diamètre de la bobine est de 28 cm.

*a)* Calcule approximativement le volume du fil enroulé pour une bobine pleine.

*b)* Quelle est la masse d'une bobine pleine si une bobine vide pèse 1 kg et qu'un décimètre cube de fil pèse 7,9 kg ?

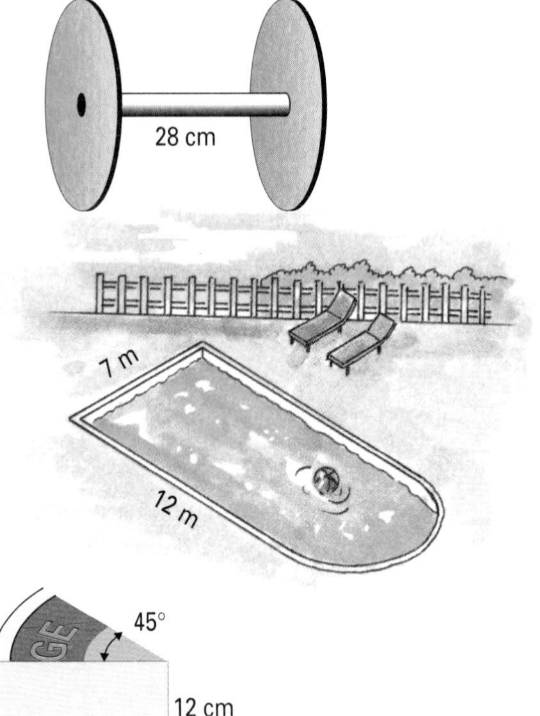


**14** Une piscine a les dimensions indiquées sur la figure ci-contre. Combien de litres d'eau recevra-t-elle au cours d'une averse qui laisse au sol 8,5 mm de pluie ?

**15** Ce morceau de fromage provient d'une meule cylindrique.



*a)* Quel est le volume de la meule ?

*b)* Quel est le volume du morceau ?

*c)* Si le fromage pèse 0,8 kg le litre et qu'il se vend 8,95 $ le kilogramme, détermine le coût de ce morceau.

**16** Quel est le volume approximatif de l'écrou représenté ?

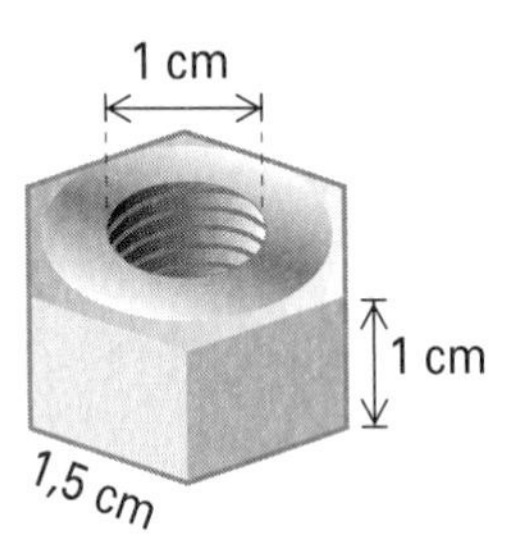
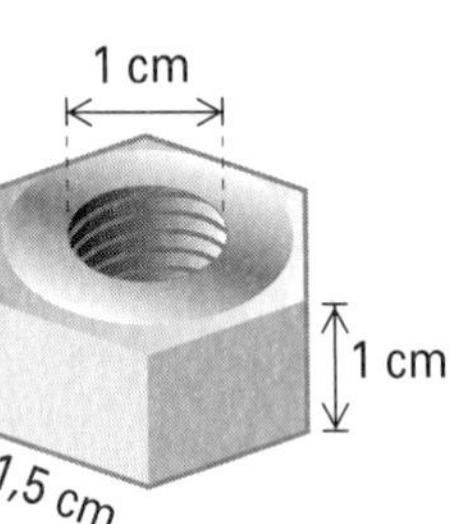


**17** Un tube de dentifrice de 125 ml est emballé dans une boîte à base carrée de 35 mm de côté et d'une longueur de 180 mm. Quelle est la quantité d'espace non utilisé dans la boîte si la matière plastique formant le tube a un volume de 3 cm$^3$ ?

**18** Dans une boîte de carton, on a placé 2 étages de 4 rangées de 5 boîtes de maïs en conserve. Chaque boîte de maïs a une forme cylindrique de 8,5 cm de diamètre sur 11,5 cm de hauteur. Calcule approximativement l'espace minimal non utilisé.

**19** Un agent immobilier veut vendre l'édifice qui occupe le coin du terrain mesurant 45 m sur 60 m que l'on voit ci-contre. Cet édifice, dont les mesures sont données sur l'illustration, est revêtu de briques. Il a 3 étages de 3,5 m chacun.

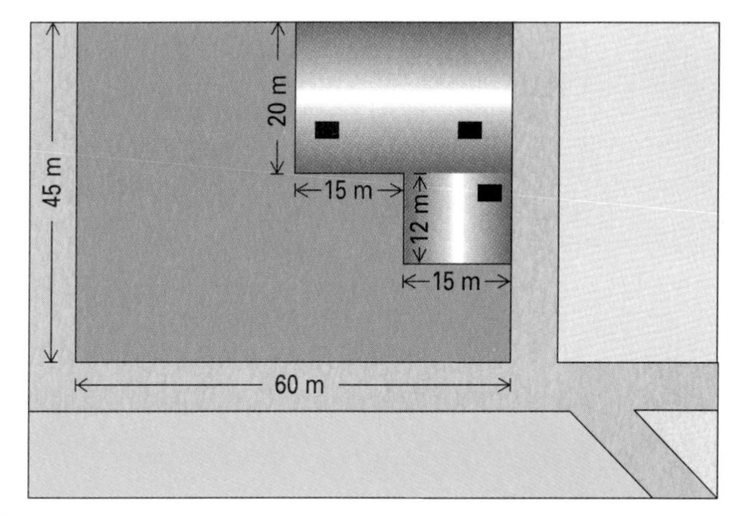


***a)*** Quelle est approximativement l'aire du revêtement de briques de cet édifice ?

***b)*** Quel est le volume de cet édifice ?

**20** On fait tourner le triangle *ABC* de 360° autour de *AC*. On veut trouver le volume du solide ainsi formé. Complète les justifications de la démarche ici proposée.

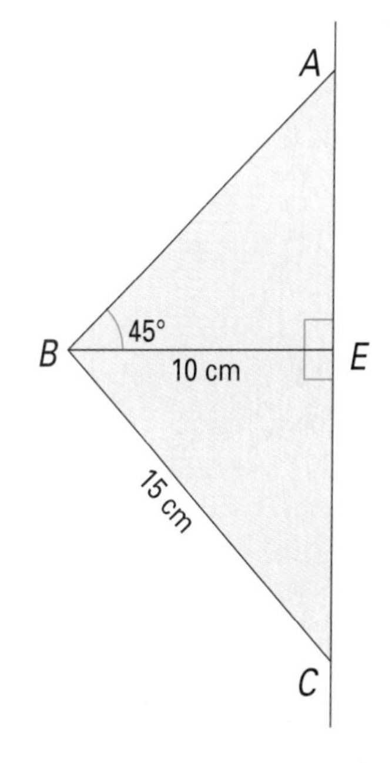


1° Le solide obtenu est décomposable en deux ■.

2° La hauteur du solide engendré par le $\Delta$ *BEA* est de ■ cm, car le triangle rectangle est ■.

3° Son volume est de ■.

4° La hauteur du solide engendré par le $\Delta$ *BEC* est de $\sqrt{15^2 - 10^2}$ cm, car dans un triangle rectangle ■.

5° Son volume est de ■.

6° Le volume du solide engendré par le $\Delta$ *ABC* est donc : ■ + ■ ≈ ■.

**21** Le récipient ci-contre est fait de matière plastique d'une épaisseur de 1 cm. D'après les données fournies, quel est le volume de cette matière plastique ?

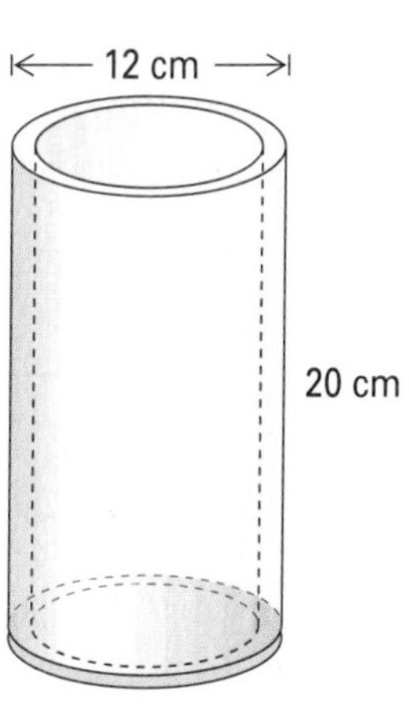

## Projet 1 Le travail d'architecte

L'équipe d'architectes dont tu fais partie projette de construire un immeuble de bureaux. La surface de plancher de cet immeuble sera de 8400 m$^2$.

Pour les fondations, vous disposez d'un terrain rectangulaire de 40 m sur 20 m.

***a)*** Trouvez la hauteur que doit avoir votre immeuble (chaque étage mesure 3 m).

***b)*** Vous voulez vitrer toute la surface latérale de l'immeuble. Quelle surface de vitre devrez-vous acheter ?

***c)*** Vous souhaitez que les arêtes de la structure extérieure (sauf à la base) soient en acier. De quelle longueur de poutres d'acier aurez-vous besoin ?

***d)*** Pour l'achat du système de chauffage, vous devez évaluer le volume d'air de votre immeuble. Quel sera approximativement ce volume d'air ?

## Projet 2 Le mesurage de billots

Effectue une recherche qui montre comment on procède pour mesurer le volume des arbres ou des billots.

***a)*** Tu dois dresser une table de valeurs indiquant le volume d'un arbre selon ses diamètres aux extrémités.

***b)*** Un panneau de contre-plaqué mesure environ 2400 mm de hauteur, 1200 mm de largeur et 15 mm d'épaisseur. Combien de panneaux de contre-plaqué peut-on fabriquer à partir d'un billot de 5 m de longueur, de 30 cm de diamètre à l'une de ses extrémités et de 20 cm de diamètre à l'autre extrémité ?

***c)*** Quels sont les volumes de ce qu'on appelait autrefois une « corde de pulpe » et une « corde de bois de chauffage » ?

# À LA LOGICOMATHÈQUE

## DÉTECTEZ L'INTRUS

- Parmi ces expressions, l'une est étrangère aux autres. Laquelle?

| *a)* | *b)* | *c)* |
|---|---|---|
| $\pi r^2 h$ | $2\pi rh$ | $8\pi^3 r^3$ |
| $4\pi r^2$ | $\pi ra$ | $\frac{2\pi r^3}{3}$ |
| $\frac{4\pi r^3}{3}$ | $4\pi r^2$ | $2\pi r^3$ |
| $\frac{\pi r^2 h}{3}$ | $\pi r^2 h$ | $\frac{4\pi r^3}{3}$ |

## À LA MENSA

- On affirme que ces trois représentations sont celles d'un même triangle. Comment cela peut-il être possible?

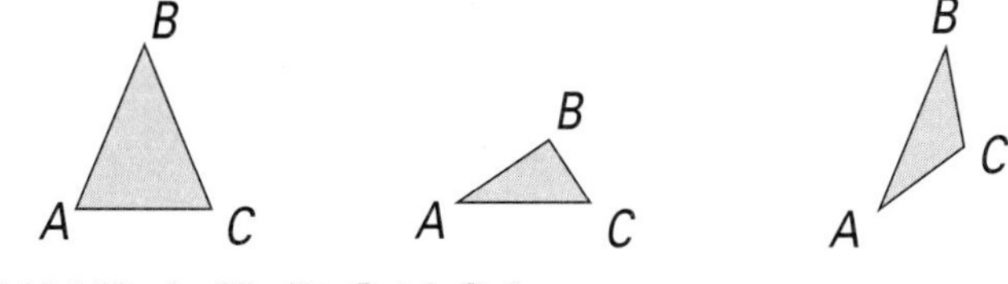


## PROUVE-LE DONC!

- Un cylindre de rayon $r$ et de hauteur $2r$ contient le plus grand cube possible. Montre que le rapport des volumes du cylindre et du cube est $\frac{\pi}{\sqrt{2}}$.
- On triple chacune des dimensions d'un prisme droit. Démontre que l'on vient de multiplier la somme des arêtes par 3, l'aire totale par 9 et le volume par 27.

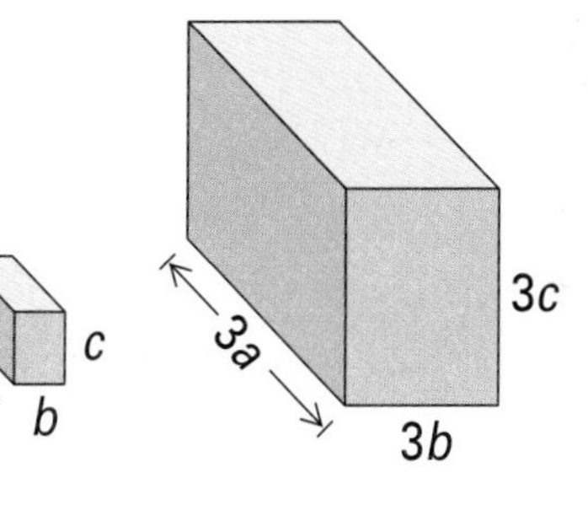


## SUR LES TRACES DE LOGIC

- Logic reçoit un appel de la part d'une notaire. Celle-ci le supplie de venir la voir immédiatement afin de régler un problème de succession. La notaire lui explique qu'elle vient de lire le testament d'une multimillionnaire qui possédait 59 lingots d'or et qui en a fait le don de la façon suivante : le tiers à son époux, le quart à sa fille, le cinquième à son fils, le sixième à sa soeur et le trentième à son petit-fils. La notaire n'arrive pas à faire le partage voulu par la défunte. D'autre part, personne ne veut qu'on vende les lingots, étant donné que le prix de l'or vient de chuter brutalement. Personne ne veut, non plus, qu'on fractionne des lingots, à cause de la perte de valeur qui en résulterait. Que faire?

Logic passe à la banque, puis se rend chez la notaire. Il effectue le partage conformément au testament. Comment a-t-il fait ?

## Je connais la signification des expressions suivantes :

**Volume d'un solide** : mesure de l'espace délimité par la surface de ce solide.

**Capacité d'un récipient** : volume de la matière liquide qu'il peut contenir.

**Litre** : unité de capacité équivalente à un volume de 1 $dm^3$.

**Kilogramme** : unité de masse correspondant à la masse d'un litre d'eau pure à température et pression normales.

**Apothème d'un polygone régulier** : segment ou mesure du segment joignant perpendiculairement le centre du polygone régulier à l'un de ses côtés.

**Hauteur d'une pyramide** : segment ou mesure du segment joignant perpendiculairement le sommet de la pyramide (apex) au plan de la base.

**Apothème d'une pyramide régulière droite** : segment ou mesure du segment correspondant à la hauteur des triangles formant les faces latérales d'une pyramide régulière droite.

**Aire latérale d'un solide** : mesure de la surface du solide à l'exception de sa ou ses bases.

**Aire totale d'un solide** : somme de l'aire latérale et de l'aire des bases d'un solide.

## Je maîtrise les habiletés suivantes :

**Distinguer** les situations où le calcul de l'aire est approprié de situations où le calcul du volume est approprié.

**Transformer** des unités de volume en d'autres unités.

**Calculer** l'aire des bases, l'aire latérale et l'aire totale de solides familiers.

**Calculer** le volume de solides familiers.

**Calculer** une mesure d'un solide à partir de mesures d'aire ou de volume.

**Justifier** une ou plusieurs étapes dans la résolution d'un problème portant sur les solides.

# De l'aire au volume

1. **Indique** quelle mesure (aire latérale, aire totale ou volume) est la plus appropriée dans chacune des situations suivantes.

   *a)* On veut finir les murs d'une maison avec des panneaux de bois.

   *b)* Une préposée vient de donner un traitement de choc à l'eau d'une piscine pour la purifier.

   *c)* Un jeune couple veut s'acheter un congélateur.

   *d)* On veut imperméabiliser la toile d'une tente de camping en forme de cône.

   *e)* Un poseur de briques veut commander des briques pour la construction d'une maison.

   *f)* On fait l'achat de poissons pour un aquarium.

   *g)* On choisit une peinture pour l'extérieur de la maison.

2. Dans chaque cas, **exprime** les mesures en centimètres cubes.

   *a)* Le litre équivaut à 1 dm$^3$. *b)* Un coffre-fort a une capacité de rangement de 0,25 m$^3$.

   *c)* Ce pot de confitures a une capacité de 500 ml.

3. **Exprime** la mesure donnée en l'unité indiquée.

   *a)* 250 cm$^2$ = ■ dm$^2$ *b)* 3,6 dm$^3$ = ■ mm$^3$ *c)* 36 l = ■ cm$^3$ *d)* 3 480 dm$^3$ = ■ hm$^3$

4. **Exprime** chaque mesure en litres.

   *a)* Une piscine a une capacité de 3,4 kl. *b)* Un morceau de glace a un volume de 4 m$^3$.

5. On a construit une pyramide pour l'entreposage du sel nécessaire à l'entretien des routes durant l'hiver. La base est un rectangle de 8 m sur 12 m, et la hauteur est de 8 m. **Détermine** son volume.

6. On a évidé une demi-boule d'un cône de même diamètre.

   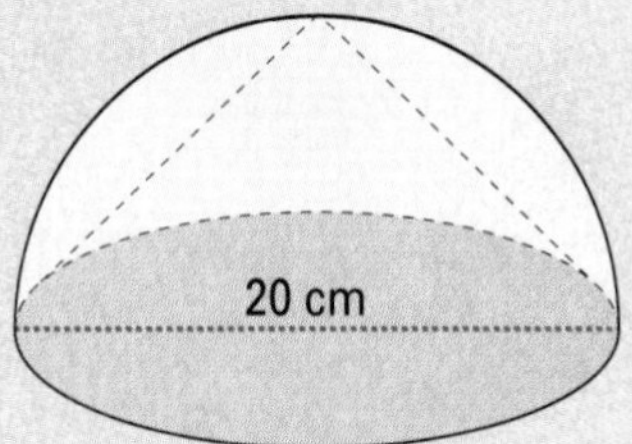
   

   *a)* **Quelle est l'aire** latérale extérieure de la demi-boule évidée ?

   *b)* **Quelle est l'aire** de sa surface intérieure ?

   *c)* **Quel est le volume** de la demi-boule évidée ?

7. On n'engrange pas toujours le foin. Parfois, on le roule en balles de forme cylindrique de 1,2 m de diamètre sur 1,2 m de largeur. Chaque balle est recouverte d'une enveloppe de plastique blanc qui lui donne l'aspect d'une « grosse guimauve ». Ces balles sont laissées à l'extérieur jusqu'à leur consommation.

   *a)* **Quelle est l'aire** de l'enveloppe de plastique d'une balle ?

   *b)* **Quel est** approximativement **le volume** de foin contenu dans une balle ?

8. Une boîte à lettres a la forme d'un prisme droit rectangulaire surmonté d'un demi-cylindre aux dimensions indiquées sur la photographie.

   *a)* **Calcule** le volume de cette boîte à lettres.

   *b)* On veut recouvrir toute sa surface extérieure d'une couche protectrice en plastique. **Quelle sera l'aire** de cette couche ?

9. Un fabricant augmente de 25 % la hauteur d'un emballage cylindrique, mais sans changer la capacité de cet emballage. L'ancien contenant avait un diamètre de 6 cm et une hauteur de 14 cm. **Quel est le diamètre** du nouveau contenant ?

10. Le réservoir d'une seringue a une forme cylindrique. L'aire de sa base est de 1 cm².

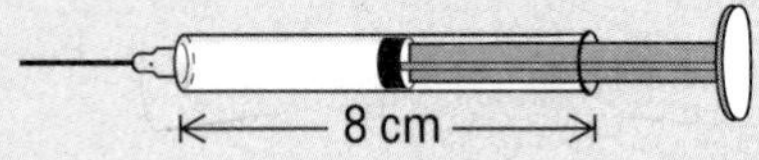


   *a)* **Quelle est la capacité** de cette seringue si sa hauteur est de 8 cm ?

   *b)* **Esquisse** un graphique montrant la relation entre la hauteur du liquide dans la seringue et le volume de liquide.

11. On construit un igloo en faisant un trou cylindrique de 3 m de diamètre et de 1 m de profondeur dans la neige. On recouvre le trou d'une demi-sphère. **Détermine** le volume d'air contenu dans l'igloo.

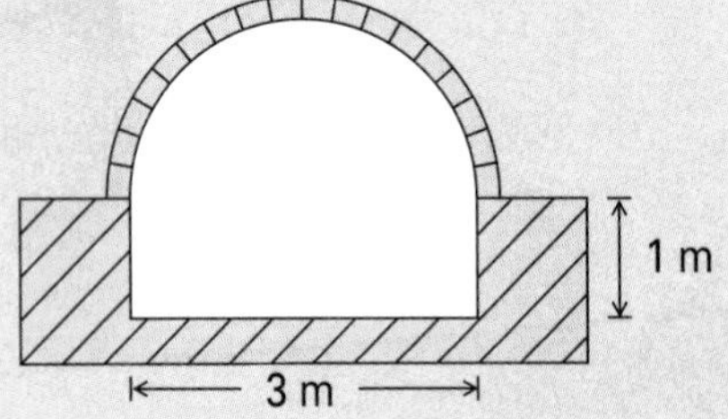


12. Voici une bouée que l'on amarre sur le fleuve pour guider le trafic maritime.

   *a)* **Quelle est son aire totale** ?

   *b)* **Quel est son volume** ?

13. **Donne** la hauteur d'un réservoir à mazout de forme cylindrique si l'aire de sa base est de 40 dm² et si son volume est de 500 l.

14. **Quelle est l'aire** de la base d'une pyramide régulière droite dont la hauteur est de 12 cm si son volume est de 48 cm³ ?

15. Une tente a la forme d'un cône circulaire droit dont la hauteur est de 2 m et dont l'apothème mesure 2,5 m. **Détermine** l'aire de sa base. Justifie chaque étape de ta démarche.

16. On observe que $10^{-1} = 0{,}1$ , $10^{-2} = 0{,}01$ , $10^{-3} = 0{,}001$ .
   **Quelle hypothèse** ces observations suggèrent-elles ?

ITINÉRAIRE

# 6

# LES RELATIONS LINÉAIRES

**Les grandes idées :**

- Taux de variation.
- Relation vs équation.
- Relation linéaire.
- Rôle des paramètres.
- Relations combinées.
- Équations linéaires.

**Objectif terminal :**

Résoudre des problèmes portant sur des situations où la relation entre les variables est linéaire.

... VERS LES RELATIONS LINÉAIRES

# LES TAUX DE VARIATION

## Situation 1 Le prix instable du sirop d'érable

Depuis 1986, le prix du sirop d'érable ne cesse de varier. Voici un graphique montrant la variation du prix du litre de sirop chaque année.

① Calcule la variation du prix du sirop d'une année à l'autre à partir de 1986.

Prix du sirop de 1986 à 1994

Prix (en $/l)

Année

② Calcule la variation moyenne du prix tous les deux ans à partir de 1986.

③ Calcule la variation moyenne du prix tous les quatre ans à partir de 1986.

④ Calcule la variation moyenne du prix entre 1986 et 1994.

⑤ Décris le rapport que l'on doit établir pour calculer les variations moyennes dans les questions précédentes.

La variation moyenne correspond, dans cette situation, à ce qu'on appelle le **taux de changement** ou **taux de variation.**

Cette situation montre qu'un taux de variation peut être **positif, négatif** ou **nul.**

## Situation 2 L'escalier

Dans la plupart des maisons, les escaliers ont des contremarches de 20 cm de hauteur et des marches de 22 cm de largeur, ce qui donne un taux de variation de $\frac{20}{22}$ ou de $\frac{10}{11}$.

Cependant, un rapport d'experts et expertes indique que ces escaliers sont la cause de nombreux accidents.

Ce rapport d'expertise recommande l'emploi d'un taux de variation de $\frac{17}{27}$ pour la construction d'un escalier.

① Lequel des deux taux de variation mentionnés dans cette situation est le plus grand?

② Lequel des deux escaliers décrits dans cette situation est le plus raide?

③ Que faut-il faire pour qu'un escalier soit moins raide?

④ Un escalier doit avoir une hauteur de 1,6 m. Que doit-on faire à la base de l'escalier si l'on veut qu'il soit :

*a)* moins raide? *b)* plus raide?

⑤ Un escalier doit s'élever de 1,7 m sur une distance horizontale pouvant varier entre 2,4 m et 2,8 m. Décide de la hauteur de la marche et de la contremarche de façon à respecter les normes des experts et expertes. Combien de marches cet escalier aura-t-il?

Le taux de variation d'un escalier correspond au **quotient** de la **variation verticale** par la **variation horizontale** correspondante.

## Situation 3 La croissance du fils de Madeleine

Madeleine amène son fils Frédéric chez le pédiatre tous les trois mois. Celui-ci enregistre chaque fois la taille et la masse de Frédéric. Voici les données notées jusqu'à maintenant pour la taille.

(1) Quelles sont les variations qu'a subies la taille de Frédéric tous les trois mois?

(2) Durant quelle période le taux de variation de la taille a-t-il été le plus grand jusqu'à maintenant?

(3) Quel a été le taux de variation mensuel de la taille de Frédéric pendant sa première année?

**Taille de Frédéric**

| Variation | Âge (en mois) | Taille (en cm) | Variation |
|---|---|---|---|
| | Naissance | 50 | |
| + 3 | 3 | 59 | + 9 |
| + 3 | 6 | 66 | + 7 |
| + 3 | 9 | 70 | + 4 |
| + 3 | 12 | 74 | + 4 |
| + 3 | 15 | 78 | + 4 |
| + 3 | 18 | 82 | + 4 |

+ 12 (de la naissance à 12 mois) ; + 24 (de la naissance à 12 mois)

Lorsqu'une quantité $y$ varie par suite d'une variation d'une quantité $x$, on appelle **taux de variation** de $y$ le quotient des deux variations :

$$\frac{\text{VARIATION de } y}{\text{VARIATION de } x}$$

Un taux de variation est un taux de changement. Le taux de variation joue un rôle extrêmement important dans l'étude des relations. Généralement, dans une situation, les unités des variations sont différentes. Pour une meilleure compréhension de cette situation, on précise ces unités même si elles sont de même nature.

Le **taux de variation** se définit comme une **comparaison entre deux variations** qui se correspondent dans une situation, et plus particulièrement comme le quotient suivant :

$$\text{Taux de variation (de la variable dépendante)} = \frac{\text{variation de la variable dépendante}}{\text{variation correspondante de la variable indépendante}}$$

On a construit le graphique montrant les variations de la taille de Frédéric de 3 mois en 3 mois.

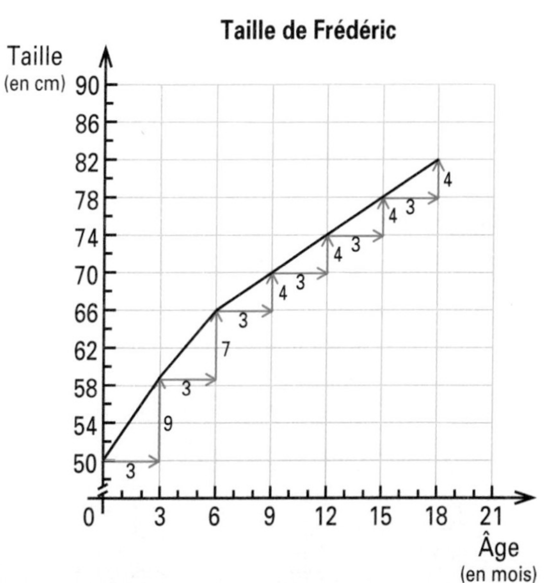


(4) Durant quelle période le taux de variation de la taille a-t-il été le plus bas jusqu'à maintenant? Quel est ce taux?

(5) Décris l'effet sur un graphique d'un taux de variation :

***a)*** élevé; ***b)*** bas;

***c)*** nul; ***d)*** positif;

***e)*** négatif.

(6) Dans cette situation, que signifierait un taux de variation négatif? Est-ce possible?

Voici le graphique qui montre l'évolution de la masse de Frédéric pendant la même période.

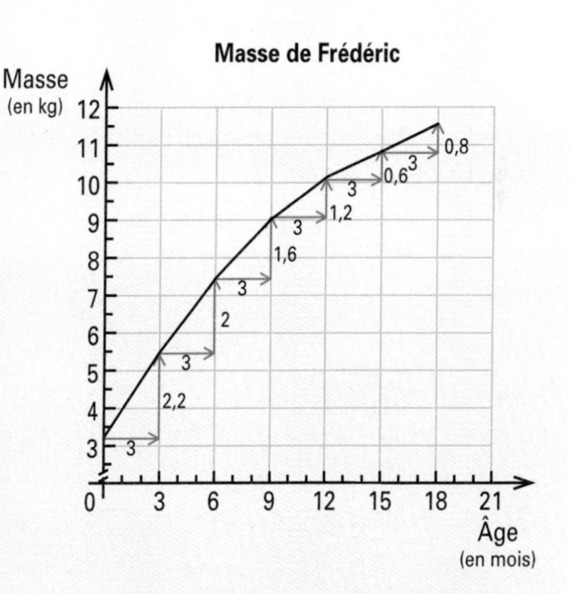


(7) Durant quelle période le taux de variation de la masse de Frédéric a-t-il été le plus élevé? Durant quelle période a-t-il été le plus bas?

(8) Ce matin, Madeleine est allée chez le pédiatre. Celui-ci lui a annoncé que le taux de variation de la masse de Frédéric durant les trois derniers mois a été négatif. Quel effet cela a-t-il sur le graphique?

(9) Décris l'allure qu'aurait le graphique si le taux de variation avait toujours été le même.

(10) Explique ce qu'on doit faire pour calculer le taux de variation de la masse de Frédéric entre le 6e et le 15e mois.

Entre deux points $(x_1, y_1)$ et $(x_2, y_2)$ d'un graphique, le taux de variation est donné par :

$$\frac{y_2 - y_1}{x_2 - x_1}$$

**1** Calcule le taux de variation de la variable dépendante dans les situations suivantes.

*a)* La valeur d'une voiture est passée en 5 ans de 12 000 $ à 8 500 $.

*b)* La moyenne générale de Pascal est passée de 68 % à 83 % entre la première et la cinquième étape.

*c)* De 1985 à 1995, le salaire minimum est passé de 4 $ à 6,45 $ l'heure.

*d)* De 1990 à 1995, le coût d'une mise en plis est passé de 17 $ à 25 $.

*Pourquoi les voitures circulent-elles à droite ?*

**2** Pour chacune des tables de valeurs suivantes, calcule le taux de variation correspondant aux flèches.

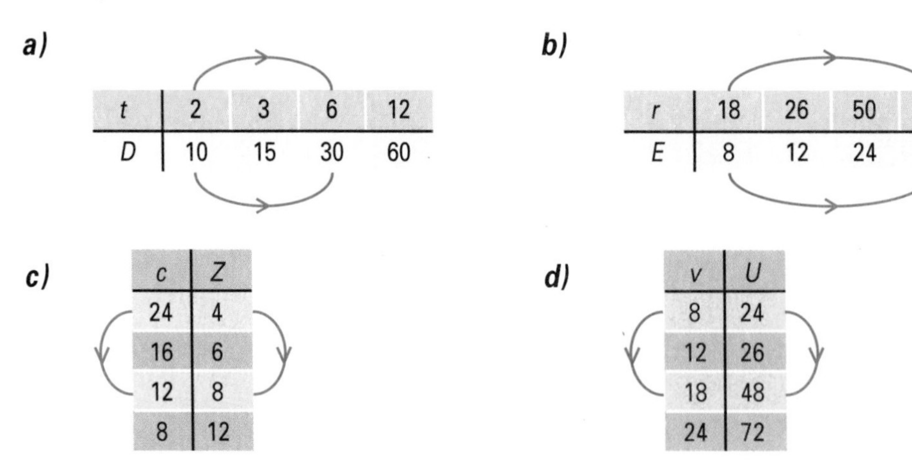

*a)*

| *t* | 2 | 3 | 6 | 12 |
|---|---|---|---|---|
| *D* | 10 | 15 | 30 | 60 |

*b)*

| *r* | 18 | 26 | 50 | 102 |
|---|---|---|---|---|
| *E* | 8 | 12 | 24 | 50 |

*c)*

| *c* | *Z* |
|---|---|
| 24 | 4 |
| 16 | 6 |
| 12 | 8 |
| 8 | 12 |

*d)*

| *v* | *U* |
|---|---|
| 8 | 24 |
| 12 | 26 |
| 18 | 48 |
| 24 | 72 |

**3** Dans chaque cas, calcule le taux de variation et complète la table de façon que ce taux demeure constant.

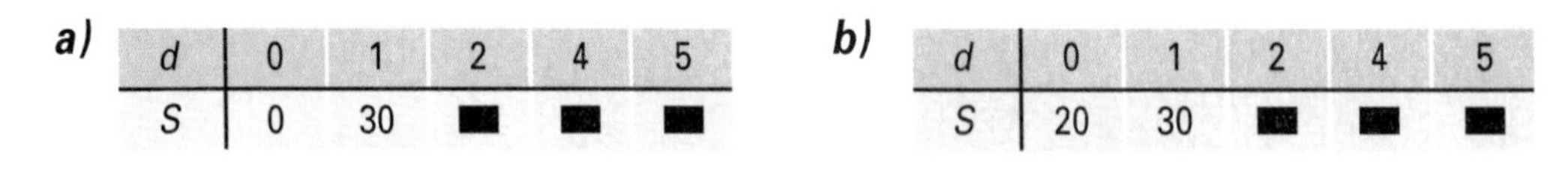

*a)*

| *d* | 0 | 1 | 2 | 4 | 5 |
|---|---|---|---|---|---|
| *S* | 0 | 30 | ■ | ■ | ■ |

*b)*

| *d* | 0 | 1 | 2 | 4 | 5 |
|---|---|---|---|---|---|
| *S* | 20 | 30 | ■ | ■ | ■ |

**4** Voici les graphiques cartésiens de diverses relations. Dans chaque cas, calcule le taux de variation de la variable dépendante entre les deux points donnés.

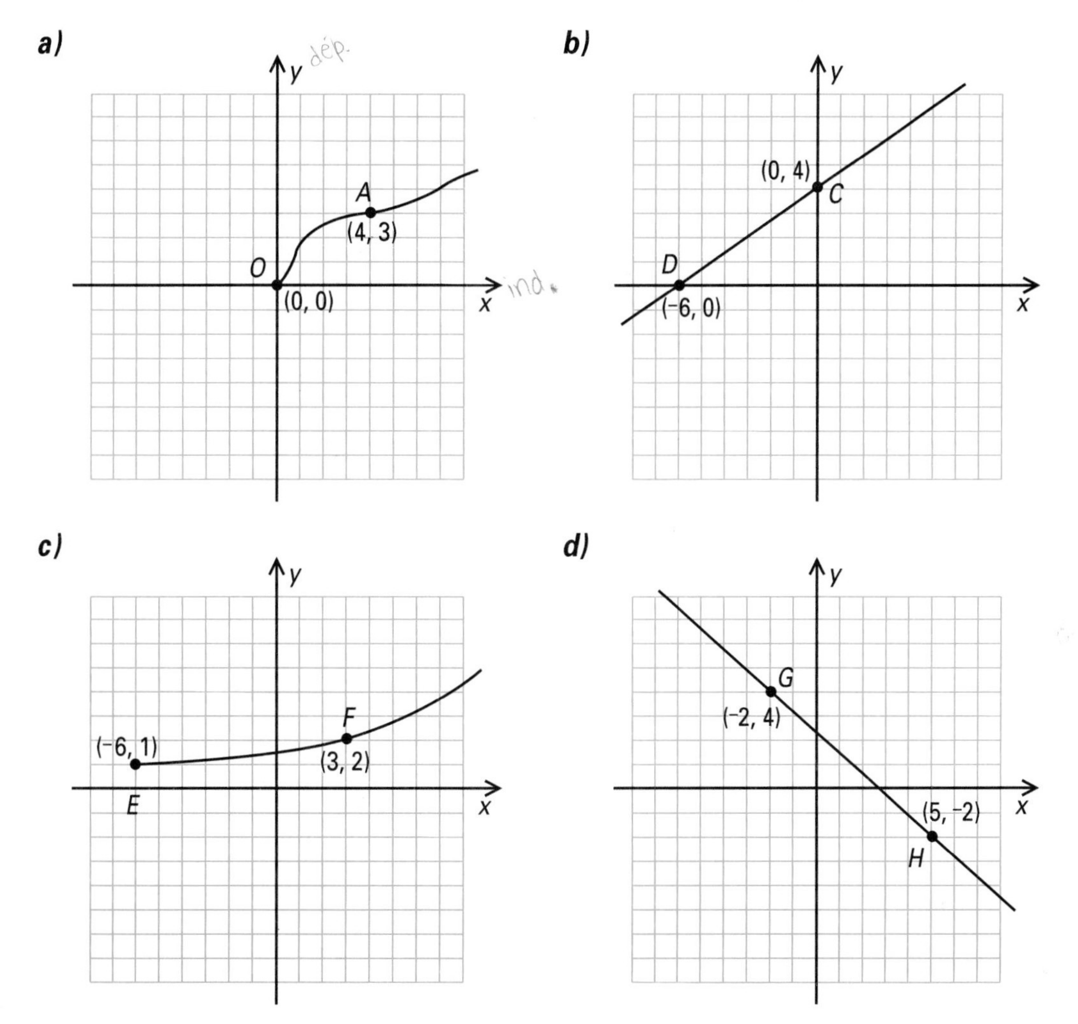


**5** On donne trois graphiques. Indique lesquels présentent pour la variable dépendante des taux de variation :

*a)* constants;   *b)* positifs;   *c)* nuls.

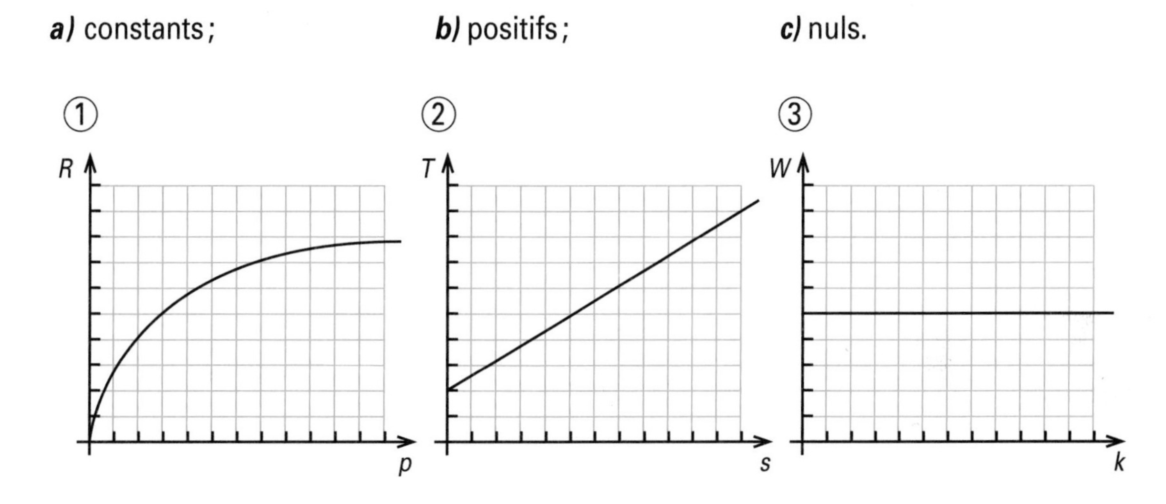

**6** La courbe décrivant une relation passe par les deux points donnés. Calcule le taux de variation de la variable dépendante entre ces deux points.

***a)*** (-3, 4) et (2, 4).
***b)*** (-8, 5) et (-2, 7).
***c)*** (-4, 2) et (5, -6).
***d)*** ($a$, $b$) et ($m$, $n$).

**7** Dans chaque cas, donne le taux de variation de la variable dépendante.

***a)*** À 10:00, la température était de 10 °C. À 14:00, elle est de 22 °C.

***b)*** À 8:00, il a fait le plein d'essence d'un réservoir ayant une capacité de 50 l. À 12:00, l'indicateur de niveau de carburant pointe le quart.

***c)*** En plein soleil, l'eau de la piscine s'évapore. Au début de la semaine, la piscine contenait 60 000 l et, 5 jours plus tard, elle ne contient que 58 000 l.

***d)*** En deux mois, la masse d'une citrouille a augmenté de 2,4 kg.

***e)*** Au début de l'année scolaire, Mélissa mesurait 1,48 m. À la fin de l'année, elle avait une taille de 1,54 m.

*Les 300 000 000 de véhicules qui circulent dans le monde provoquent des embouteillages et polluent l'atmosphère.*

**8** Décris en mots le taux de variation :

***a)*** de la masse de quelqu'un qui suit un régime ;

***b)*** du coût de la vie ;

***c)*** des résultats scolaires d'un élève qui commence à s'absenter de plus en plus souvent de l'école ;

***d)*** de la valeur d'une vieille Cadillac en bon état ;

***e)*** du chômage en temps de crise.

**9** Décris la courbe dans le graphique d'une relation dont le taux de variation est :

***a)*** constamment 0 ;
***b)*** constamment 1 ;
***c)*** constamment -1 ;
***d)*** constamment 2.

**10** Deux relations $R_1$ et $R_2$ présentent des taux de variation constants. Dans la première, le taux de variation est toujours 2 et dans la seconde, il est toujours ½. Laquelle de ces deux relations a la courbe la plus escarpée ?

**11** Carlos a obtenu un emploi d'été au service des loisirs de sa municipalité. L'une de ses tâches est de relever des données relatives à l'achalandage de la piste cyclable. Du mardi au dimanche, il a compté le nombre de cyclistes. Voici les résultats : le mardi, 114 cyclistes ; le mercredi, 134 ; le jeudi, 14 ; le vendredi, 210 ; le samedi, 447 ; le dimanche, 612.

*a)* Entre quels jours la variation du nombre de cyclistes a-t-elle été négative ? Pourrais-tu émettre une hypothèse au sujet de ce résultat ?

*b)* Combien de cyclistes par jour, en moyenne, ont emprunté la piste cyclable durant cette semaine ?

*c)* Ce résultat est-il le même que le taux de variation de l'achalandage du mardi au dimanche ? Explique ta réponse.

**12** Dans un graphique, comment peut-on se rendre compte que le taux de variation de la variable dépendante :

*a)* est constant ?

*b)* n'est pas constant ?

**13** Pierre-Luc s'occupe de la librairie coopérative de son école. Au cours des huit premières semaines de l'année scolaire, il a noté le montant des ventes, ce qui lui a permis de dresser le tableau suivant :

**État des ventes de la librairie coopérative**

| Semaine | Ventes (en $) |
|---|---|
| 1 | 843 |
| 2 | 451 |
| 3 | 388 |
| 4 | 408 |
| 5 | 890 |
| 6 | 750 |
| 7 | 680 |
| 8 | 647 |
| ... | ... |

*a)* Calcule la variation du montant des ventes faites d'une semaine à l'autre.

*b)* Entre quelles semaines la variation des ventes est-elle positive ?

*c)* Calcule le taux de variation du montant des ventes entre la première et la huitième semaine.

*d)* Calcule la moyenne hebdomadaire des ventes pour cette période.

*e)* Dans cette situation, le taux de variation des ventes entre la première et la dernière semaine correspond-il à la moyenne des ventes hebdomadaires pour cette période ?

*f)* Durant cette période, la librairie coopérative a mis en vente une nouvelle casquette aux couleurs de l'école. Ce fut un succès colossal. Selon toute vraisemblance, au cours de quelle semaine la vente de cette casquette a-t-elle débuté ?

*g)* Quel devrait être le montant des ventes durant la neuvième semaine pour que le taux de variation soit de 10 $ par semaine entre la première et la neuvième semaine ?

**14** Maria a fait une expérience sur des plantes. Dans son jardin, elle a semé deux graines d'une même plante dans deux terreaux différents. Dans le premier, elle a ajouté de l'engrais de marque A. Dans le second, elle a mis de l'engrais de marque B. Chaque semaine, elle a mesuré la hauteur des deux plantes et inscrit les résultats dans le graphique ci-contre.

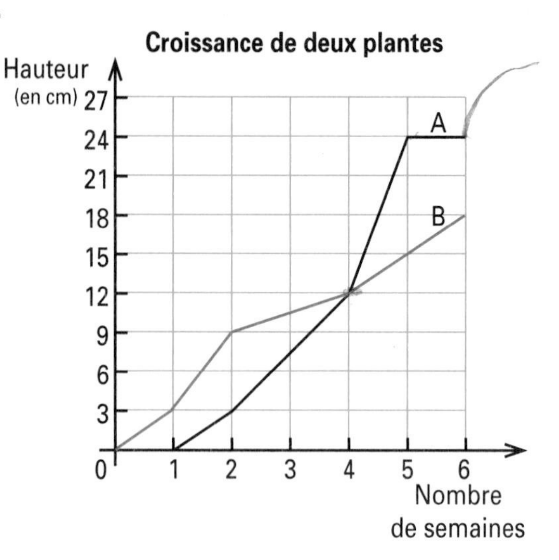


*a)* Décris comment évolue le taux de variation dans chaque cas.

*b)* Dans chaque cas, calcule le taux de variation de la hauteur entre le moment de la mise en terre et la sixième semaine.

*c)* Quelles conclusions peux-tu tirer au sujet de l'efficacité des deux sortes d'engrais?

*d)* Quelle plante a le plus haut taux de croissance pour la période représentée par le graphique?

**15** Des alpinistes projettent d'escalader un des sommets de l'Himalaya. L'une des ascensions possibles est celle de l'Annapurna (8075 m), la deuxième est celle du Dhaulagiri (8175 m) et la troisième est celle de l'Everest (8850 m). La distance à parcourir pour arriver au sommet de l'Annapurna est de 15,25 km et elle est de 15,50 km pour arriver au sommet du Dhaulagiri.

*Blaise Pascal (à gauche) constata le premier que l'air se raréfiait en altitude. C'est ce phénomène qui explique pourquoi l'alpiniste doit porter un masque à oxygène pour escalader les sommets de l'Himalaya.*

*a)* Laquelle des deux premières ascensions a le taux de variation le plus élevé si l'on considère la longueur de la route comme variable indépendante et la hauteur de la montagne comme variable dépendante?

*b)* Parmi les deux premiers cas, lequel représente la montée la plus abrupte?

*c)* Quelle devrait être la longueur du parcours pour escalader l'Everest si le taux de variation est de 500 m d'altitude par kilomètre de route?

**16** Juliana participe à une randonnée à vélo. Elle possède une montre-compteur numérique qui lui permet en tout temps de connaître le nombre de kilomètres qu'elle a parcourus depuis le début de la randonnée, la vitesse maximale qu'elle a atteinte et la vitesse moyenne qu'elle a maintenue durant la randonnée.

Après une heure, Juliana a parcouru 21 km, sa vitesse maximale a été de 29 km/h et sa vitesse moyenne, de 21 km/h. Après deux heures, elle a parcouru 46 km, sa vitesse maximale a été de 36 km/h et sa vitesse moyenne, de 23 km/h.

***a)*** Laquelle des informations données par cette montre correspond au taux de variation de la distance par rapport au temps?

***b)*** Considérons que la randonnée complète de Juliana a duré 4 h et que celle-ci a parcouru au total 90 km. Quel est le taux de variation de la distance par rapport au temps pour l'ensemble de la randonnée?

***c)*** Quelle distance aurait-elle dû parcourir durant les deux dernières heures pour que le taux de variation pour toute la randonnée soit de 25 km/h?

**17** William veut connaître sa rapidité au clavier de son ordinateur. Dans ce but, il copie un texte. Il a tapé 150 mots en 5 min, 350 mots durant les 10 min suivantes et 480 mots au cours des 15 dernières minutes.

***a)*** Calcule le taux de variation du nombre de mots pour chaque période.

***b)*** Quelle observation peut-on faire au sujet des taux de variation dans cette situation?

***c)*** À quelle vitesse moyenne William tape-t-il?

**18** On a construit une table de valeurs de la relation entre la longueur d'une arête d'un cube et la longueur totale de ses arêtes.

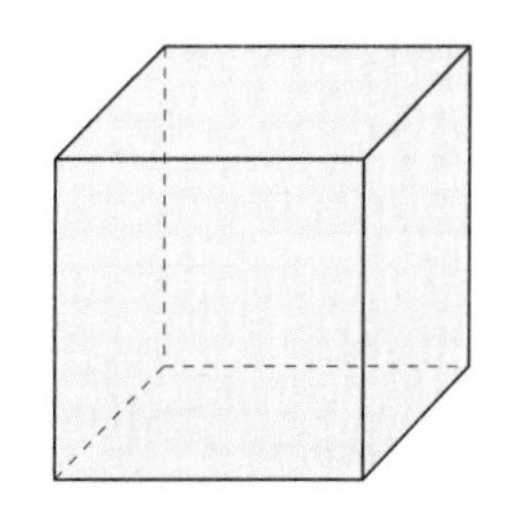

**Arêtes de cube**

| Longueur d'une arête (en cm) | 1 | 2 | 3 | 4 | 5 | 6 | 7 | ... | $c$ |
|---|---|---|---|---|---|---|---|---|---|
| Longueur totale des arêtes (en cm) | 12 | 24 | 36 | 48 | 60 | 72 | 84 | ... | ■ |

***a)*** Calcule quelques taux de variation dans cette relation. Quelle caractéristique ces taux possèdent-ils?

***b)*** Les valeurs de cette table sont-elles proportionnelles?

***c)*** Quelle signification peut-on donner aux taux de variation dans cette relation?

**19** Chaque mois, les commerçants et commerçantes sont tenus de remettre au gouvernement la taxe perçue. S'il y a un retard, le gouvernement impose une amende équivalente à 15 % du montant de la taxe à remettre.

***a)*** Construis une table de valeurs de la relation entre le montant de la taxe à remettre et l'amende à payer, s'il y a un retard.

**Amende pour retard**

| Taxe à remettre (en $) | 0 | 100 | 200 | 300 | 400 | 500 | 800 | ... | $t$ |
|---|---|---|---|---|---|---|---|---|---|
| Amende à payer (en $) | ■ | ■ | ■ | ■ | ■ | ■ | ■ | ... | ■ |

***b)*** Calcule quelques taux de variation pour cette relation. Quelle caractéristique ces taux possèdent-ils?

***c)*** Quelle signification peut-on donner aux taux de variation dans cette situation?

***d)*** A-t-on ici une situation de variation directe?

**20** Dans une situation donnée, $x$ est la variable indépendante et $y$ la variable dépendante. Lorsque $x$ vaut 0, $y$ vaut 1. Par la suite, la valeur de $y$ double chaque fois que la valeur de $x$ augmente de 1. Quel est le taux de variation si la variable indépendante passe de:

***a)*** 0 à 5? ***b)*** 0 à 4? ***c)*** 1 à 5?

**21** Une nageuse traverse un lac de 1,2 km de largeur en une demi-heure.

Durant les 10 premières minutes, elle effectue 60 brasses par minute. Durant les 15 min suivantes, elle maintient son rythme à 50 brasses à la minute. Enfin, durant les 5 dernières minutes, elle entreprend un sprint et nage à 70 brasses à la minute.

***a)*** Trace un graphique de cette situation en prenant le temps comme variable indépendante et le nombre de brasses effectuées comme variable dépendante.

***b)*** Calcule le taux de variation du nombre de brasses pendant les :

1) 10 premières minutes; 2) 25 premières minutes;

3) 30 minutes de la traversée.

***c)*** Calcule le nombre moyen de brasses que cette nageuse a faites à la minute durant la traversée.

**22** Marjo vient de prendre un bain. Elle enlève le bouchon de la baignoire et l'eau commence à s'écouler. Le taux de variation de l'écoulement de l'eau est-il constant ? Explique ta réponse.

**23** Une courbe passe par les points (3, 8) et (-2, 18).

***a)*** Quel est le taux de variation de la variable dépendante entre ces deux points ?

***b)*** Quelle est l'ordonnée du point de la courbe dont l'abscisse est 38 si le taux de variation reste le même ?

**24** Dans le rapport annuel d'une entreprise de distribution, on a inséré le diagramme ci-contre montrant les ventes mensuelles.

***a)*** Dans cette entreprise, la période des ventes estivales commence au début d'avril et se termine à la fin de juillet. Décris comment a évolué le taux de variation des ventes durant cette période.

***b)*** Quel a été le taux de variation des ventes entre le premier et le douzième mois ?

***c)*** Quelle est la plus longue période pour laquelle le taux de variation est négatif ?

***d)*** Au cours de quelle période le taux de variation a-t-il été le plus élevé ?

***e)*** Détermine trois périodes durant lesquelles le taux de variation a été nul.

**25** Dans chacun des cas suivants, indique si le taux de variation de la variable dépendante est constant pour l'ensemble des données fournies. Ensuite, trouve la donnée manquante.

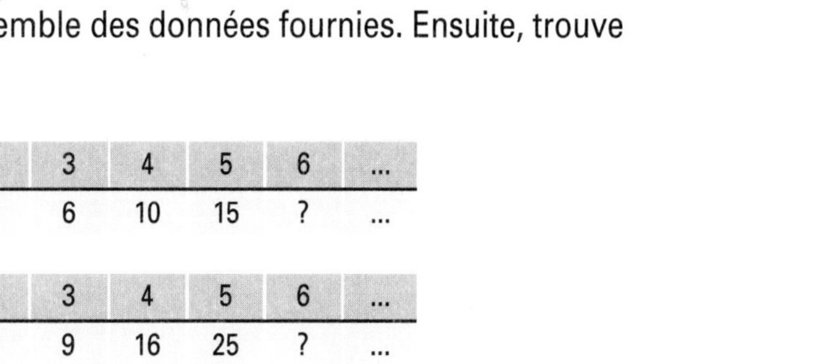

***a)***

| Variable indépendante | 1 | 2 | 3 | 4 | 5 | 6 | ... |
|---|---|---|---|---|---|---|---|
| Variable dépendante | 1 | 3 | 6 | 10 | 15 | ? | ... |

***b)***

| Variable indépendante | 1 | 2 | 3 | 4 | 5 | 6 | ... |
|---|---|---|---|---|---|---|---|
| Variable dépendante | 1 | 4 | 9 | 16 | 25 | ? | ... |

***c)***

| Variable indépendante | 1 | 2 | 3 | 4 | 5 | 6 | ... |
|---|---|---|---|---|---|---|---|
| Variable dépendante | ½ | 1 | 2 | 4 | 8 | ? | ... |

# Calculab

1. Que vaut le dénominateur manquant dans $\frac{14}{27} = \frac{1}{2} + \frac{1}{\blacksquare}$?

2. Laquelle des fractions suivantes se rapproche le plus de 1?

   A) $\frac{10}{11}$ B) $\frac{46}{49}$ C) $\frac{14}{15}$ D) $\frac{15}{14}$ E) $\frac{13}{12}$

•••••••••••••••••••••••••••

3. Quel est le résultat de $\frac{1}{3} - \frac{1}{3} \times \frac{1}{4}$?

4. Chaque année, les prix augmentent de 10 %. De quel pourcentage les prix augmentent-ils en deux ans?

   A) 10 % B) 20 % C) 21 % D) 22 % E) 100 %

5. Quel est le résultat de 14 x 55 + 68 x 44 + 56 x 68 + 45 x 14?

6. Quel est l'inverse de $\frac{1}{3} - \frac{1}{4}$?

7. Si j'ajoute 15 à la moitié d'un nombre, le résultat est 39. Quel est ce nombre?

•••••••••••••••••••••••••••

8. Estime ces produits.

   ***a)*** 0,95 x 28,9 ***b)*** 32 % de 1240. ***c)*** $\frac{9}{8} \times 0{,}89$ ***d)*** $\frac{7}{15} \times \frac{34}{19}$

9. On compare le nombre correspondant à la mesure de l'arête d'un cube avec celui qui correspond à l'aire de l'une de ses faces et celui qui correspond à son volume. Place ces nombres dans l'ordre croissant sachant que:

   ***a)*** l'arête mesure 0,8 cm; ***b)*** l'aire est de 18,25 $cm^2$.

10. Estime la valeur de la variable dépendante pour la valeur de la variable indépendante donnée.

    ***a)*** $D = 60t$ pour $t = 24$. ***b)*** $C = 0{,}5p + 29$ pour $p = 1219$.

    ***c)*** $P = 0{,}15m + m$ pour $m = 49$. ***d)*** $V = 9{,}8t + 125$ pour $t = 9$.

11. Estime la masse d'un couvercle en fer d'un trou d'homme de 80 cm de diamètre et de 1 cm d'épaisseur, sachant que 1 $cm^3$ de fer = 7,86 g.

12. Estime le volume d'une pyramide régulière à base carrée de 21 m de côté et de 15 m de hauteur.

# LES RÈGLES DE RELATION

Tout change autour de nous. Pour comprendre le changement, nous devons distinguer ce qui varie de ce qui ne varie pas. Dans une situation donnée, plusieurs choses peuvent varier. Parmi ces choses, **certaines sont liées entre elles très fortement, d'autres pas du tout.**

Deux quantités sont reliées lorsqu'un changement de l'une des quantités entraîne un changement prévisible de l'autre quantité.

La relation entre deux quantités fortement liées s'exprime généralement par une règle ou une **équation.**

Cette **équation** est l'**expression d'une régularité** que l'on perçoit dans les variations des variables.

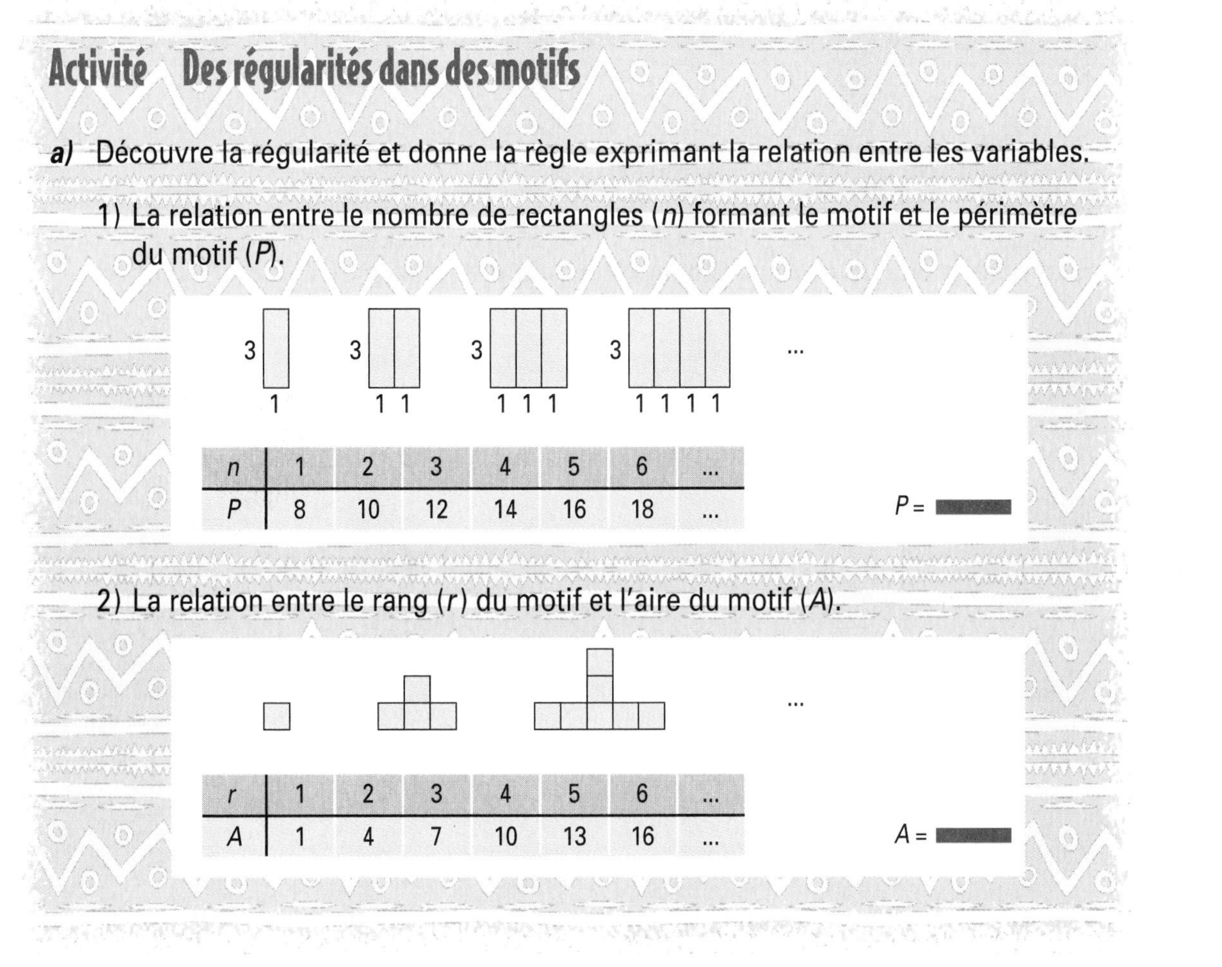

## Activité Des régularités dans des motifs

***a)*** Découvre la régularité et donne la règle exprimant la relation entre les variables.

1) La relation entre le nombre de rectangles ($n$) formant le motif et le périmètre du motif ($P$).

| $n$ | 1 | 2 | 3 | 4 | 5 | 6 | ... |
|---|---|---|---|---|---|---|---|
| $P$ | 8 | 10 | 12 | 14 | 16 | 18 | ... |

$P =$ ▬

2) La relation entre le rang ($r$) du motif et l'aire du motif ($A$).

| $r$ | 1 | 2 | 3 | 4 | 5 | 6 | ... |
|---|---|---|---|---|---|---|---|
| $A$ | 1 | 4 | 7 | 10 | 13 | 16 | ... |

$A =$ ▬

La règle d'une relation est l'expression algébrique du lien entre les deux variables de cette relation.

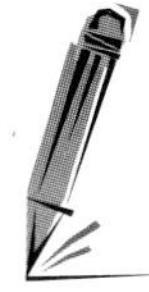

***b)*** Il est quelquefois possible de trouver la règle d'une relation simplement en observant sa table de valeurs.

Découvre la règle exprimant la relation entre les variables données.

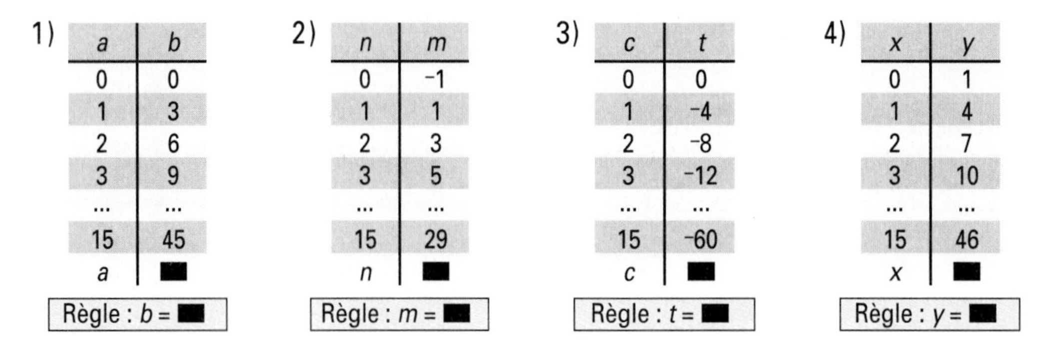

1)

| $a$ | $b$ |
|---|---|
| 0 | 0 |
| 1 | 3 |
| 2 | 6 |
| 3 | 9 |
| ... | ... |
| 15 | 45 |
| $a$ | ■ |

Règle : $b$ = ■

2)

| $n$ | $m$ |
|---|---|
| 0 | -1 |
| 1 | 1 |
| 2 | 3 |
| 3 | 5 |
| ... | ... |
| 15 | 29 |
| $n$ | ■ |

Règle : $m$ = ■

3)

| $c$ | $t$ |
|---|---|
| 0 | 0 |
| 1 | -4 |
| 2 | -8 |
| 3 | -12 |
| ... | ... |
| 15 | -60 |
| $c$ | ■ |

Règle : $t$ = ■

4)

| $x$ | $y$ |
|---|---|
| 0 | 1 |
| 1 | 4 |
| 2 | 7 |
| 3 | 10 |
| ... | ... |
| 15 | 46 |
| $x$ | ■ |

Règle : $y$ = ■

On convient d'écrire la règle d'une relation en commençant par la variable dépendante qu'on isole dans le premier membre de l'équation.

La règle d'une relation exprime les opérations que doit subir la valeur de la **variable indépendante** pour produire la valeur de la **variable dépendante** qui lui est associée.

## LES RÈGLES DES VARIATIONS DIRECTES

Analysons les règles de deux situations de proportionnalité ou de variation directe.

### Situation 1 Le gaspillage d'eau

Il existe bien des façons de gaspiller de l'eau. Par exemple, on gaspille de l'eau en la laissant couler pendant qu'on se brosse les dents. Une personne ayant cette mauvaise habitude gaspille ainsi environ 2 l d'eau par jour.

① Construis une table de valeurs montrant la relation entre le nombre de jours écoulés ($j$) et la quantité d'eau gaspillée ($Q$).

② Quelle règle peut exprimer ici la relation entre les deux variables ?

③ Calcule trois taux de variation dans cette situation. Quelle caractéristique ces taux ont-ils ?

(4) La quantité d'eau gaspillée dépend directement du nombre de jours. Pour obtenir la quantité d'eau gaspillée, il suffit de multiplier le nombre de jours par une constante. Quelle est cette constante ?

(5) Quel lien peut-on observer entre cette constante et le taux de variation dans cette situation ?

(6) Exprime la règle de cette relation en utilisant les expressions *variable indépendante, variable dépendante* et *taux de variation.*

## Situation 2 Le salaire

Nadine travaille les fins de semaine dans un restaurant à service rapide. Pour chaque heure de travail, elle reçoit 7 $.

(1) Construis une table de valeurs montrant la relation entre le nombre d'heures de travail ($h$) et le salaire gagné ($S$).

(2) Quelle règle peut exprimer la régularité que montre cette table ou la relation entre les deux variables de cette situation ?

(3) Calcule trois taux de variation à partir de la table de valeurs. Quelle caractéristique ces taux de variation montrent-ils ?

(4) Dans cette situation, comment peut-on trouver le salaire à partir du nombre d'heures de travail ?

(5) Exprime la règle de cette relation en utilisant les expressions *variable indépendante, variable dépendante* et *taux de variation.*

Voici les graphiques cartésiens de ces deux relations de variation directe. On y a représenté également des taux de variation.

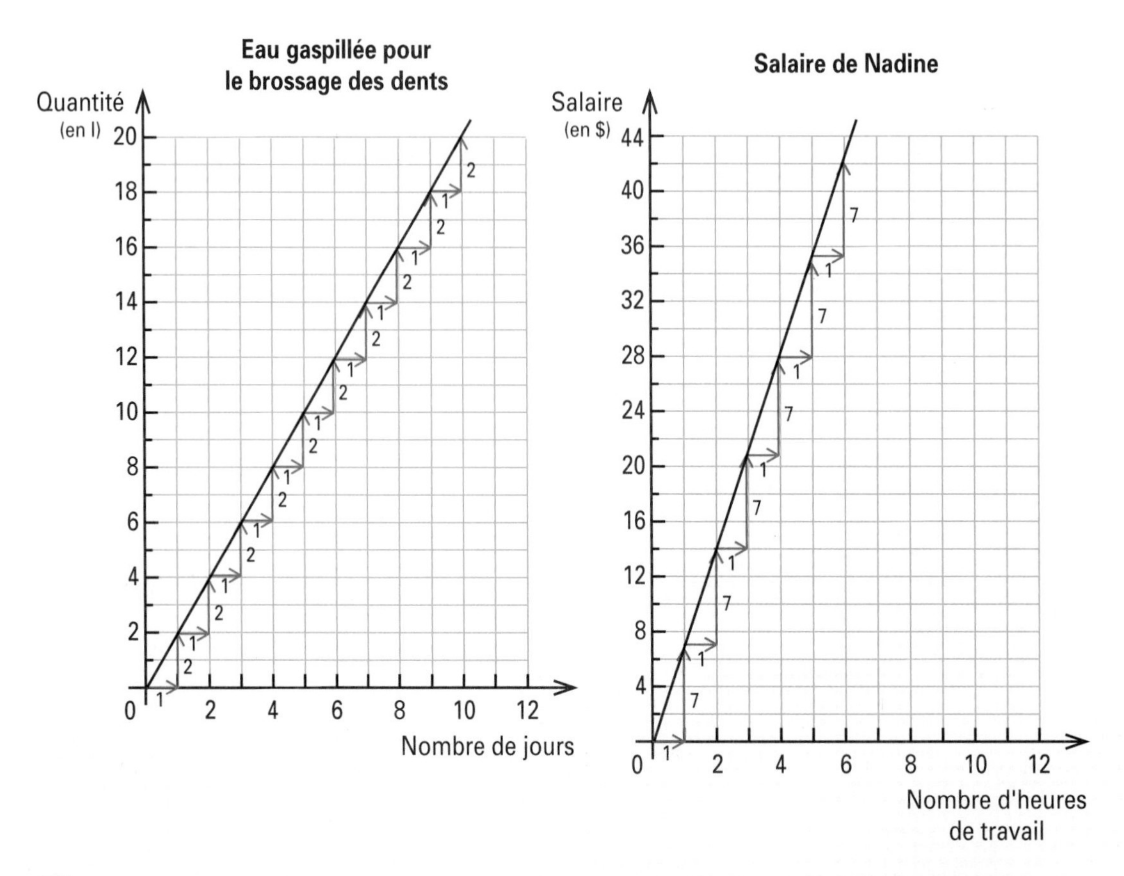


(6) Donne les principales caractéristiques du graphique d'une relation de variation directe.

Ces graphiques étant des droites obliques, on dit que ces relations de variation directe sont des **relations linéaires.**

(7) Julien affirme que « dans une relation de variation directe, il est suffisant de connaître le taux de variation pour tracer le graphique cartésien de la relation ». A-t-il raison ? Si oui, explique pourquoi.

En résumé :

Une relation de variation directe a une équation de la forme :

**Variable dépendante = (taux de variation) • (variable indépendante)**

$$y = a \cdot x$$

et son graphique cartésien est une droite passant par l'origine du plan.

Comme son graphique est une droite oblique, on appelle une **relation de variation directe** une **relation linéaire.**

CARREFOUR

**QU'EN PENSEZ-VOUS ?**

***a)*** Les équations suivantes correspondent-elles à une relation linéaire de variation directe ? Justifiez votre réponse.

1) $y = \frac{x}{2}$ 2) $y = \frac{^-x}{4}$ 3) $y = \sqrt{2}x$

***b)*** Trouvez l'équation équivalente à celle donnée ayant la forme de l'équation d'une relation linéaire de variation directe.

1) $2x + y = 0$ 2) $x = 2y$ 3) $4x - 2y = 0$

***c)*** Les équations données correspondent-elles à deux relations de variation directe différentes ? Expliquez votre réponse.

1) $d = 2t$ et $y = 2x$. 2) $y = 3x$ et $y - 3x = 0$.

***d)*** Trouvez une situation de variation directe où le taux de variation de la variable dépendante est négatif. Décrivez cette situation.

## JOGGING

**1** Indique si la situation décrite présente généralement une relation linéaire de variation directe.

***a)*** Le nombre de billets de théâtre achetés et la somme déboursée.

***b)*** Le nombre de poulets à nourrir et la quantité de moulée consommée.

***c)*** Le diamètre de la tête et le coût d'une coupe de cheveux.

***d)*** La période d'un match de hockey et le nombre de buts marqués.

***e)*** Le nombre de pages d'un livre et son prix.

**2** Dans une relation linéaire de variation directe, les valeurs sont directement proportionnelles. Que veut-on dire par cette expression ?

**3** Détermine les équations qui correspondent à des relations linéaires de variation directe.

***a)*** $y = 5$ ***b)*** $d = 4t + 1$ ***c)*** $F = 9{,}8m$ ***d)*** $R = \frac{V}{2}$ ***e)*** $C = 2\pi r$

**4** Parmi les tables de valeurs suivantes, indique celles qui représentent une relation linéaire de variation directe. Sur la première ligne se trouvent les valeurs de la variable indépendante et sur la deuxième, celles de la variable dépendante.

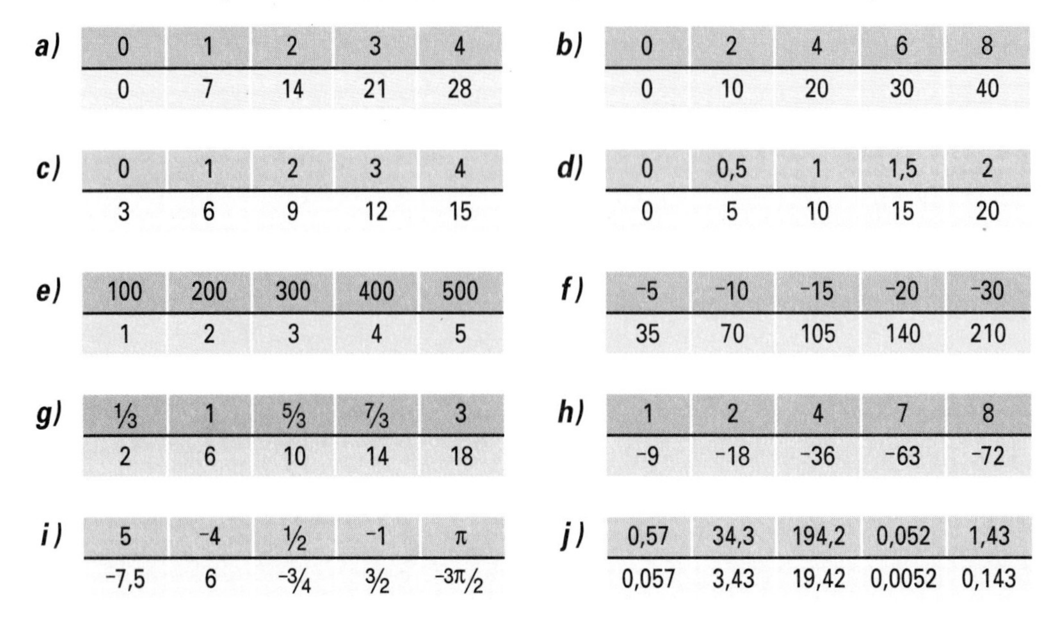

***a)***

| 0 | 1 | 2 | 3 | 4 |
|---|---|---|---|---|
| 0 | 7 | 14 | 21 | 28 |

***b)***

| 0 | 2 | 4 | 6 | 8 |
|---|---|---|---|---|
| 0 | 10 | 20 | 30 | 40 |

***c)***

| 0 | 1 | 2 | 3 | 4 |
|---|---|---|---|---|
| 3 | 6 | 9 | 12 | 15 |

***d)***

| 0 | 0,5 | 1 | 1,5 | 2 |
|---|---|---|---|---|
| 0 | 5 | 10 | 15 | 20 |

***e)***

| 100 | 200 | 300 | 400 | 500 |
|---|---|---|---|---|
| 1 | 2 | 3 | 4 | 5 |

***f)***

| −5 | −10 | −15 | −20 | −30 |
|---|---|---|---|---|
| 35 | 70 | 105 | 140 | 210 |

***g)***

| $\frac{1}{3}$ | 1 | $\frac{5}{3}$ | $\frac{7}{3}$ | 3 |
|---|---|---|---|---|
| 2 | 6 | 10 | 14 | 18 |

***h)***

| 1 | 2 | 4 | 7 | 8 |
|---|---|---|---|---|
| −9 | −18 | −36 | −63 | −72 |

***i)***

| 5 | −4 | $\frac{1}{2}$ | −1 | $\pi$ |
|---|---|---|---|---|
| −7,5 | 6 | $-\frac{3}{4}$ | $\frac{3}{2}$ | $-\frac{3\pi}{2}$ |

***j)***

| 0,57 | 34,3 | 194,2 | 0,052 | 1,43 |
|---|---|---|---|---|
| 0,057 | 3,43 | 19,42 | 0,0052 | 0,143 |

**5** Parmi les graphiques suivants, lesquels représentent des relations linéaires de variation directe ?

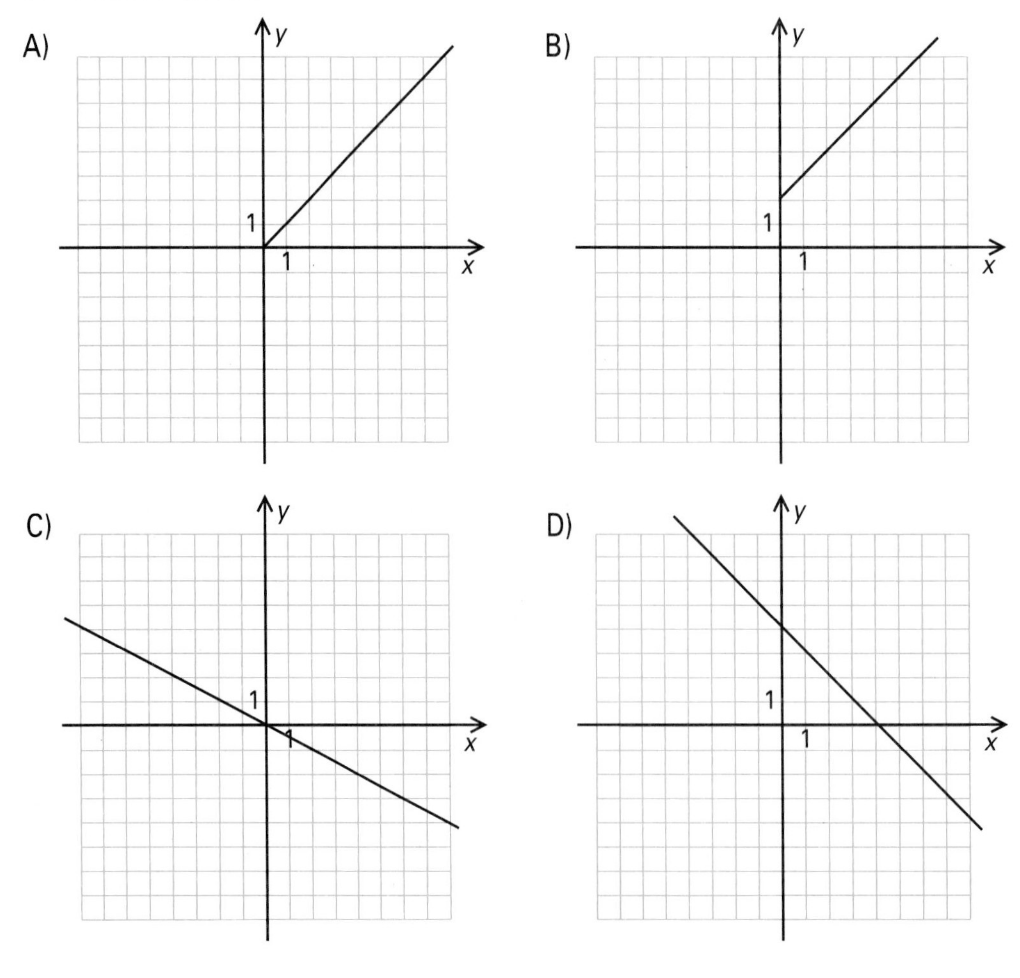

**6** Détermine le taux de variation de la relation de variation directe représentée dans ces plans cartésiens.

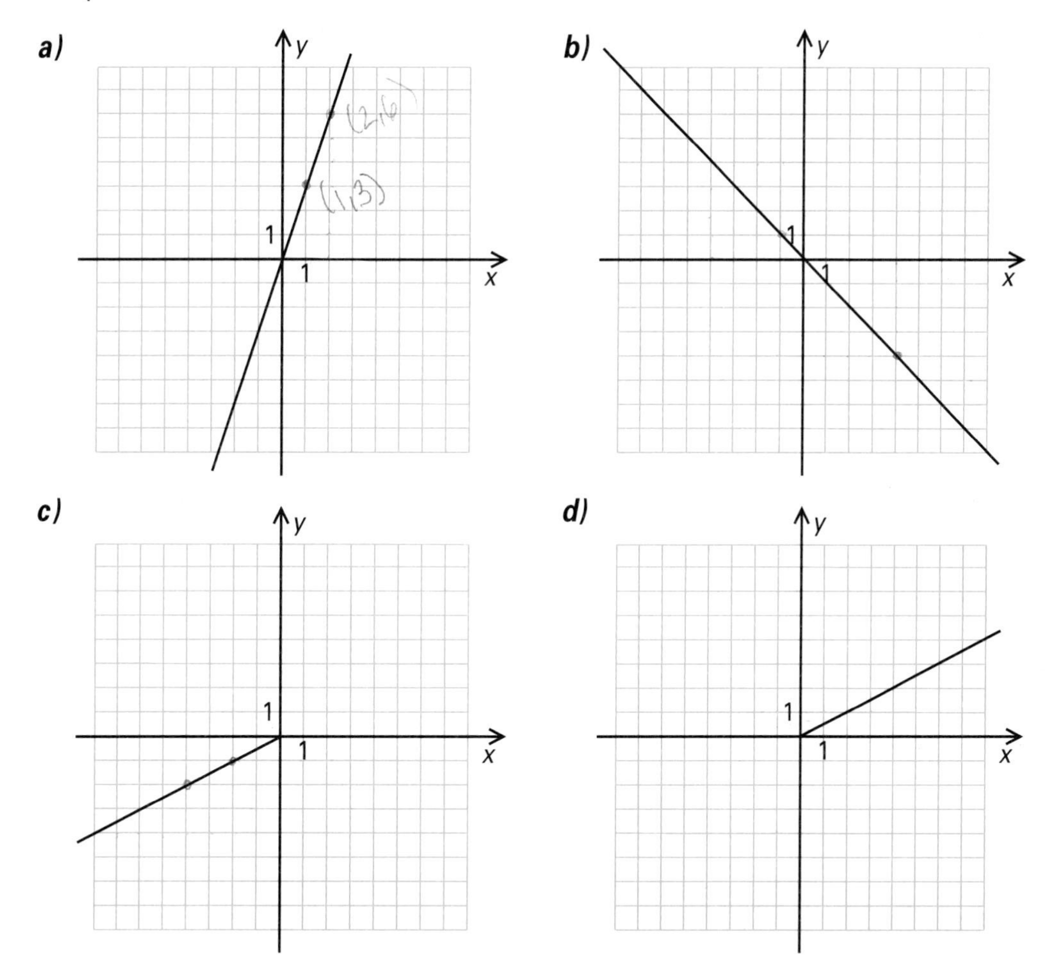


**7** Trouve la règle de la relation linéaire de variation directe décrite par chaque table de valeurs.

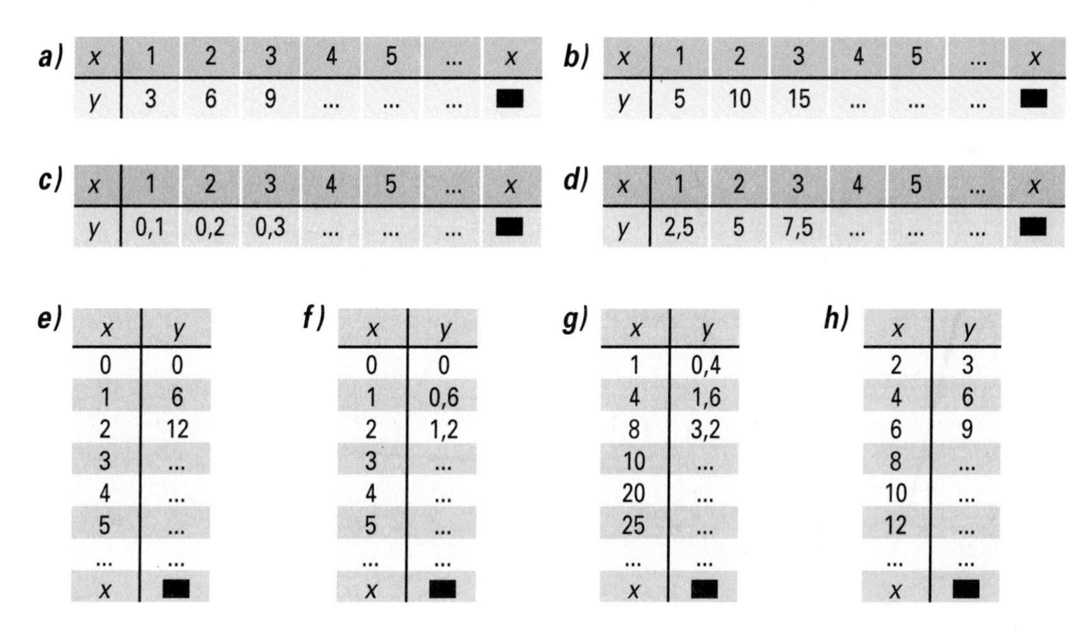

a)

| x | 1 | 2 | 3 | 4 | 5 | ... | x |
|---|---|---|---|---|---|---|---|
| y | 3 | 6 | 9 | ... | ... | ... | ■ |

b)

| x | 1 | 2 | 3 | 4 | 5 | ... | x |
|---|---|---|---|---|---|---|---|
| y | 5 | 10 | 15 | ... | ... | ... | ■ |

c)

| x | 1 | 2 | 3 | 4 | 5 | ... | x |
|---|---|---|---|---|---|---|---|
| y | 0,1 | 0,2 | 0,3 | ... | ... | ... | ■ |

d)

| x | 1 | 2 | 3 | 4 | 5 | ... | x |
|---|---|---|---|---|---|---|---|
| y | 2,5 | 5 | 7,5 | ... | ... | ... | ■ |

e)

| x | y |
|---|---|
| 0 | 0 |
| 1 | 6 |
| 2 | 12 |
| 3 | ... |
| 4 | ... |
| 5 | ... |
| ... | ... |
| x | ■ |

f)

| x | y |
|---|---|
| 0 | 0 |
| 1 | 0,6 |
| 2 | 1,2 |
| 3 | ... |
| 4 | ... |
| 5 | ... |
| ... | ... |
| x | ■ |

g)

| x | y |
|---|---|
| 1 | 0,4 |
| 4 | 1,6 |
| 8 | 3,2 |
| 10 | ... |
| 20 | ... |
| 25 | ... |
| ... | ... |
| x | ■ |

h)

| x | y |
|---|---|
| 2 | 3 |
| 4 | 6 |
| 6 | 9 |
| 8 | ... |
| 10 | ... |
| 12 | ... |
| ... | ... |
| x | ■ |

**8** La relation entre la masse d'une personne exprimée en kilogrammes et sa masse exprimée en livres (unité de masse anciennement utilisée au Québec) est une relation linéaire de variation directe. On sait que 0 kg = 0 lb et que 5 kg = 11 lb.

***a)*** Trace le graphique cartésien de cette relation.

***b)*** Donne l'équation qui correspond à cette relation de variation directe.

**9** Voici les graphiques cartésiens de relations linéaires de variation directe. Trouve l'équation qui correspond à chacune d'elles.

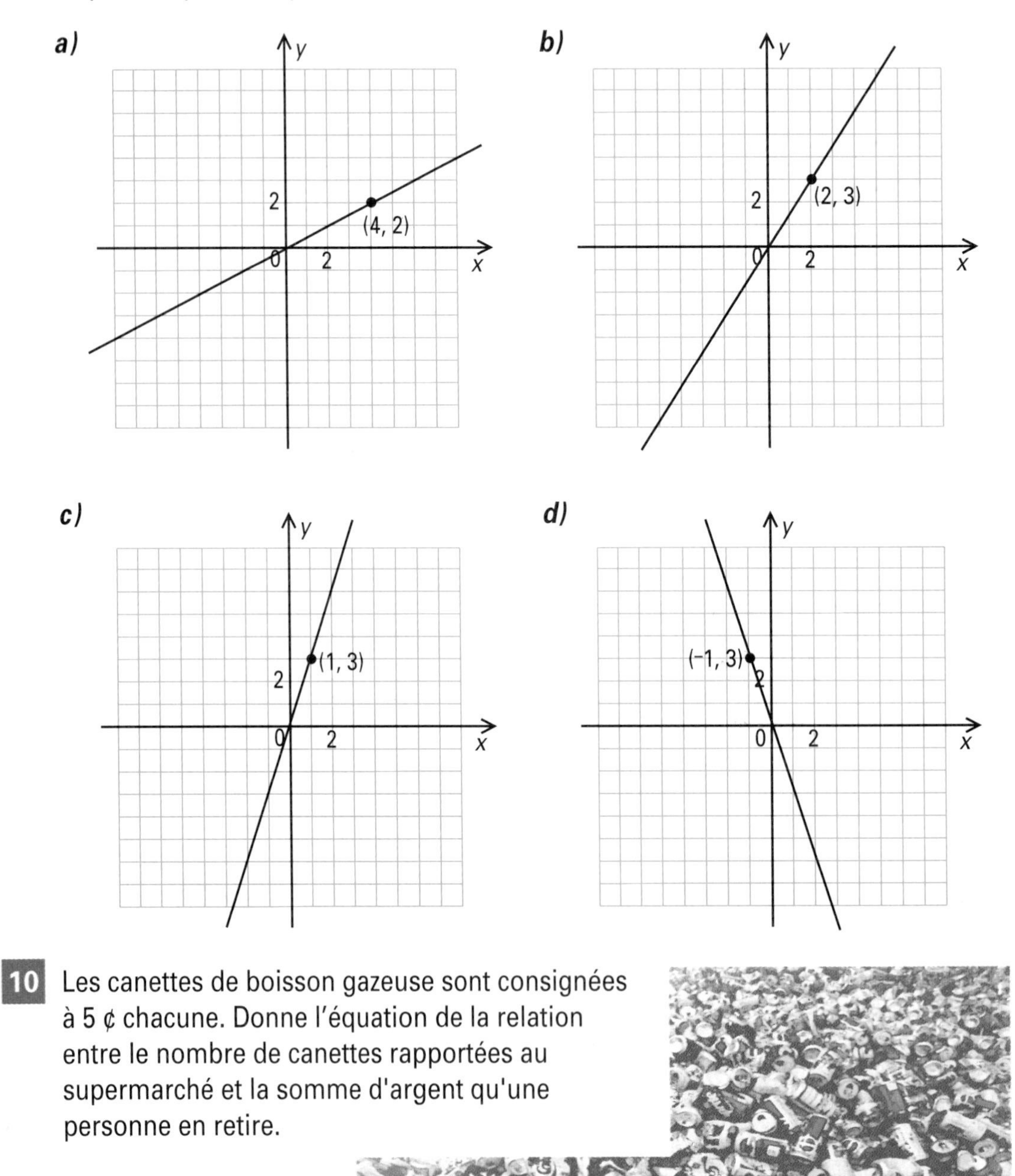


**10** Les canettes de boisson gazeuse sont consignées à 5 ¢ chacune. Donne l'équation de la relation entre le nombre de canettes rapportées au supermarché et la somme d'argent qu'une personne en retire.

**11** Le coeur d'une femme bat généralement plus vite que celui d'un homme. Le pouls de l'homme est d'environ 72 pulsations par minute et celui de la femme de 78. Donne les deux équations qui représentent la relation entre le temps écoulé en heures et le nombre de pulsations chez l'homme et chez la femme.

**12** À l'aide d'une équation, décris la relation qui existe entre une mesure donnée en mètres et son écriture en décimètres.

**13** Invente une situation présentant une relation linéaire de variation directe qui peut être décrite par l'équation donnée.

***a)*** $y = 4x$ ***b)*** $y = 0{,}25x$

**14** Parmi les équations suivantes, lesquelles peuvent représenter des relations linéaires de variation directe?

A) $y = 5x$ B) $y = {}^-8x$ C) $y = 3x^2$

D) $y = 3x + 4$ E) $y = -\frac{3}{4}x$ F) $y = \frac{^-x}{5}$

G) $2y = 8x$ H) $3y = 7x$ I) ${}^-8y = x$

J) $y = {}^-7$ K) $2x - y = 0$ L) $7x + 4y = 7$

M) $v = -14t$ N) $s - n^2 = 0$ O) $4(x - 4) = 5y - 16$

**15** Un contenant de laboratoire est de forme cylindrique. Les graduations indiquent la capacité ($C$) en millilitres du contenant. Cette capacité varie de 10 ml par centimètre de hauteur ($h$).

***a)*** Quelle équation représente la relation entre la hauteur du liquide et la capacité?

***b)*** On a versé 155 ml de liquide dans le contenant. Quelle est la hauteur du liquide?

***c)*** Quel est le rayon intérieur du contenant?

**16** Un cycliste roule à une vitesse constante. Il lui faut 5 min pour parcourir 2 km. On considère la relation entre le temps écoulé et la distance parcourue.

*a)* S'agit-il d'une relation linéaire de variation directe ?

*b)* Quel est le taux de variation de la distance par rapport au temps ?

*c)* Quelle équation représente cette relation ?

*d)* Combien de temps faudra-t-il à ce cycliste pour parcourir 50 km s'il maintient son allure ?

*e)* Quelle distance parcourra-t-il en 1 h 12 min ?

**17** Voici une carte topographique à l'échelle de 1 : 50 000 (1 cm sur la carte représente 50 000 cm sur le terrain).

*Les cartes topographiques à l'échelle de 1 : 25 000 sont les plus détaillées. Tout y est inscrit : routes, voies ferrées, maisons, altitudes, etc.*

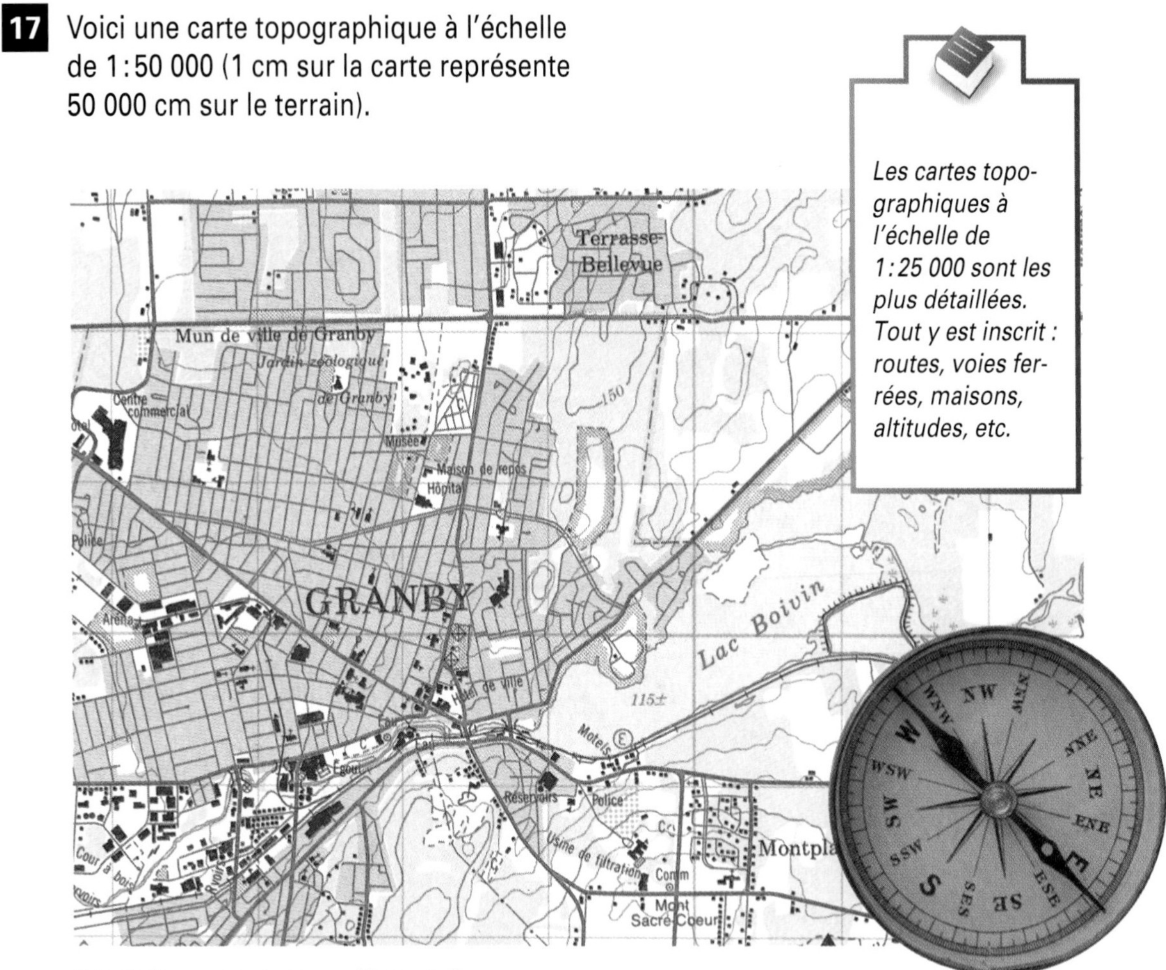


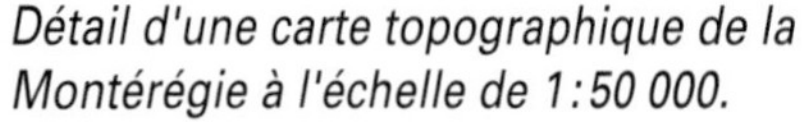
*Détail d'une carte topographique de la Montérégie à l'échelle de 1 : 50 000.*

*a)* Quelle équation permet de trouver la distance ($D$) sur le terrain selon la distance ($d$) sur la carte lorsque ces deux distances sont exprimées dans la même unité de mesure ?

*b)* Que devient cette équation si $D$ est exprimée en kilomètres et $d$, en centimètres ?

**18** Découpe un carré de 15 cm de côté dans une feuille de papier blanc non lignée.

***a)*** Exécute les directives suivantes pour compléter la table ci-dessous.

1° Plier le carré sur sa diagonale afin de former un triangle isocèle.

2° Mesurer avec la règle et inscrire les données dans la table.

3° Procéder à un deuxième pliage, à un troisième pliage... pour compléter la table.

**Pliage du carré**

| Nombre de pliages | Cathète ($c$) | Hypoténuse ($H$) | Rapport $\frac{H}{c}$ |
|---|---|---|---|
| 1 | ■ | ■ | ■ |
| 2 | ■ | ■ | ■ |
| 3 | ■ | ■ | ■ |
| 4 | ■ | ■ | ■ |
| 5 | ■ | ■ | ■ |

***b)*** Quelles conclusions cette table de valeurs t'inspire-t-elle ?

***c)*** Trace un graphique cartésien de la relation entre la mesure de la cathète (variable indépendante) et celle de l'hypoténuse (variable dépendante).

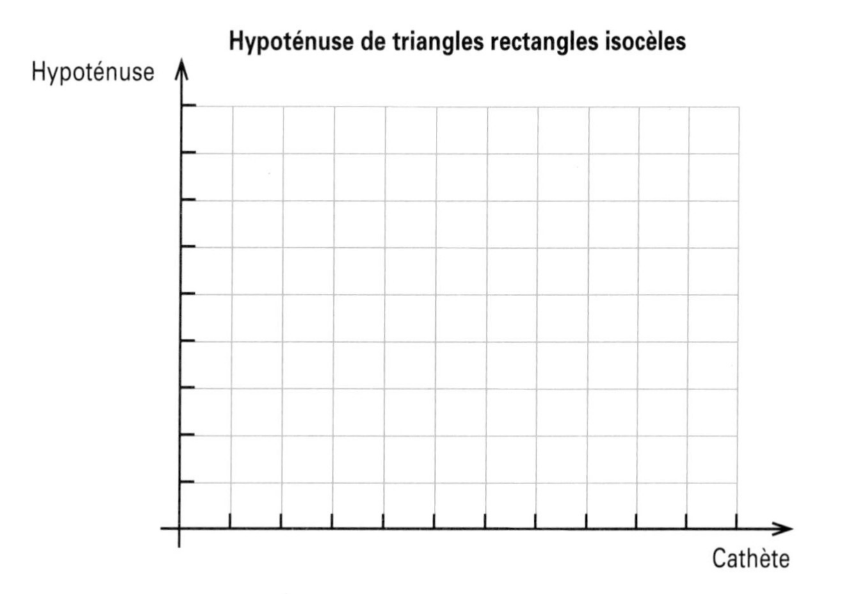


***d)*** Décris de quelle façon varie l'hypoténuse en fonction de la longueur de la cathète.

***e)*** Quelle est l'équation de cette relation linéaire de variation directe ?

***f)*** Calcule l'hypoténuse d'un triangle rectangle isocèle ayant une cathète de 50 cm.

**19** On a réduit le pentagone *ABCDE* par la technique du faisceau.

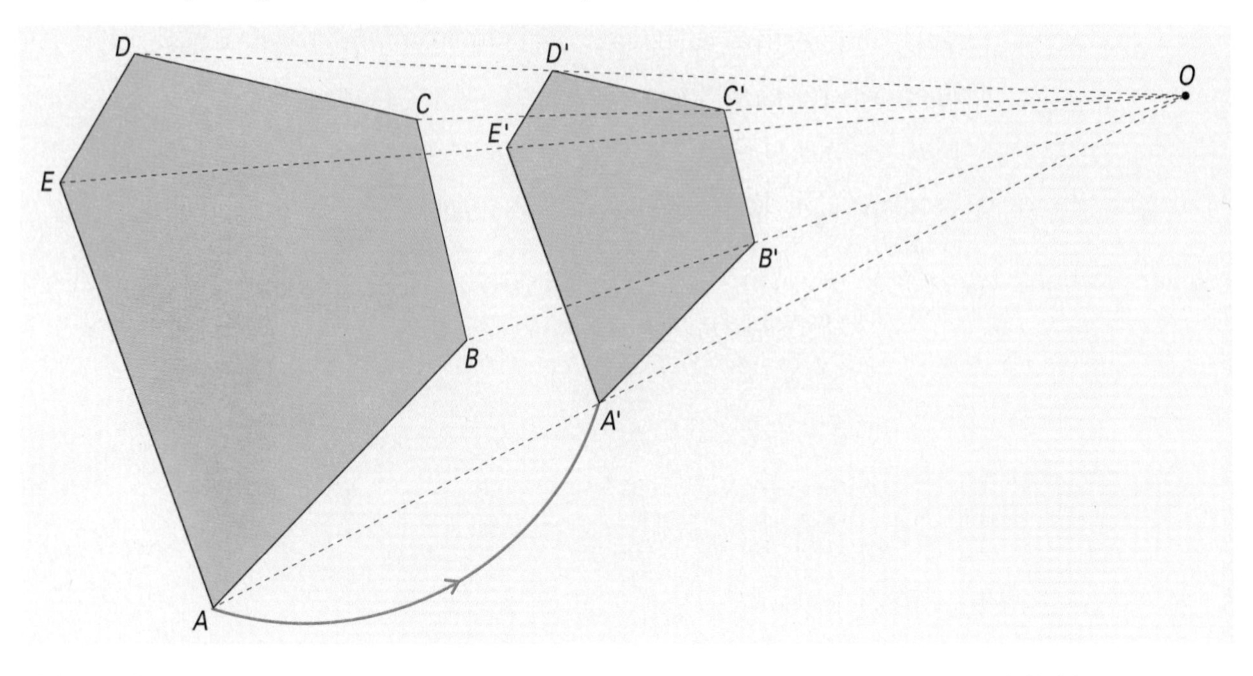


***a)*** Complète la table de valeurs suivante en mesurant les côtés des pentagones à l'aide de ta règle.

**Mesure des côtés homologues**

| Pentagone *ABCDE* | ■ | ■ | ■ | ■ | ■ |
|---|---|---|---|---|---|
| Pentagone *A'B'C'D'E'* | ■ | ■ | ■ | ■ | ■ |

***b)*** Calcule le rapport des mesures des côtés homologues.

***c)*** Quelles conclusions la comparaison des mesures t'inspire-t-elle ?

***d)*** Trace le graphique cartésien de la relation entre les mesures des côtés du pentagone *ABCDE* (variable indépendante) et celles des côtés du pentagone *A'B'C'D'E'* (variable dépendante).

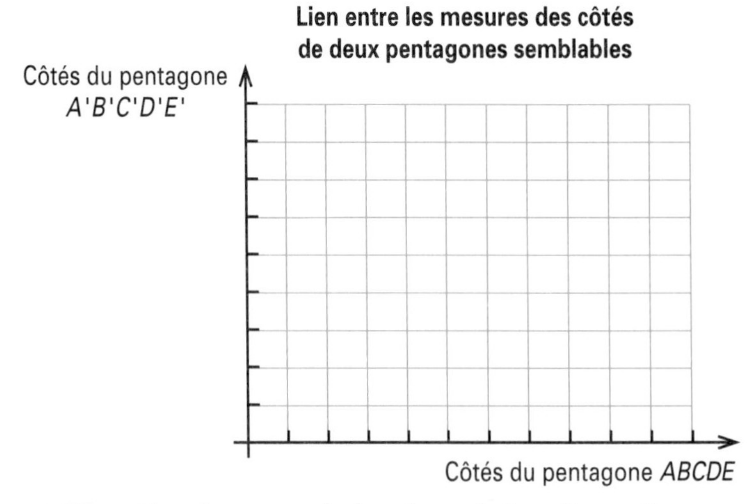


***e)*** Quelle est l'équation de cette relation de variation directe ?

**20** Berina veut éprouver l'effet d'un engrais sur la croissance d'une plante. Elle note la hauteur de sa plante et ajoute l'engrais selon les instructions données. Chaque jour ($J$), par la suite, elle mesure la hauteur ($h$) de la plante et l'inscrit dans une table de valeurs. A-t-on ici une situation de proportionnalité ? Si oui, donne sa règle.

**Croissance d'une plante**

| $J$ | 1 | 2 | 3 | 4 | 5 | 6 |
|---|---|---|---|---|---|---|
| $h$ | 5 | 5,4 | 5,9 | 6,5 | 7,2 | 8 |

**21** Un fabricant prépare un jus de fruits en mélangeant 400 ml de jus d'orange avec 500 ml de jus d'ananas et 100 ml de jus de fraise. Il s'interroge sur la quantité de jus d'ananas requise pour différentes quantités de mélange.

***a)*** Construis une table de valeurs pour cette relation.

***b)*** Calcule quelques taux de variation pour cette relation.

***c)*** S'agit-il d'une relation linéaire de variation directe ? Si oui, quelle en est l'équation ?

***d)*** Trace le graphique cartésien de cette relation.

**22** Une portraitiste utilise la table de valeurs suivante pour ses encadrements. Les valeurs $y$ sont données en centimètres.

**Mesures d'encadrement**

| Longueur | 8 | 10 | 12 | 15 | 16 | 18 | 20 | 24 | 30 | 40 | 56 | ... |
|---|---|---|---|---|---|---|---|---|---|---|---|---|
| Largeur | 5 | 6,25 | 7,5 | 9,375 | 10 | 11,25 | 12,5 | 15 | 18,75 | 25 | 35 | ... |

***a)*** Les taux de variation de cette table sont-ils constants ?

***b)*** A-t-on ici une relation linéaire de variation directe ?

***c)*** Quelle est l'équation de cette relation ?

***d)*** Quelle est la largeur d'un encadrement de 120 cm de longueur ?

**23** La mesure de l'angle formé par un amoncellement de sable est toujours la même, soit ≈ 43°. On a noté la largeur et la hauteur de différents cônes de sable. Voici la table des valeurs observées.

**Cône de sable**

| Largeur ($L$) (en cm) | 0 | 4 | 5 | 8 | 20 | 40 | ... |
|---|---|---|---|---|---|---|---|
| Hauteur ($h$) (en cm) | 0 | 1,87 | 2,33 | 3,73 | 9,33 | 18,65 | ... |

*a)* A-t-on ici une relation linéaire de variation directe?

*b)* Quelle est la règle ou l'équation de cette relation?

**24** Les dents de deux roues s'engrènent les unes dans les autres. La mise en marche de la roue A entraîne la rotation de la roue B. On a relevé le nombre de tours faits par la seconde roue après un certain nombre de tours de la première.

**Engrenage**

| Nombre de tours de A | 0 | 5 | 10 | 15 | 20 | 40 | 50 | 100 | ... | $t$ |
|---|---|---|---|---|---|---|---|---|---|---|
| Nombre de tours de B | 0 | 4 | 8 | 12 | 16 | 32 | 40 | 80 | ... | ■ |

*a)* Calcule quelques taux de variation dans cette relation. Quelle caractéristique ces taux possèdent-ils?

*b)* Quelle signification peut-on donner aux taux de variation dans cette situation?

*c)* A-t-on ici une relation linéaire de variation directe?

*d)* Quelle est la règle ou l'équation de cette relation?

*On utilise l'engrenage comme système de transmission depuis fort longtemps. Cette illustration de Léonard de Vinci (1490) représente un fuseau à balancier actionné par un engrenage ingénieux.*

**25** Les petits moteurs à deux temps qui équipent certaines tondeuses à gazon nécessitent 1 partie d'huile pour 32 parties d'essence.

*a)* Quelle équation décrit la relation évoquée dans cette situation?

*b)* Si on met 300 ml d'huile dans un contenant, combien faudra-t-il ajouter de litres d'essence pour obtenir un mélange utilisable par ce type de moteur?

**26** Aline désire renouveler les rideaux de sa chambre. Le tissu qu'elle préfère se vend 10 $ le mètre, mais elle doit aussi payer des taxes équivalant à 14 % de son achat.

*Les tissus se vendent selon leur longueur, car leur largeur est presque toujours la même.*

***a)*** Quelle équation représente la somme ($S$) à débourser par rapport à la longueur ($L$) du tissu acheté ?

***b)*** Combien de mètres de tissu Aline pourra-t-elle acheter si elle dispose de 60 $ ?

***c)*** Quelle somme lui manque-t-il pour acheter les 8,5 m de tissu dont elle a besoin pour ses rideaux ?

**27** Une relation linéaire de variation directe est représentée par l'équation $y = 7x$.

***a)*** Quelle équation obtient-on si on prend $y$ comme variable indépendante et $x$ comme variable dépendante ?

***b)*** Quel est le taux de variation de la variable dépendante dans ce cas ?

**28** Au cours d'une réunion, six vendeurs et vendeuses discutent de leurs conditions de rémunération :

- Audrey reçoit 6 % de commission sur tout ce qu'elle vend.
- Paul reçoit 8 % de commission sur ses ventes, mais il doit payer une somme fixe pour les frais de bureau.
- Desmond est payé 150 $ par jour, quel que soit le montant de ses ventes.
- Anton reçoit 50 $ par jour plus une commission de 4 % sur ses ventes.
- Marguerite reçoit une commission de 5 % sur ses ventes plus une prime si elle est la meilleure vendeuse de la compagnie.
- Kevin reçoit 200 $ par jour quand son volume de ventes est supérieur à 2 000 $ et 125 $ par jour dans le cas contraire.

***a)*** Dans lesquelles de ces situations a-t-on une relation linéaire de variation directe ?

***b)*** Dans chaque cas, indique la quantité représentée par la variable indépendante et celle représentée par la variable dépendante.

**29** Dans chacune de ces relations linéaires de variation directe, détermine le taux de variation de la variable dépendante.

*a)* $y = \frac{^-x}{2}$

*b)* $3x + 4y = 0$ (en considérant $x$ comme variable indépendante).

*c)* $\frac{3}{4}v = \frac{6}{5}t$ (en considérant $t$ comme variable indépendante).

*d)* $\frac{3}{4}v = \frac{6}{5}t$ (en considérant $v$ comme variable indépendante).

*e)* Le coût ($C$) en dollars d'un certain nombre ($n$) de litres de lait est donné par $C = 1{,}19n$.

*f)* Pour calculer le nombre de francs français ($F$) à remettre en échange d'un nombre donné de dollars canadiens ($C$), un caissier utilise l'équation $F = 3{,}2C$. Dans ce cas, le taux de variation s'appelle le taux de change.

1) Quel devrait être le taux de change des francs français en dollars canadiens pour que le consommateur ou la consommatrice ne perde rien dans des changes successifs?

2) Dans la réalité, cela se passe-t-il de cette façon?

## LES RÈGLES DES VARIATIONS PARTIELLES

Analysons les règles de deux situations de variation partielle.

### Situation 1 La pomiculture

Une productrice livre ses pommes dans des caisses de carton renforcé. Chaque caisse pèse environ 1 kg et chaque pomme pèse en moyenne 0,3 kg. On s'intéresse à la relation entre le nombre de pommes contenues dans la caisse et la masse totale de la caisse.

*Le pommier «colonnaire» est un arbre sans branches. Il donne des pommes aussi grosses, plus savoureuses et plus résistantes.*

① Complète la table de valeurs suivante pour cette relation.

**Masse totale**

| Nombre de pommes | 0 | 1 | 2 | 5 | 10 | 20 | 50 | 80 |
|---|---|---|---|---|---|---|---|---|
| Masse (en kg) | ■ | 1,3 | 1,6 | 2,5 | 4 | ■ | 16 | ■ |

② Les valeurs de cette table sont-elles proportionnelles?

③ Calcule trois taux de variation de la masse à partir de cette table. Quelle conclusion ces calculs t'inspirent-ils?

④ Construis une table de valeurs à partir de la même situation, mais en ne tenant pas compte de la masse de la caisse. Observe si les valeurs obtenues sont proportionnelles. Qu'en est-il?

On se rend compte que cette situation amènerait une relation de variation directe si on ne tenait pas compte d'une **valeur initiale non nulle** (la masse de la caisse).

(5) On a représenté cette situation dans un plan cartésien. Décris le type de graphique obtenu.

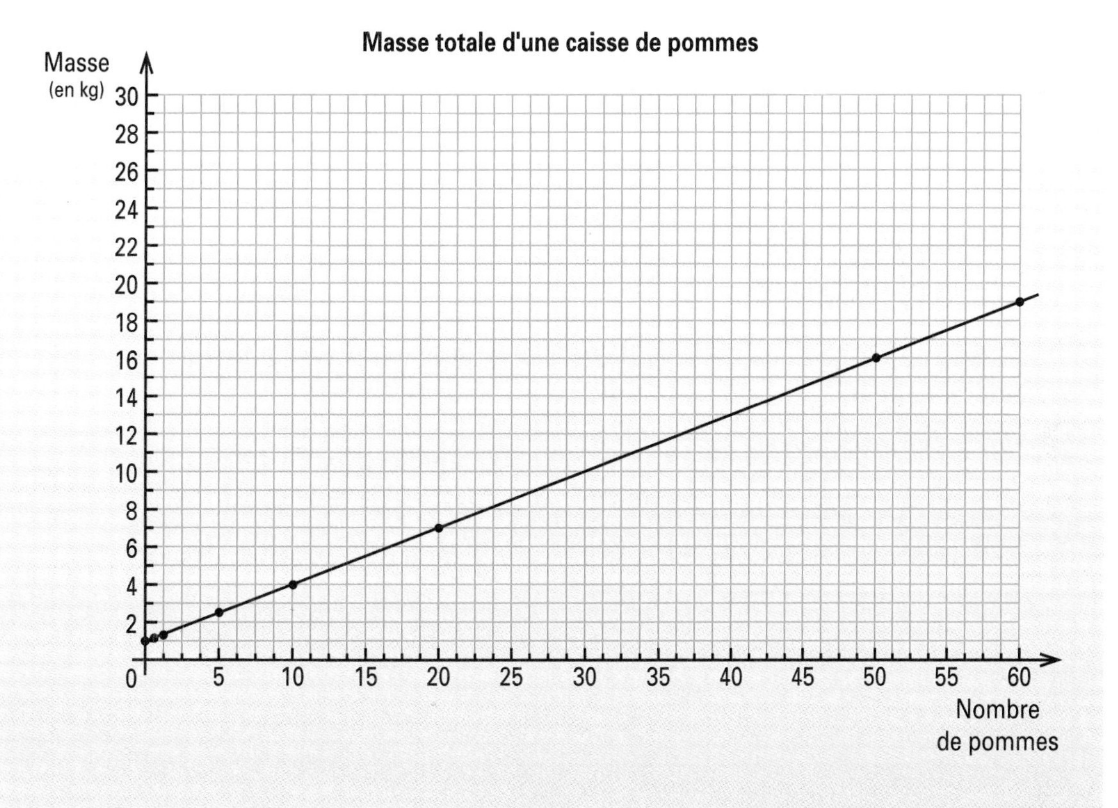


(6) Qu'est-ce qui différencie ce graphique de celui d'une relation de variation directe?

Les relations dans lesquelles le taux de variation est toujours le même et où la variable dépendante a une **valeur initiale différente de 0** sont appelées des **relations de variation partielle.**

On appelle **valeur initiale** la valeur de la variable dépendante quand la variable indépendante est 0.

Les graphiques des relations de variation partielle sont des **droites obliques ne passant pas par l'origine**. Elles sont aussi dites **linéaires.**

## Situation 2 Le ressort

On attache différentes masses à un ressort qui, au départ, mesure 10 cm. Le ressort s'allonge de 2 cm pour chaque masse de 1 kg ajoutée. On s'intéresse à la relation entre les différentes masses qu'on suspend à un ressort et la longueur du ressort.

(1) Complète la table de valeurs de cette relation.

**Allongement d'un ressort**

| Masse (en kg) | 0 | 1 | 2 | 4 | 5 | 8 | ■ | 15 |
|---|---|---|---|---|---|---|---|---|
| Longueur (en cm) | ■ | 12 | 14 | 18 | 20 | ■ | 30 | ■ |

(2) Dans cette situation, la variable dépendante a-t-elle une valeur initiale différente de 0?

(3) Calcule trois taux de variation de la longueur à partir de cette table. Quelle conclusion ces calculs t'inspirent-ils?

(4) Cette relation devient-elle une relation de variation directe si on laisse tomber la valeur initiale au départ? Vérifie-le.

(5) A-t-on ici une relation de variation partielle?

(6) À partir de la table de valeurs, découvre la règle de cette relation.

(7) Identifie dans la règle la valeur initiale et le taux de variation de cette relation.

(8) On a tracé le graphique de cette relation. Décris le graphique obtenu.

(9) Bernard prétend qu'avec la valeur initiale et le taux de variation, il est capable de tracer rapidement le graphique de cette relation. Explique comment il peut s'y prendre.

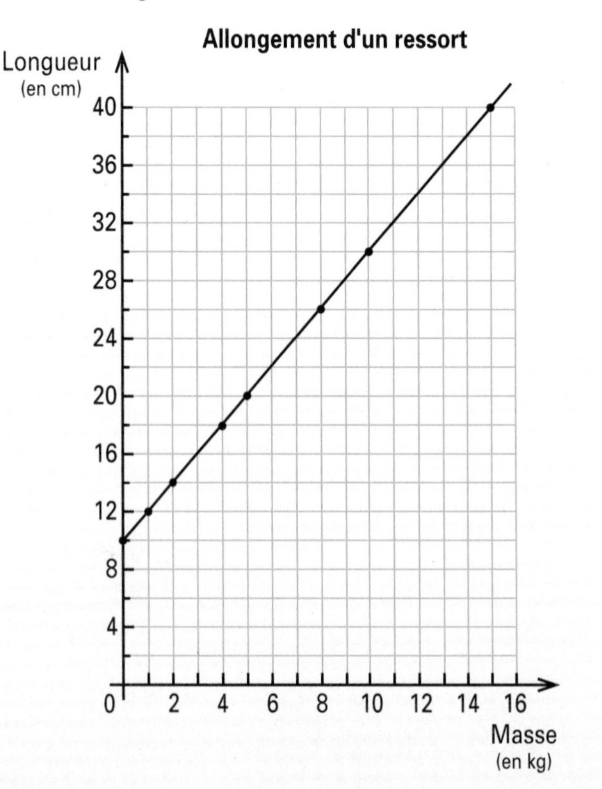

En résumé :

Une relation de variation partielle a une équation de la forme :

**Variable dépendante = valeur initiale + (taux de variation) • (variable indépendante)**

$$y = b + a \cdot x$$

et son graphique cartésien est une droite oblique passant par le point de coordonnées (0, b).

**QU'EN PENSEZ-VOUS ?**

***a)*** L'équation $y = b + ax$ est-elle équivalente à $y = ax + b$ ? Justifiez votre réponse.

***b)*** L'équation $y = 10 - 2x$ est-elle l'équation d'une relation linéaire de variation partielle ? Expliquez votre réponse.

***c)*** L'équation $x + y = 12$ est-elle l'équation d'une relation linéaire de variation partielle ? Expliquez votre réponse.

***d)*** L'équation $y = 2x^2 + 4$ peut-elle être celle d'une relation linéaire de variation partielle ? Justifiez votre réponse.

***e)*** Que doit-on entendre par l'expression *valeur initiale* ? Précisez votre pensée.

**1** Une relation de variation partielle existe entre les variables *x* et *y* de chacune des tables de valeurs données. Recherche la régularité et complète cette table. Ensuite, donne la règle ou l'équation qui décrit cette relation.

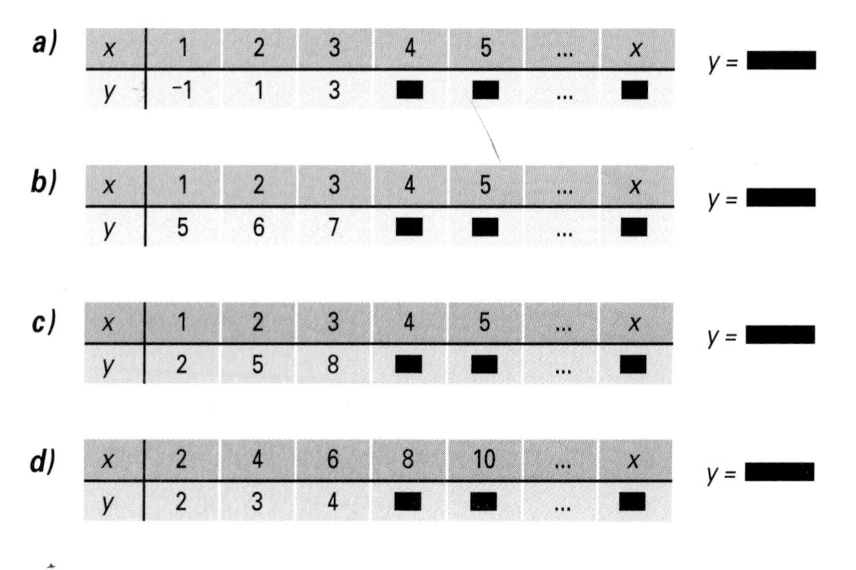

***a)***

| *x* | 1 | 2 | 3 | 4 | 5 | ... | *x* |
|---|---|---|---|---|---|---|---|
| *y* | −1 | 1 | 3 | ■ | ■ | ... | ■ |

*y* = ■

***b)***

| *x* | 1 | 2 | 3 | 4 | 5 | ... | *x* |
|---|---|---|---|---|---|---|---|
| *y* | 5 | 6 | 7 | ■ | ■ | ... | ■ |

*y* = ■

***c)***

| *x* | 1 | 2 | 3 | 4 | 5 | ... | *x* |
|---|---|---|---|---|---|---|---|
| *y* | 2 | 5 | 8 | ■ | ■ | ... | ■ |

*y* = ■

***d)***

| *x* | 2 | 4 | 6 | 8 | 10 | ... | *x* |
|---|---|---|---|---|---|---|---|
| *y* | 2 | 3 | 4 | ■ | ■ | ... | ■ |

*y* = ■

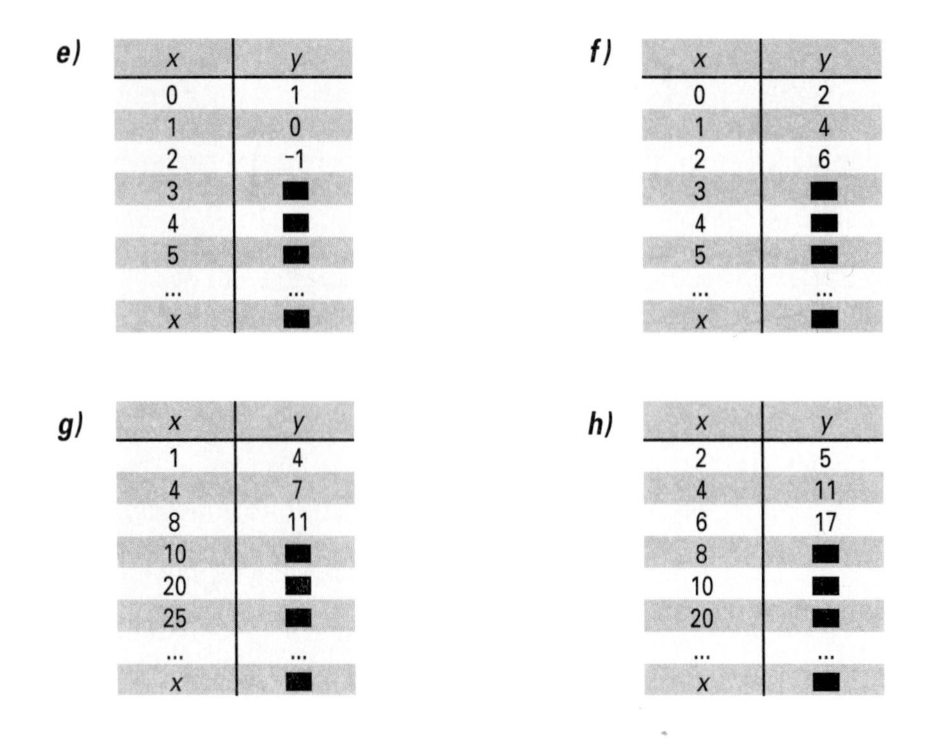

*e)*

| $x$ | $y$ |
|---|---|
| 0 | 1 |
| 1 | 0 |
| 2 | -1 |
| 3 | ■ |
| 4 | ■ |
| 5 | ■ |
| ... | ... |
| $x$ | ■ |

*f)*

| $x$ | $y$ |
|---|---|
| 0 | 2 |
| 1 | 4 |
| 2 | 6 |
| 3 | ■ |
| 4 | ■ |
| 5 | ■ |
| ... | ... |
| $x$ | ■ |

*g)*

| $x$ | $y$ |
|---|---|
| 1 | 4 |
| 4 | 7 |
| 8 | 11 |
| 10 | ■ |
| 20 | ■ |
| 25 | ■ |
| ... | ... |
| $x$ | ■ |

*h)*

| $x$ | $y$ |
|---|---|
| 2 | 5 |
| 4 | 11 |
| 6 | 17 |
| 8 | ■ |
| 10 | ■ |
| 20 | ■ |
| ... | ... |
| $x$ | ■ |

**2** Donne l'équation de la relation linéaire dans laquelle la valeur initiale et le taux de variation sont ceux donnés ci-dessous.

*a)* 2 et 0,5.

*b)* $\frac{3}{4}$ et $\frac{1}{2}$.

*c)* -0,08 et 3,2.

*d)* $\sqrt{2}$ et -4.

**3** Soient les équations $y = 4x - 2$ et $y = 2x - 4$. Associe chaque équation à une des tables et à un des graphiques suivants.

①

| $x$ | $y$ |
|---|---|
| 0 | -4 |
| 1 | -2 |
| 2 | 0 |
| 5 | 6 |
| 10 | 16 |

②

| $x$ | $y$ |
|---|---|
| -1 | -6 |
| 0 | -2 |
| 1 | 2 |
| 5 | 18 |
| 20 | 78 |

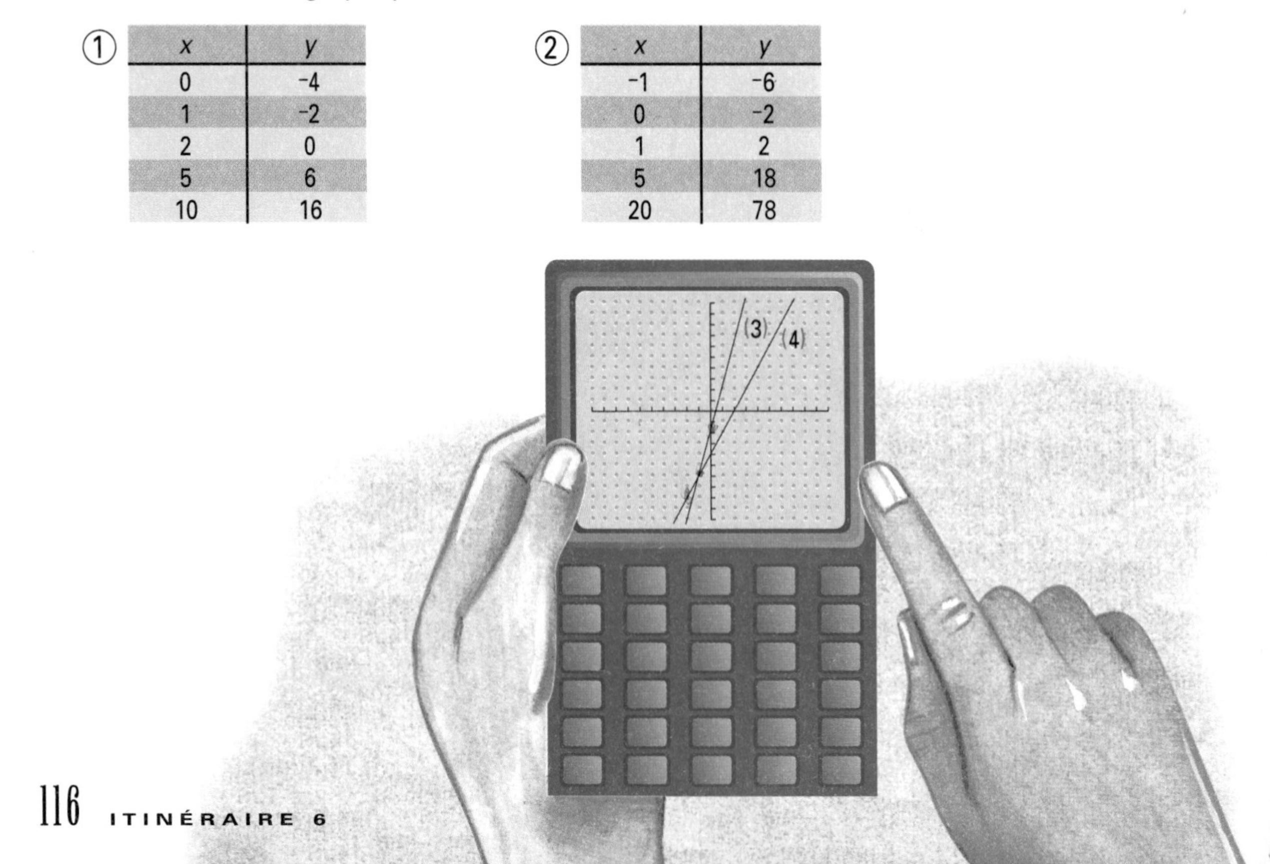

**4** Déduis la valeur initiale et le taux de variation pour chacune des relations linéaires dont le graphique cartésien est donné ci-dessous. Les points noircis sont sur le quadrillage.

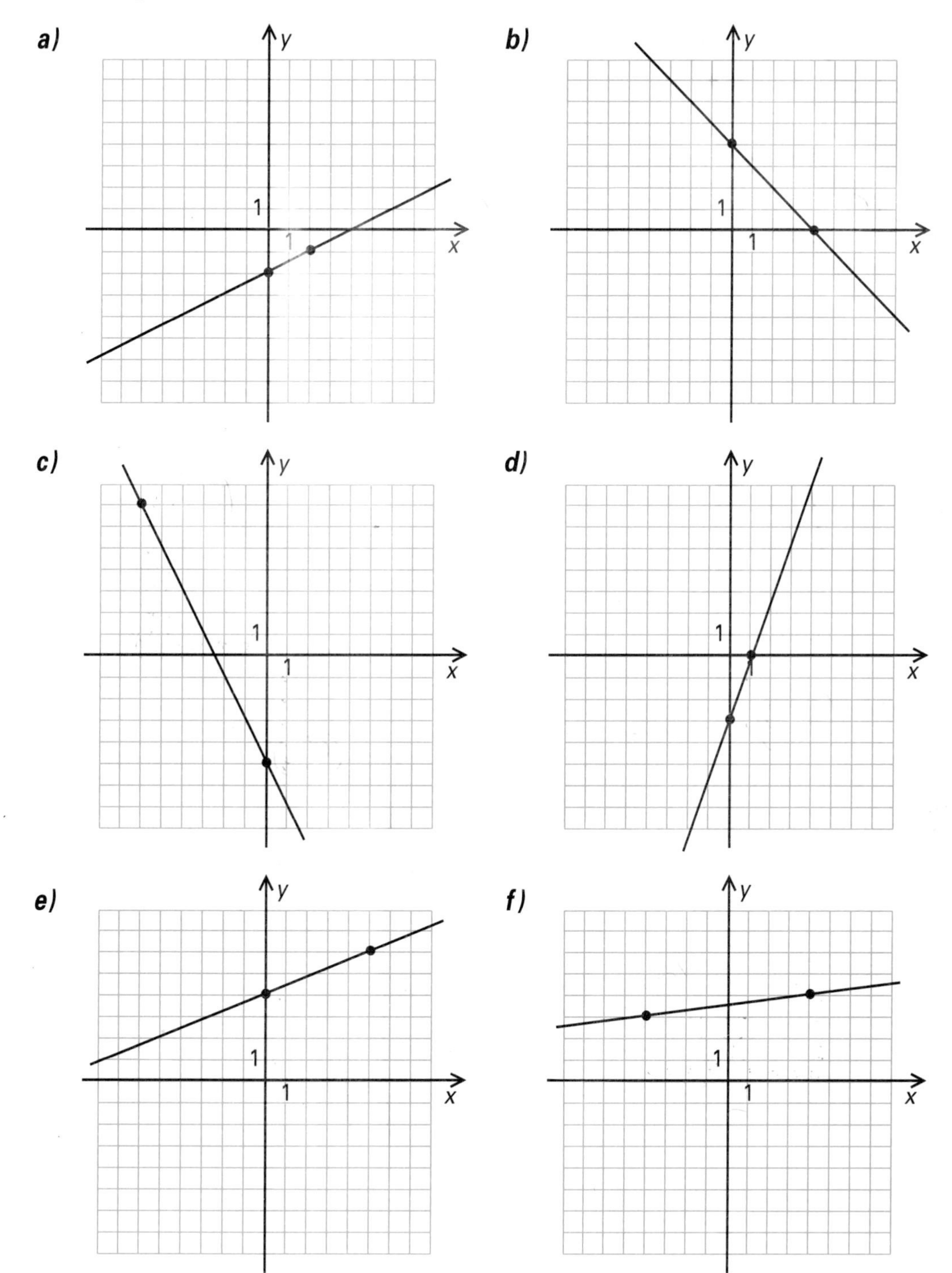


**5** Donne l'équation de la relation linéaire de variation partielle représentée dans chacun des plans cartésiens de la question précédente.

**6** Donne une table de valeurs correspondant à la relation linéaire de variation partielle décrite par l'équation donnée. (Fournis 5 couples de valeurs.)

***a)*** $b = 2 + a$ ***b)*** $m = -2 + 3n$

***c)*** $y = 2x - 4$ ***d)*** $A = -t + 2{,}5$

**7** On a fait afficher le graphique de différentes relations linéaires de variation partielle sur une calculatrice à affichage graphique. Trouve l'équation de chacune de ces relations.

***a)*** ***b)***

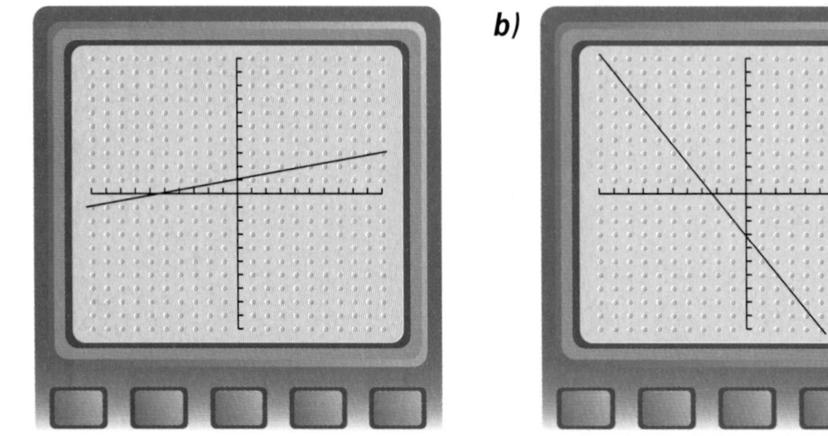

**8** On a défini les relations suivantes. Par la suite, on a tracé leurs graphiques et on a obtenu ce qui suit. Associe chaque droite à son équation.

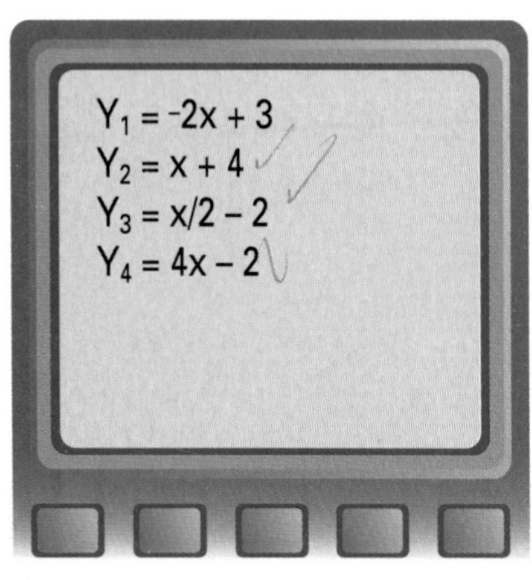


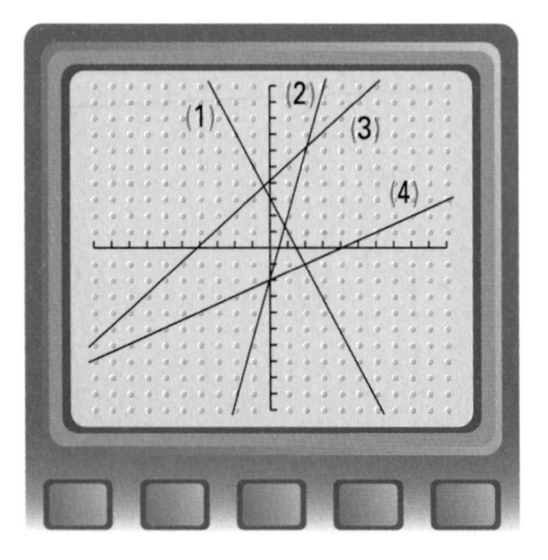


**9** On donne l'équation d'une relation linéaire de variation partielle. Déduis la valeur initiale et le taux de variation de la relation considérée.

***a)*** $y = 8 + 2x$ ***b)*** $F = 4 - g$ ***c)*** $H = 2v - 5$ ***d)*** $A = 2h + 0{,}4$

**10** Trace le graphique cartésien de la relation linéaire de variation partielle dont on donne l'équation. Utilise une table de valeurs.

***a)*** $y = 3x - 1$ ***b)*** $H = 2g + 1$ ***c)*** $Q = 3t + 2$ ***d)*** $B = b - 3$

**11** Trace le graphique cartésien de la relation linéaire de variation partielle dont on donne l'équation. Utilise la valeur initiale et le taux de variation.

***a)*** $y = 4x + 1$ ***b)*** $S = 2h - 2$ ***c)*** $Q = -2t + 2$ ***d)*** $T = \frac{x}{2} + 4$

**12** Trace le graphique cartésien de la relation linéaire de variation partielle dont l'équation est donnée.

***a)*** $y = 3x - 2$ ***b)*** $y = -2x + 3$

**13** Anne-Marie tond le gazon dans son voisinage. Elle demande 3 $ pour l'utilisation de sa tondeuse et 7 $ l'heure pour la tonte du gazon. On s'intéresse à la relation coût ($C$) par rapport au temps en heures ($h$).

***a)*** Quelle est la valeur initiale dans cette relation ?

***b)*** Quel est le taux de variation du coût dans cette relation ?

***c)*** Quelle est l'équation correspondant à cette relation ?

***d)*** Indique le changement que vient de faire Anne-Marie si l'équation de la relation est maintenant :

1) $C = 8h + 3$ 2) $C = 7h + 5$

**14** On observe la relation entre le nombre de côtés d'un polygone convexe et le nombre de triangles qu'on obtient en menant les diagonales à partir d'un sommet.

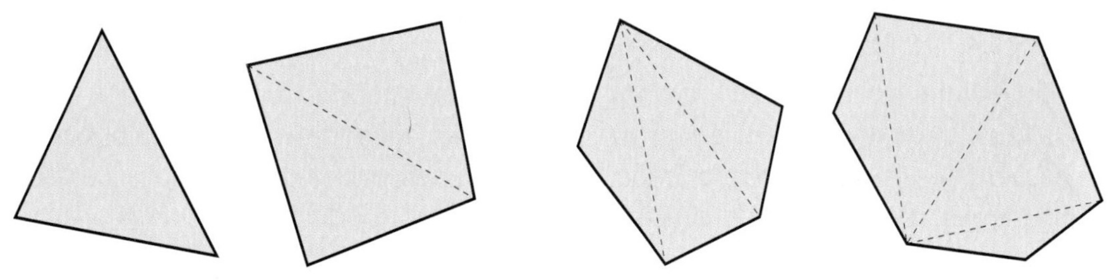

***a)*** Construis une table de valeurs pour cette relation.

***b)*** Calcule quelques taux de variation dans cette relation. Quelle caractéristique ces taux possèdent-ils ?

***c)*** Trace un graphique de cette relation dans un plan cartésien.

***d)*** Quelle est la règle de cette relation si le nombre de côtés du polygone est représenté par $n$ et le nombre de triangles obtenus, par $T$ ?

**15** On observe la relation entre le nombre de côtés d'un polygone et le nombre de diagonales issues d'un même sommet.

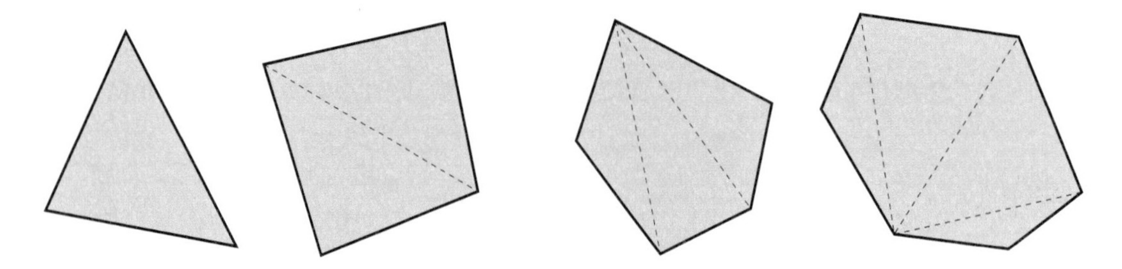

***a)*** Construis une table de valeurs pour cette relation.

***b)*** Calcule quelques taux de variation dans cette relation. Quelle caractéristique ces taux possèdent-ils ?

***c)*** Trace un graphique de cette relation dans un plan cartésien.

***d)*** Quelle est la règle de cette relation si le nombre de côtés du polygone est représenté par $n$ et le nombre de diagonales obtenues, par $D$ ?

**16** Nathalie travaille dans une clinique comme physiothérapeute. On lui donne 225 $ par semaine plus 5 $ par patient ou patiente qu'elle traitera au cours de la semaine. On s'intéresse à la relation entre le nombre de patients ou patientes ($p$) et le salaire ($S$).

***a)*** Quelle est la valeur initiale dans cette relation ?

***b)*** Quel est le taux de variation du salaire de Nathalie dans cette situation ?

***c)*** Quelle est l'équation correspondant à cette relation ?

***d)*** Décris le changement qui vient de se produire si le salaire de Nathalie correspond maintenant à :

1) $S = 225 + 6p$ 2) $S = 250 + 6p$

**17** Afin de faire des profits en amusant les personnes qui assistent à un match de hockey, on vend des billets de participation au lancer de la rondelle. Celle-ci doit passer par une ouverture pratiquée dans un panneau placé devant le but. Le prix à gagner est de 500 $ la première semaine. On ajoute 100 $ chaque semaine si le prix n'est pas gagné. On s'intéresse à la relation entre le prix ($P$) à gagner et le nombre de semaines ($n$) consécutives durant lesquelles il n'est pas gagné.

***a)*** Quelle est l'équation de cette relation ?

***b)*** Quelle est la valeur initiale dans cette relation ?

***c)*** Quel est le taux de variation du prix à gagner chaque semaine ?

**18** On a placé les dominos ci-contre les uns à côté des autres. On s'intéresse à la relation entre les nombres du haut (variable indépendante) et les nombres du bas (variable dépendante).

*D'origine européenne, le jeu de dominos date du XVIII^e siècle.*

***a)*** Quelle est l'équation de cette relation linéaire de variation partielle ?

***b)*** Quelle est la valeur initiale dans cette relation ?

**19** Dans un auditorium, on compte 20 sièges dans la première rangée, 2 sièges de plus dans la deuxième, 2 sièges de plus dans la troisième que dans la deuxième, et ainsi de suite. On considère la relation entre le nombre de sièges dans une rangée et son rang.

***a)*** Quelle est l'équation de cette relation linéaire de variation partielle ?

***b)*** Quelle est la valeur initiale dans cette relation ?

***c)*** Quel est le taux de variation du nombre de sièges dans cette relation ?

**20** Représente les points (0, 1), (2, 5), (3, 7), (4, 9) et (6, 13) dans un plan cartésien. Ensuite, à l'aide d'une équation, décris comment l'abscisse $x$ est reliée à l'ordonnée $y$.

**21** Pour un paiement effectué au moyen d'un chèque sans provision, une compagnie de crédit exige 10 $ de frais fixes et 5 % du total des achats faits durant le mois avec la carte de crédit. Quel était le total des achats si Mélanie a dû payer 51,50 $ pour cette infraction ?

***a)*** Trouve d'abord l'équation de cette relation.

***b)*** Ensuite, résous l'équation obtenue dans ce cas.

**22** On a versé 20 ml d'eau dans un verre. Par la suite, on y ajoute à plusieurs reprises 10 ml d'alcool pur et on calcule chaque fois le pourcentage d'alcool dans le mélange. On construit une table montrant les valeurs de quatre variables après chaque transvasement.

**Mélange d'eau et d'alcool**

| *T* (nombre de transvasements) | 0 | 1 | 2 | 3 | 4 | 5 | ... |
|---|---|---|---|---|---|---|---|
| *E* (eau) (en ml) | 20 | 20 | 20 | 20 | 20 | 20 | ... |
| *A* (alcool) (en ml) | 0 | 10 | 20 | 30 | 40 | 50 | ... |
| *P* (% d'alcool) | 0 | ≈ 33 % | 50 % | 60 % | ≈ 67 % | ≈ 71 % | ... |

En comparant ces variables deux à deux, on peut former diverses relations. Existe-t-il :

***a)*** une relation linéaire de variation nulle ? Si oui, laquelle ?

***b)*** une relation linéaire de variation directe ? Si oui, laquelle ?

***c)*** une relation linéaire de variation partielle ? Si oui, laquelle ?

**23** Dans les prismes, on observe de belles relations si on compare le nombre de côtés du polygone de base et le nombre de sommets (*S*), d'arêtes (*A*) ou de faces (*F*) du prisme. Dans chaque cas, trouve la règle, puis indique quelle sorte de relation relie ces variables.

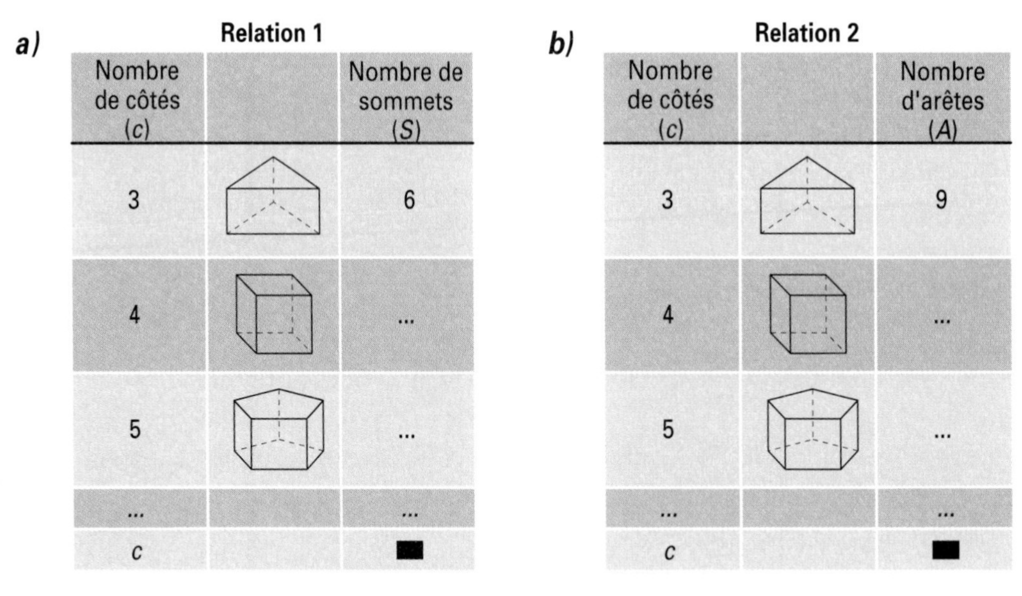

***a)*** **Relation 1**

| Nombre de côtés (*c*) | | Nombre de sommets (*S*) |
|---|---|---|
| 3 | | 6 |
| 4 | | ... |
| 5 | | ... |
| ... | | ... |
| *c* | | ■ |

***b)*** **Relation 2**

| Nombre de côtés (*c*) | | Nombre d'arêtes (*A*) |
|---|---|---|
| 3 | | 9 |
| 4 | | ... |
| 5 | | ... |
| ... | | ... |
| *c* | | ■ |

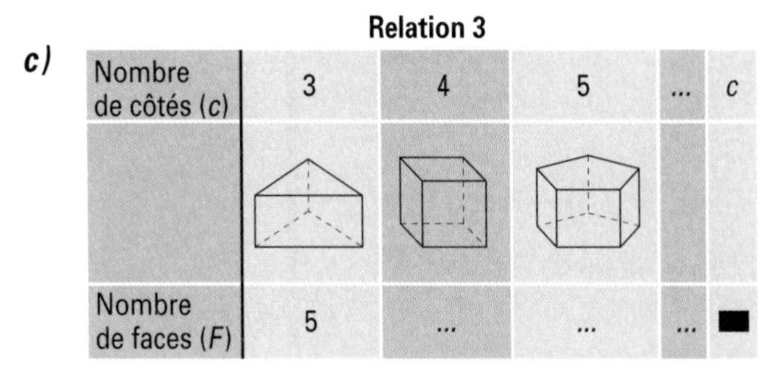

***c)*** **Relation 3**

| Nombre de côtés (*c*) | 3 | 4 | 5 | ... | *c* |
|---|---|---|---|---|---|
| | | | | | |
| Nombre de faces (*F*) | 5 | ... | ... | ... | ■ |

**24** On donne cette suite de solides formés de cubes et on s'intéresse à la relation entre le rang du solide et son volume en cubes-unités.

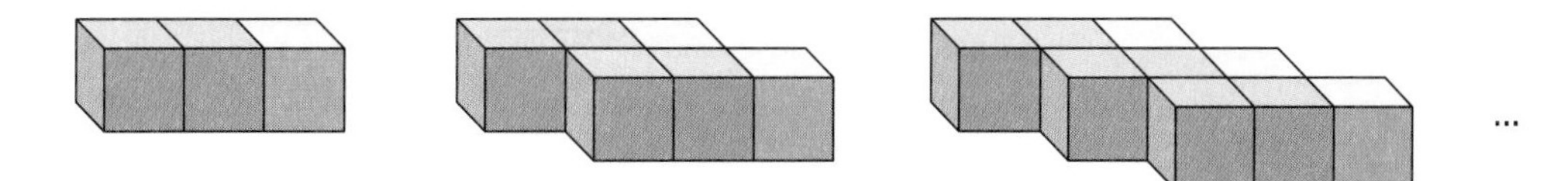

***a)*** Construis la table de valeurs de cette relation pour les 8 premiers solides.

***b)*** Représente cette relation dans un plan cartésien.

***c)*** Si le rang du solide est représenté par la variable $x$ et que le volume est représenté par la variable $V$, donne une règle montrant la relation entre $x$ et $V$.

***d)*** Calcule le taux de variation du volume entre les rangs 4 et 8.

**25** Le pH de l'eau d'une piscine est de 9. On ajoute de l'acide muriatique pour augmenter son acidité. On considère la relation entre la quantité d'acide ajoutée et le pH. Voici une table de valeurs montrant cette relation.

**pH de l'eau d'une piscine**

| Acide muriatique (en g) | pH |
|---|---|
| 0 | 9 |
| 100 | 8 |
| 200 | 7,3 |
| 300 | 6,6 |
| 400 | 5,9 |
| 500 | 5,3 |
| 600 | 4,8 |

***a)*** Décris en mots cette relation.

*Un pH de 7 est neutre (ni acide ni alcalin). Au-dessus de 7, il est de plus en plus alcalin et au-dessous de 6, il est de plus en plus acide. L'acidité augmente lorsque le pH diminue.*

***b)*** Calcule quelques taux de variation pour cette relation. Ces taux sont-ils équivalents ?

***c)*** Cette relation est-elle une relation linéaire ?

**26** Une femme médecin note la pression artérielle de ses patientes selon leur âge en l'indiquant dans un graphique cartésien.

*a)* Décris la droite qui représente le mieux l'ensemble des points du graphique ci-contre.

*b)* Quelle est l'équation de la droite que tu viens de décrire ?

*c)* Peut-on dire que la relation entre l'âge et la pression artérielle est une relation linéaire ?

*d)* Quel est le taux moyen d'augmentation de la pression artérielle chez la femme lorsqu'elle vieillit ?

**Pression artérielle selon l'âge des patientes**

Pression (en mm de mercure)

160
140
120
100
80
0 10 20 30 40 50 60 70

Âge (en a)

**27** La probabilité $P(A')$ d'un événement complémentaire à un événement $A$ est égale à $1 - P(A)$.

*a)* Donne les valeurs de la variable dépendante qui complètent la table ci-dessous.

**Événements complémentaires**

| $P(A)$ | 0 | 0,1 | 0,2 | 0,3 | 0,4 | 0,5 | 0,6 | 0,7 | 0,8 | 0,9 | 1 |
|---|---|---|---|---|---|---|---|---|---|---|---|
| $P(A')$ | ■ | ■ | ■ | ■ | ■ | ■ | ■ | ■ | ■ | ■ | ■ |

*b)* Calcule quelques taux de variation dans cette relation. Ces taux sont-ils équivalents ?

*c)* Trace un graphique cartésien de cette relation.

*d)* A-t-on ici une relation linéaire de variation partielle ? Si oui, quelle est son équation ?

**28** La mesure de chacun des angles intérieurs d'un polygone régulier dépend du nombre de ses côtés. Cette relation se traduit par la formule $M_a = \frac{(n-2) \times 180°}{n}$ dans laquelle $n$ est le nombre de côtés du polygone régulier.

*a)* Construis une table de valeurs mettant en relation le nombre de côtés du polygone régulier et la mesure de l'un de ses angles intérieurs.

*b)* Trace un graphique cartésien illustrant cette relation.

*c)* Cette relation est-elle linéaire ?

**29** L'équation $P = 110 + \frac{A}{2}$ permet d'estimer (en millimètres de mercure) la pression artérielle normale chez l'être humain en fonction de son âge. Vers quel âge une pression de 130 mm de mercure est-elle considérée comme normale chez l'être humain ?

**30** En vue du Tour de l'île et pour se mettre en forme, Éric projette de parcourir 10 km la première journée en augmentant de 2 km chaque jour par la suite. Cette situation définit une relation de variation partielle dont la table de valeurs est la suivante.

**Mise en forme**

| Jour ($J$) | 1 | 2 | 3 | 4 | 5 | 6 | ... |
|---|---|---|---|---|---|---|---|
| Distance ($d$) | 10 | 12 | 14 | 16 | 18 | 20 | ... |

Vanessa et Éric ne s'entendent pas à propos de la valeur initiale de cette variation partielle.

Qui a raison ? Et pourquoi ?

**31** Voici les tables de valeurs montrant la relation entre le temps et la distance parcourue par deux voitures A et B. Laquelle est une relation linéaire ? Explique ou justifie ta réponse.

**Voiture A**

| Temps (en h) | 1 | 2 | 3 | 4 | 5 | ... |
|---|---|---|---|---|---|---|
| Distance (en km) | 60 | 120 | 180 | 240 | 300 | ... |

**Voiture B**

| Temps (en h) | 1 | 2 | 3 | 4 | 5 | ... |
|---|---|---|---|---|---|---|
| Distance (en km) | 40 | 60 | 100 | 160 | 240 | ... |

**32** Une compagnie de téléphone propose à sa clientèle deux façons de calculer le coût mensuel de ses interurbains :

$C_1$ = 40 $ par mois plus 25 ¢ par minute d'interurbain ;

$C_2$ = 25 $ par mois plus 40 ¢ par minute d'interurbain.

On considère la relation entre le nombre de minutes ($n$) d'interurbain durant un mois et le coût ($C$) de ces interurbains.

***a)*** Donne la valeur initiale dans chaque cas.

***b)*** Calcule le taux de variation dans chaque cas.

***c)*** Donne les équations de ces deux relations.

***d)*** Lequel des deux tarifs mensuels Manon a-t-elle choisi si elle a payé 65 $ pour 100 min d'interurbain ? Explique ta réponse.

**33** Jacques a fait une course. La relation entre le temps et la distance parcourue est illustrée par le graphique suivant.

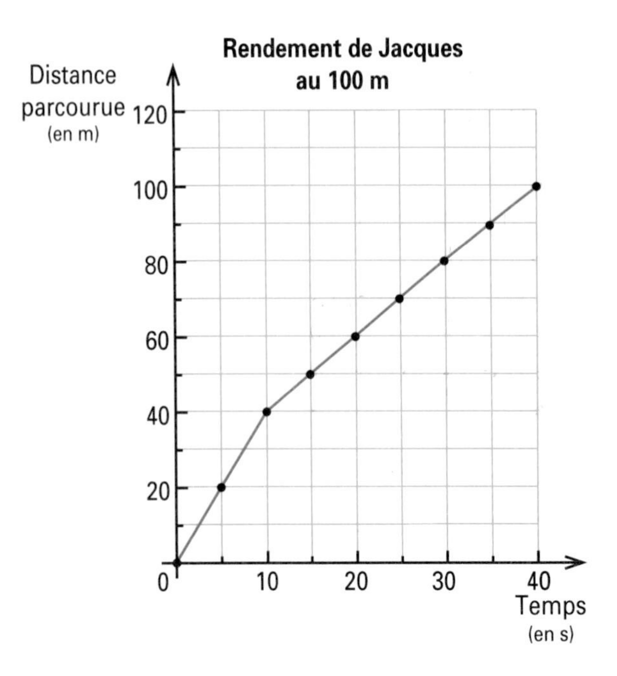

*a)* Explique pourquoi le graphique n'est pas une ligne droite.

*b)* Quelle a été la vitesse de Jacques durant les 10 premières secondes ?

*c)* En combien de temps a-t-il parcouru les 100 m de la course ?

*d)* Ici, on peut considérer que ce graphique provient de deux relations : l'une définie pour ses valeurs de 0 à 10 et l'autre, pour les valeurs de 10 à 40. Donne les règles de ces deux relations.

**34** Steve demeure à 0,8 km de son école. Chaque matin, il parcourt cette distance à pied à une vitesse de 100 m/min. Ce matin, il s'est levé en retard. Après 4 min de marche, il a dû accélérer le pas à 200 m/min pour éviter d'être en retard à l'école.

*a)* Représente cette situation par un graphique cartésien.

*b)* Donne les deux équations qui définissent la relation entre le temps ($t$) et la distance ($d$) parcourue.

**35** Dans une pâtisserie, les petits gâteaux se vendent 1,50 $ l'unité pour la première douzaine. Par la suite, tous les autres petits gâteaux se vendent 1,25 $ l'unité.

*a)* Représente cette situation par un graphique.

*b)* Donne les deux équations qui définissent la relation entre le coût ($C$) et la quantité ($n$) de petits gâteaux.

**36** Comme travail d'été, Marco vend des abonnements à un magazine féminin. Il reçoit 100 $ par semaine comme salaire de base, 10 $ par abonnement pour les 20 premiers abonnements et 15 $ pour chacun des abonnements suivants.

*a)* Dans un plan cartésien, trace le graphique de la relation entre le nombre d'abonnements et le salaire hebdomadaire de Marco.

*b)* Donne les deux équations qui définissent cette relation.

**37** Un producteur vend ses fraises aux conditions suivantes :

| | |
|---|---|
| Autorisation de cueillir des fraises | 5 $/jour |
| 10 premiers kilogrammes de fraises | 1,50 $/kg |
| Kilogrammes additionnels de fraises | 1 $/kg |

*a)* Dans un plan cartésien, trace le graphique de la relation entre le nombre de kilogrammes de fraises et le coût de la cueillette.

*b)* Donne les deux équations qui définissent cette relation.

**38** Une compagnie paie ses employés et employées 12 $ l'heure pour les 8 premières heures de travail. Chaque membre du personnel est payé « à temps et demi » pour les 4 h de travail suivantes et gagne le double de son salaire habituel pour les heures de travail subséquentes. De plus, la compagnie donne à chacun et chacune une prime de 20 $ par jour.

*a)* Dans un plan cartésien, trace le graphique de la relation entre le nombre d'heures de travail effectuées en une journée et le salaire gagné pour ce travail.

*b)* Donne les trois équations qui définissent cette relation.

# Expo-math

## LES VISAGES DES RELATIONS

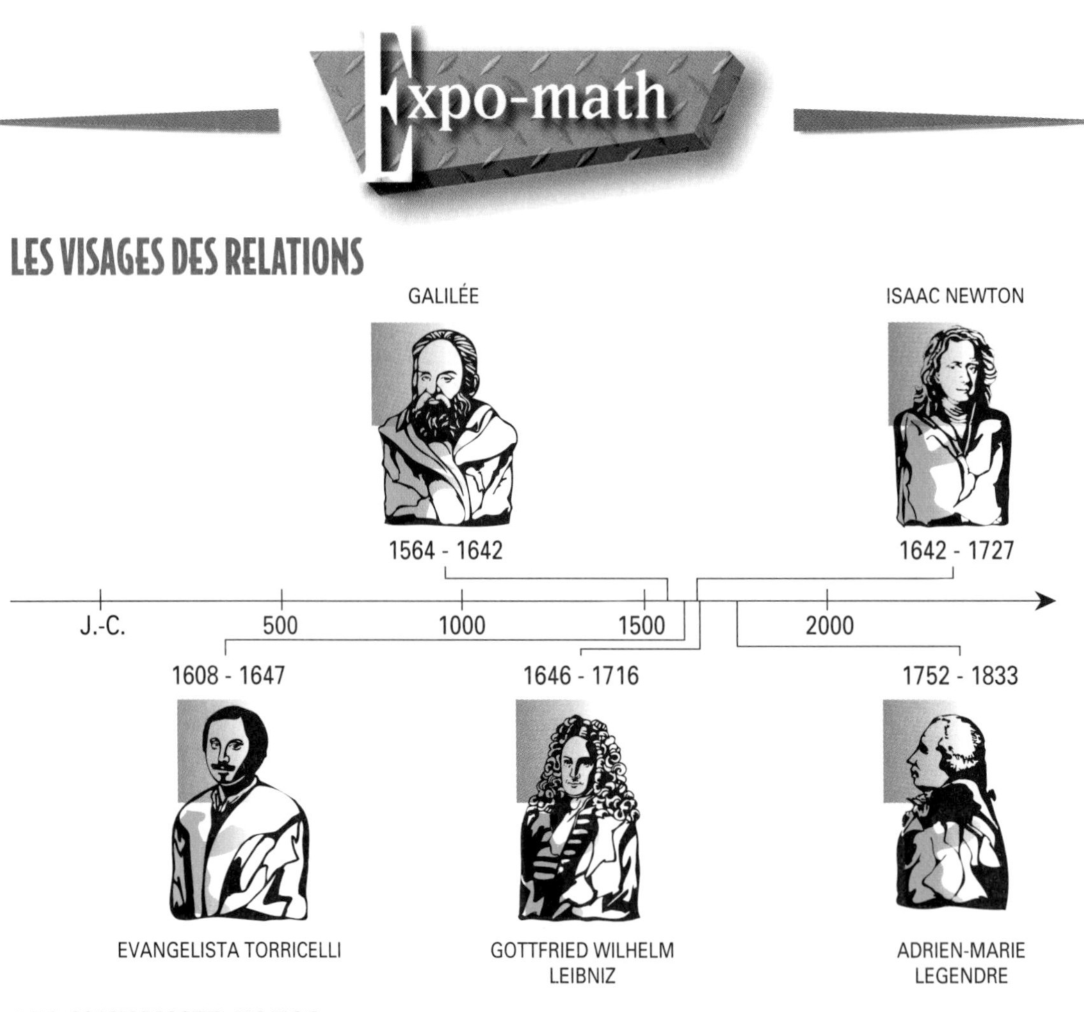


## LES CONNAISSEZ-VOUS ?

Parmi ces mathématiciens, identifiez :

***a)*** celui qui a été excommunié pour avoir affirmé que la Terre tourne autour du Soleil, contrairement à ce qu'on croyait à l'époque;

***b)*** celui qui, enfant prématuré, chétif et distrait, a élaboré la théorie sur la gravitation universelle;

***c)*** celui qui, inventeur du baromètre, a utilisé le plan cartésien pour faire l'étude des trajectoires de mobiles comme la résultante de deux forces, l'une horizontale et l'autre verticale;

***d)*** celui qui, considérant que les résultats d'observations de phénomènes linéaires sont nécessairement entachés d'erreurs, a élaboré une méthode pour tracer le plus précisément possible la droite représentant une idéalisation du phénomène;

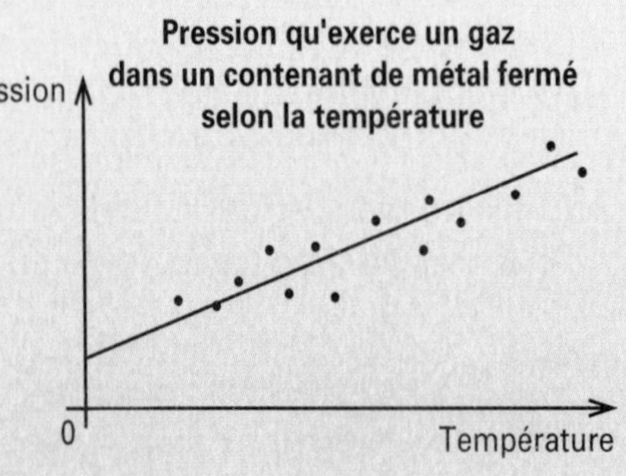


***e)*** ceux qui sont considérés comme les co-inventeurs du calcul différentiel et intégral (infinitésimal), qui repose fondamentalement sur le concept de taux de variation.

## CURIOSITÉS

Professeur à Pise, Galilée mit en doute l'affirmation d'Aristote selon laquelle la vitesse de chute d'un objet est proportionnelle à sa masse. Du haut de la tour de Pise et devant une foule curieuse, il lança deux billes de fer dont l'une était 10 fois plus lourde que l'autre. On constata que les deux billes touchèrent le sol simultanément.

*a)* Que voulait dire Aristote en affirmant que la vitesse de chute d'un objet est proportionnelle à sa masse?

*b)* Dans l'expérience de Galilée, qu'aurait-on observé si l'énoncé d'Aristote avait été vrai?

*c)* La table de valeurs ci-contre résume les données recueillies pendant diverses expériences de Galilée sur la chute des corps. Quelle conclusion faut-il tirer au sujet de la vitesse atteinte par un objet par rapport à son temps de chute?

| Temps de chute (en s) | Vitesse de l'objet (en m/s) |
|---|---|
| 0 | 0 |
| 1 | 10 |
| 2 | 20 |
| 3 | 30 |
| 4 | 40 |
| 5 | 50 |
| 6 | 60 |
| ... | ... |
| $t$ | ... |

*d)* D'un Cessna, un parachutiste se lance en chute libre. Quelle sera sa vitesse après 10 s si on néglige la résistance de l'air?

Isaac Newton travailla entre autres sur les séries. On définit une série comme la somme des termes d'une suite.

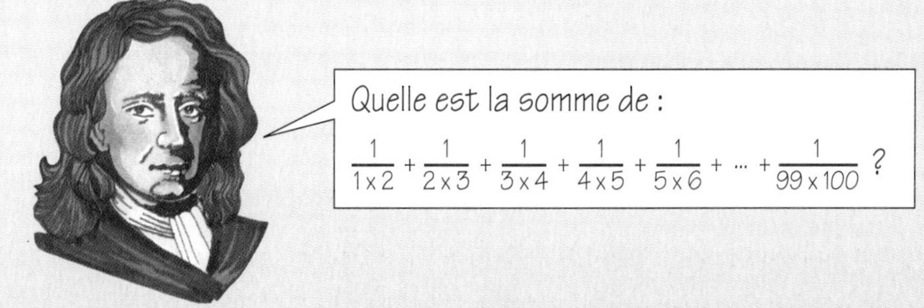


Trouver la somme de ces 99 fractions par la méthode du dénominateur commun est une tâche laborieuse. Newton proposa plutôt de trouver la somme en observant une régularité.

$\frac{1}{1 \times 2} = \frac{1}{2}$

$\frac{1}{2} + \frac{1}{2 \times 3} = \frac{1}{2} + \frac{1}{6} = \frac{2}{3}$

$\frac{1}{2} + \frac{1}{2 \times 3} + \frac{1}{3 \times 4} = \frac{1}{2} + \frac{1}{6} + \frac{1}{12} = ?$

...

| Nombre de termes | Somme |
|---|---|
| 1 | $\frac{1}{2}$ |
| 2 | $\frac{2}{3}$ |
| 3 | ... |
| 4 | ... |
| 5 | ... |
| ... | ... |
| 99 | ... |

*e)* Quelle est cette somme?

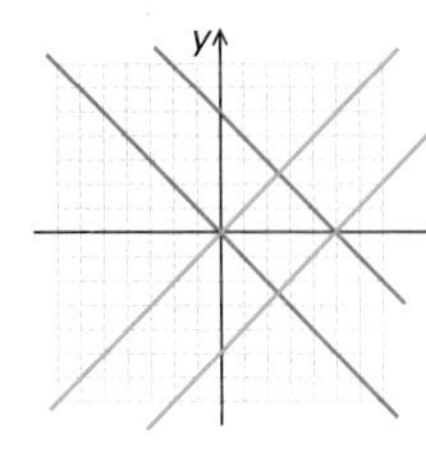

# RÔLE DES PARAMÈTRES DANS LES ÉQUATIONS

Nous venons de voir des situations où la relation entre les variables est linéaire. La forme générale des équations de ces relations est **$y = b + ax$** ou **$y = ax + b$** dans laquelle :

***y*** est la variable dépendante ;
***x*** est la variable indépendante ;
**a** est le taux de variation ;
**b** est la valeur initiale.

Dans cette équation, a et b sont appelés des paramètres.

Dans une relation particulière, les paramètres **a** et **b** sont généralement connus. Qu'arrive-t-il au graphique de la relation si on modifie ces valeurs ?

**Expérience**

Pour découvrir le rôle joué par ces paramètres, Nadia et moi avons mené l'expérience ci-contre.

Sur une calculatrice à affichage graphique, Nadia et Jean-François ont entré des équations en modifiant chaque fois le taux de variation, mais en laissant constante la valeur initiale. Ensuite, ils ont fait tracer les graphiques correspondant à ces équations.

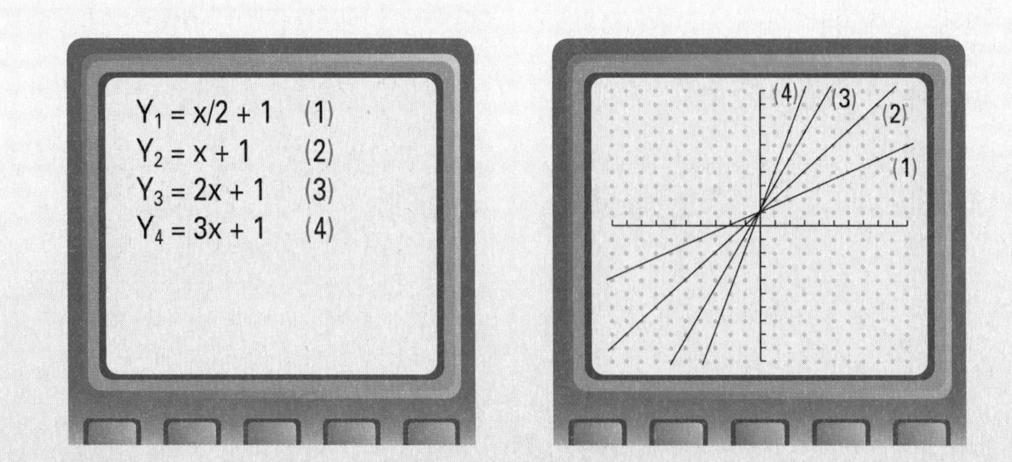


***a)*** En observant les taux de variation des équations et les graphiques, ils ont décrit le rôle du paramètre **a**. Quel est-il ?

***b)*** Toutes les équations montrent la même valeur initiale ou la même valeur pour le paramètre **b**. Comment cela se traduit-il dans les graphiques ?

*c)* Jean-François affirme que modifier le taux de variation dans l'équation fait subir à la droite initiale un mouvement associé à une transformation bien connue du plan. Quelle est cette transformation ?

*d)* On a modifié le taux de variation dans l'équation d'une première droite pour en obtenir une seconde. Décris le mouvement que doit subir la première droite pour qu'elle coïncide avec la seconde.

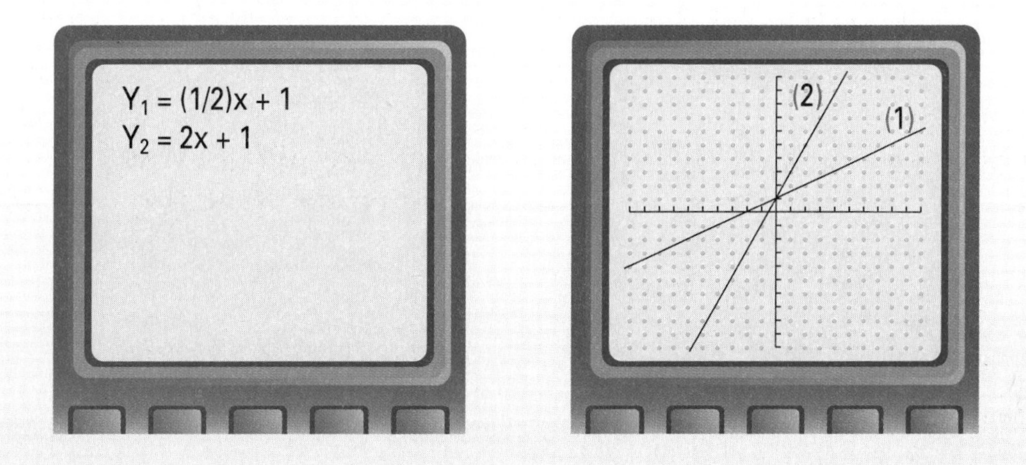


Par la suite, Nadia et Jean-François ont entré des équations en laissant constant le taux de variation et en modifiant chaque fois la valeur initiale ou le paramètre **b**. Voici ce qu'ils ont obtenu.

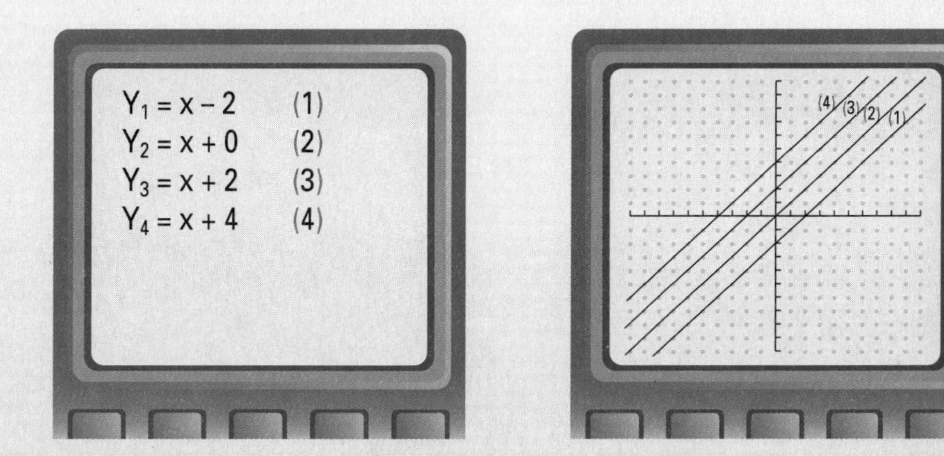


*e)* En observant les valeurs initiales dans les équations et les graphiques, Nadia et Jean-François ont décrit le rôle du paramètre **b**. Quel est-il ?

*f)* Toutes les droites ont le même taux de variation dans les équations. Comment cela se traduit-il dans les graphiques ?

*g)* Nadia voit un lien entre la modification de la valeur initiale dans l'équation et un certain mouvement associé à une transformation bien connue du plan. Quelle est cette transformation ?

***h)*** On a modifié la valeur du paramètre **b** en la faisant passer de 1 à 4. Décris le mouvement subi par la droite initiale.

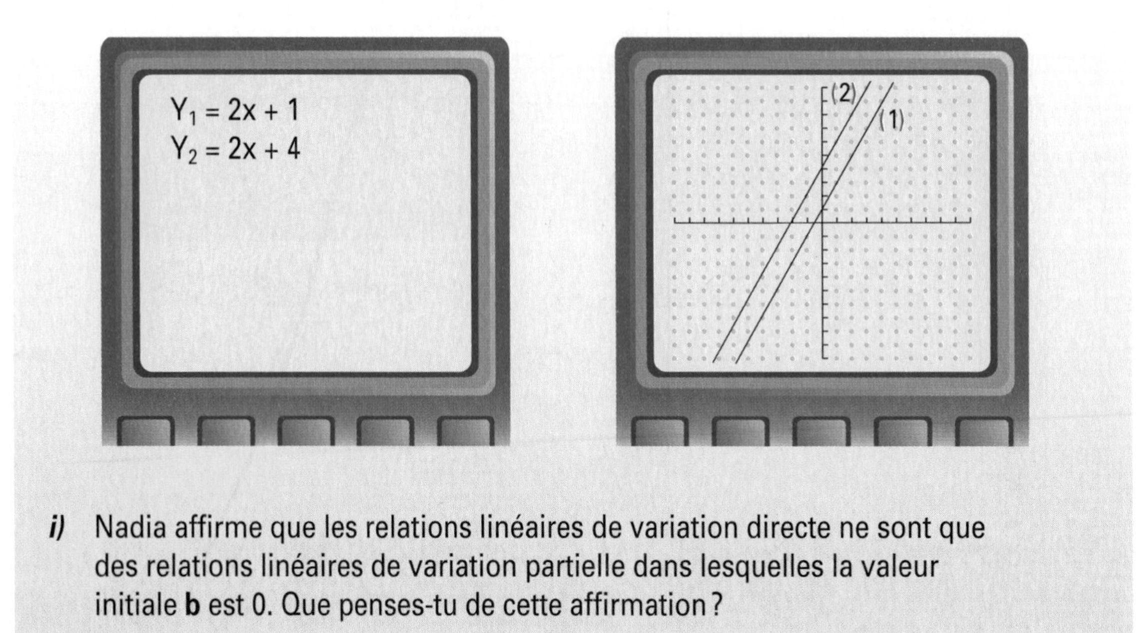


***i)*** Nadia affirme que les relations linéaires de variation directe ne sont que des relations linéaires de variation partielle dans lesquelles la valeur initiale **b** est 0. Que penses-tu de cette affirmation ?

Comme on peut le constater, le taux de variation et la valeur initiale jouent des rôles bien déterminés dans le tracé des graphiques cartésiens des relations linéaires.

CARREFOUR

QU'EN PENSEZ-VOUS ?

***j)*** À votre avis, quelle est la plus grande caractéristique des relations linéaires ?

***k)*** Que peut-on affirmer à propos de deux droites dont les équations montrent un même taux de variation ?

***l)*** Que peut-on affirmer à propos de deux droites dont les équations montrent la même valeur initiale ?

***m)*** On considère deux relations dont la règle est de la forme $y = ax + b$. Les valeurs de a sont opposées et celles de b sont égales. Décrivez la position des deux droites l'une par rapport à l'autre. Vérifiez avec 3 exemples différents et formulez une conclusion.

***n)*** Une droite tourne autour de l'origine. Décrivez à partir de quelle position le taux de variation dans l'équation passe du positif au négatif.

***o)*** On modifie le taux de variation dans l'équation d'une droite en changeant son signe. Décrivez la transformation géométrique associant la première droite à la seconde.

En résumé, dans les équations des relations linéaires :

1° une modification du paramètre **a** (taux de variation) entraîne une modification de l'inclinaison de la droite (rotation) ;

2° une modification du paramètre **b** (valeur initiale) entraîne une modification du lieu où la droite coupe l'axe des ordonnées (translation).

**1** Dans chaque cas, indique quel paramètre les équations correspondant à ces droites ont en commun.

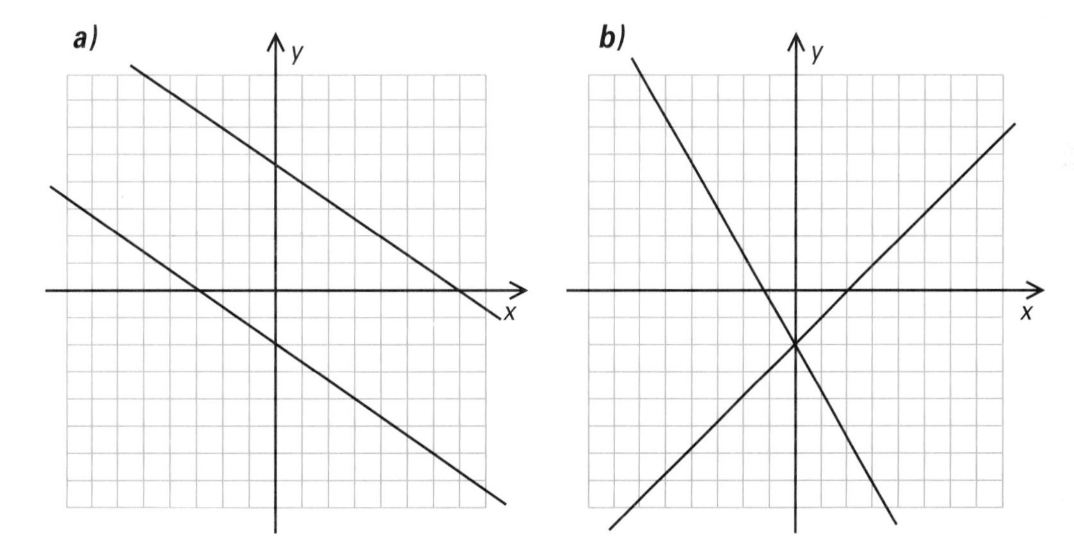


**2** Dans un plan cartésien, trace les droites qui correspondent aux équations suivantes.

***a)*** $y = 3x - 1$
$y = 3x$
$y = 3x + 2$
$y = 3x + 5$

***b)*** $D = -p + 2$
$D = p + 2$
$D = 2p + 2$
$D = 3p + 2$

**3** Indique ce qu'ont en commun les droites correspondant aux deux équations données : la même inclinaison ou le même point d'intersection avec l'axe des ordonnées.

***a)*** $y = 3x + 1$ et $y = -x + 1$.

***b)*** $P = -2t + 1$ et $P = -2t - 1$.

***c)*** $R = \frac{n}{3} + 5$ et $R = \frac{n}{2} + 5$.

***d)*** $S = 4h - 4$ et $S = -2h - 2$.

**4** On donne l'équation de l'une des droites. Donne l'équation de l'autre.

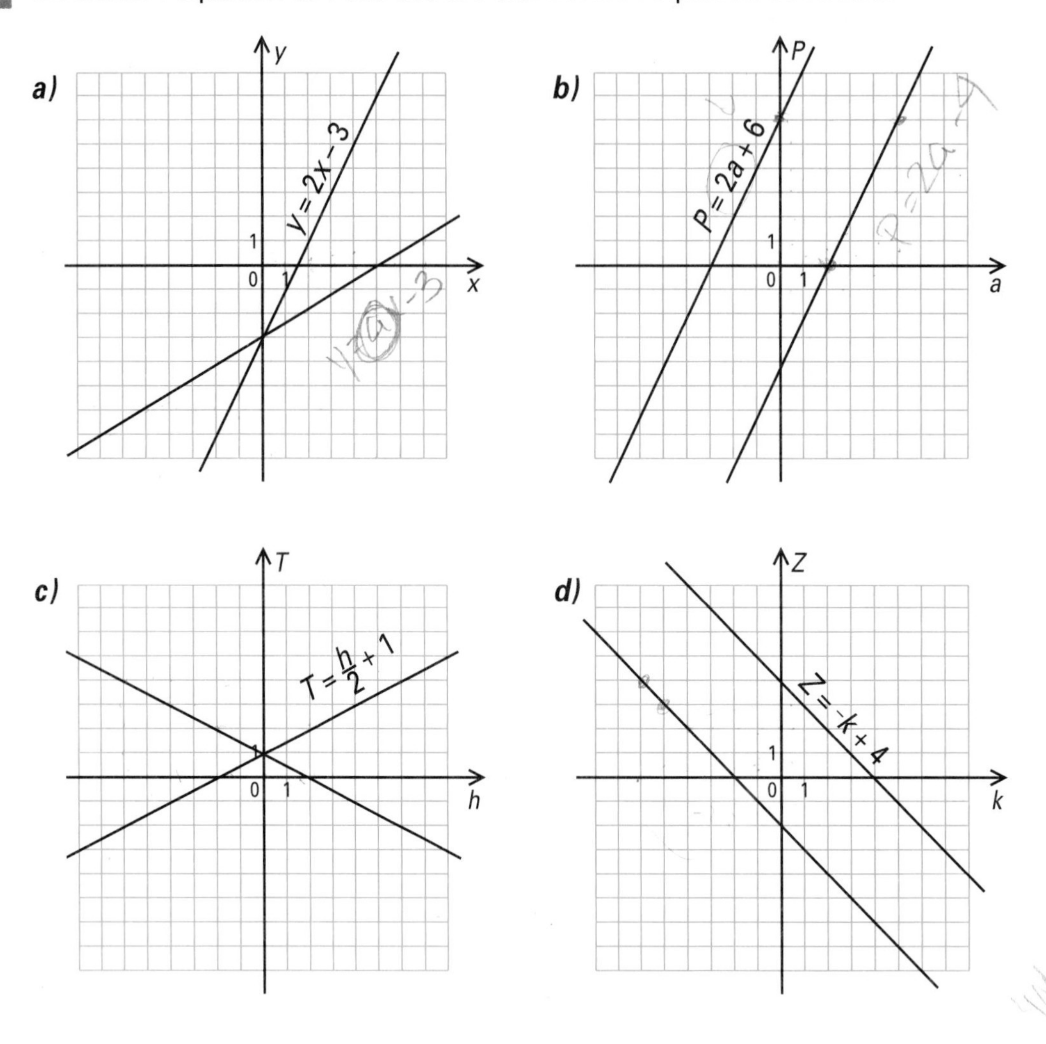


**5** Yamina travaille au soin des ongles dans un salon de beauté. Elle reçoit 40 $ par jour en plus de ses pourboires. Ceux-ci équivalent en moyenne à 2 $ par client ou cliente.

***a)*** Donne l'équation de la relation entre le salaire ($S$) qu'elle peut gagner chaque jour et le nombre ($n$) de clients et clientes.

***b)*** Dans le contexte de la situation, quelle signification peut-on donner au fait que le taux de variation passe de 2 $ à 2,25 $ par client ou cliente ?

***c)*** Quelle conséquence cette dernière modification a-t-elle sur la droite correspondant à cette situation ?

***d)*** Dans le contexte de la situation, quelle signification peut-on donner au fait que la valeur initiale passe de 40 $ à 48 $ ?

***e)*** Quelle conséquence cette dernière modification a-t-elle sur la droite dans le graphique de cette relation ?

**6** On a fait tracer le graphique des deux relations suivantes sur une calculatrice à affichage graphique.

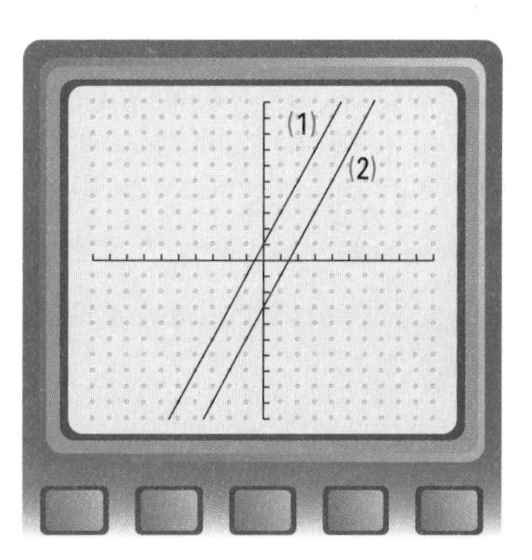


$Y_1 = 2x + 1$
$Y_2 = 2x - 3$

On a obtenu deux droites parallèles. Comment peut-on expliquer ce fait ?

**7** Lisa engage un jardinier pour aménager son parterre. Celui-ci lui demande 50 $ plus 3 $ la boîte de fleurs. On s'intéresse à la relation entre le coût de l'aménagement et le nombre de boîtes de fleurs utilisées. En dressant la facture, la comptable inscrit 4 $/boîte comme taux de variation.

*Qu'est-ce qu'un jardin à l'anglaise ?*

***a)*** Dans le contexte de la situation, décris en mots l'erreur commise par la comptable.

***b)*** Trace un graphique cartésien des deux relations décrites dans cette situation.

***c)*** Laquelle des deux droites correspondant aux deux équations de cette situation a l'inclinaison la plus prononcée ?

**8** Identifie la transformation (translation ou rotation) qui associe les deux droites si :

***a)*** on modifie la valeur initiale ou le paramètre b dans l'équation ;

***b)*** on modifie son taux de variation ou le paramètre a dans l'équation.

**9** Quel paramètre doit-on modifier pour transformer une relation de variation partielle en une relation de variation directe ?

**10** Marc-Antoine a offert ses services pour peindre la clôture de bois qui entoure le centre d'équitation de son oncle Albert. Il lui a demandé 25 $ (pour l'outillage) plus 1,50 $ le mètre linéaire. Sa cousine a aussi fait une offre : 50 $ plus 1,25 $ le mètre linéaire.

***a)*** Quelle offre est la plus avantageuse pour l'oncle Albert ? Justifie ta réponse.

***b)*** Laquelle des droites correspondant à ces deux offres a l'inclinaison la plus prononcée ?

***c)*** Laquelle coupe le plus haut l'axe des ordonnées ?

**11** Un professeur de français donne une dictée à ses élèves. Le résultat maximal est de 100 points, et 5 points sont enlevés pour chaque faute commise. On considère la relation entre le nombre de fautes et le résultat.

*a)* Quelle quantité joue le rôle de la variable indépendante dans cette relation ?

*b)* Quelle quantité joue le rôle de la variable dépendante dans cette relation ?

*c)* Quel est le taux de variation de cette relation ?

*d)* Écris l'équation représentant cette relation.

*e)* Quel est le résultat de Barbara si elle a commis 3 fautes ?

*f)* Combien de fautes Maxime a-t-il commises s'il obtient 70 comme résultat ?

?

*Pourquoi écrit-on de gauche à droite en français ?*

*g)* Le professeur se ravise et décide de corriger la dictée sur 50 points au lieu de 100 points tout en enlevant 5 points par faute. Écris l'équation de la nouvelle relation dans cette situation modifiée.

*h)* Quels seraient les résultats de Barbara et de Maxime dans cette nouvelle relation ?

*i)* Ces nouveaux résultats sont-ils équivalents aux précédents ?

*j)* Quel devrait être le taux de variation pour que les nouveaux résultats soient équivalents aux premiers ?

*k)* Dans le cas d'une correction sur 50 points, quel devrait être le taux de variation pour qu'un ou une élève qui a commis 10 fautes obtienne un résultat équivalent à 60 % ?

**12** Un festival populaire est financé par des subventions gouvernementales de 82 500 $ et par la vente de macarons. Les dépenses prévues sont de 123 000 $.

*a)* Combien de macarons devraient être vendus pour éviter un déficit si le prix de vente du macaron est fixé à 5 $ l'unité ?

*b)* Combien de macarons devraient être vendus pour éviter un déficit si le prix de vente du macaron est fixé à 4 $ l'unité ?

*c)* La responsable de la vente des macarons estime être en mesure de vendre 10 000 macarons. Quel devrait être le prix de chaque macaron pour que le festival fasse ses frais ?

**13** Dans un plan cartésien, on trace quatre droites correspondant aux équations suivantes :

| | |
|---|---|
| $y = 3x + 2$ | (1) |
| $y = \pi x + 2$ | (2) |
| $y = 3x + 5$ | (3) |
| $y = 2 - 3x$ | (4) |

***a)*** Quelle transformation géométrique permet d'associer la première droite à la deuxième ?

***b)*** Quelle transformation géométrique permet d'associer la première droite à la troisième ?

***c)*** Quelle transformation géométrique permet d'associer la première droite à la quatrième ?

**14** Une école veut organiser un voyage pour les élèves de troisième secondaire. Deux projets sont présentés au comité d'école. Dans le projet A, le prix pour chaque participant ou participante est de 250 $, mais cette somme pourra être diminuée par la vente de tablettes de chocolat à raison de 2,00 $ par tablette vendue. Le projet B est de 200 $ par participant ou participante, et chaque tablette de chocolat vendue diminuera ce prix de 1 $. Quel projet est le plus intéressant pour les élèves qui sont d'habiles vendeurs ou vendeuses de chocolat ?

**15** Une directrice de cinéma a observé que l'assistance diminue de façon constante à chaque représentation. Elle constate qu'en reliant les points elle obtient une droite. À la deuxième représentation, elle a dénombré 210 personnes et, à la cinquième, 180.

***a)*** Quel est le taux de variation de la relation ?

***b)*** Combien de représentations devrait-on donner si une fréquentation de moins de 50 personnes n'assure pas la rentabilité ?

**16** Quelle est la caractéristique des droites des relations qui ont un taux de variation nul ?

*Réalisé en 1989, le film québécois* Dans le ventre du dragon *est un suspense doublé d'une comédie de situation.*

**La peur des mathématiques**

Beaucoup de gens reconnaissent durant leur enfance les sujets qui leur posent des difficultés et ceux qui ne leur en posent pas. Ils choisissent alors de limiter leurs connaissances à leurs facilités. Au bout d'un certain temps, ces préférences deviennent une véritable prison intellectuelle. Une simple difficulté en mathématique se transforme alors en une **véritable phobie** qu'il faut éviter à tout prix.

Au lieu de chercher à comprendre et de faire des efforts, on décide qu'on n'est pas fait pour les mathématiques, qu'on n'a pas la bosse des mathématiques. On se convainc que si on ne comprend pas, c'est qu'on en est incapable.

La réalité est tout autre ! « Ce qu'on ne comprend pas en mathématique n'est pas nécessairement profond », disait Pascal. En effet, ce qu'on ne comprend pas aujourd'hui est souvent facile le lendemain. Si on ne comprend pas, souvent, c'est que dans le fond on ne veut pas comprendre ! On fait alors inconsciemment tellement peu de place à la notion que même la personne la plus géniale ne pourrait comprendre.

Certaines personnes manquent tellement de confiance en elles-mêmes qu'elles sont persuadées que toutes leurs intuitions ou toutes leurs idées sont fausses. Elles abandonnent avant même d'avoir commencé à résoudre quelque problème que ce soit. Or, en mathématique, les élèves qui réussissent **se fient continuellement à leur intuition**. Souvent, c'est l'attitude et non le manque de don ou de connaissance qui crée l'obstacle. Souvent, la personne qui a peur ne voit pas les informations ou les stratégies utiles et abandonne. Ce défaitisme ne mène nulle part sinon à l'échec assuré.

Il faut se vaincre soi-même et accepter la difficulté comme inhérente au processus d'apprentissage en mathématique. Comme disait sir Lancelot Hogben : « Avoir des difficultés en mathématique est normal, car on nous invite souvent à saisir en quelques minutes ce que l'humanité a mis des siècles et même des millénaires à trouver à travers un véritable brouillard de difficultés et de paradoxes. »

Nous avons tous et toutes suffisamment de ressources pour faire des mathématiques. **Chasser la peur peut faire luire le soleil de notre cerveau, dont nous sommes le seul maître et dont nous sous-estimons la puissance.**

Résolvez les problèmes suivants et discutez de vos idées et de votre solution.

**Le commis voyageur**

Un commis voyageur entreprend un voyage de 20 000 km en voiture. Il permute régulièrement les cinq pneus de sa voiture afin d'éviter leur usure. Sur combien de kilomètres chaque pneu aura-t-il roulé à la fin du voyage ?

**Réunir les efforts**

Un peintre prend 4 h à peindre une pièce et son ami, 2. Combien de temps mettront-ils à le faire ensemble ?

# ÉQUATIONS LINÉAIRES ET SITUATIONS

Les équations de la forme $y = ax + b$ sont dites linéaires, car elles traduisent des relations linéaires. Ces équations sont l'expression de relations dans des situations faisant intervenir une **valeur initiale** et un **taux de variation constant.**

Ces situations sont fréquentes dans la vie de tous les jours. Toute équation linéaire peut évoquer une ou plusieurs situations.

## Situation 1 Un travail rémunérateur

Cynthia est mécanicienne dans un garage à la campagne. Elle gagne 15 $ l'heure.

On s'intéresse à la relation liant le salaire ($S$) de Cynthia et le nombre ($h$) d'heures de travail. On constate qu'il n'y a pas de valeur initiale et que le taux de variation est de 15 $ l'heure.

Quelle est l'équation traduisant cette situation ?

On peut inventer plusieurs situations se traduisant par la même équation ou une équation équivalente. En voici deux :

Dimanche après-midi, j'ai loué une moto marine au tarif de 15 $ l'heure. Comme j'adore cette activité, la relation entre le coût de location et le nombre d'heures de location inquiétait ma mère.

Je me suis promené en vélo à une vitesse moyenne de 15 km/h. La journée était splendide et, sans m'en rendre compte, j'ai parcouru une bonne distance. Le retour à la maison fut difficile !

***a)*** Invente une autre situation qui se traduit par la même équation ou une équation équivalente.

***b)*** Des équations qui utilisent les mêmes paramètres sans utiliser les mêmes variables sont-elles équivalentes ?

## Situation 2 L'argent qui fond comme neige au soleil

Marie-Claude est en vacances au bord de la mer avec une amie. Au départ, elle disposait de 500 $ pour ses vacances. Après quelques jours, elle se rend compte qu'elle dépense en moyenne 25 $ par jour. Chaque matin, elle compte l'argent ($A$) qu'il lui reste et le nombre de jours ($j$) de vacances écoulés.

Cette situation présente une valeur initiale (500 $) et un taux de variation (-25 $ par jour).

Quelle équation traduit cette situation ?

On peut également inventer plusieurs situations présentant une relation se traduisant par la même équation ou une équation équivalente. En voici deux autres :

Un réservoir contient 500 l de mazout. En période de froid, le brûleur consomme environ 25 l de mazout par jour. On a toujours peur de manquer de mazout lorsqu'il fait froid.

Pour sensibiliser les gens à la cause du sida, un groupe de jeunes ont décidé de parcourir à pied les 500 km qui séparent approximativement les villes de Hull et de Québec. Ces jeunes parcourront environ 25 km par jour. Leurs parents s'informent souvent de la distance qu'il leur reste à parcourir.

Invente une situation qui se traduit également par la même équation ou une équation équivalente.

**1** En te reportant à la situation représentée ci-contre, décris une relation qui se traduit par l'équation donnée.

***a)*** $y = 20x$

***b)*** $y = 0{,}50x + 25$

**2** En te reportant à la situation représentée ci-contre, décris une relation qui se traduit par l'équation donnée.

*a)* $y = 100x + 500$

*b)* $y = 2x$

*c)* $y = 30\,000 - 600x$

**3** En te reportant à la situation représentée ci-contre, décris une relation qui se traduit par l'équation donnée.

*a)* $y = 3x$

*b)* $y = x + 5$

*c)* $y = 1000 - 20x$

*d)* $y = 3x - 200$

**4** Dans chaque cas, invente une situation, puis décris une relation qui se traduit par l'équation donnée. Précise la signification des variables.

*a)* $y = 40x + 20$ *b)* $y = 365x$ *c)* $y = 7x + 5$

**5** Décris une relation liée à une situation sur le ski de fond se traduisant par l'équation $y = 8x$.

**6** Décris une relation liée à une situation sur le recyclage de canettes d'aluminium se traduisant par l'équation $M = 0{,}05c - 2$.

**7** Susan se présente au guichet d'un théâtre d'été. Décris une relation linéaire de variation directe et une relation linéaire de variation partielle se traduisant par les équations suivantes.

*a)* $C = 8p$ *b)* $D = 8p + 15$

**8** Décris une relation à partir d'un rectangle dont au moins l'une des dimensions est variable et qui se traduit par l'équation $P = 2a + 18$.

**9** À partir d'un triangle dont la hauteur est de 10 cm, décris une relation qui se traduit par l'équation $A = 5b$.

**10** Ali est camelot. Décris une relation se traduisant par l'équation $S = 0{,}50c + 10$ et qui se prête bien à cette situation.

**11** Décris une relation se traduisant par l'équation $C = 1{,}5h + 3$ et qui se rapporte à un parc de stationnement.

**12** Décris une relation se traduisant par l'équation $D = 3b + 20$ et qui se rapporte à un vidéoclub.

# ÉQUATION LINÉAIRE ET RÉSOLUTION DE PROBLÈMES

Les relations linéaires proviennent de diverses situations de problèmes qui se traduisent par des équations de la forme $y = ax + b$. On peut utiliser ces équations linéaires pour résoudre des problèmes relatifs à ces situations.

## Situation La course en taxi

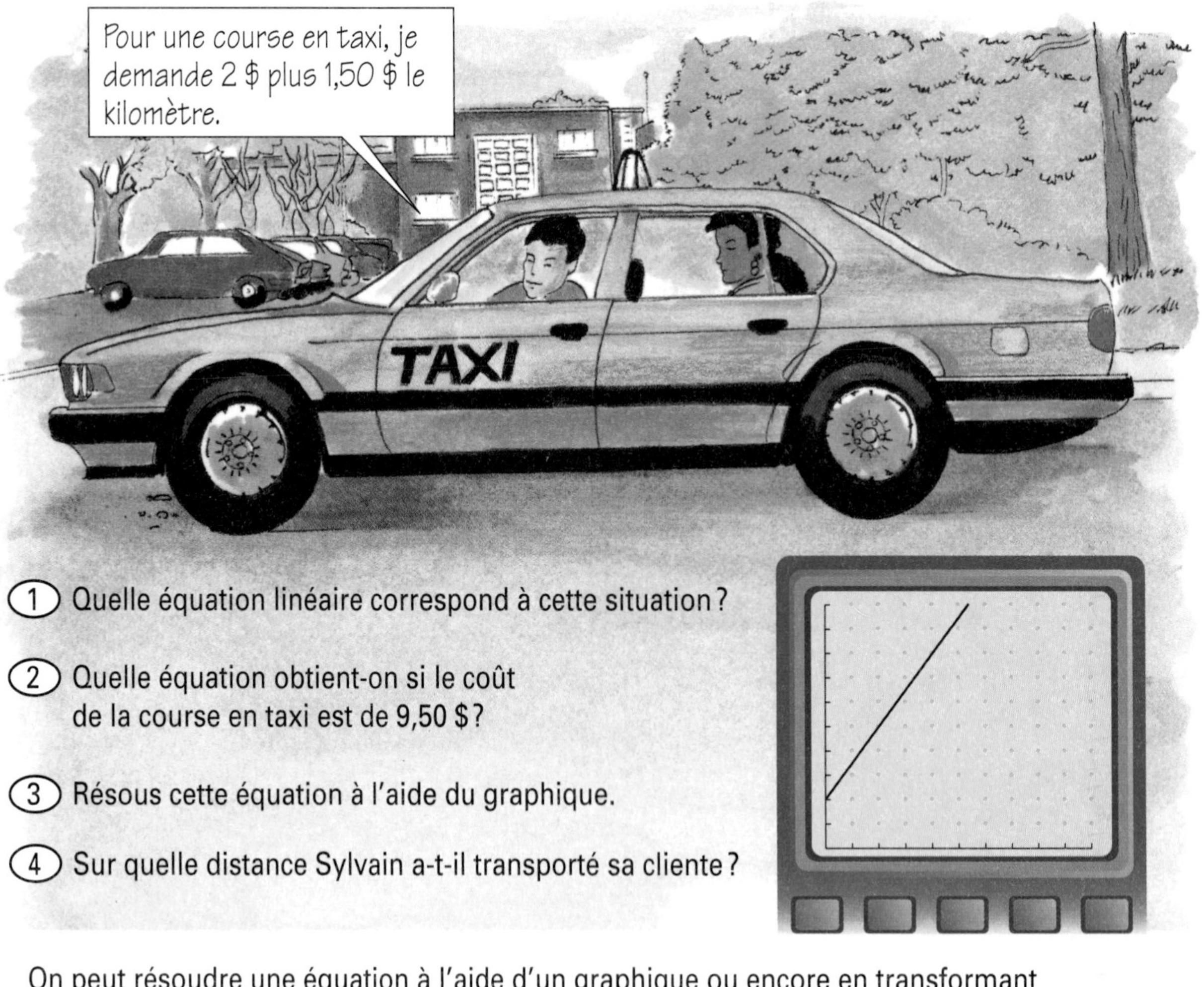


1. Quelle équation linéaire correspond à cette situation?
2. Quelle équation obtient-on si le coût de la course en taxi est de 9,50 $?
3. Résous cette équation à l'aide du graphique.
4. Sur quelle distance Sylvain a-t-il transporté sa cliente?

On peut résoudre une équation à l'aide d'un graphique ou encore en transformant l'équation en équations équivalentes. Résume les règles de transformation des équations.

**1** Résous les équations suivantes.

*a)* $38 = 2{,}2a + 13{,}8$ *b)* $3s - \frac{1}{2} = 9$ *c)* $\frac{3}{4} = \frac{x}{8} + \frac{5}{6}$

*d)* $1{,}25 = 0{,}02n - 0{,}14$ *e)* $5(p - 2) + 10 = 0{,}4$ *f)* $\sqrt{8} = \sqrt{2}x + \sqrt{6}$

**2** Simplifie les équations linéaires suivantes.

*a)* $y = 2x + 3(4 - 2x)$ *b)* $y = -2x + 6 - (2x - 3)$ *c)* $y = \frac{x}{5} + \frac{5x}{6}$

**3** Écris ces équations sous la forme $y = ax + b$.

*a)* $2x + y = 4$ *b)* $4(x - 2) - 2y = 12$ *c)* $\frac{x + y}{2} = 6$

*d)* $\frac{x + y}{y - 1} = 2$ *e)* $\frac{x}{y} = \frac{1}{10}$ *f)* $\frac{x}{4} = \frac{y}{20}$

**4** Pour s'inscrire dans une équipe de balle molle, il en coûte 20 $ de frais fixes plus 2,25 $ par match au calendrier.

*a)* Donne l'équation qui correspond à la relation liant le coût d'inscription ($C$) et le nombre ($n$) de matchs au calendrier.

*b)* Combien de matchs sont au calendrier si Monica a payé 67,25 $ lors de son inscription ?

**5** Une entreprise d'embouteillage d'eau de source offre en location des fontaines. Elle demande 40 $ pour l'installation et 3 $ la bonbonne d'eau (50 l).

*a)* Donne l'équation qui correspond à la relation linéaire entre le coût total ($C$) et la quantité d'eau consommée ($q$) en litres.

*b)* Quelle quantité d'eau une famille a-t-elle consommée durant un an si ce service lui a coûté 370 $ ?

**6** Jean-Lou joue au hockey dans une équipe bantam AA. Pour le motiver, sa mère lui a promis 2,50 $ pour chaque point après les 20 premiers points.

*a)* Donne l'équation qui représente la somme ($S$) que versera sa mère pour le nombre de points accumulés ($p$) par Jean-Lou.

*b)* Combien de buts Jean-Lou a-t-il marqués si ses buts représentent les $\frac{2}{5}$ de ses points et que sa mère lui a donné 62,50 $ à la fin de la saison de hockey ?

**7** Louis fait le placement d'une somme d'argent au taux annuel de 8 %. Toutefois, des frais d'administration de 12 $ lui sont demandés pour l'année.

*a)* Écris l'équation exprimant les revenus de ce placement.

*b)* Quelle somme Louis doit-il placer afin que les intérêts en un an égalent les frais d'administration ?

*c)* Combien de temps une somme de 200 $ doit-elle être placée pour couvrir les frais d'administration ?

**8** On considère une série de rectangles ayant tous la même hauteur. Celui dont la mesure de la base est de 50 cm a un périmètre de 106 cm.

*a)* Quel est le taux de variation de la relation entre la longueur de la base et le périmètre dans cette situation ?

*b)* Quelle équation traduit cette relation ?

*c)* Quel est le périmètre du rectangle dont la mesure de la base est de 40 cm ?

**9** Rémi a acheté pour sa mère un service à rafraîchissements comprenant des verres et un pichet. Le pichet coûte 12,50 $ et les verres, 5 $ chacun. Combien de verres Rémi a-t-il achetés si le prix du pichet équivaut à 20 % du prix total ?

**10** Lors du dernier Grand Prix de formule 1, le vainqueur a parcouru les 60 tours de piste en 1 h 52 min. Le circuit a une longueur de 2,8 km.

*a)* Quelle a été la vitesse moyenne du vainqueur ?

*b)* Durant l'épreuve, le vainqueur a dû s'arrêter 36 s au puits de ravitaillement. Quelle a été sa vitesse moyenne pour le temps durant lequel il a été en piste ?

**11** Anita est directrice d'un théâtre. Elle veut faire imprimer le programme de la représentation théâtrale du mois prochain. Elle doit débourser un montant pour la fabrication de la plaque à imprimer (35 $), puis un certain montant pour chaque copie. Une reproduction en 400 copies lui coûterait 59 $ alors que 500 copies coûteraient 65 $. Quel serait le prix de 350 copies ?

**12** Réal chauffe à feu doux l'eau contenue dans un récipient. Il note la température de l'eau et le temps écoulé depuis le début de l'expérience. Après 5 min, la température est de 40 °C. Après 15 min, elle est de 64 °C. On considère que l'augmentation de la température de l'eau est constante.

*L'eau bout à 100 °C.*

*a)* Quelle est l'équation décrivant cette relation linéaire ?

*b)* Quelle était la température de l'eau au début de l'expérience ?

*c)* Après combien de temps l'eau commencera-t-elle à bouillir ?

**13** Un nombre de deux chiffres change de valeur selon sa base. Ainsi, l'écriture « 23 » a une valeur que l'on calcule en multipliant la base $b$ par le premier chiffre puis en additionnant 3. Ainsi, on établit une relation définie par la règle $V = 2b + 3$ dans laquelle $V$ est la valeur et $b$, la base. Dans la base huit, la valeur de 23 est 2(8) + 3, ou 19. Dans la base cinq, la valeur de 23 est 2(5) + 3, soit 13.

***a)*** Quelle est la valeur de 23 dans la base douze ?

***b)*** Dans quelle base la valeur de 23 est-elle 35 ?

**14** Pour l'entretien d'une pelouse durant tout l'été, une entreprise demande des frais fixes initiaux plus un tarif dépendant de l'aire du terrain à entretenir. M. Pelletier et Mme Bédard sont des clients de cette entreprise.

***a)*** Quel prix la compagnie demande-t-elle pour chaque mètre carré ?

***b)*** À combien s'élèvent les frais fixes initiaux ?

***c)*** Quelle équation représente la façon de calculer le coût d'entretien d'un terrain ?

***d)*** Combien coûte l'entretien d'un terrain de 1500 $m^2$ ?

**15** Une droite passe par les points $A(1, 4)$ et $B(5, 2)$ et son équation est $y = \frac{^-x}{2} + \frac{9}{2}$. On applique une homothétie ayant l'origine comme centre et 3 comme rapport.

***a)*** Quel est le taux de variation dans l'équation de la nouvelle droite ?

***b)*** En quel point la droite image coupe-t-elle l'axe des $y$ ?

***c)*** Quelle est la valeur de l'abscisse du point de la droite image qui a 20 comme ordonnée ?

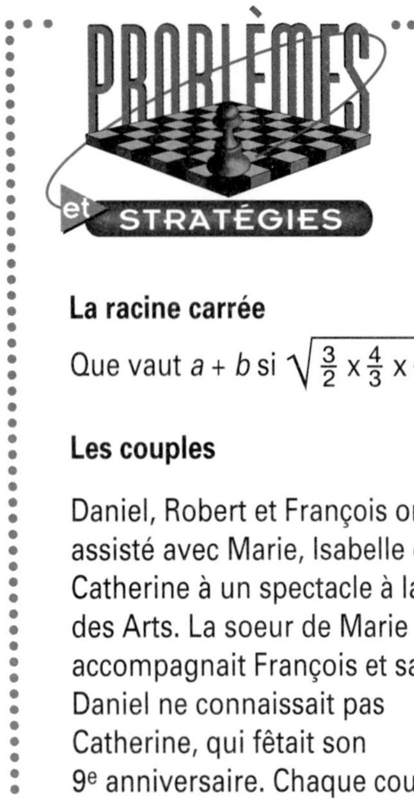


Stratégie : Faire des déductions logiques.

**La racine carrée**

Que vaut $a + b$ si $\sqrt{\frac{3}{2} \times \frac{4}{3} \times \frac{5}{4} \times \frac{6}{5} \times \ldots \times \frac{a}{b}} = 3$?

**Les couples**

Daniel, Robert et François ont assisté avec Marie, Isabelle et Catherine à un spectacle à la Place des Arts. La soeur de Marie accompagnait François et sa fille. Daniel ne connaissait pas Catherine, qui fêtait son 9e anniversaire. Chaque couple, avec son enfant, est reparti dans sa voiture respective. Qui retrouvait-on dans chaque voiture ?

**La surface ombrée**

Le rectangle *ABCD* mesure 3 cm sur 4 cm. *D* est le centre du cercle et *B* est sur le cercle. Quelle est l'aire de la partie ombrée ?

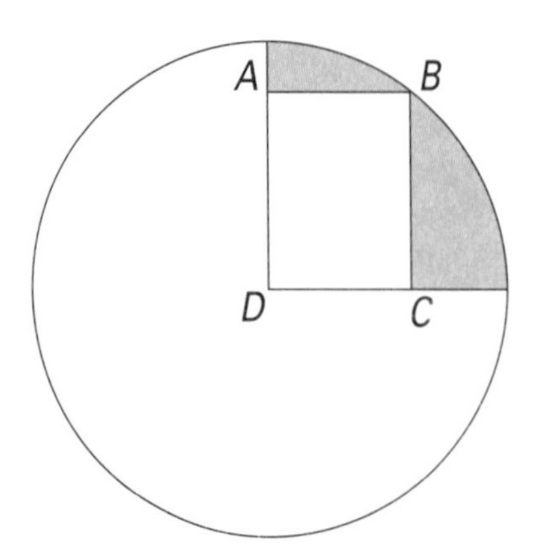

## Projet 1 La relation côté-arc

Montre qu'il existe une relation entre la mesure du côté d'un carré et l'arc de cercle allant de la diagonale du carré jusqu'à sa rencontre avec le prolongement du côté du carré.

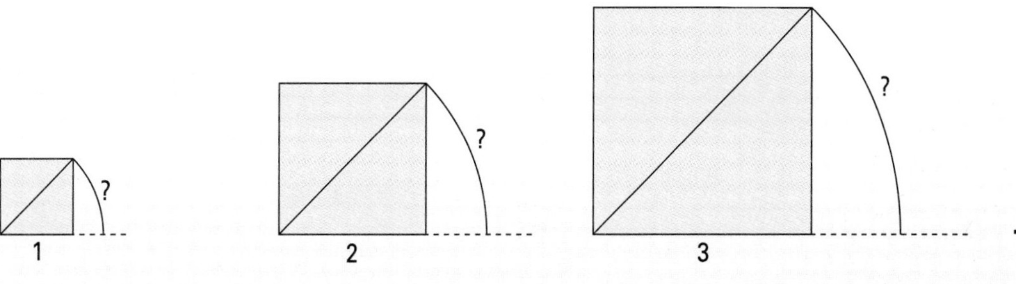


Fais une étude complète de cette relation (table de valeurs, règle, graphique et type de la relation).

## Projet 2 Le binôme de Newton et le triangle de Pascal

*a)* Trouve et décris au moins trois relations à l'intérieur du triangle de Pascal.

*b)* Ci-contre, trouve les deux lignes manquantes du triangle de Pascal.

*c)* Newton a fait un rapprochement entre le triangle de Pascal et le développement des puissances d'un binôme.

$(a + b)^0 = 1$

$(a + b)^1 = 1a + 1b$

$(a + b)^2 = 1a^2 + 2ab + 1b^2$

$(a + b)^3 = 1a^3 + 3a^2b + 3ab^2 + 1b^3$

**Triangle de Pascal**

1
1 1
1 2 1
1 3 3 1
1 4 6 4 1
1 5 10 10 5 1
1 6 15 20 15 6 1
1 7 21 35 35 21 7 1
....................................
........................................

Trouve les développements des binômes suivants en utilisant le triangle de Pascal.

$(a + b)^4 =$

$(a + b)^5 =$

$(a + b)^6 =$

# À LA LOGICOMATHÈQUE

## DÉTECTEZ L'INTRUS

- Lequel de ces graphiques est un intrus?

$T$ : température
$t$ : temps

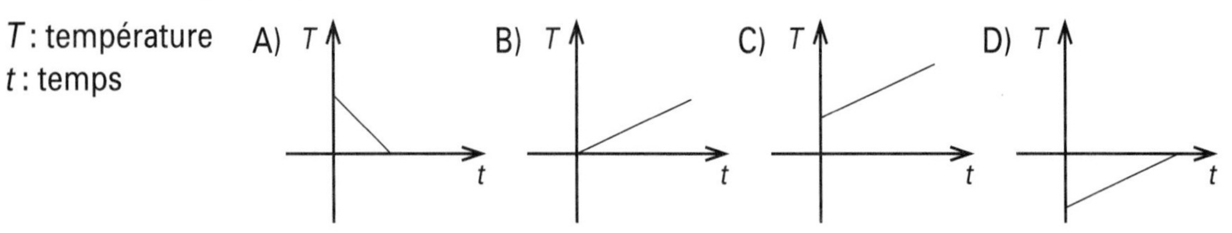


## À LA MENSA

- Que doit-on faire à la règle d'une variation linéaire pour obtenir la droite symétrique de celle donnée par rapport à :

  ***a)*** l'axe des $y$?  ***b)*** l'axe des $x$?

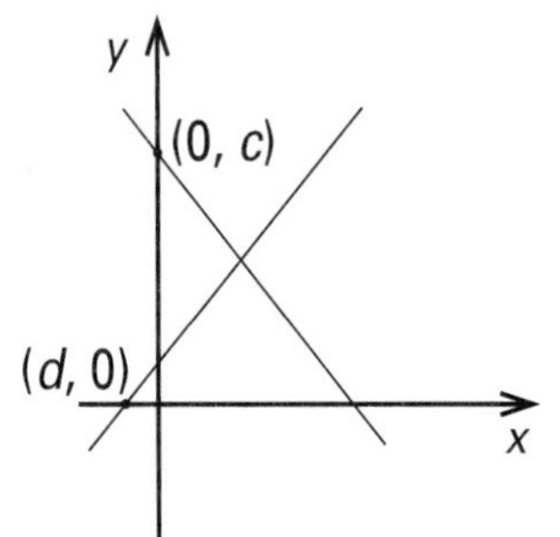


- Voici deux relations linéaires dont les règles sont $y = x + 1$ et $y = \frac{^-x}{2} + 4$. Que vaut $c + d$?

## PROUVE-LE DONC!

- Montre que les énoncés suivants sont vrais en trouvant les nombres décrits.

  ***a)*** Il existe 3 entiers consécutifs formés d'un chiffre qui vérifient la relation suivante : la somme des carrés des deux premiers égale le carré du troisième ($a^2 + b^2 = c^2$).

  ***b)*** Il existe 4 entiers consécutifs formés d'un chiffre qui vérifient la relation suivante : la somme des cubes des trois premiers égale le cube du quatrième ($a^3 + b^3 + c^3 = d^3$).

## SUR LES TRACES DE LOGIC

- Pendant sa grossesse, Diane a perdu son mari. Elle vient d'accoucher de jumeaux, un beau garçon et une jolie fille. Mais voilà que son mari avait fait un testament hypothétique sexiste. En effet, il léguait les $\frac{2}{3}$ de ses biens à son bébé s'il s'agissait d'un garçon et le $\frac{1}{3}$ s'il s'agissait d'une fille. Dans les deux cas, sa femme héritait du reste.

  Le notaire, hébété, veut absolument respecter le voeu du défunt. Ne trouvant pas de solution, il fait appel à Logic pour résoudre ce problème de succession.

  Ce dernier le résolut rapidement. On sait que la fille a reçu le $\frac{1}{7}$ des biens. Quelle solution Logic a-t-il trouvée? Explique la logique de sa solution.

## Je connais la signification des expressions suivantes :

**Variation des variables :** changement que subissent les variables mises en relation.

**Variation directe :** relation liée à une situation dans laquelle les valeurs des variables sont directement proportionnelles.

**Variation partielle :** relation liée à une situation dans laquelle la variable dépendante a une valeur initiale non nulle et varie ensuite selon un taux de variation constant.

**Relation linéaire :** appellation désignant toute relation dont le graphique cartésien est une droite oblique.

**Taux de variation :** quotient entre les variations de la variable dépendante et les variations correspondantes de la variable indépendante.

**Valeur initiale :** valeur de la variable dépendante lorsque la variable indépendante vaut 0.

**Paramètres :** variables autres que les variables dépendantes et indépendantes dans l'équation d'une relation.

**Équation linéaire :** équation qui peut s'écrire sous la forme $y = ax + b$.

## Je maîtrise les habiletés suivantes :

**Calculer** des taux de variation dans une relation à partir de son équation ou de son graphique.

**Traduire** par une équation une relation linéaire liée à une situation.

**Traduire** une équation linéaire par une situation ou un énoncé de problème.

**Décrire** qualitativement l'effet sur le graphique de la modification des paramètres d'une équation linéaire.

**Résoudre** des problèmes au moyen des équations linéaires.

## Relations linéaires

1. Une municipalité fête son 250e anniversaire de fondation. À cette occasion, les responsables font tirer une voiture sport. Les billets se vendent 10 $ chacun. On observe la relation entre le montant des ventes ($V$) et le nombre de billets ($b$) vendus. **Donne l'équation** qui traduit cette relation.

2. Une piscine contient déjà 1000 l d'eau. Pour la remplir complètement, on se sert d'un tuyau d'arrosage dont le débit est de 8 l/min. On s'intéresse à la relation entre la quantité d'eau ($Q$) dans la piscine et le temps ($t$) écoulé en minutes depuis l'ouverture du robinet. **Donne l'équation** qui décrit cette relation.

3. Pour un album de mariage, un photographe demande 500 $ plus 20 $ la photographie. Cindy, la future mariée, s'intéresse à la relation entre la somme ($S$) qu'elle devra payer et le nombre de photographies ($p$) que comptera son album.

   ***a)*** **Donne l'équation** qui traduit cette relation linéaire.

   ***b)*** Le photographe téléphone à Cindy pour lui dire que le taux de variation a été augmenté. **Qu'est-ce qui a été modifié** dans le prix?

4. **Donne le taux de variation** pour chacune des relations décrites par ces équations.

   ***a)*** $y = -3x + 2$ ***b)*** $y = \frac{x}{8} + 6$ ***c)*** $y = 6 - 3x$ ***d)*** $x + y = 12$

5. Dans chaque cas, **détermine le taux de variation** à partir des coordonnées des deux points indiqués sur les droites.

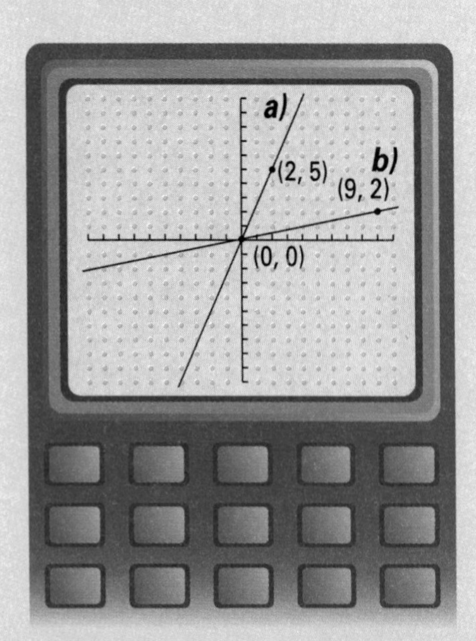


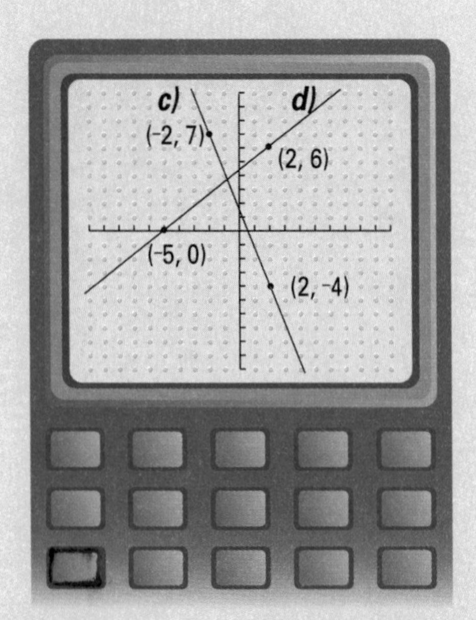

6. Isabelle vient de faire l'acquisition d'une motocyclette. Elle a payé 2000 $ comptant et s'est engagée à faire des versements mensuels de 200 $ à partir du mois prochain. On s'intéresse à la relation entre la somme payée ($S$) et le nombre de mois écoulés ($n$).

   *a)* **Donne l'équation** de cette relation linéaire.

   *b)* Concrètement, **qu'est-ce qui serait changé** si on modifiait le taux de variation dans cette relation ?

   *c)* Dans **combien de temps** Isabelle aura-t-elle versé 8400 $ ?

   *d)* Durant **combien de mois** paiera-t-elle sa motocyclette si celle-ci lui a coûté 9600 $ et qu'elle doit payer 2380 $ en intérêts ?

7. On voit ci-contre le graphique de la relation décrite par l'équation $D = 2t + 1$.

   *a)* **Décris la modification** que subirait cette droite si on doublait son taux de variation.

   *b)* On a transformé l'équation $D = 2t + 1$ en l'équation $D = 2t$. **Décris la modification** observée dans le graphique.

8. À la naissance de Miguel, ses grands-parents lui ont ouvert un compte de banque en y déposant 500 $. Par la suite, à chaque anniversaire de naissance, ils ont déposé 150 $.

   *a)* **Donne l'équation** de la relation entre le montant total ($M$) déposé par les grands-parents et l'âge de Miguel ($a$).

   *b)* **Quel changement** subirait la droite qui correspond à cette relation si les grands-parents avaient déposé 700 $ au départ au lieu de 500 $ ?

9. À l'achat d'un film pour son appareil photo, Sylviane doit payer 6,29 $ pour le film et 25 ¢ pour le développement de chaque photo réussie.

   *a)* **Écris l'équation** qui correspond à la relation entre le coût ($C$) et le nombre de photos réussies ($p$).

   *b)* **Combien de photos** ont été réussies si Sylviane a payé 11,04 $ (taxes non comprises) ?

10. **Décris une situation** présentant une relation linéaire de variation partielle dont l'équation et le sujet sont les suivants.

| ÉQUATION | SUJET |
|---|---|
| *a)* $C = 20 + 5h$ | Location de canot. |
| *b)* $T = 5 + 4p$ | Tarif pour prendre un traversier. |

11. **Compose une situation** dont le taux de variation est 8 et dont la valeur initiale est -6.

12. La tarification d'une compagnie aérienne pour le transport de marchandises est de 20 $ pour la manutention plus 3 $ le kilogramme de marchandises. On s'intéresse à la relation entre le coût de transport ($T$) et la masse des marchandises ($m$).

    *a)* **Quelle est l'équation** de cette relation ?

    *b)* La droite passe en (0, 20). **Quelle modification** la compagnie devrait-elle faire pour que la droite coupe l'axe des ordonnées en un autre point ?

    *c)* **Quelle est la masse** des marchandises d'un client qui vient de payer 43,20 $ (taxes non comprises) ?

    *d)* **En quel point** la droite de cette relation couperait-elle l'axe des ordonnées si la compagnie exigeait 6 $ le kilogramme de marchandises ?

13. Un étudiant vend des oeillets pour une oeuvre de charité. Il reçoit 6 $ par jour plus 1,25 $ par oeillet vendu. Combien d'oeillets a-t-il vendus si aujourd'hui son salaire a été de 53,50 $ ? **Résous ce problème** au moyen d'une équation linéaire et laisse la trace de ta démarche.

14. **Décris une situation** présentant une relation dont l'équation est $T = 500m + 4000$.

15. **Trouve,** par déduction logique, **une expression** qui représente la somme de fractions suivante :

$$\frac{1}{2 \times 1} + \frac{2}{2 \times 2} + \frac{3}{2 \times 3} + \frac{4}{2 \times 4} + \ldots + \frac{a}{2a} = \blacksquare$$

# ITINÉRAIRE 7

## LA COMPOSITION DE TRANSFORMATIONS

**Les grandes idées :**

- Notion de transformation.
- Propriétés des transformations.
- Notions d'isométrie et de similitude.
- Composition de transformations.
- Transformation réciproque.

**Objectif terminal :**

Résoudre des problèmes portant sur les isométries ou les similitudes.

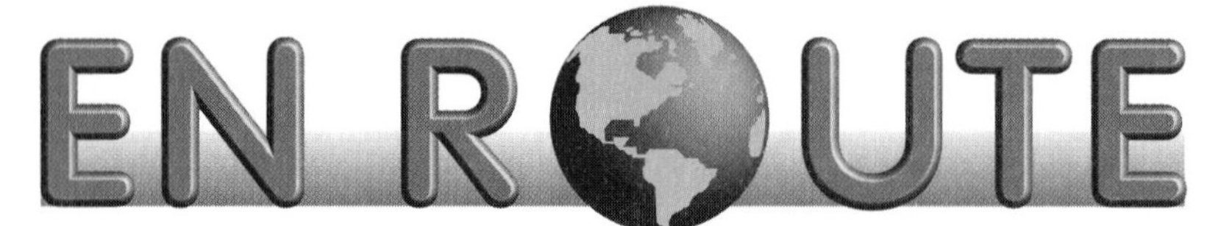


**...VERS LA COMPOSITION DES TRANSFORMATIONS**

## NOTION DE TRANSFORMATION

### Activité 1 Des points associés

Tous les points de cet écran doivent s'associer selon la règle suivante :

« Le point *O* est sa propre image et tous les autres points ont comme image le point d'intersection de la demi-droite qui les relie à *O* et le cercle de centre *O*. »

Cette association a pour effet immédiat d'associer les figures du plan de l'écran à d'autres figures.

***a)*** Décris la position de l'image du point *N*.

***b)*** À quelle figure le $\overline{PN}$ est-il associé ?

***c)*** À quelle figure le $\Delta$ *ABC* est-il associé ?

***d)*** En quelle figure l'écran est-il transformé ?

***e)*** Décris la figure plane associée à l'ensemble des points du plan de l'écran.

Chaque fois qu'on associe chaque point du plan à **un et un seul autre point,** on définit ce qu'on appelle une **transformation du plan.**

# FEUILLE DE TRAVAIL 4

## Activité 2 Le plan divisé

On veut associer à nouveau les points de cet écran. Cette association est déterminée par la règle suivante :

« Tout point $P$ de ce plan est associé à un point $P'$ situé sur une droite parallèle à la droite $d$ de l'autre côté de la droite $m$, de telle sorte que la droite $m$ passe par le milieu du $\overline{PP'}$. »

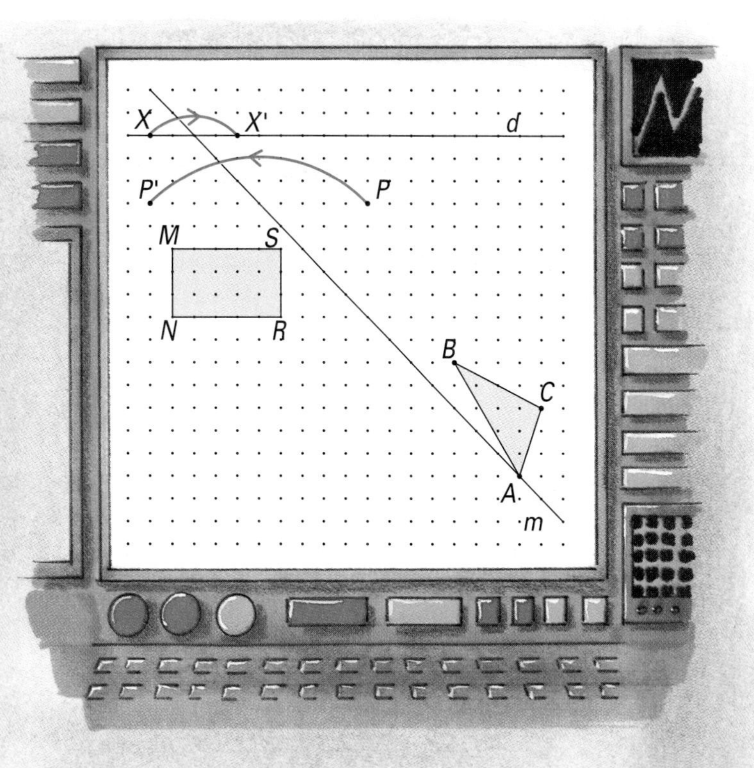


***a)*** Trace l'image du rectangle *MNRS*.

***b)*** Trace l'image du triangle *ABC*.

***c)*** Décris la figure associée à la droite *PB*.

***d)*** Décris la figure associée à la portion de plan que présente cet écran.

Les transformations du plan **associent chaque point à un seul autre point** et, par conséquent, **chaque figure à une figure.**

## Activité 3 Le plan cartésien

On peut également associer les figures dans un plan cartésien. Il suffit de définir une règle qui permet d'associer chaque point à un et un seul autre point. On utilise une règle qui indique les opérations à effectuer sur les coordonnées des points pour obtenir celles de l'image.

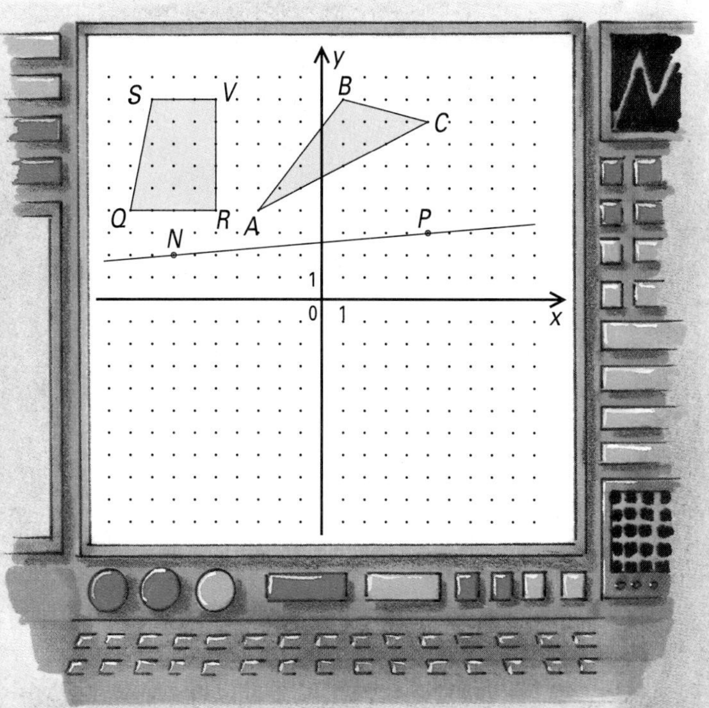


$T: (x, y) \mapsto (x + 4, -y)$

Dans cette transformation, on trouve les coordonnées de l'image en additionnant 4 à l'abscisse et en prenant l'opposé de l'ordonnée.

Ainsi, à (5, 8) la règle fait correspondre (9, -8).

***a)*** Trace l'image de la droite *PN*.

***b)*** Trace l'image du $\Delta$ *ABC*.

***c)*** Trace l'image du quadrilatère *QRVS*.

Pour avoir une transformation du plan, il faut que la correspondance associe **chaque point** du plan à **un et un seul point du plan.**

Cette association est décrite le plus souvent par une **règle** exprimée en mots ou en symboles algébriques utilisant les coordonnées des points.

Le point associé à un point *P* par une transformation *T* est appelé l'image de *P*, qui est notée *P*' ou encore *T*(*P*) (on dit : « *T* de *P* »).

QU'EN PENSEZ-VOUS ?

***d)*** On a associé ces figures en appliquant la procédure suivante : on trouve l'image du point le plus à gauche en allant vers la droite de 3 cm et vers le bas de 1,5 cm ; ensuite, on étire la figure vers la droite pour doubler sa largeur sans modifier sa hauteur. Cette association de figures ne constitue cependant pas une transformation du plan. Pourquoi ?

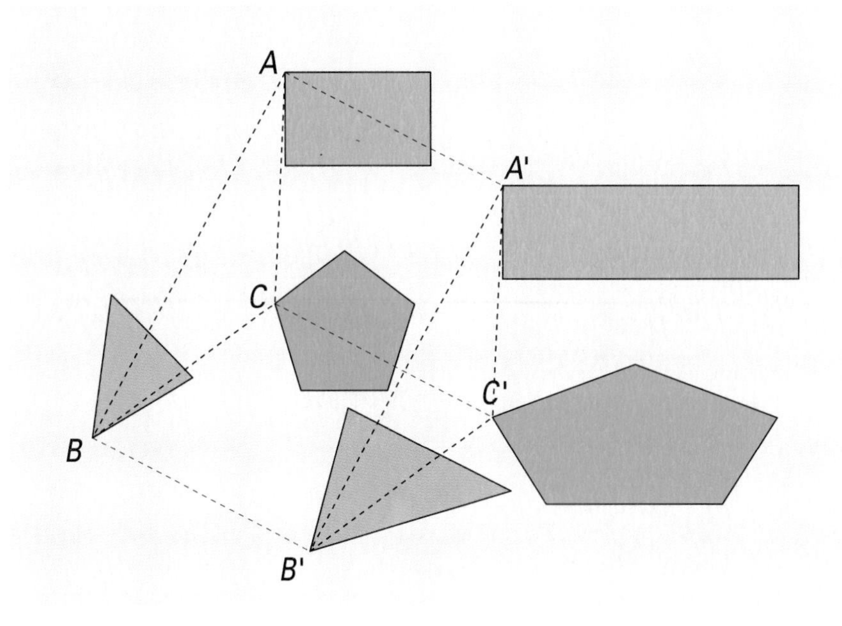


***e)*** Quelle est l'image du triangle *ABC* ?

***f)*** Cette image est-elle conforme à la procédure définie en ***d)*** ?

***g)*** Décrivez en mots l'image du triangle *ABC* selon l'association décrite en ***d)***.

***h)*** Pourquoi cette association n'est-elle pas une transformation du plan ?

**1** Trace l'image associée à chaque figure selon la transformation décrite.

***a)*** Chaque point a son image sur un segment parallèle à la flèche donnée, dans le sens de la flèche et à une distance correspondant à la longueur de la flèche.

***b)*** Chaque point et son image sont symétriques par rapport à la droite $d_1$.

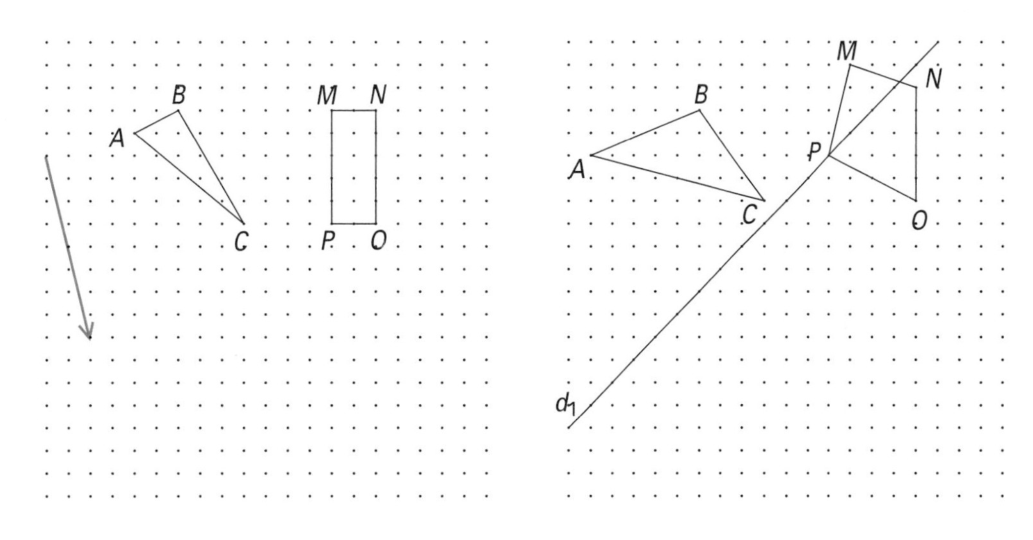


**2** Trace l'image de chaque figure d'après la règle donnée.

***a)*** $T_1 : (x, y) \mapsto (x - 3, -y)$

***b)*** $T_2 : (x, y) \mapsto (4, 2y)$

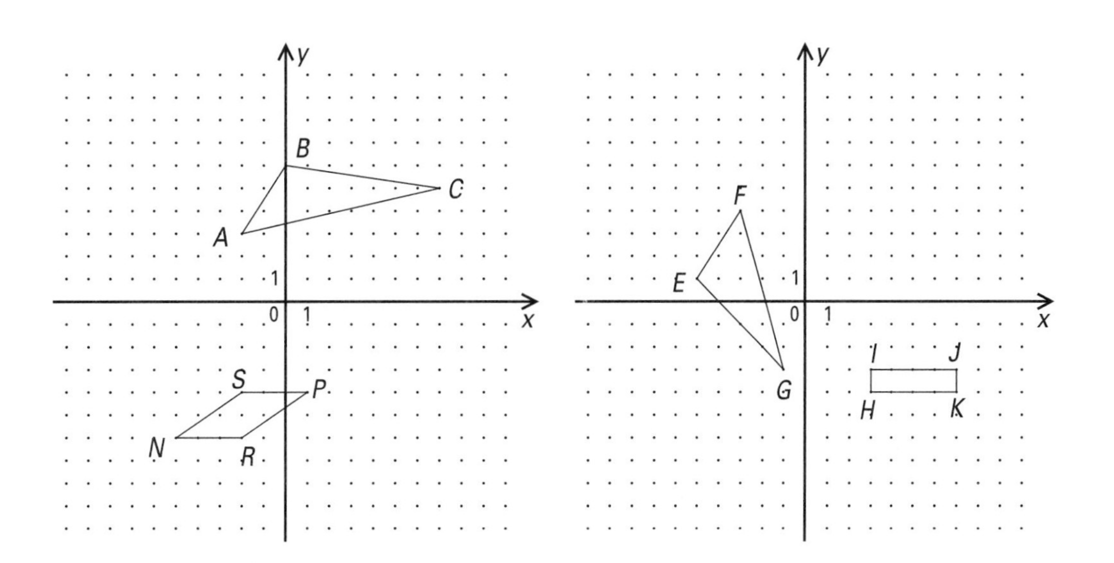

**3** Trace l'image de chaque figure par la transformation donnée.

***a)*** $T_1 : (x, y) \mapsto (-2x + 2, -2y + 3)$

***b)*** $T_2 : (x, y) \mapsto (\frac{x}{2}, -y)$

***c)*** $T_3 : (x, y) \mapsto (x + y, x - y)$

***d)*** $T_4 : (x, y) \mapsto (3x - y - 1, -x + 2y + 3)$

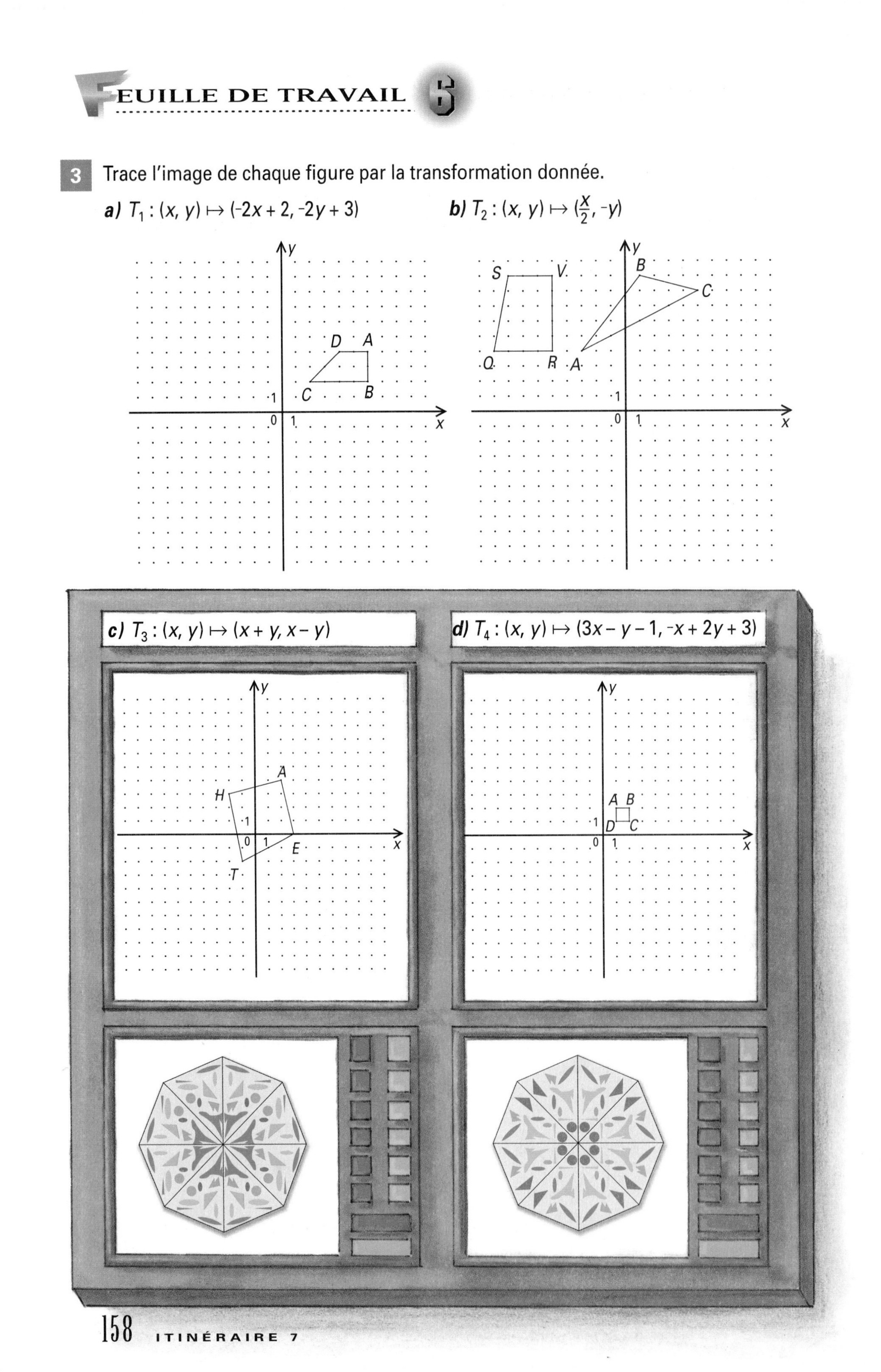

**4** Les **translations** constituent un premier type bien connu de transformations. On les définit à l'aide de flèches auxquelles sont associés une **direction**, un **sens** et une **distance** qui permettent de déterminer l'image de chaque point du plan.

*a)* Trace l'image des deux figures données selon la translation définie par la flèche.

*b)* Combien de flèches différentes peuvent définir la même translation ?

*c)* Quelles modifications peut-on apporter à la flèche pour qu'elle définisse une autre translation ?

**5** Dans le plan cartésien, les translations sont définies par une règle ayant la forme suivante : $t : (x, y) \mapsto (x + \text{a}, y + \text{b})$.

*a)* Soit la translation $t : (x, y) \mapsto (x + 5, y + 4)$. Trace la flèche de cette translation à partir de (0, 0).

*b)* Trace les images de chacune des figures données.

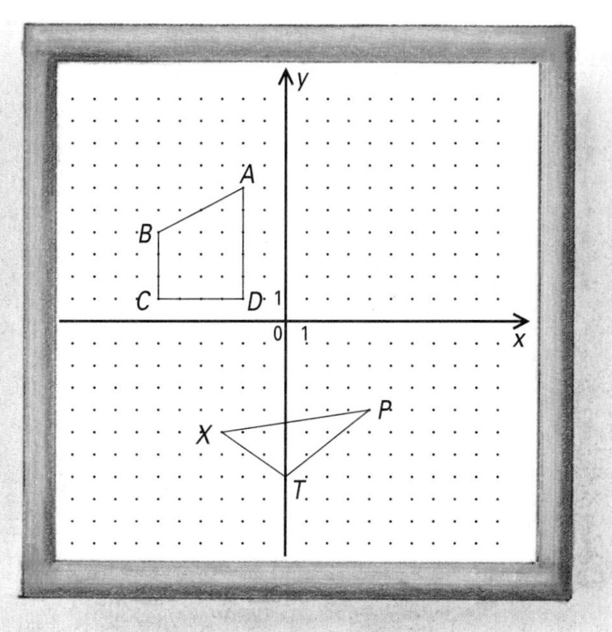

**6** Les **réflexions** sont un autre type bien connu de transformations. Elles se définissent à l'aide d'une droite appelée **axe de réflexion,** qui est la médiatrice du segment reliant tout point à son image.

*a)* Trace l'image de chacune des figures par la réflexion donnée.

*b)* Que signifie l'énoncé suivant : « L'axe est la médiatrice du segment joignant tout point à son image » ?

*c)* Quelle est l'image du plan par une réflexion ?

*d)* Quelle est l'image d'un point situé sur l'axe de réflexion ?

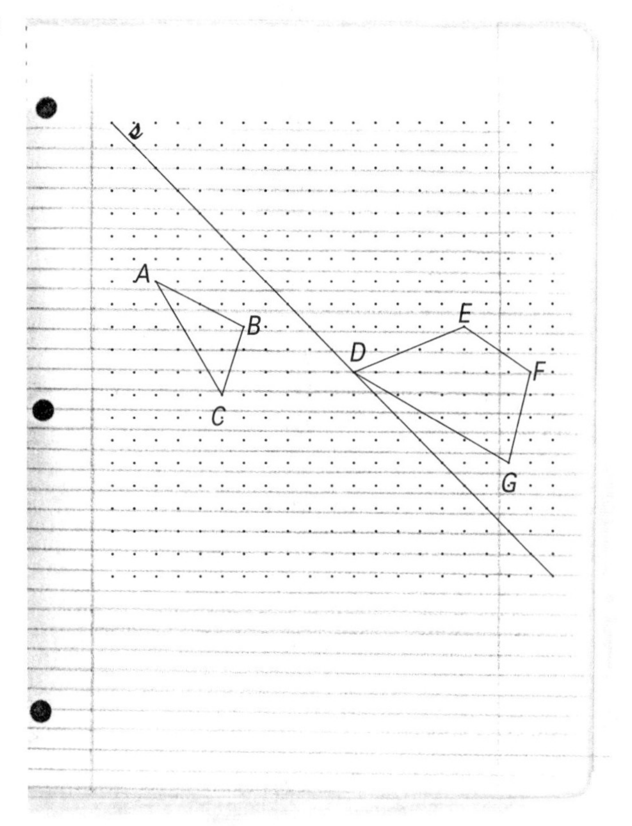


**7** Dans le plan cartésien, les réflexions les plus intéressantes sont celles qui utilisent les axes ou les bissectrices des quadrants comme axes de réflexion. On établit des règles de la forme suivante pour les définir.

$s_x : (x, y) \mapsto (x, -y)$ $\quad$ $s_y : (x, y) \mapsto (-x, y)$

$s_{\boxslash} : (x, y) \mapsto (y, x)$ $\quad$ $s_{\boxbslash} : (x, y) \mapsto (-y, -x)$

Trouve l'image des figures données selon la réflexion décrite.

***a)*** $s_y : (x, y) \mapsto (-x, y)$ $\quad$ ***b)*** $s_{\boxslash} : (x, y) \mapsto (y, x)$

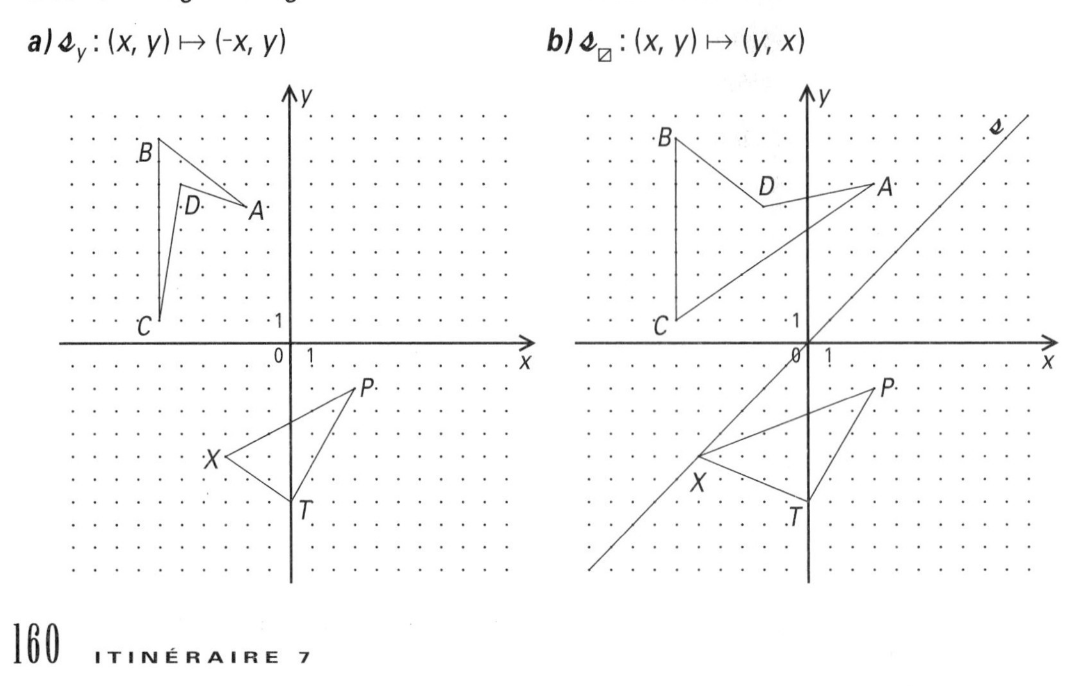

**8** Les **rotations** sont aussi un type bien connu de transformations. On les définit par un point appelé centre de rotation, un sens de rotation et une mesure d'angle. À l'aide de ton compas et de ta règle, trace l'image de chaque figure par la rotation décrite.

***a)*** ***b)***

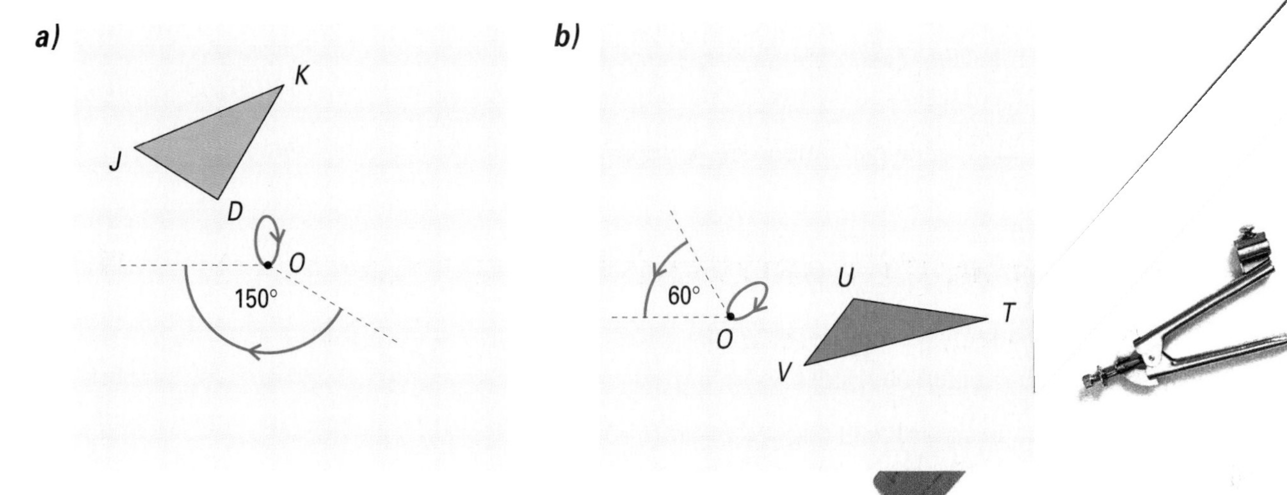


**9** Dans le plan cartésien, les rotations les plus courantes sont celles qui utilisent l'origine comme centre de rotation et des mesures d'angles multiples de 90°. On les définit par les règles suivantes.

$r_{(O,\,-90°)} : (x, y) \mapsto (y, -x)$ $r_{(O,\,90°)} : (x, y) \mapsto (-y, x)$

$r_{(O,\,180°)} : (x, y) \mapsto (-x, -y)$

Trace l'image des figures suivantes par la rotation décrite.

***a)*** $r_{(O,\,90°)} : (x, y) \mapsto (-y, x)$ ***b)*** $r_{(O,\,-90°)} : (x, y) \mapsto (y, -x)$

**10** On peut imaginer toutes sortes de transformations. En voici quelques-unes assez remarquables.

***a)*** La transformation « **constante** » se définit comme suit : « Tous les points du plan ont le même point comme image, ici le point *A*. »

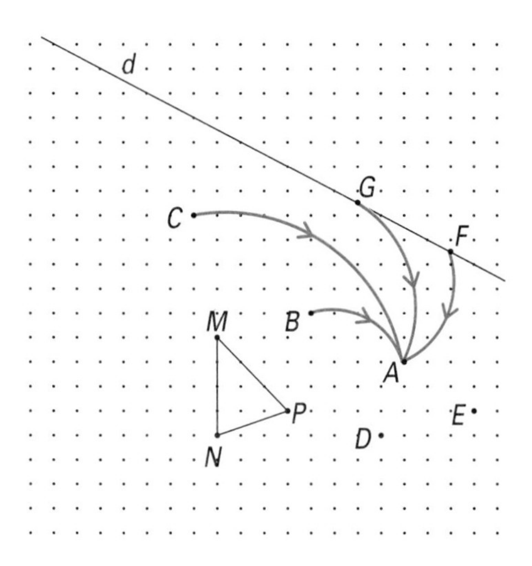


1) Quelle est l'image des points *A*, *D* et *E* ?

2) Quelle est l'image de la droite *GF* ?

3) Quelle est la figure associée au triangle *MNP* ?

4) Quelle figure est associée au plan complet ?

5) Explique le choix du nom de cette transformation.

***b)*** La transformation « **identité** » se définit comme suit : « Chaque point du plan est sa propre image. »

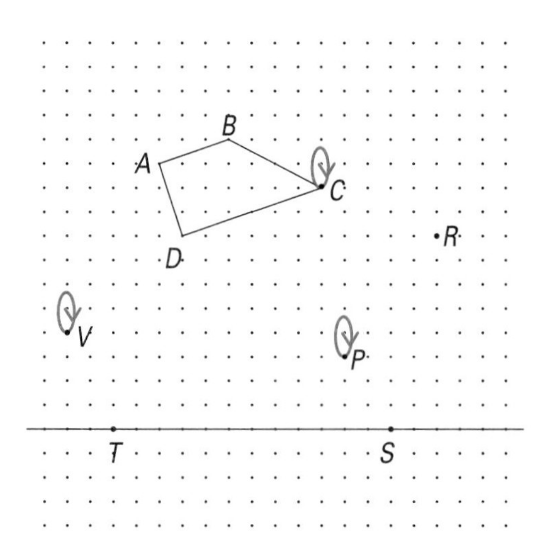


1) Quelle est l'image du point *R* ?

2) Quelle est l'image de la droite *TS* ?

3) Quelle est la figure associée au trapèze *ABCD* ?

4) Quelle figure est associée au plan ?

**11** Décris une translation qui serait équivalente à l'identité.

**12** Décris une rotation qui serait équivalente à l'identité.

**13** Peut-on définir une réflexion qui serait équivalente à l'identité ?

1. Parmi les nombres donnés, indique celui qui convient le mieux pour quantifier chaque expression.

   ***a)*** La population du Québec : 700 000 ; 7 000 000 ; 7 000 000 000.

   ***b)*** La vitesse d'un Concorde : 150 km/h ; 1 500 km/h ; 15 000 km/h.

   ***c)*** La moyenne d'un bon frappeur au baseball : 0,150 ; 0,300 ; 0,600.

   ***d)*** Le prix d'une motocyclette haut de gamme : 200 $ ; 2 000 $ ; 20 000 $.

   ***e)*** La vitesse maximale d'un être humain à pied : 8 km/h ; 18 km/h ; 28 km/h.

2. Écris un nombre, sous la forme décimale, qui vérifie l'énoncé.

   ***a)*** $■ \times \frac{5}{6} \approx 2$ ***b)*** $■ \times \frac{9}{4} \approx 2{,}3$ ***c)*** $■ + 80\ \% = 95\ \%$ ***d)*** $■ \times 10\ \% = 1$

3. En utilisant les nombres 1, 2, 3 et 4 exactement une fois, compose deux fractions qui vérifient les énoncés suivants.

   ***a)*** $1 < \frac{■}{■} + \frac{■}{■} < 2$ ***b)*** $1 < \frac{■}{■} - \frac{■}{■} < 2$ ***c)*** $1 < \frac{■}{■} \times \frac{■}{■} < 2$ ***d)*** $1 < \frac{■}{■} \div \frac{■}{■} < 2$

4. Calcule à partir de l'information donnée.

   ***a)*** Si $2^6 = 64$, alors $2^8 = ■$.
   ***b)*** Si $12 \times 15 = 180$, alors $13 \times 15 = ■$.
   ***c)*** Si $\frac{3}{11} = 0{,}2727...$, alors $\frac{6}{11} = ■$.
   ***d)*** Si $\sqrt{5} = 2{,}236...$, alors $\frac{\sqrt{5}}{2} = ■$.

5. Vrai ou faux ?

   ***a)*** $\frac{\sqrt{100}}{\sqrt{10}} = 10$ ***b)*** $\sqrt{9} + \sqrt{16} = \sqrt{25}$ ***c)*** $\frac{\sqrt{400}}{\sqrt{4}} = 10$ ***d)*** $\sqrt{25} + \sqrt{25} = \sqrt{50}$

•••••••••••••••••••••••••••

6. Dans chaque cas, estime la mesure de l'hypoténuse *c*.

   ***a)*** Si $a = 8$ et $b = 10$. ***b)*** Si $a = 10$ et $b = 20$.
   ***c)*** Si $a = 20$ et $b = 20$. ***d)*** Si $a = 30$ et $b = 40$.

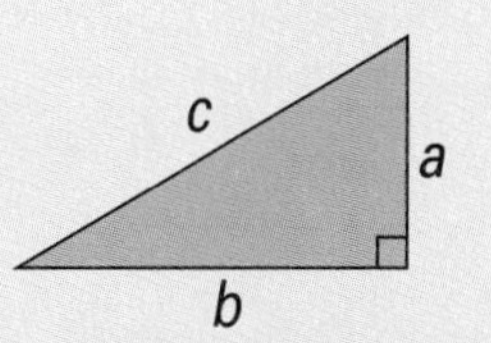


7. Judith a besoin de 8 l de peinture pour peindre sa chambre. Le litre se vend 8,75 $. La taxe est d'environ 15 %. Combien lui remet-on si elle paie avec un billet de 100 $ ?

8. Marie a investi 42 000 $ dans un commerce. Ses deux partenaires ont investi respectivement 30 000 $ et 25 000 $. S'ils ont fait 30 000 $ de profit, quelle somme Marie est-elle en droit de s'attendre de ce profit ?

# PROPRIÉTÉS DES TRANSFORMATIONS

En associant des figures à d'autres figures, on découvre des propriétés tout à fait remarquables.

## Propriété 1 : Conservation de l'orientation du plan ou des figures dans le plan

Voici deux transformations du plan définies à l'aide des règles suivantes :

$T_1 : (x, y) \mapsto (2 - x, y + 3)$ $\qquad$ $T_2 : (x, y) \mapsto (1 - y, x + 1)$

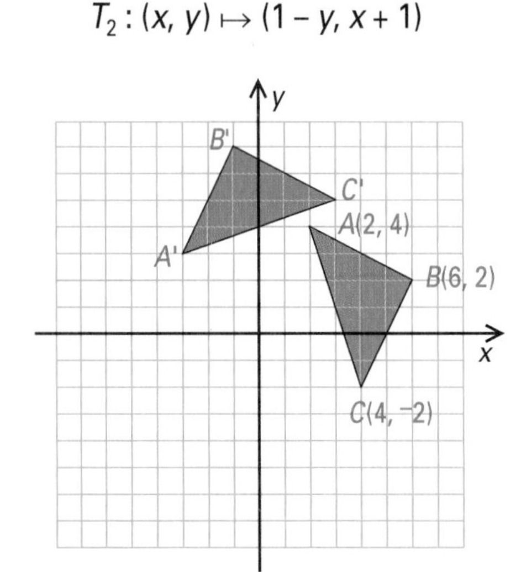


***a)*** Pour la première transformation, si l'on passe de *A* à *B* puis à *C*, on tourne dans le sens des aiguilles d'une montre. Le sens de rotation est-il le même si l'on passe de *A'* à *B'* puis à *C'* ?

***b)*** Pour la deuxième transformation, si l'on passe de *A* à *B* puis à *C*, on tourne dans le sens des aiguilles d'une montre. Le sens de rotation est-il le même si l'on passe de *A'* à *B'* puis à *C'* ?

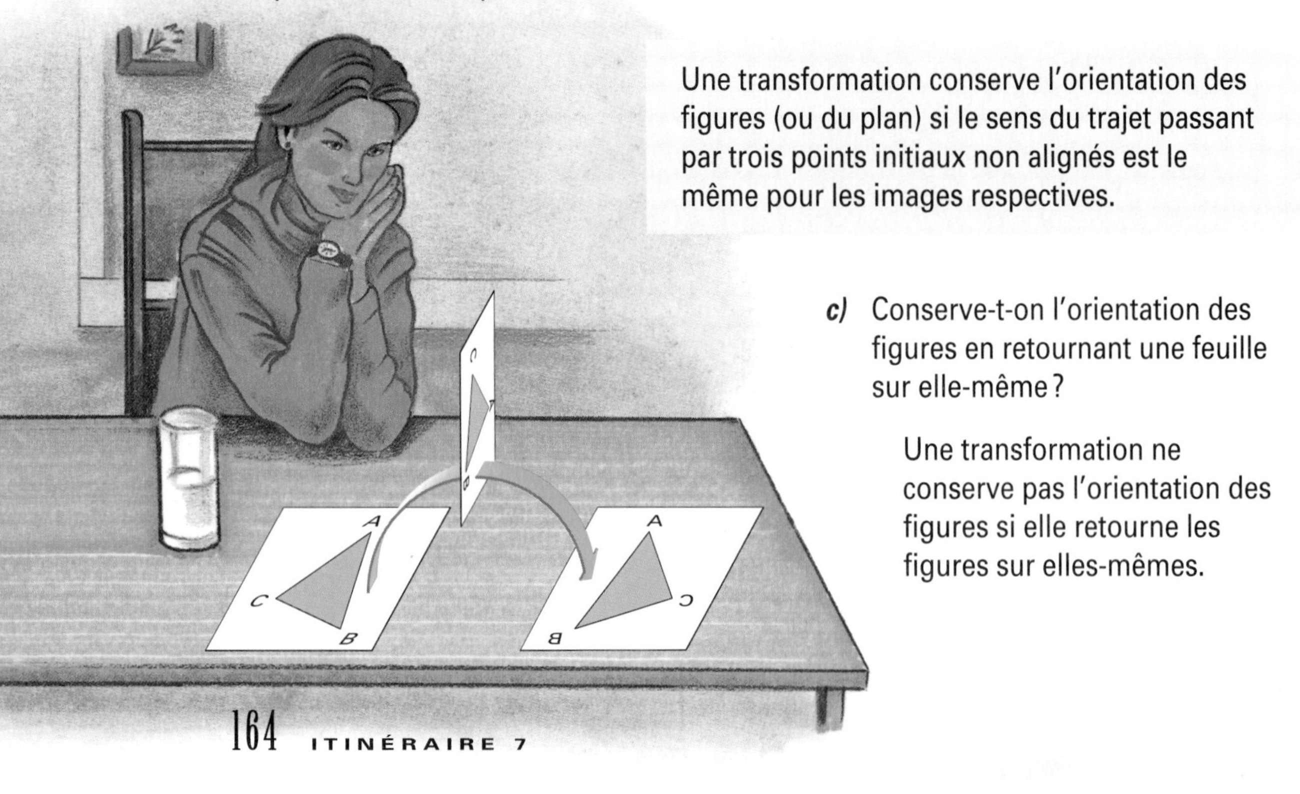

Une transformation conserve l'orientation des figures (ou du plan) si le sens du trajet passant par trois points initiaux non alignés est le même pour les images respectives.

***c)*** Conserve-t-on l'orientation des figures en retournant une feuille sur elle-même ?

Une transformation ne conserve pas l'orientation des figures si elle retourne les figures sur elles-mêmes.

## Propriété 2 : Conservation de la colinéarité

*d)* On définit une transformation du plan et on donne trois points alignés. Trouve l'image de ces trois points dans chaque cas.

$T_3 : (x, y) \mapsto (x^2, y + 1)$ $T_4 : (x, y) \mapsto (2x, y - 2)$

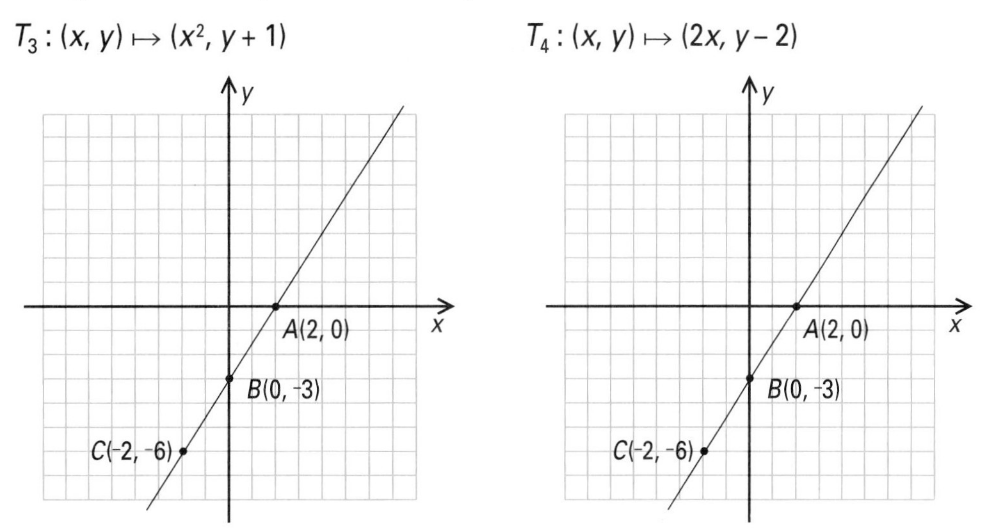


*e)* Dans chaque cas, les points *A*, *B* et *C* sont alignés. Leurs images sont-elles alignées ?

Une transformation conserve la colinéarité si elle transforme ou associe toute droite à une droite.

*f)* Laquelle des deux transformations précédentes conserve la colinéarité ?

*g)* On définit deux transformations du plan. Trouve l'image de la droite donnée dans chaque cas. Dans quel cas la droite et son image sont-elles parallèles ?

$T_5 : (x, y) \mapsto (2x, 2y)$ $T_6 : (x, y) \mapsto (1 - x, y - 2)$

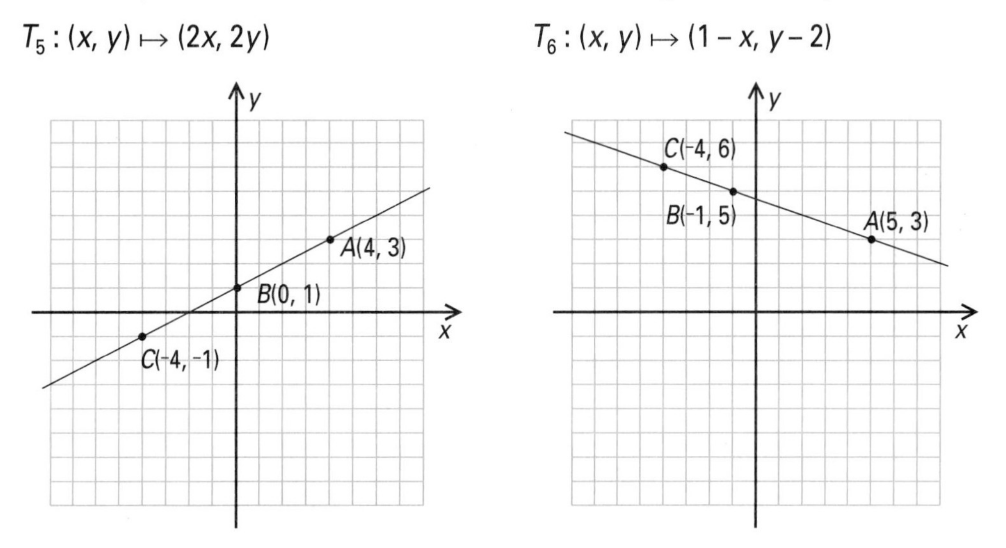


Certaines transformations associent une droite non seulement à une droite, mais à une **droite qui lui est parallèle**. La propriété est alors beaucoup plus remarquable.

## Propriété 3 : Conservation du parallélisme

***h)*** Dans chaque cas, on donne un parallélogramme et son image par une transformation. Indique si le parallélisme dans les figures a été conservé.

1) $T_7$ 2) $T_8$

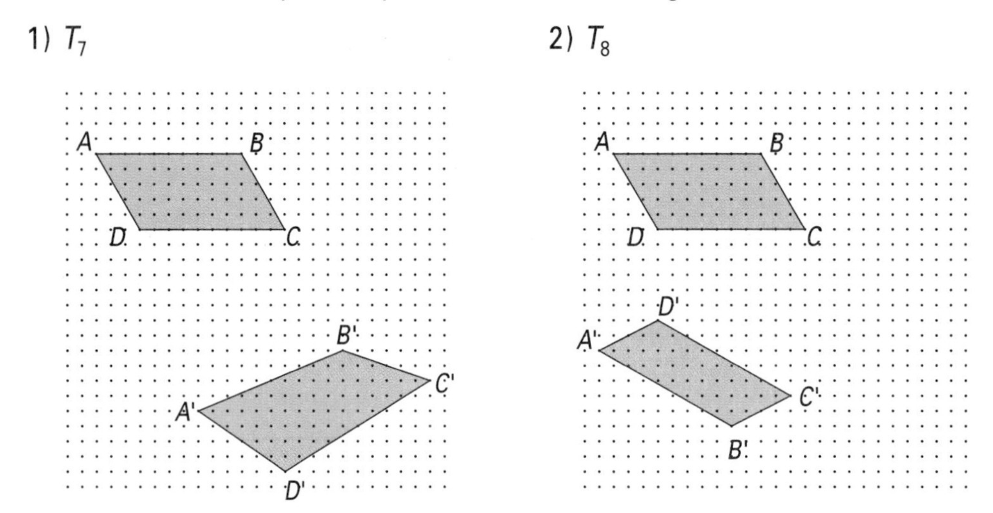

Une transformation conserve le parallélisme si elle transforme des segments ou des droites parallèles en segments ou en droites parallèles.

## Propriété 4 : Conservation de la perpendicularité

***i)*** Indique si la transformation donnée associe les segments perpendiculaires à des segments perpendiculaires.

1) $T_9 : (x, y) \mapsto (-x, y - 4)$ 2) $T_{10} : (x, y) \mapsto (2x, 2y)$

y
I
G
T
1
E
I'
0 1
x
T'
G'
E'

y
1
C
U 0 1
x
C'
U'
E
V
E'
V'

Une transformation conserve la perpendicularité si elle transforme des segments ou des droites perpendiculaires en segments ou en droites perpendiculaires.

## Propriété 5 : Points fixes et figures invariantes

Certaines transformations associent des points à eux-mêmes. Ces points constituent des **points fixes.** Les points fixes sont des points qui sont leur propre image.

Certaines transformations gardent également des figures **invariantes.**

On entend par figures invariantes des figures dont les points initiaux et les points images constituent le même ensemble de points.

Une figure est dite **invariante point par point** si elle est formée de points fixes. Elle est dite **globalement invariante** si les points initiaux et les points images sont les mêmes points sans être tous leur propre image.

*j)* On donne ici une réflexion. Dans cette transformation, nomme :

1) deux points fixes ;
2) une droite invariante point par point ;
3) une droite invariante globalement ;
4) une figure globalement invariante.

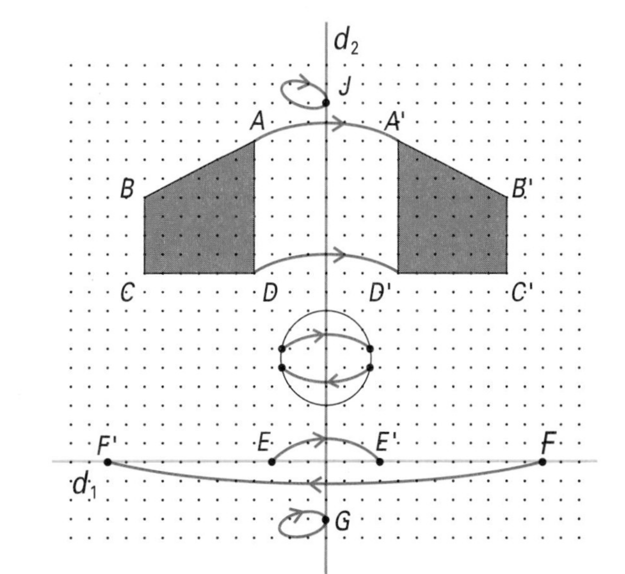


*k)* Considérons la rotation $r_{(O,\ 180°)}$. Dans cette transformation, décris s'il y a lieu :

1) des points fixes ;
2) des droites invariantes point par point ;
3) des droites invariantes globalement ;
4) des figures invariantes (point par point ou globalement).

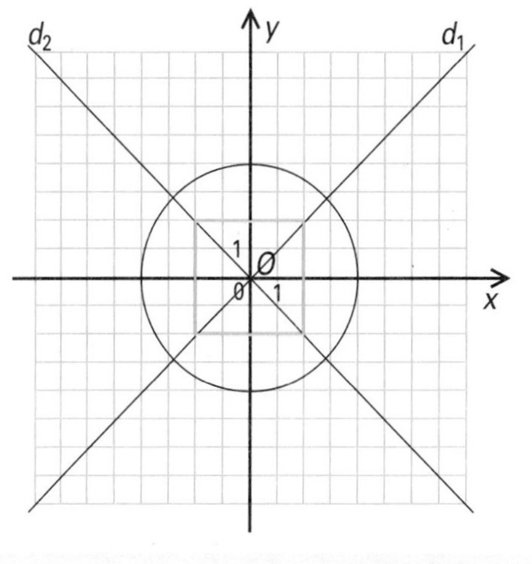


L'existence de points fixes ou de figures invariantes est une propriété importante de certaines transformations.

## Propriété 6 : Conservation des mesures des angles

*l)* On définit deux transformations du plan et on donne deux angles. Trouve l'image de chacun.

1) $T_{11} : (x, y) \mapsto (\text{-}y + 4, x - 3)$

2) $T_{12} : (x, y) \mapsto (2x, \frac{y}{2})$

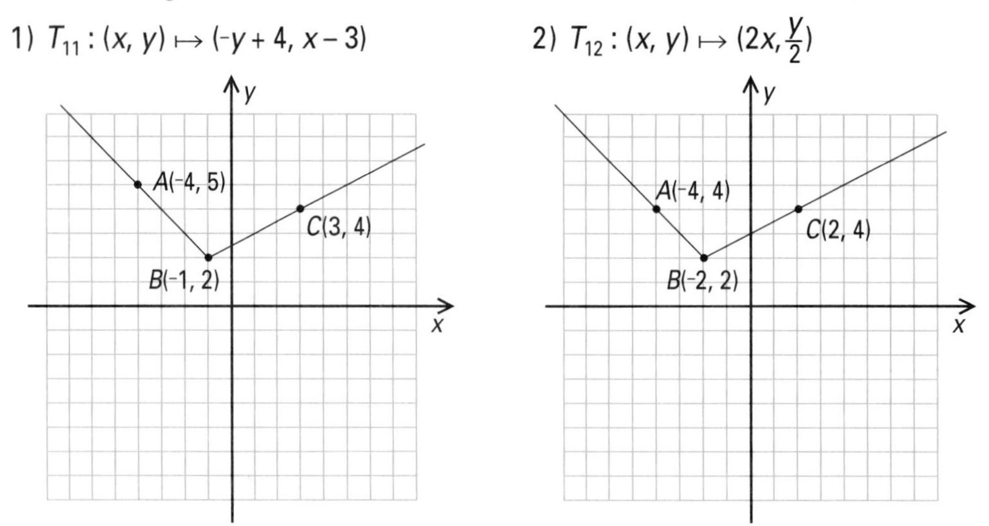


*m)* Laquelle des deux transformations précédentes a conservé la mesure de l'angle donné ?

Certaines transformations conservent les mesures des angles, d'autres non.

Une transformation conserve les mesures des angles lorsqu'elle associe tout angle à un angle qui a la même mesure.

## Propriété 7 : Conservation des distances

*n)* On définit deux transformations du plan. Dans chaque cas, trouve l'image du segment donné.

1) $T_{13} : (x, y) \mapsto (2 - x, y - 2)$

2) $T_{14} : (x, y) \mapsto (2x, 2y)$

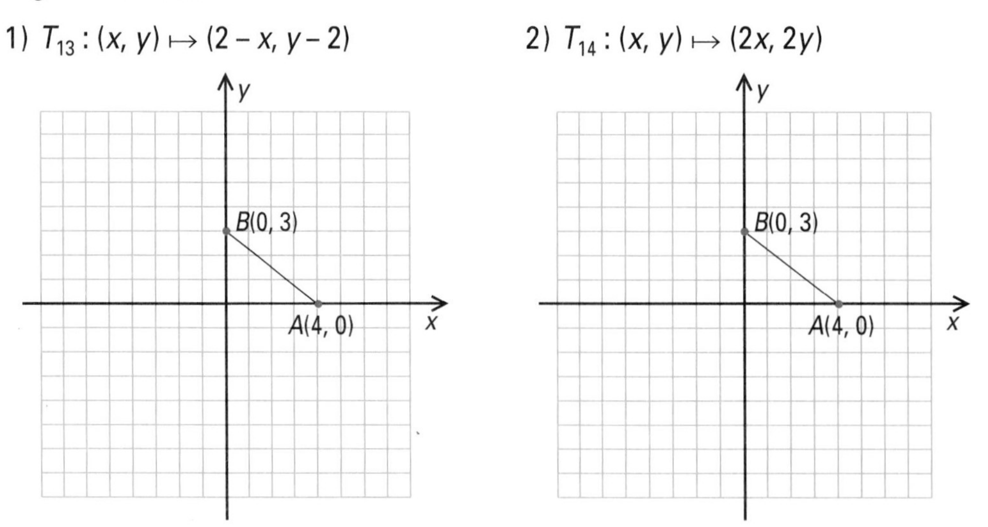


*o)* Laquelle des deux transformations précédentes a conservé la distance entre les points ? Justifie ta réponse à l'aide de la relation de Pythagore.

Certaines transformations conservent les distances entre les points, d'autres non.

Une transformation qui conserve les distances associe des segments qui ont la même mesure.

La **conservation des distances** est une propriété très importante qui a des conséquences majeures sur les figures. En effet, toutes les transformations qui conservent les distances entre les points mettent en relation des figures dites **congrues** ou **isométriques** (mêmes mesures). Pour cette raison, on donne le nom d'**isométries** aux transformations qui conservent les distances entre les points.

On appelle **figures isométriques** des figures qui peuvent être associées par une isométrie.

On pourrait prolonger la liste des propriétés des transformations, par exemple la conservation de l'ordre des points ou le parallélisme des traces des points.

On entend par **trace d'un point** la droite qui passe par ce point et son image. Dans certaines transformations, les traces peuvent être parallèles ou sécantes, parfois même concourantes en un même point.

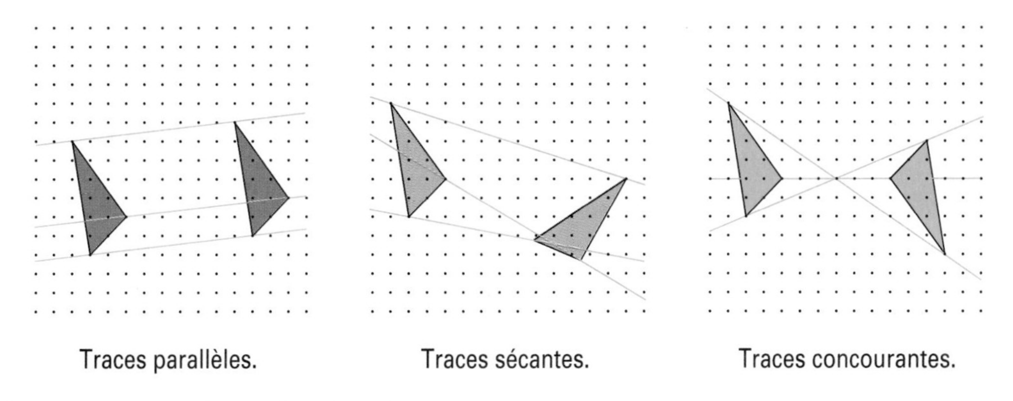

Traces parallèles. Traces sécantes. Traces concourantes.

On considère qu'un point fixe n'a pas de trace.

JOGGING

**1** On donne des figures et leur image par une transformation. Indique si ces transformations conservent l'orientation des figures.

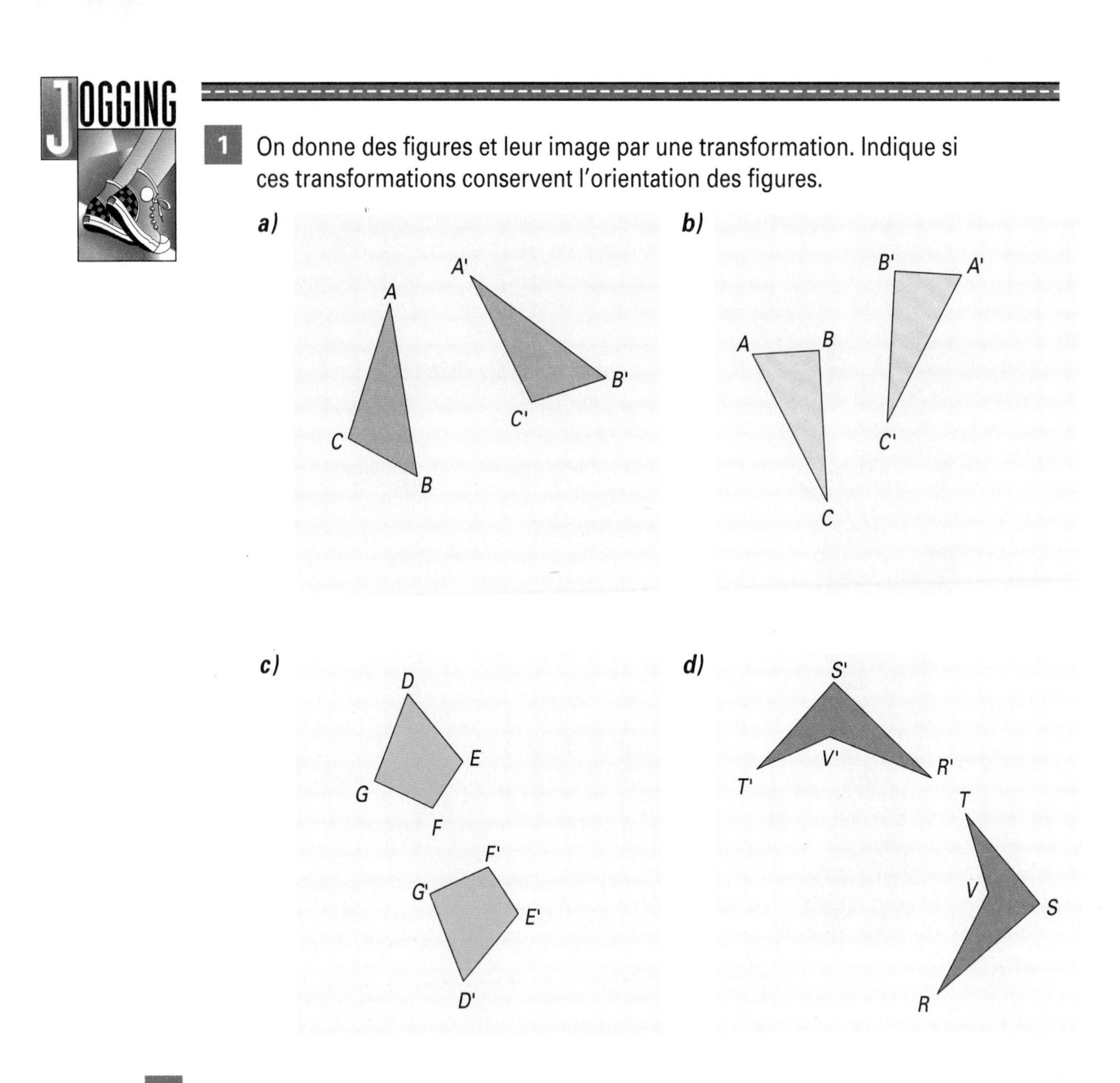


**2** On donne des figures et leur image par une transformation. Indique si les traces des sommets dans ces transformations sont parallèles ou sécantes.

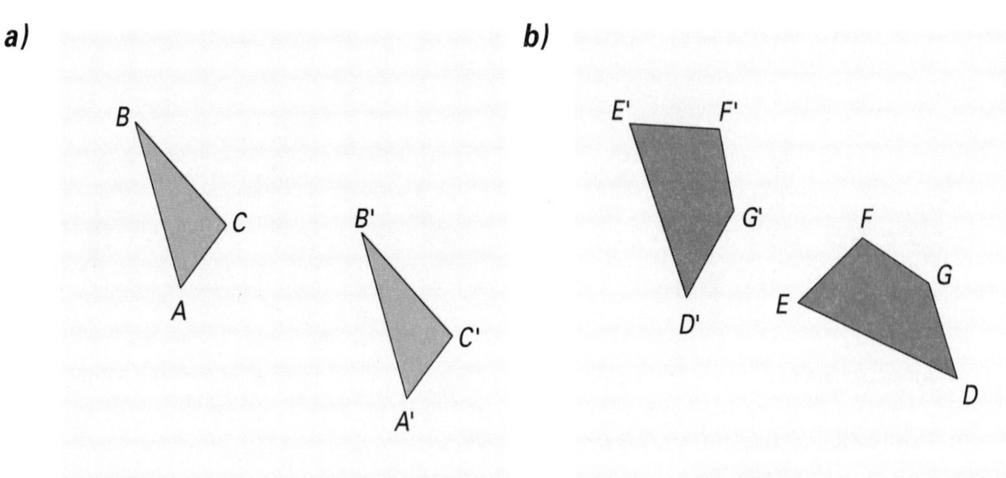

# FEUILLE DE TRAVAIL 12

**3** Indique si ces transformations conservent la colinéarité, c'est-à-dire si elles transforment des droites en droites.

***a)*** $T_1 : (x, y) \mapsto (2x, \frac{y}{2})$

***b)*** $T_2 : (x, y) \mapsto (x + 2, y + 3)$

***c)*** $T_3 : (x, y) \mapsto (0, y - 2)$

***d)*** $T_4 : (x, y) \mapsto (|x|, y + 2)$

***e)*** $T_5 : (x, y) \mapsto (x, 0)$

***f)*** $T_6 : (x, y) \mapsto (x^2, y^2)$

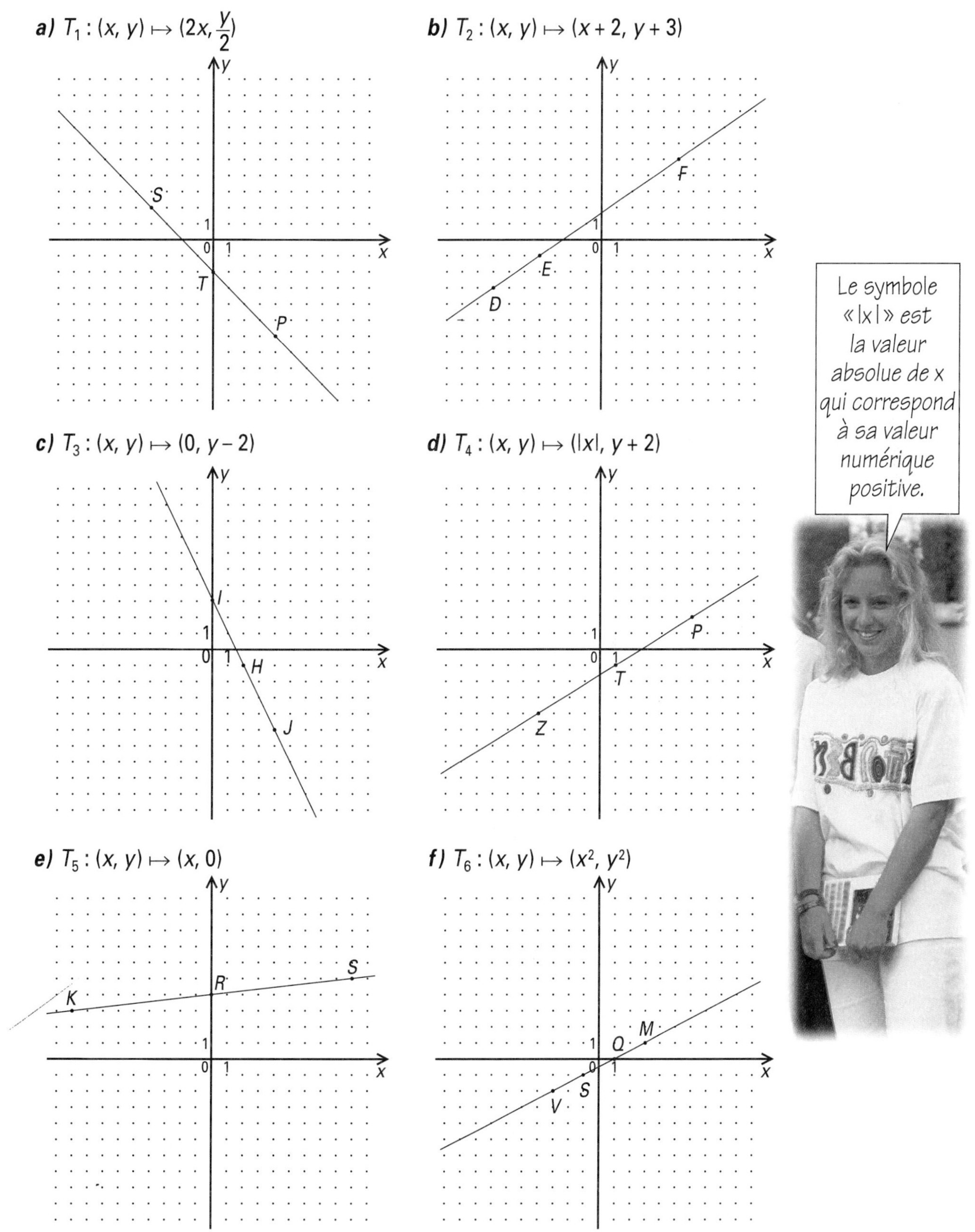

**4** Trace les images de chaque figure et indique si ces transformations conservent le parallélisme et la perpendicularité dans les figures.

***a)*** $T_1 : (x, y) \mapsto (-x, y - 2)$

***b)*** $T_2 : (x, y) \mapsto (\frac{x}{2}, 2y)$

***c)*** $T_3 : (x, y) \mapsto (-x + 2, y - 2)$

***d)*** $T_4 : (x, y) \mapsto (-y, -x)$

**5** Trace les images de chaque segment et indique si ces transformations conservent la distance entre les points.

***a)*** $T_1 : (x, y) \mapsto (x + 2, y - 3)$

***b)*** $T_2 : (x, y) \mapsto (2x, y)$

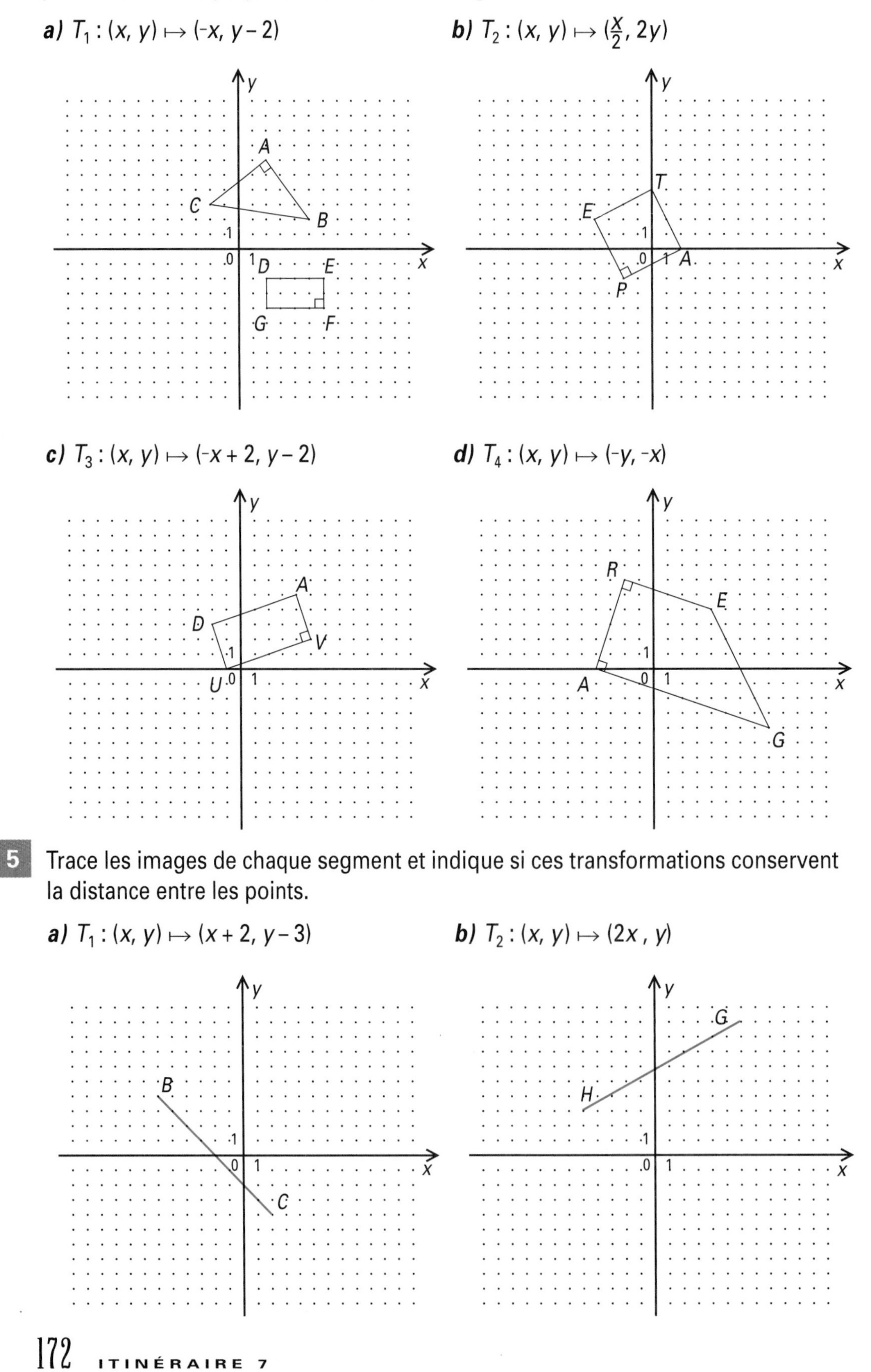

**6** Soit la transformation définie comme suit : $T: (x, y) \mapsto (2x, 2y)$.

***a)*** Trouve l'image de $N$ et $P$.

***b)*** Trace $T(\Delta\ XYZ)$.

***c)*** Trace $T(\square ABCD)$.

***d)*** Peut-on affirmer que $T$ transforme une droite en une droite ?

***e)*** Peut-on affirmer que toute droite est transformée en une droite parallèle ?

***f)*** Cette transformation conserve-t-elle le parallélisme dans les figures ?

***g)*** Cette transformation conserve-t-elle les mesures des angles ?

***h)*** Cette transformation conserve-t-elle les distances ?

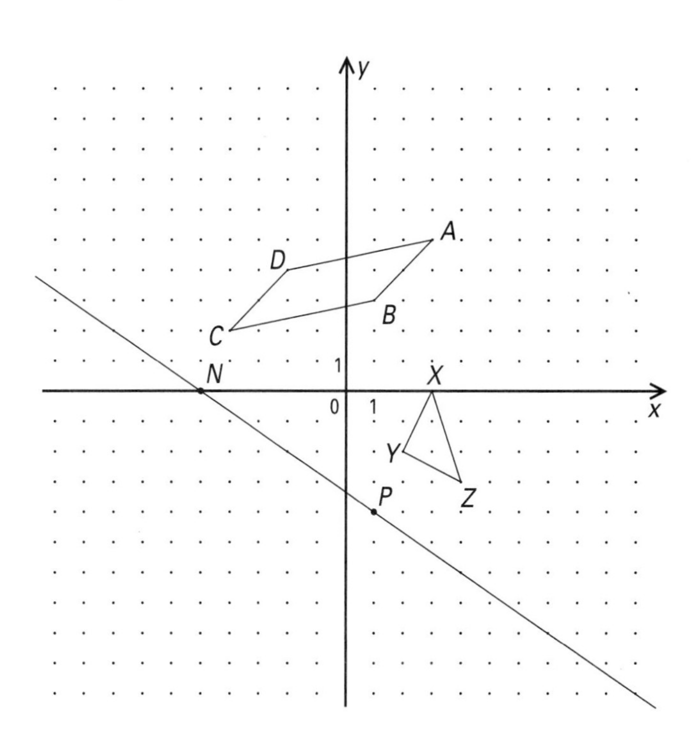


**7** Soit la transformation suivante :
$T: (x, y) \mapsto (-x - 2, y + 3)$.

***a)*** Trace l'image de chaque figure.

***b)*** Donne les propriétés de cette transformation.

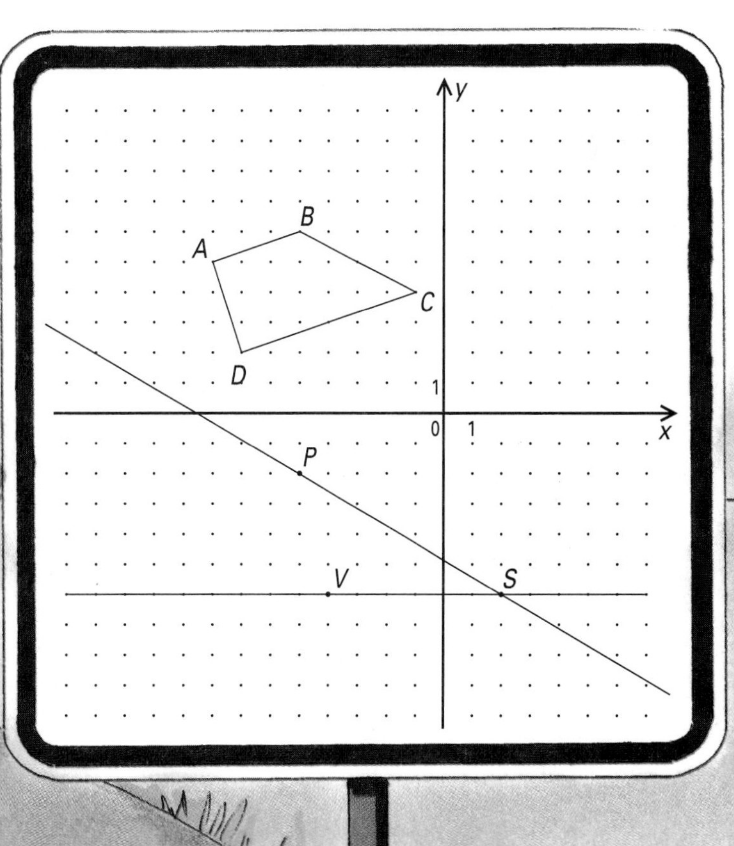

**8** On donne la transformation définie par la règle
$T: (x, y) \mapsto (-2x + 2, -2y + 3)$.

***a)*** Trace l'image des figures données par cette transformation.

***b)*** Donne la liste des propriétés de cette transformation.

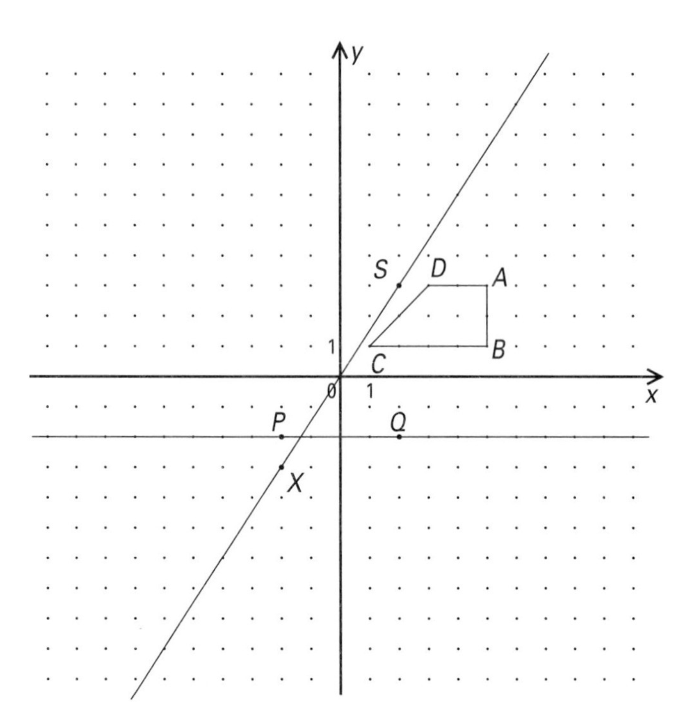


**9** Certaines transformations peuvent conserver le parallélisme dans les figures sans conserver la perpendicularité. Qu'en est-il pour la transformation suivante ? Chaque point a son image sur une parallèle à la droite $d_1$ de sorte que $d_2$ coupe le segment joignant un point et son image en son milieu.

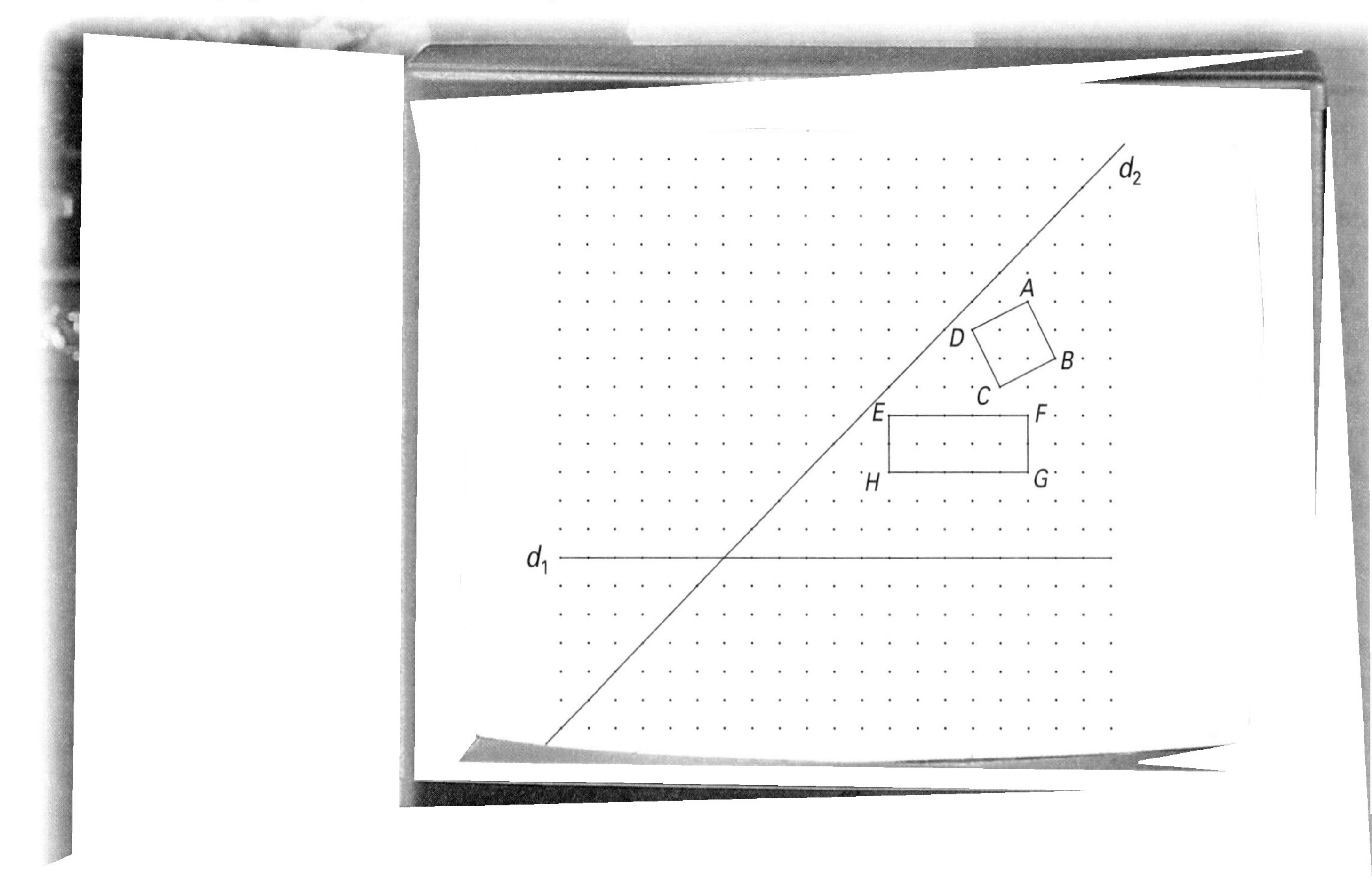

**10** Peut-on imaginer une transformation qui :

***a)*** conserve le parallélisme dans les figures mais ne transforme pas une droite en une droite parallèle ?

***b)*** associe toute droite à une droite parallèle mais ne conserve pas le parallélisme ?

**11** Une transformation qui associe toute droite à une droite parallèle respecte-t-elle nécessairement la perpendicularité dans les figures ?

**12** Voici une translation définie par la règle $t : (x, y) \mapsto (x + 2, y + 4)$.

***a)*** Laquelle des droites données est une droite invariante ?

***b)*** Cette droite est-elle invariante point par point ou globalement ?

***c)*** Décris une autre droite qui n'est pas illustrée et qui est invariante sous cette translation.

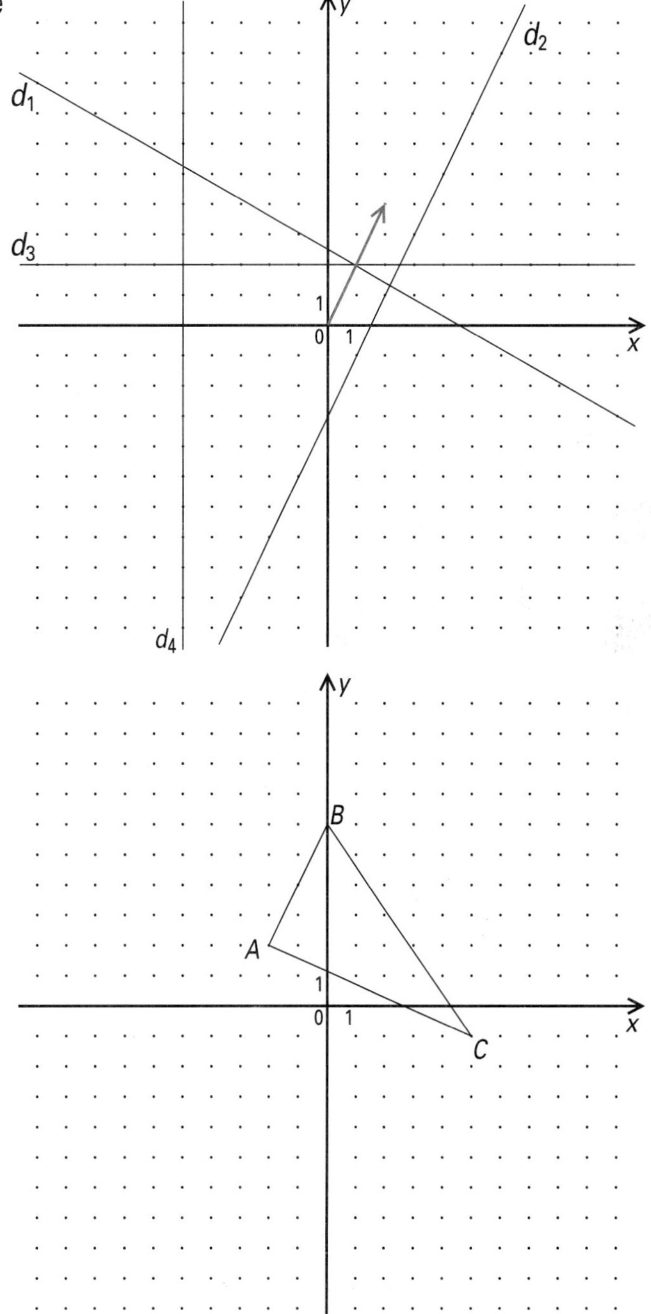


**13** On définit la translation suivante : $t : (x, y) \mapsto (x + 0, y + 0)$.

***a)*** Donne les coordonnées de l'image de l'origine.

***b)*** Quelle est l'image du $\Delta\, ABC$ par cette translation ?

***c)*** Décris les invariants de cette translation.

***d)*** Quel autre nom donne-t-on à *t* ?

**14** On définit la réflexion
$s : (x, y) \mapsto (x, -y)$.

***a)*** Décris la droite qui demeure invariante point par point.

***b)*** Décris ou identifie une droite invariante globalement.

***c)*** L'origine est-elle un point fixe sous cette réflexion ?

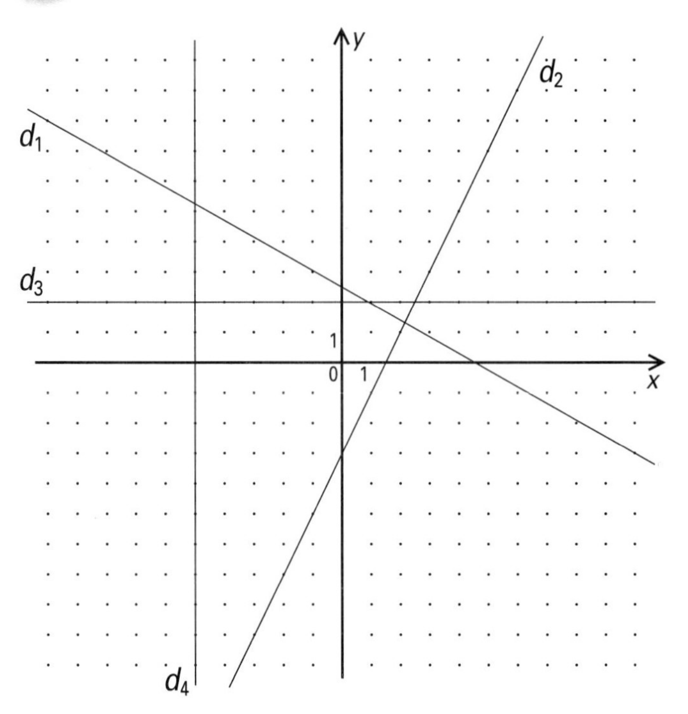


**15** On définit la rotation $r_{(O,-90°)} : (x, y) \mapsto (y, -x)$.

***a)*** Parmi les droites représentées, laquelle est invariante ?

***b)*** Cette transformation a-t-elle un point fixe ?

***c)*** Peut-on définir une rotation qui a l'origine comme centre et qui aurait au moins une droite invariante ? Si oui, décris cette rotation.

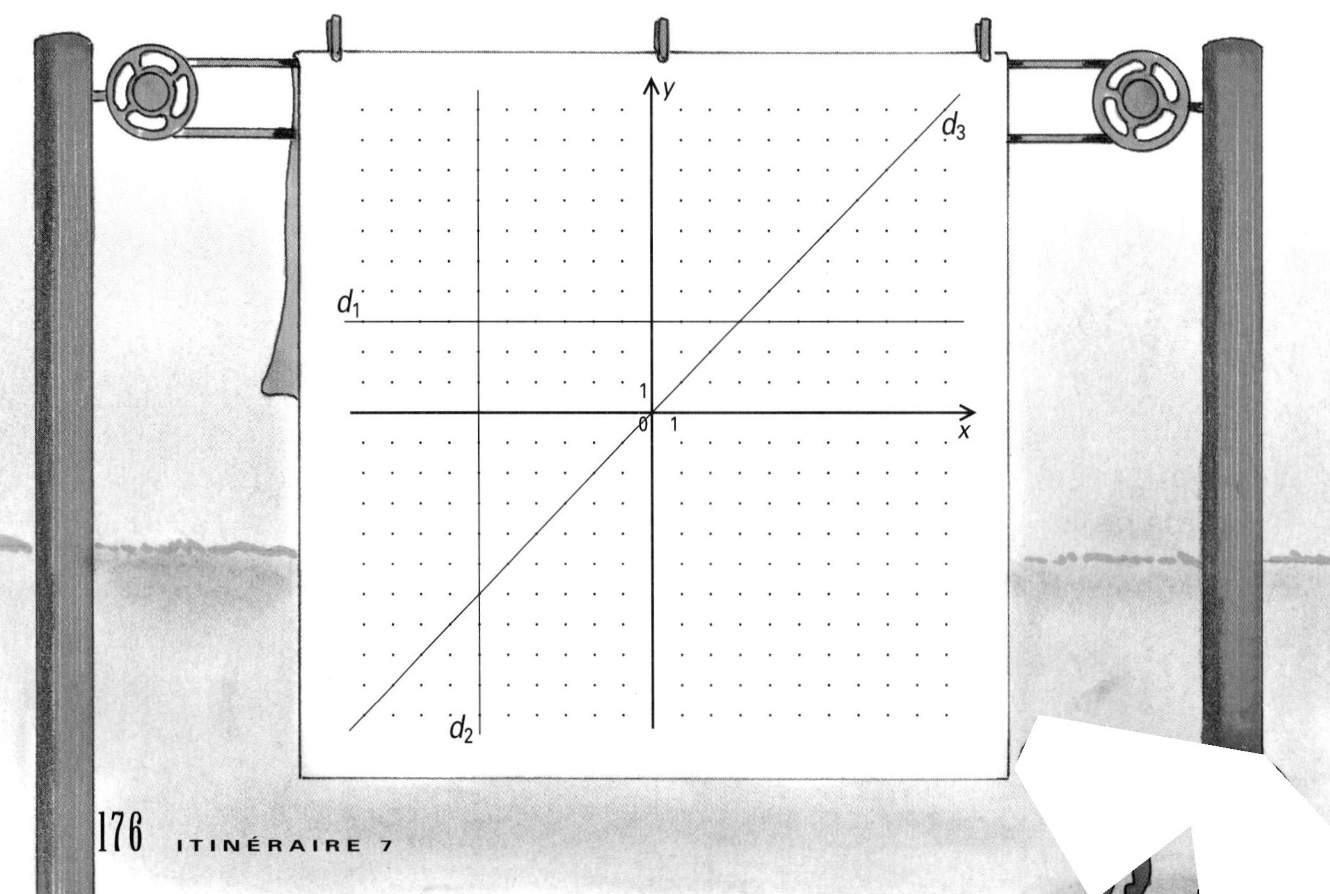

**16** En faisant différentes vérifications, donne la liste des propriétés des translations.

**17** En faisant différentes vérifications, donne la liste des propriétés des rotations.

**18** En faisant différentes vérifications, donne la liste des propriétés des réflexions.

**19** Dans ton *Carnet de voyage*, dresse un tableau des propriétés des translations, des rotations et des réflexions.

| Propriétés | Translation | Rotation | Réflexion |
|---|---|---|---|
| Conserve l'orientation du plan et des figures. | Oui | | |
| Transforme une droite en une droite. | | | |
| Transforme une droite en une droite parallèle. | | | |
| Conserve le parallélisme dans les figures. | | | |
| Conserve la perpendicularité dans les figures. | | | |
| Conserve les mesures des angles. | | | |
| Conserve les distances ou les mesures des segments. | | | |

## LES VISAGES DES TRANSFORMATIONS

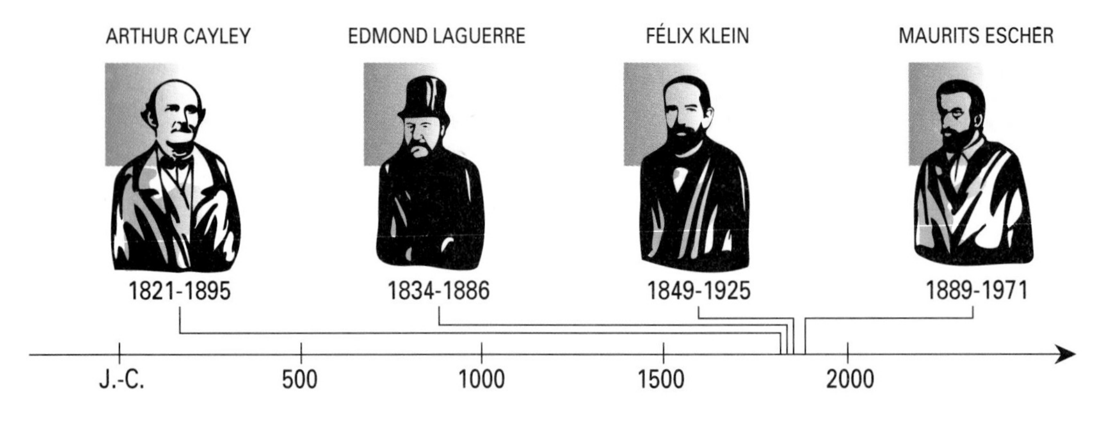


La géométrie est l'une des branches les plus anciennes des mathématiques. Science des figures de l'espace, elle s'est longtemps penchée sur l'étude des relations entre les points, les droites, les courbes, les figures planes et les figures de l'espace. Jusqu'au XVIII<sup>e</sup> siècle, la géométrie fut la géométrie d'Euclide.

À la fin du XIXe siècle, Hilbert donna à la géométrie un fondement solide en l'assoyant sur un système d'axiomes dont l'un est le cinquième postulat d'Euclide. En retirant ou en remplaçant ce postulat de cette théorie, on obtient de nouveaux types de géométrie (géométrie projective, géométrie de Reimann, etc.).

À partir de ce moment-là, la géométrie accomplit un progrès décisif. Ce progrès fut marqué par les travaux de Laguerre, Cayley et Klein, qui découvrirent le rôle essentiel joué par les transformations en géométrie euclidienne.

## LES CONNAISSEZ-VOUS ?

Parmi ces mathématiciens, identifiez celui qui :

***a)*** est considéré comme le premier qui donna une vraie définition de la géométrie en affirmant qu'elle est la science qui étudie les propriétés communes aux figures isométriques et aux figures semblables ;

***b)*** fut un graveur et un dessinateur méconnu chez les artistes et célèbre chez les scientifiques. Il pénétra les secrets de l'univers de la géométrie par ses dessins ;

***c)*** a joué un rôle important dans le développement de la « mathématique moderne » et particulièrement de la géométrie des transformations. En appliquant à la géométrie la notion de groupe, il fit connaître le groupe des isométries et le groupe des similitudes. Il développa également le calcul matriciel ;

***d)*** allia le premier la géométrie métrique basée sur les mesures d'angles et de segments à la géométrie des transformations. Cette idée fut reprise par Cayley.

## CURIOSITÉS

***a)*** Observe chacune de ces oeuvres de Escher et décris quelques paradoxes et propriétés géométriques que tu y observes.

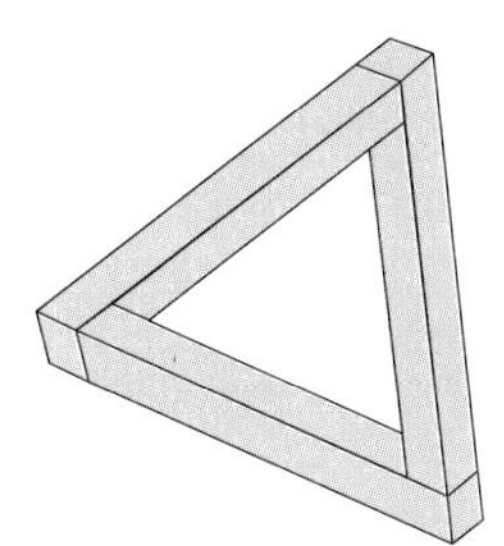

*Tripoutre,* M.C. Escher.

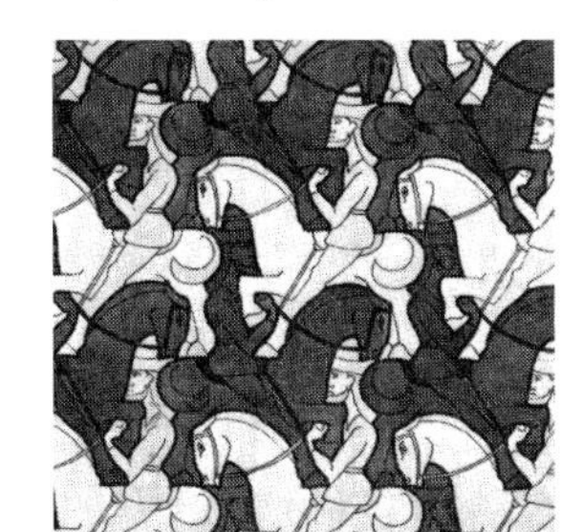

*Cavalier,* M.C. Escher.

*Jour et nuit,* M.C. Escher.

*Mouvement perpétuel,* M.C. Escher.

*Belvédère,* M.C. Escher.

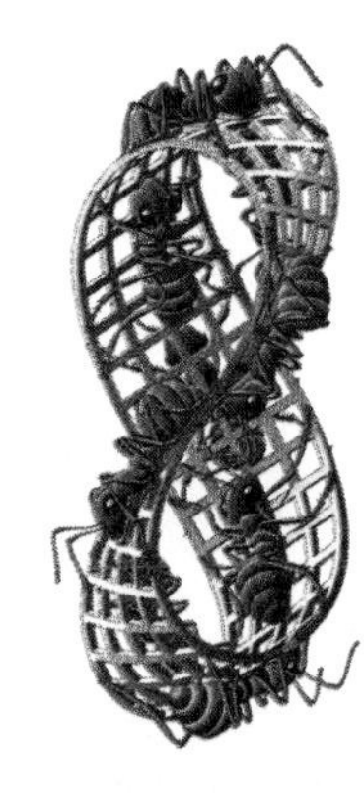

*Le ruban de Moebius,* M.C. Escher.

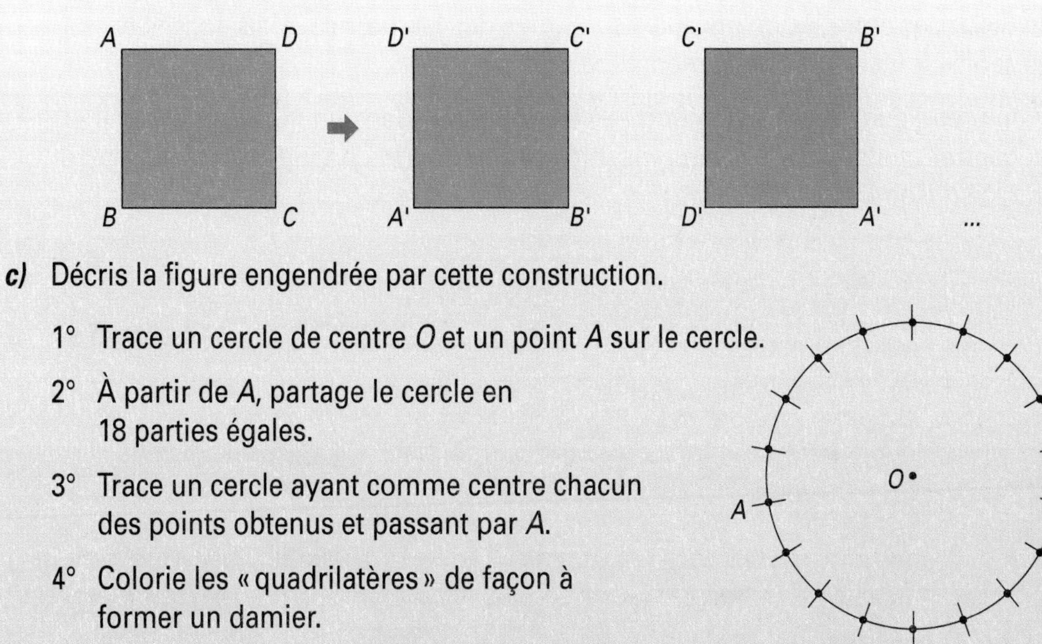

***b)*** Il existe 8 façons de déposer un carton à plat sur une feuille de telle sorte que ses côtés soient parallèles aux bords de la feuille. En voici quelques-unes. Trouve toutes les autres.



***c)*** Décris la figure engendrée par cette construction.

1° Trace un cercle de centre *O* et un point *A* sur le cercle.

2° À partir de *A*, partage le cercle en 18 parties égales.

3° Trace un cercle ayant comme centre chacun des points obtenus et passant par *A*.

4° Colorie les « quadrilatères » de façon à former un damier.

# LES ISOMÉTRIES

## LES FIGURES ISOMÉTRIQUES

Les isométries sont des transformations qui conservent les **distances** entre les points des figures. En conservant les distances entre les points, elles associent nécessairement des figures qui ont les mêmes mesures, c'est-à-dire des figures **isométriques.**

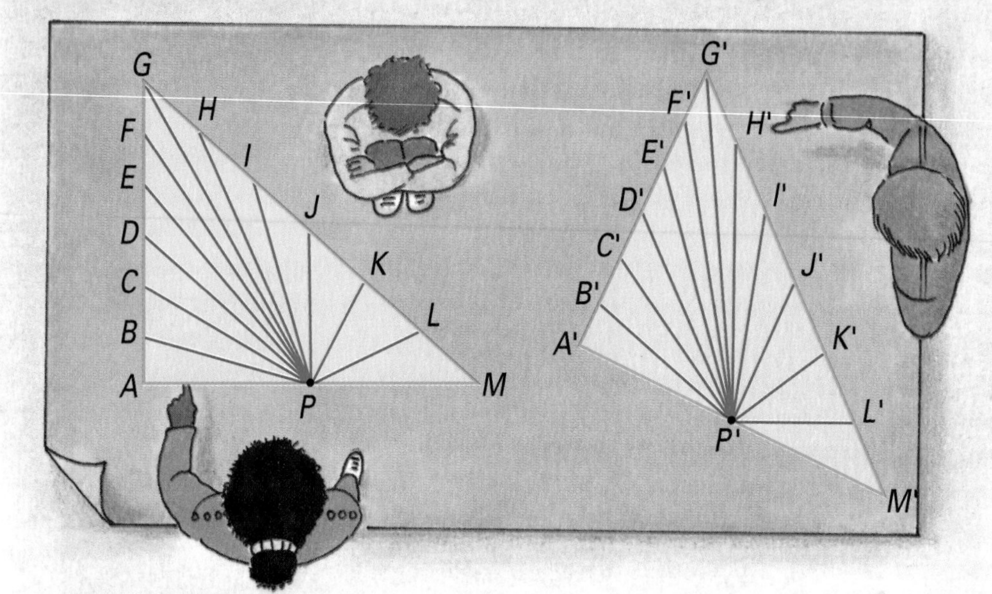


Les distances de *P* à *A, B, C, D, E, F, G, H, I, J, K, L, M*... étant respectivement les mêmes que celles de *P'* à *A', B', C', D', E', F', G', H', I', J', K', L', M'*..., les figures associées ont les mêmes mesures ou sont isométriques.

Nous savons que les **translations,** les **rotations** et les **réflexions** conservent les distances entre les points. Elles sont donc des **isométries.** Mais sont-elles les seules transformations à mériter ce nom ?

Si on prend deux figures isométriques quelconques dans un même plan, on peut rencontrer un des quatre cas représentés sur cet arbre. Chaque cas correspond à un type d'isométrie.

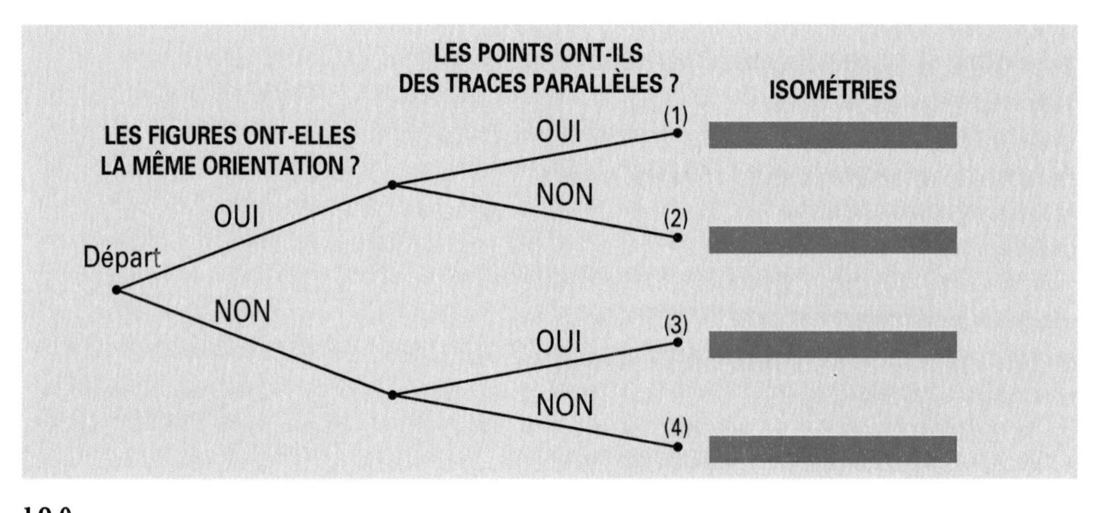

Analysons chaque cas.

## PREMIER CAS : Même orientation et traces parallèles

Voici deux figures congrues ou isométriques ayant la même orientation et des traces parallèles.

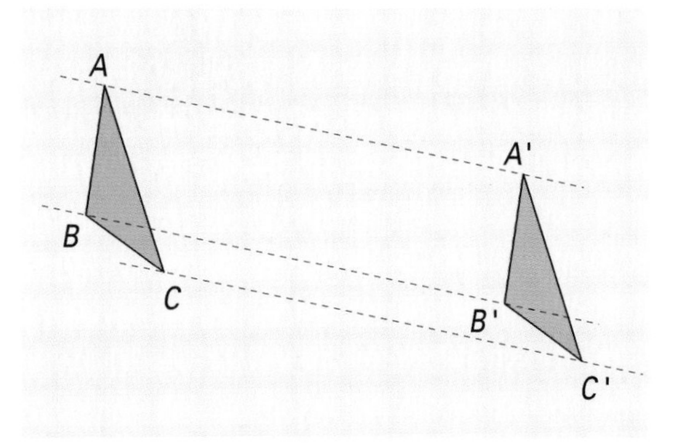


***a)*** L'identification est immédiate. De quelle isométrie s'agit-il ici ?

## DEUXIÈME CAS : Même orientation et traces non parallèles

Voici deux figures isométriques qui ont la même orientation mais qui présentent des traces qui ne sont pas parallèles.

***b)*** Traçons les médiatrices des segments reliant deux points à leur image. On détermine ainsi le centre d'une isométrie qui associe ces deux figures. De quel type d'isométrie s'agit-il ?

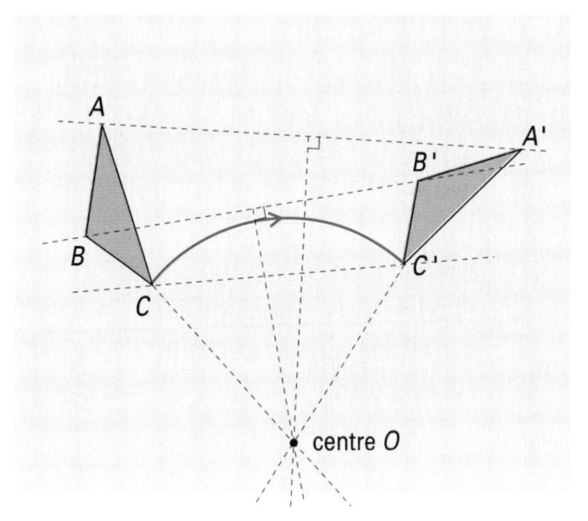

## TROISIÈME CAS : Orientation différente et traces parallèles

Voici deux figures isométriques qui n'ont pas la même orientation mais qui présentent des traces parallèles.

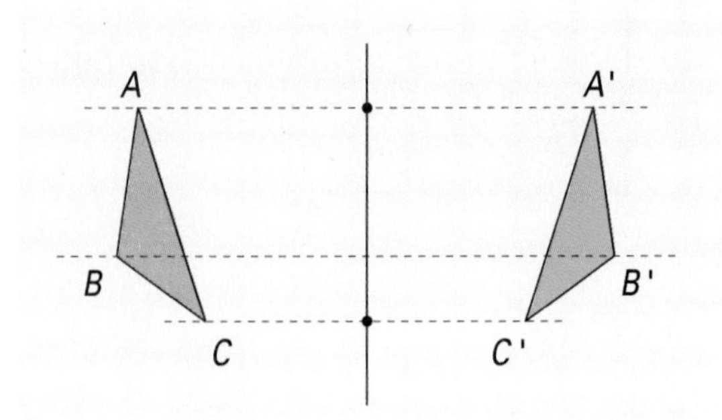


En traçant la droite passant par les points milieux des segments joignant deux points à leur image, on découvre immédiatement une isométrie.

***c)*** De quelle isométrie s'agit-il ici ?

## QUATRIÈME CAS : Orientation différente et traces non parallèles

Voici deux figures isométriques qui n'ont pas la même orientation et qui présentent des traces qui ne sont pas parallèles.

En traçant la droite qui passe par les points milieux des segments joignant deux points à leur image, on constate l'existence :

1° d'une réflexion qui associe la figure initiale à une image intermédiaire ;

2° d'une translation de direction parallèle à l'axe de la réflexion qui associe l'image intermédiaire à l'image finale.

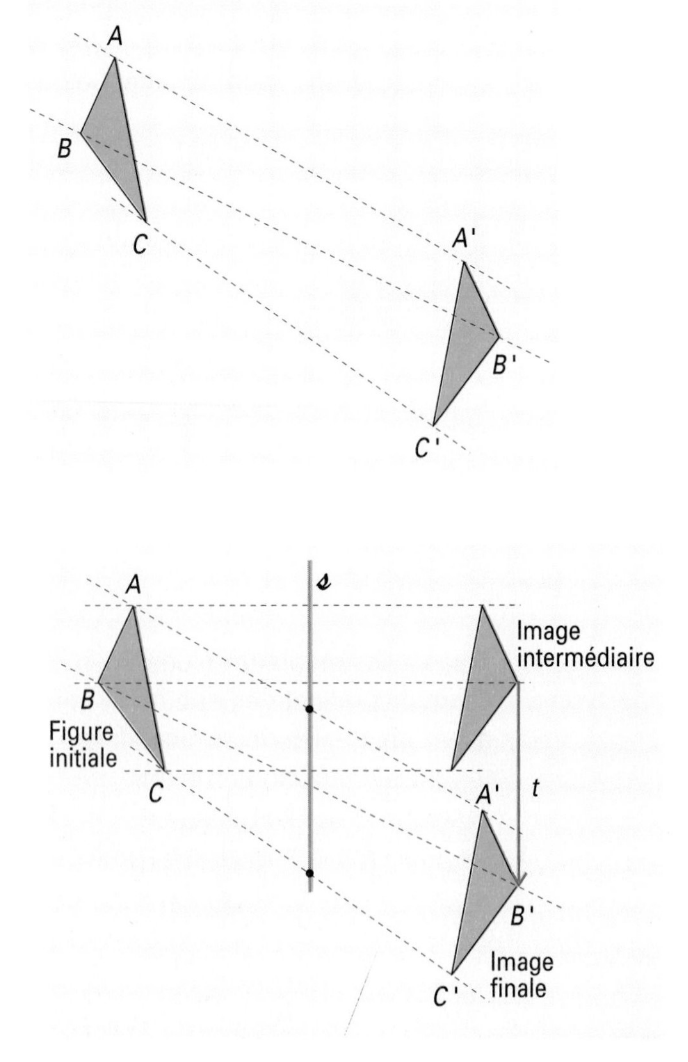


***d)*** Une telle isométrie est-elle du type des translations ? du type des rotations ? de celui des réflexions simples ?

Il s'agit ici d'un nouveau type d'isométries qu'on appelle **symétries glissées** et que l'on note ***sg***.

Ces paires d'empreintes de mains et de pieds nous fournissent de beaux exemples de réflexions et de symétries glissées.

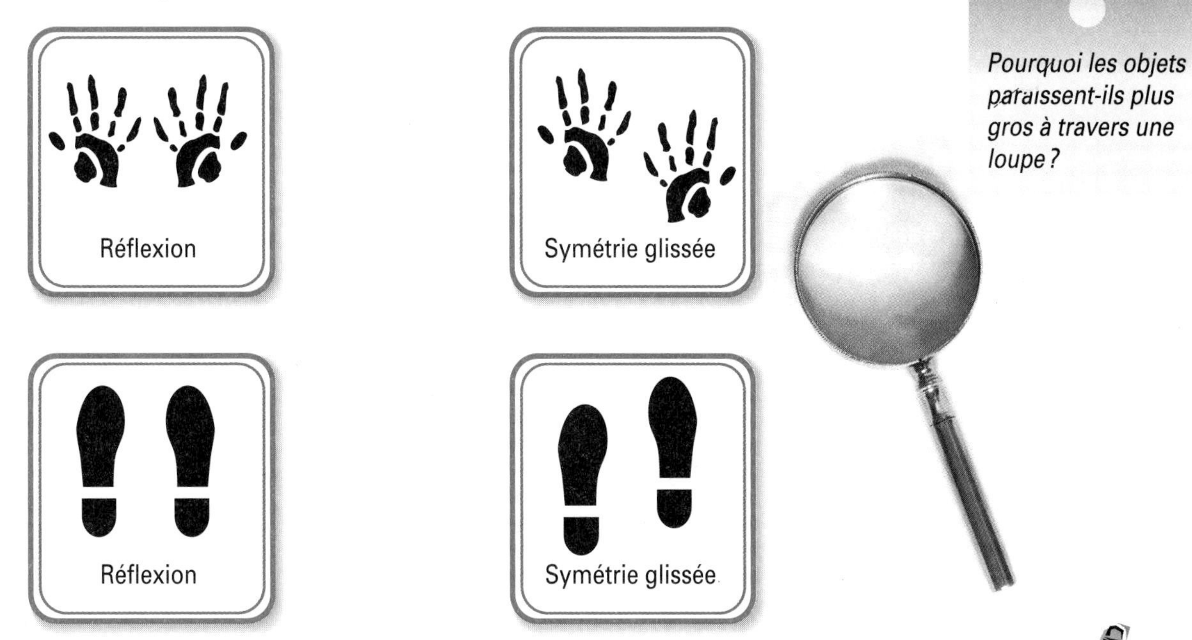


Une **symétrie glissée** est une isométrie qui est équivalente à une réflexion suivie d'une translation dont la flèche est parallèle à l'axe de réflexion ou vice versa.

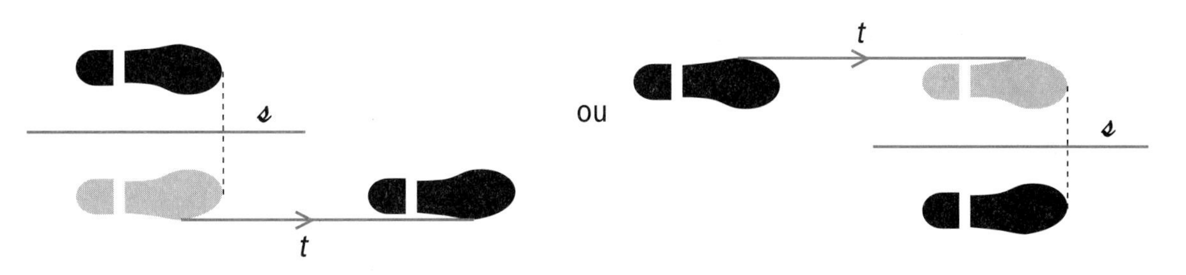


On a donc l'arbre de classification suivant pour les isométries.

**Classification des isométries**

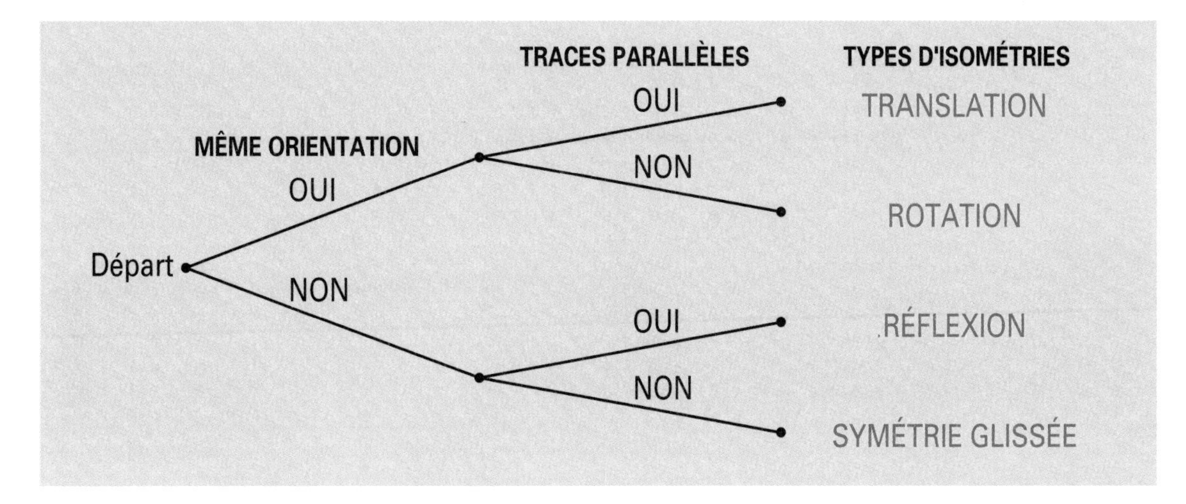

**1** On donne des paires de figures isométriques. Détermine si les figures ont la même orientation et reproduis les traces des sommets. Donne le nom de l'isométrie qui les associe.

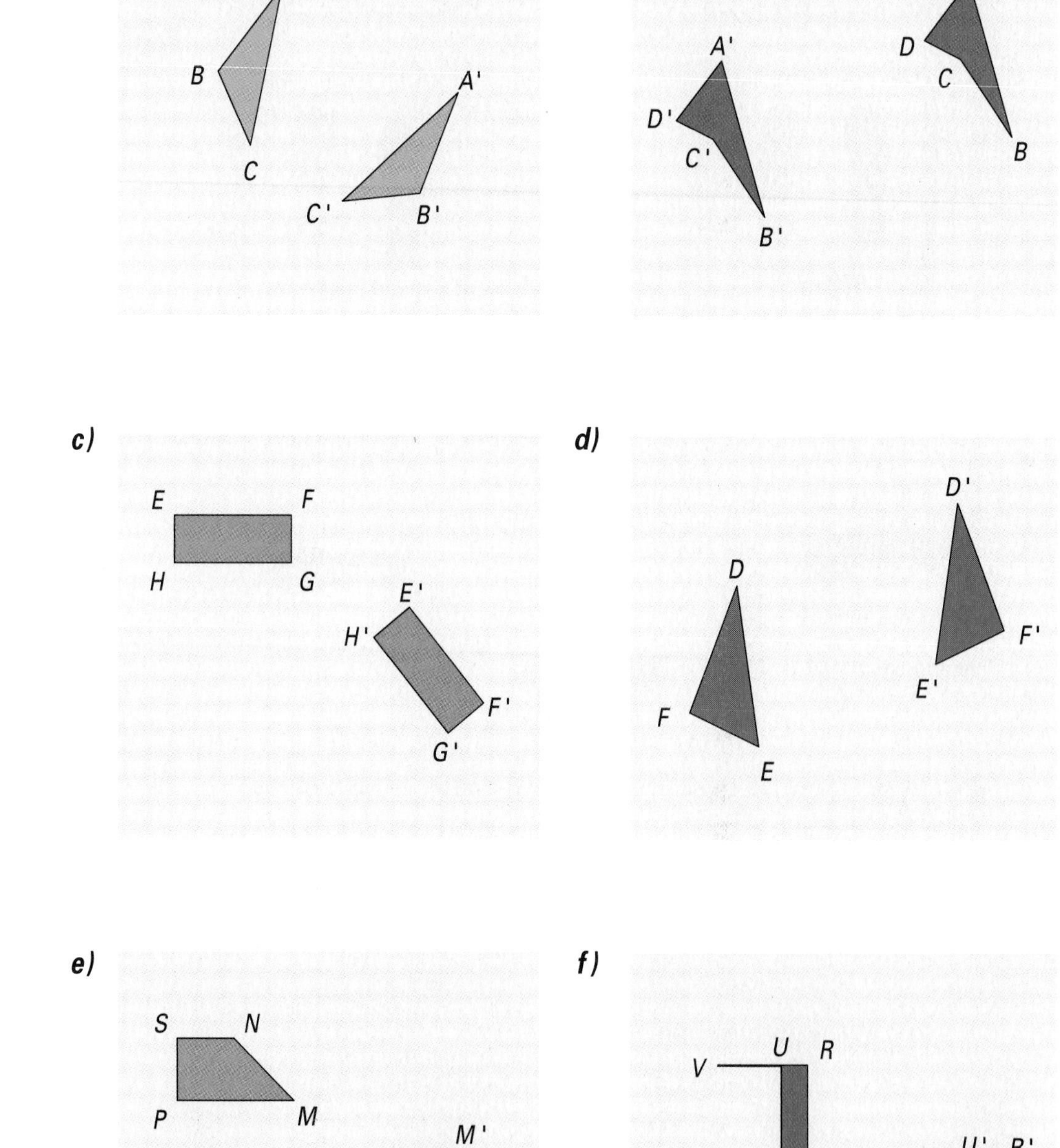

**2** On donne des paires de figures isométriques. Nomme l'isométrie qui les associe.

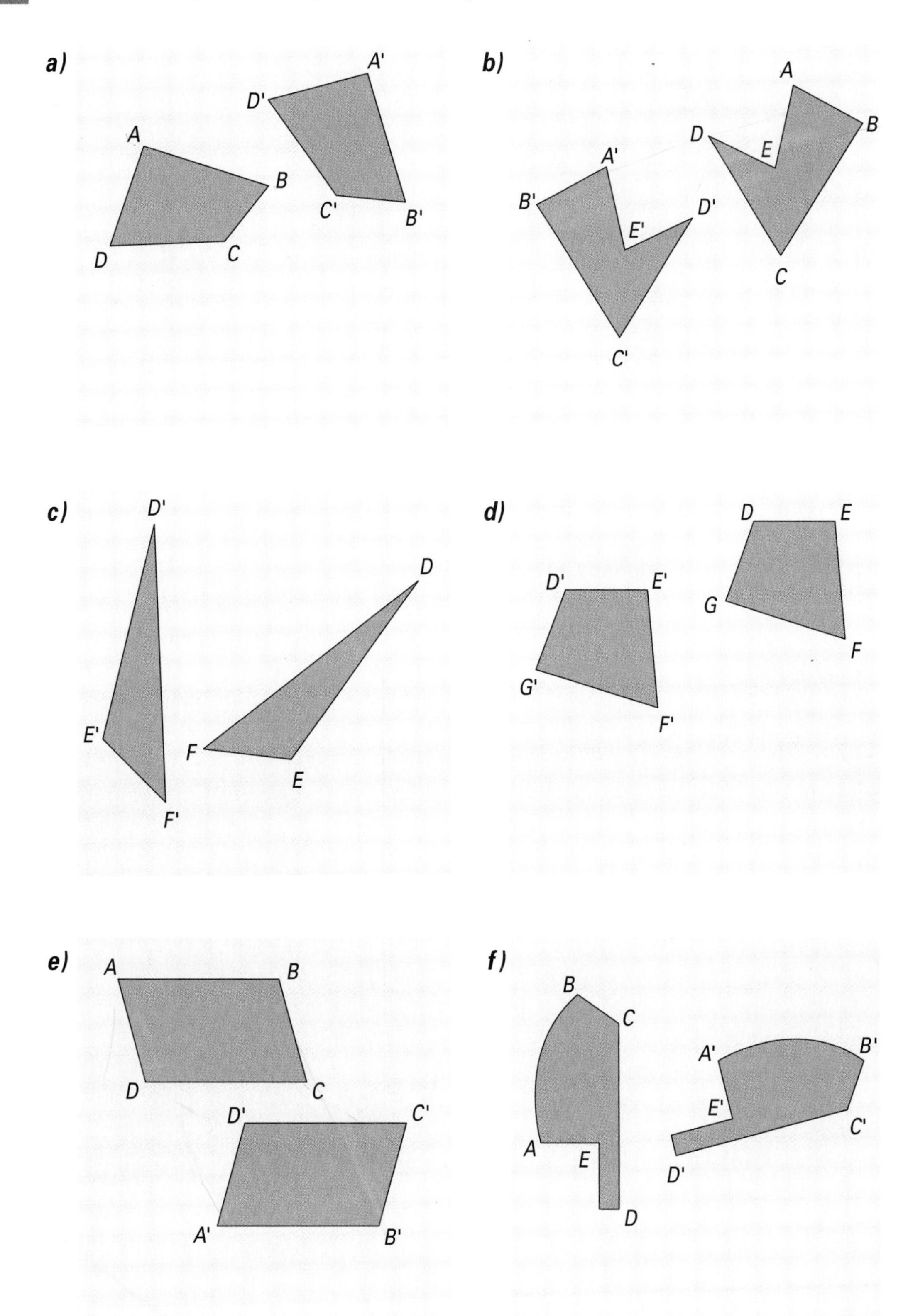

**3** Quelle isométrie associe ces paires de figures isométriques?

***a)*** ***b)***

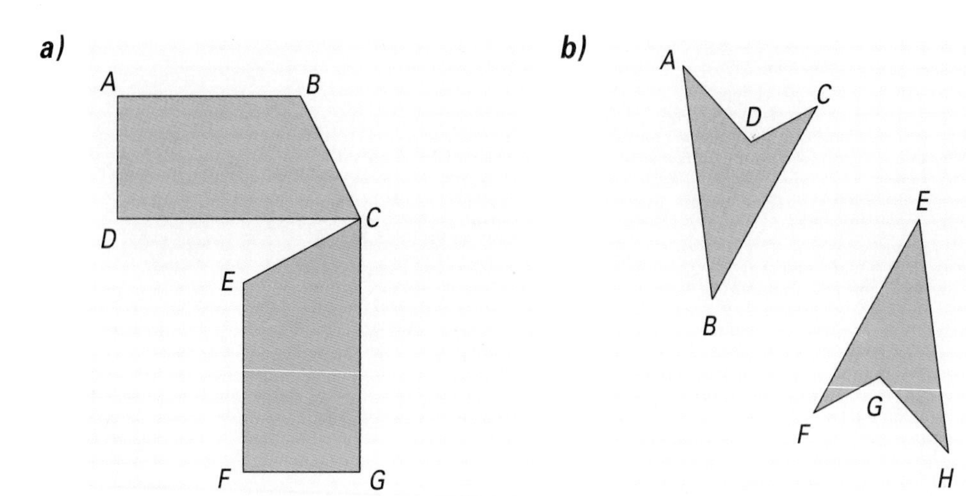


***c)*** ***d)***

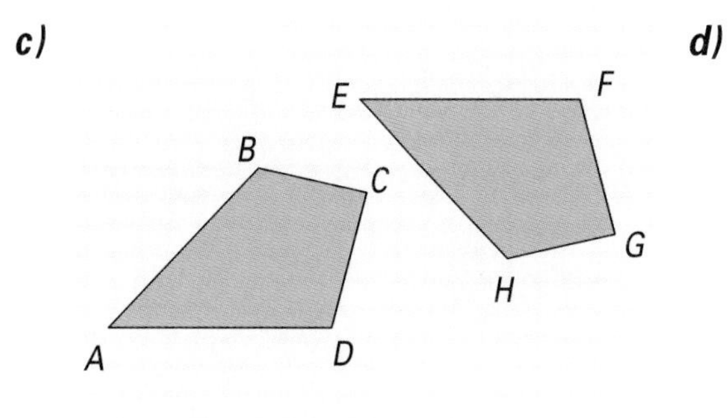


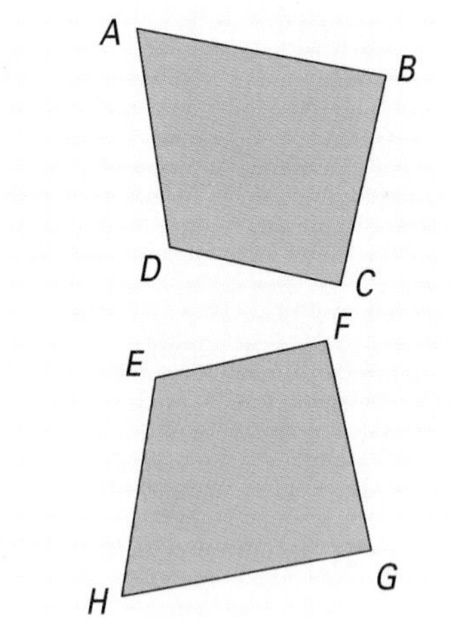


***e)*** ***f)***

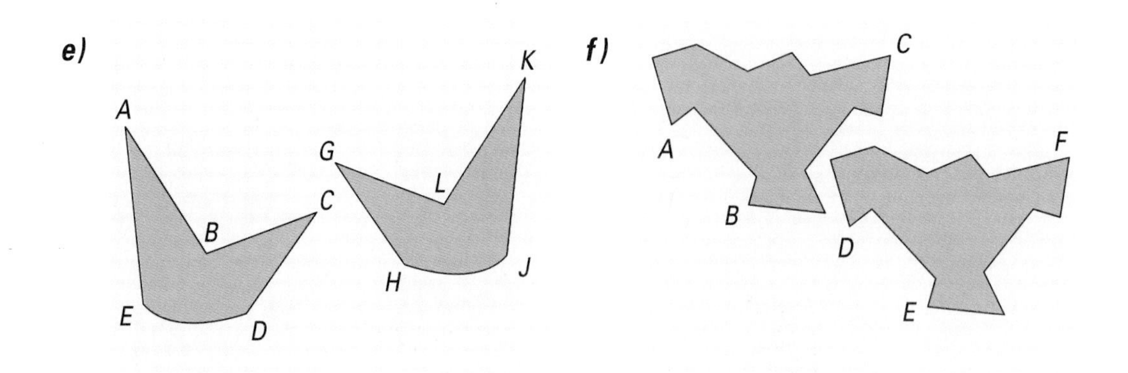

**4** Donne les caractéristiques principales d'une symétrie glissée.

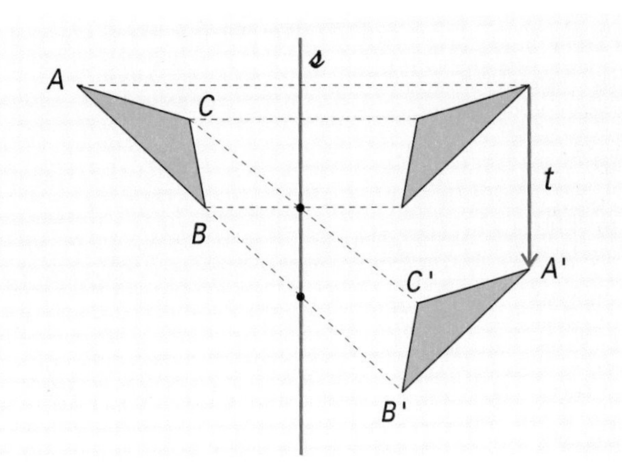


**5** Trace l'image de la figure donnée par la symétrie glissée décrite.

***a)***

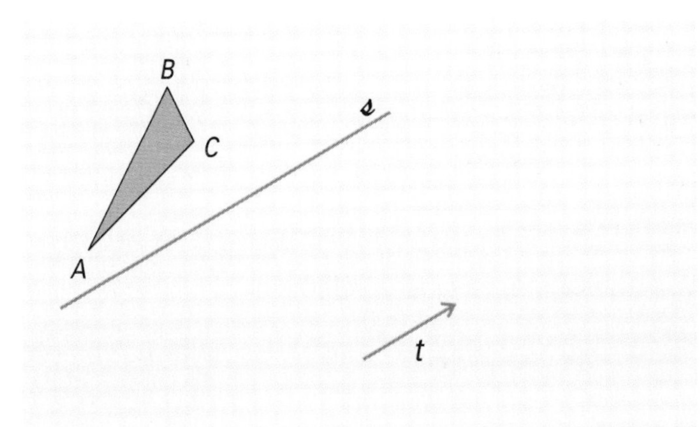

D E F G H t

**6** Trace l'image du $\Delta$ *ABC* par la symétrie glissée décrite.

***a)*** Effectue d'abord la réflexion, ensuite la translation.

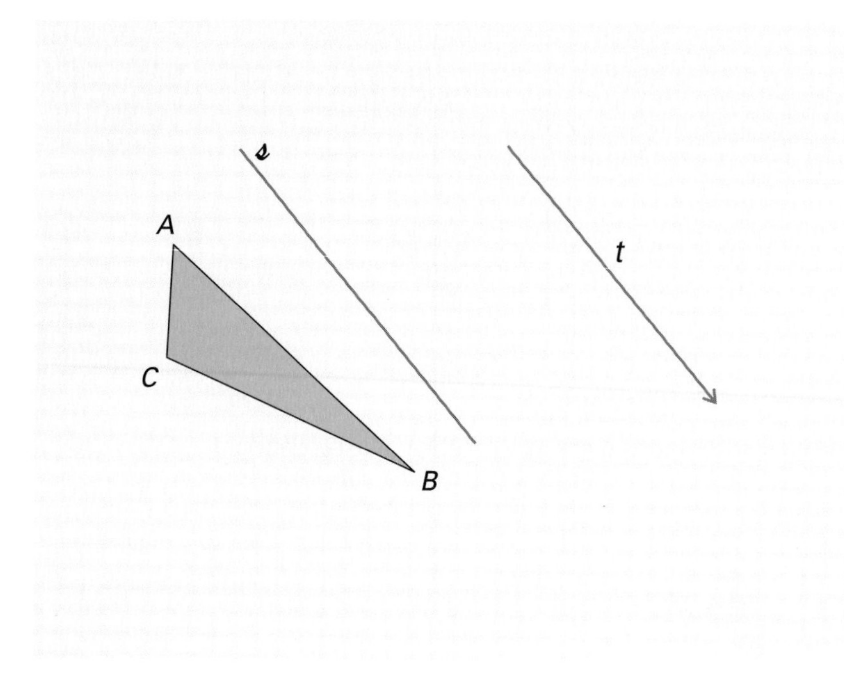


***b)*** Effectue d'abord la translation, ensuite la réflexion.

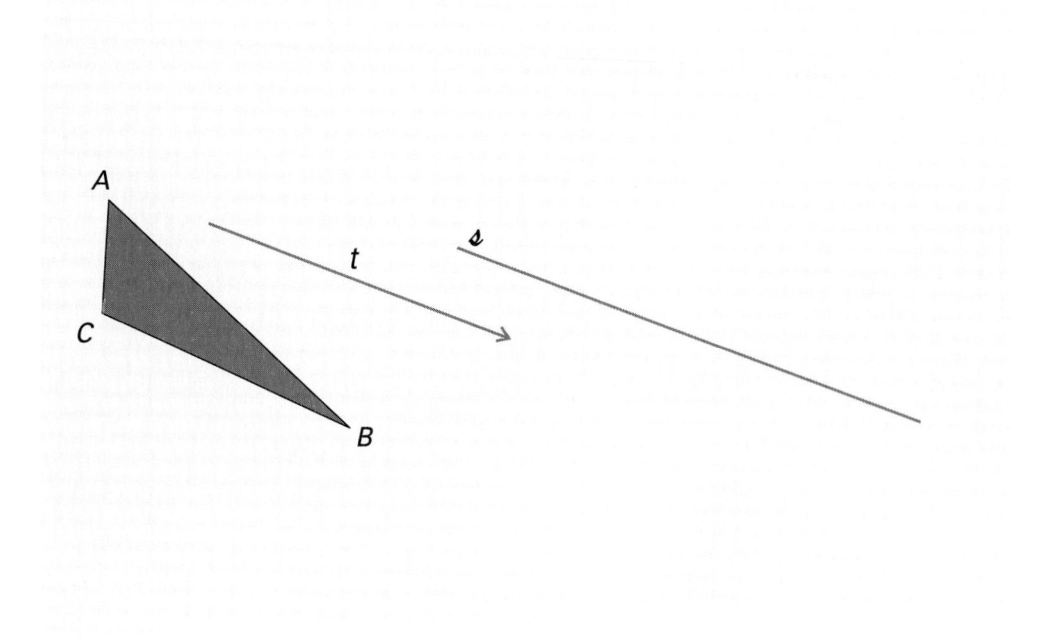

**7** Voici quelques exemples de symétries glissées. Dans chaque cas, trace l'axe de la réflexion et la flèche de la translation qui associent la figure 1 et la figure 3.

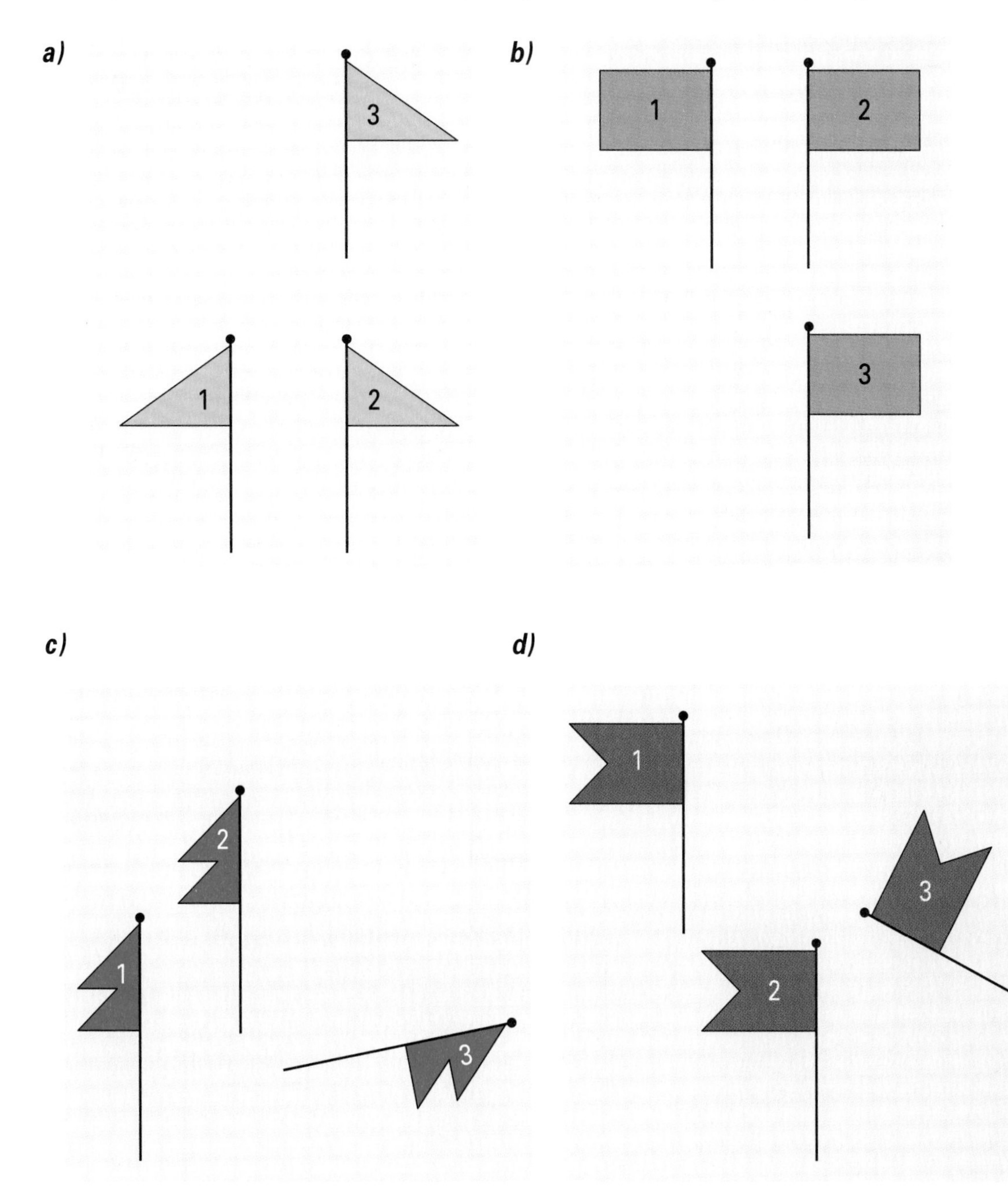


**8** Donne la liste des propriétés des symétries glissées.

**9** L'identité est-elle une isométrie ? Justifie ta réponse.

## Résoudre des problèmes à la manière des détectives

On peut faire un rapprochement très étroit entre la résolution d'une énigme policière et celle d'un problème de mathématique.

### Résoudre un problème

1. **Comprendre le problème :**
   - Qu'est-ce qui est inconnu ?
   - Quelles sont les données ?
   - Quelles sont les conditions ?
2. **Élaborer un plan :**
   - Connaissez-vous un problème semblable ?
   - Pouvez-vous simplifier le problème ?
   - Quelle est la stratégie la plus appropriée ?
3. **Exécuter le plan :**
   - Quelles informations sont importantes ?
   - Quelles informations ne sont pas importantes ?
   - Quels éléments vont logiquement ensemble ?
   - Quels éléments peuvent être déduits ?
4. **Revenir sur la solution :**
   - Analyser la solution et la démarche.
   - Cela a-t-il du sens ?
   - Cela est-il raisonnable ?
   - Est-ce cette réponse qu'on attendait ?

*(Polya)*

### Résoudre un mystère

1. **Comprendre le cas :**
   - Que cherche-t-on ?
   - Qu'est-ce que l'on sait ?
2. **Enquêter sur le cas :**
   - A-t-on déjà résolu un cas semblable ?
   - Quels sont les faits ?
3. **Analyser les faits et les données :**
   - Quelles informations sont importantes ?
   - Quelles informations ne sont pas importantes ?
   - Quels éléments vont logiquement ensemble ?
   - Quels éléments peuvent être déduits ?
4. **Réexaminer les faits :**
   - Est-ce que les faits confirment la solution ?
   - Cela est-il démontrable ?

*(Crouse et Baseti)*

Transforme-toi en détective et résous ces deux mystères.

### La tour brisée

Levé à 6:00, Dwayne regarda le lever du soleil par la fenêtre de sa chambre. Après avoir fait sa toilette et déjeuné, il revint travailler à sa délicate tour en cure-dents. Son jeune frère entra alors, fâché parce qu'il aurait aimé, lui aussi, fabriquer quelque chose avec des cure-dents.

Dans l'après-midi, Dwayne se rendit garder chez l'amie de sa mère. Il entendit à la radio que de forts vents de l'ouest s'étaient levés. Comme un éclair, il entrevit sa tour renversée par le vent. Il appela sa mère et lui demanda de fermer la fenêtre. Mais déjà, le mal était fait. Revenu à la maison, Dwayne accusa son jeune frère et le disputa. Pourquoi ?

### Au clair de la lune

En cette chaude nuit de juillet, Fredo appela la police, lui demandant de se rendre chez lui sur-le-champ. Un policier accourut aussitôt. Déposant la bougie qui seule éclairait la pièce, Fredo ouvrit le réfrigérateur et déposa un glaçon dans son verre de scotch. « Je n'ai pas eu de chance aux courses ces derniers temps, dit-il. Il y a deux jours, on m'a coupé l'électricité. Quand j'ai ouvert la porte, j'ai vu dans le reflet de la lune la silhouette de mon propriétaire, qui était là à m'attendre. Pris de panique, je l'ai poussé. Il a déboulé l'escalier et sa tête a heurté le coin de la marche. Il est étendu en bas. Je crois qu'il est mort. » « Cesse tout de suite tes sornettes, dit le policier, et suis-moi au poste. » Qu'est-ce qui ne va pas dans le récit de Fredo ?

# LA COMPOSITION DES ISOMÉTRIES

## COMPOSER OU FAIRE SUIVRE DES ISOMÉTRIES

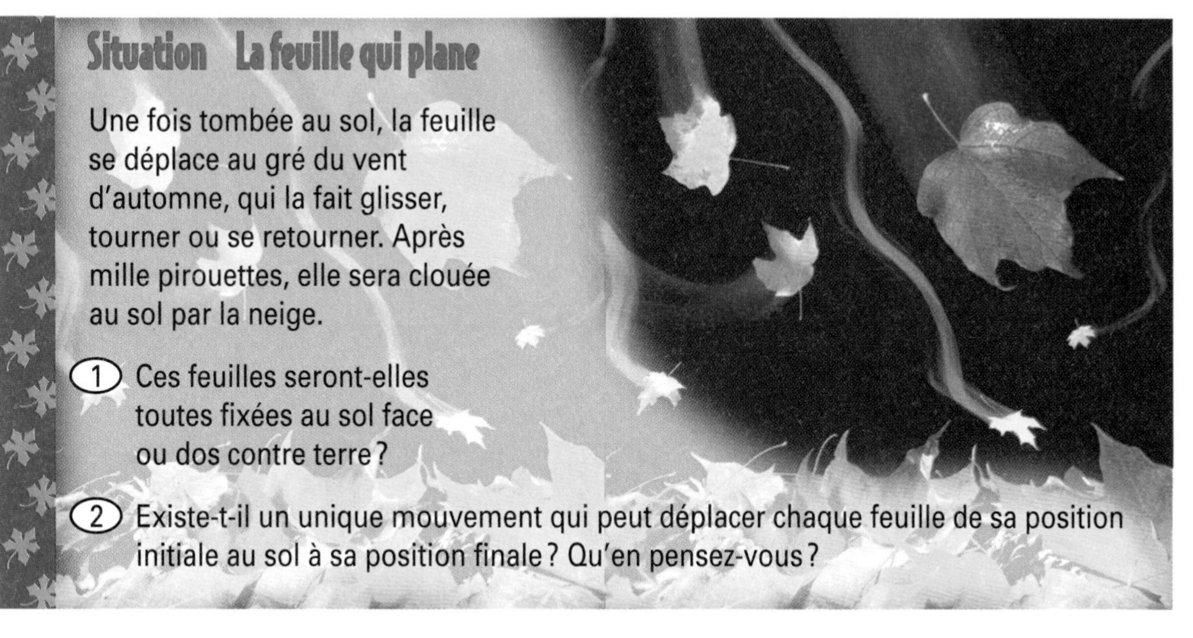

### Situation La feuille qui plane

Une fois tombée au sol, la feuille se déplace au gré du vent d'automne, qui la fait glisser, tourner ou se retourner. Après mille pirouettes, elle sera clouée au sol par la neige.

1. Ces feuilles seront-elles toutes fixées au sol face ou dos contre terre?

2. Existe-t-il un unique mouvement qui peut déplacer chaque feuille de sa position initiale au sol à sa position finale? Qu'en pensez-vous?

Les mouvements consistant à glisser, à tourner et à se retourner dans un plan évoquent les isométries. On peut imaginer une première figure associée à une deuxième figure, laquelle est elle-même associée à une troisième, et ainsi de suite. Faire suivre des isométries, c'est **composer** ces isométries.

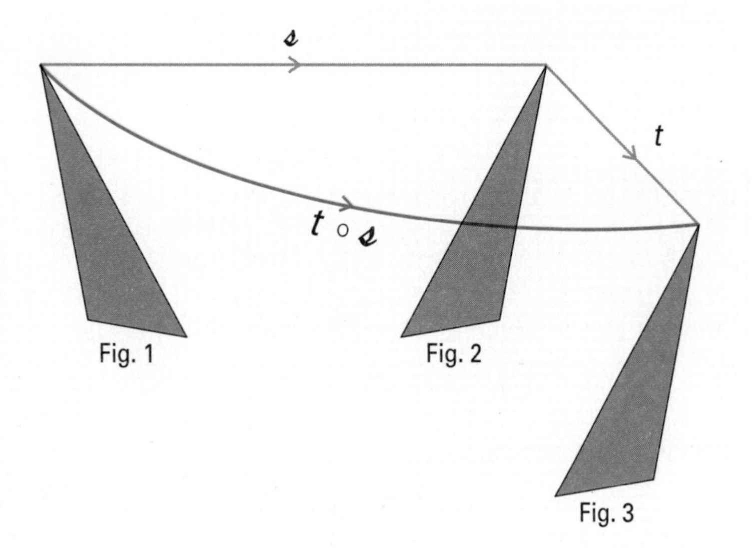


***a)*** Quelles questions est-il intéressant de se poser si l'on compose, ou fait suivre, deux isométries?

***b)*** Est-on assuré que le résultat de la composition de deux isométries est une isométrie? Justifie ta réponse.

Composer deux transformations, c'est faire suivre l'une de l'autre. L'opération s'appelle la **composition** et le résultat s'appelle la **composée.**

La composée est la transformation unique qui associe la première et la troisième figure.

On utilise le symbole « $\circ$ » pour noter l'opération de composition et on lit ce symbole « rond » ou « après ». À remarquer que la seconde transformation à effectuer se note en premier et la première en deuxième.

Ainsi, $t \circ s$ se lit « $t$ rond $s$ » ou « $t$ après $s$ » ou « $s$ suivi de $t$ ».

**1** On a composé ici deux isométries.

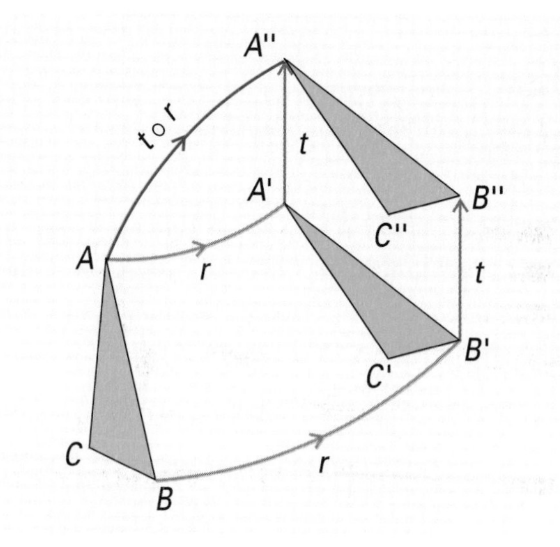


***a)*** Comment lit-on cette expression : $t \circ r$ ?

***b)*** Laquelle des deux isométries doit-on considérer en premier lieu dans cette composition ?

***c)*** À quel point correspond chacune des expressions suivantes ?

1) $t(A')$ 2) $r(A)$ 3) $t \circ r(C)$

**2** Symbolise les composées suivantes.

***a)*** $t$ après $s$.

***b)*** $r$ suivie de $t$.

***c)*** $s$ après $t$ après $r$.

***d)*** $T_1$ après $T_2$.

**3** Comment lit-on les composées données ?

***a)*** $r \circ s$

***b)*** $t_1 \circ t_2$

***c)*** $t \circ sg$

***d)*** $s \circ t$

**4** Pour construire l'image d'une figure par une composée, il suffit de construire l'image de la figure initiale par la première transformation, pour ensuite construire l'image de cette image par la seconde transformation.

***a)*** Construis l'image du $\Delta$ *ABC* par $t_2 \circ t_1$.
On a déjà tracé l'image par $t_1$.
Trace celle obtenue par $t_2$.

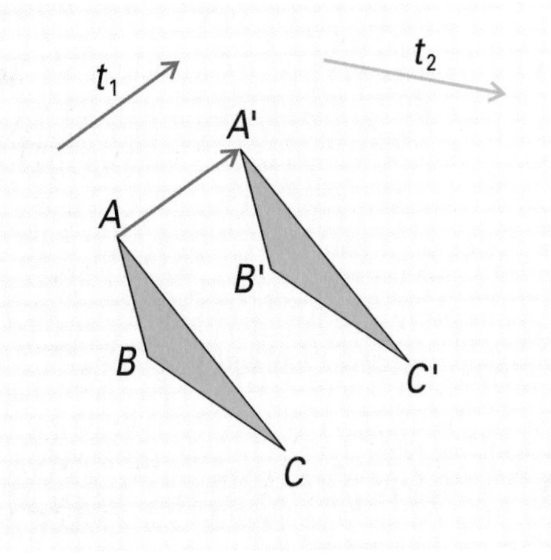


Rappel : Pour tracer l'image d'une figure par une translation, on procède comme suit :

1° On construit des traces parallèles à la flèche passant par les sommets de la figure.

2° Dans le sens de la flèche, et selon sa longueur, sur ces traces, on détermine l'image de chaque sommet.

***b)*** Construis l'image du drapeau par $r_2 \circ r_1$.

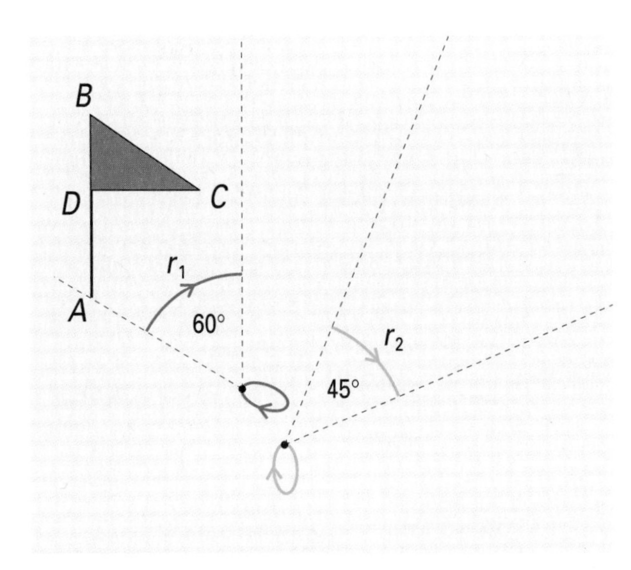


Rappel : Pour tracer l'image d'une figure par une rotation, on procède comme suit :

1° On construit des cercles ayant comme centre le centre de rotation et passant par les sommets de la figure initiale.

2° L'angle de rotation détermine sur ces cercles des arcs que l'on reporte avec le compas à partir de chaque sommet dans le sens de la rotation.

*c)* Construis l'image du Δ *ABC* par $s_2 \circ s_1$.

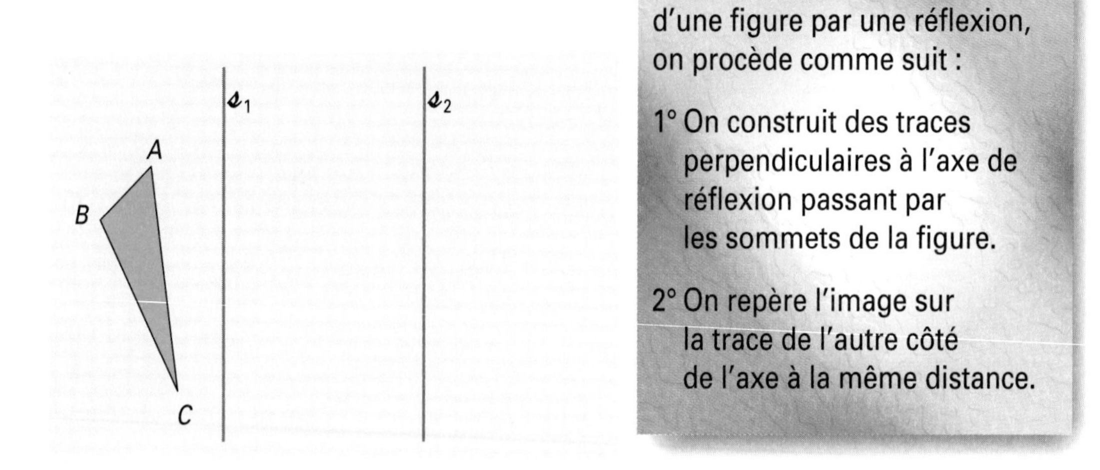


Rappel : Pour tracer l'image d'une figure par une réflexion, on procède comme suit :

1° On construit des traces perpendiculaires à l'axe de réflexion passant par les sommets de la figure.

2° On repère l'image sur la trace de l'autre côté de l'axe à la même distance.

**5** Construis l'image du Δ *ABC* par $t \circ r$. On a déjà construit l'image par *r*.

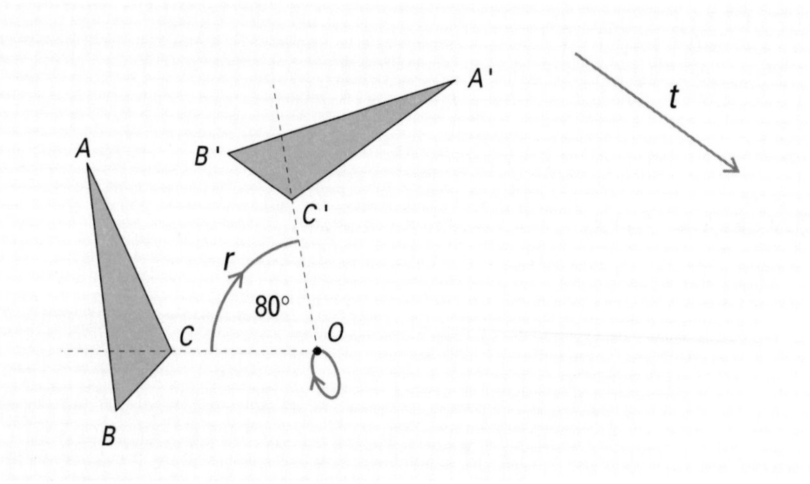

 Construis l'image du Δ *ABC* par $r \circ t$. On a déjà construit l'image par *t*.

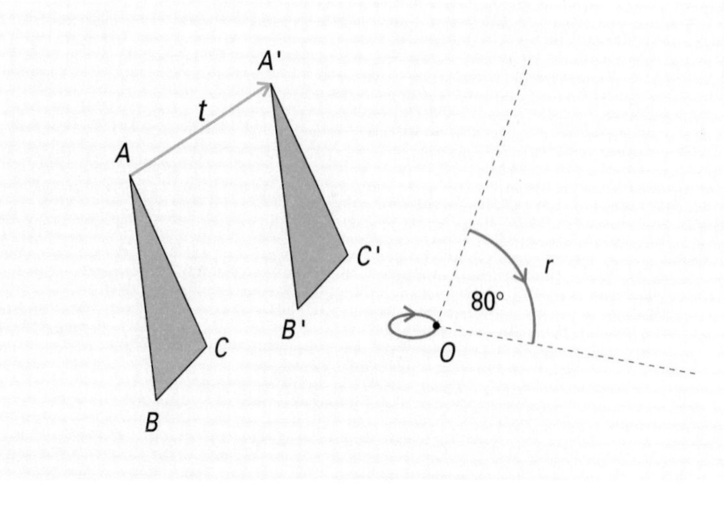

**7** Construis l'image du $\Delta$ *ABC* par *sg* ∘ *t*. On a déjà construit l'image par *t*.

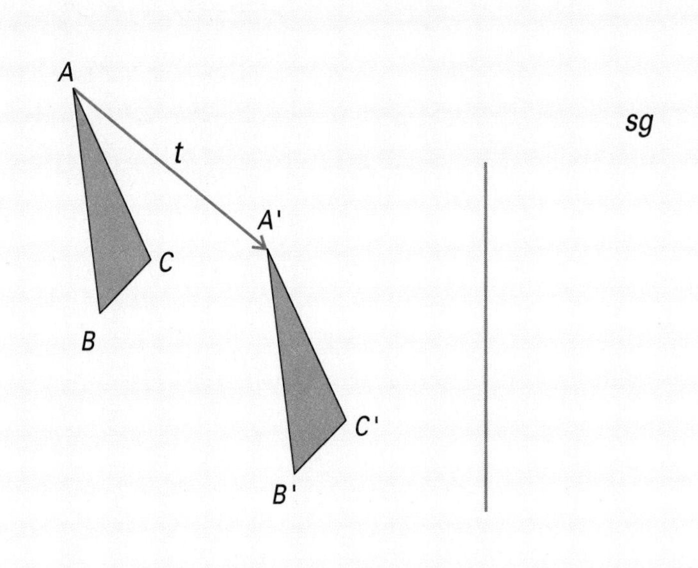


**8** Construis l'image du $\Delta$ *ABC* par *r* ∘ *s*. On a déjà construit l'image par *s*.

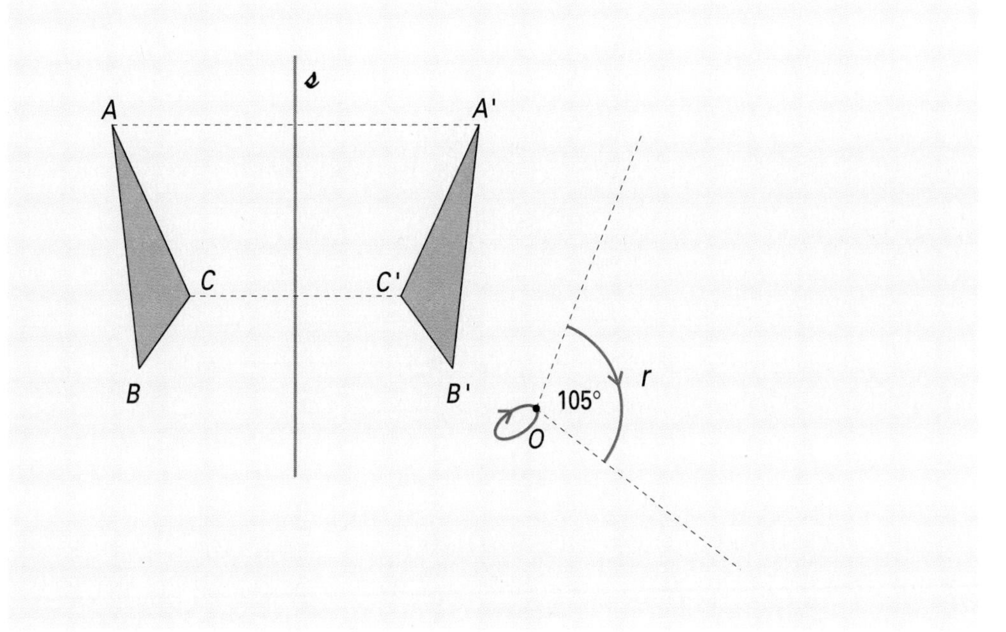

**9** Construis le triangle associé au $\Delta$ *ABC* par $t_{(3,\,3)} \circ \mathscr{s}_x$.

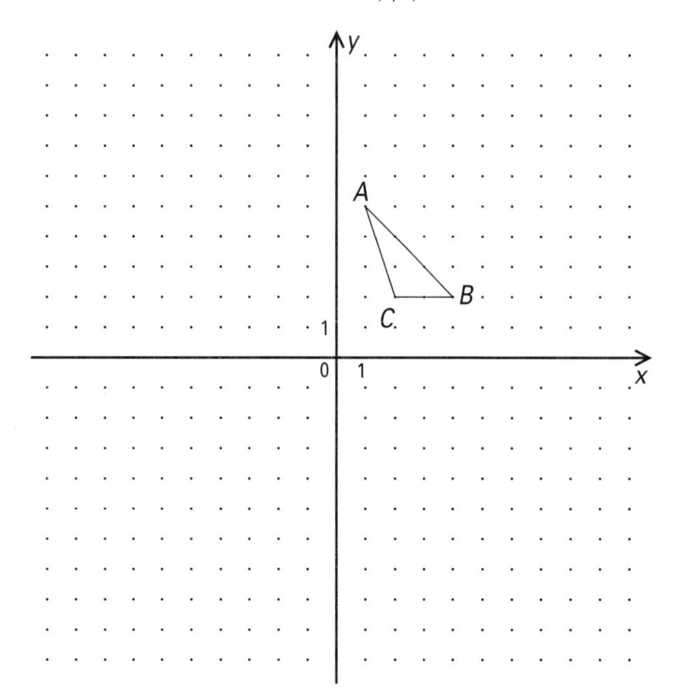


**10** Construis le triangle associé au $\Delta$ *DEF* par $r_{(O,\,90°)} \circ \mathscr{s}_y$.

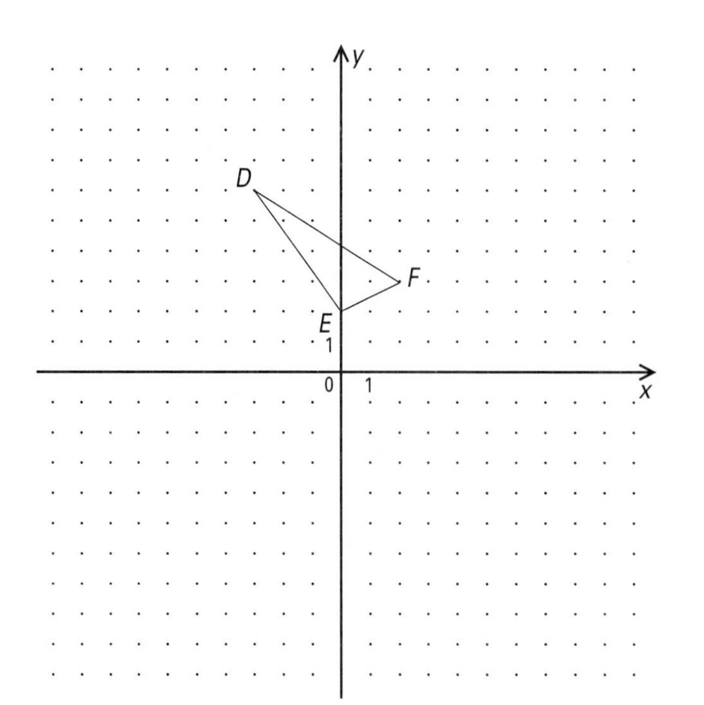

**11** Construis le triangle associé au $\Delta$ *MNP* par $s_{\boxslash} \circ t_{(-2,\,3)}$.

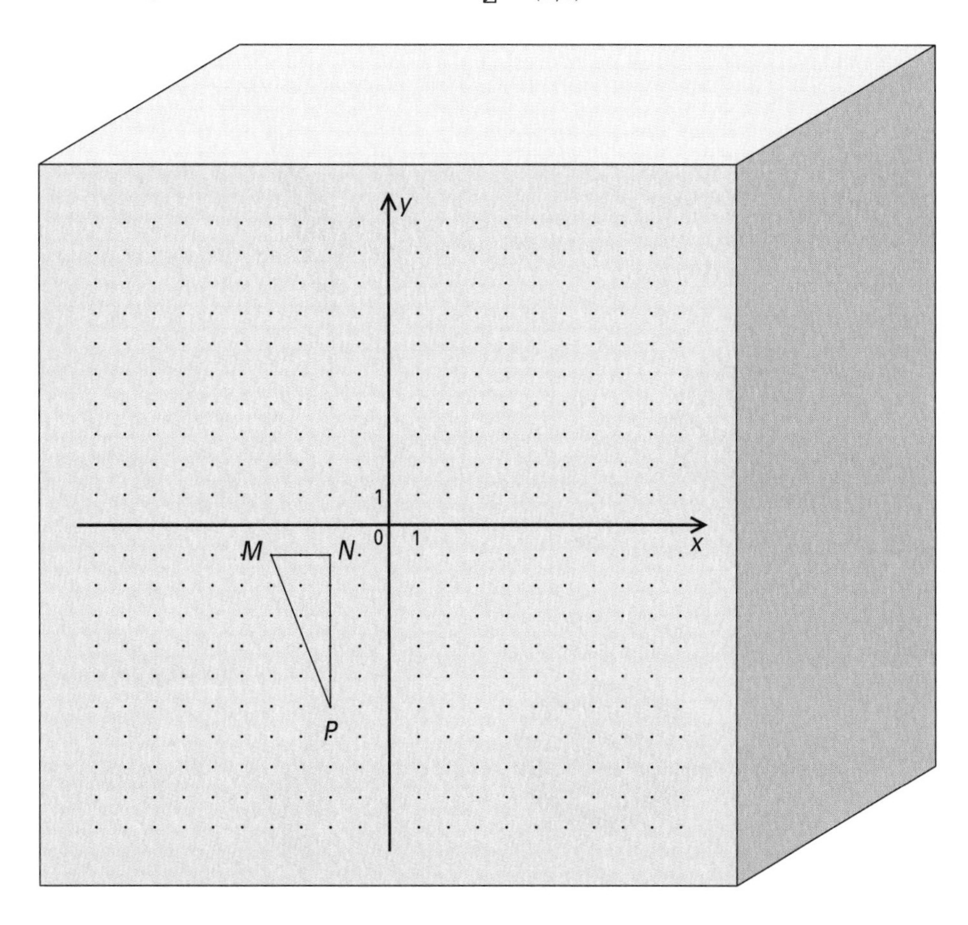


**12** Trouve l'image du rectangle *STUV* par $r_{(O,\,180°)} \circ s_x$.

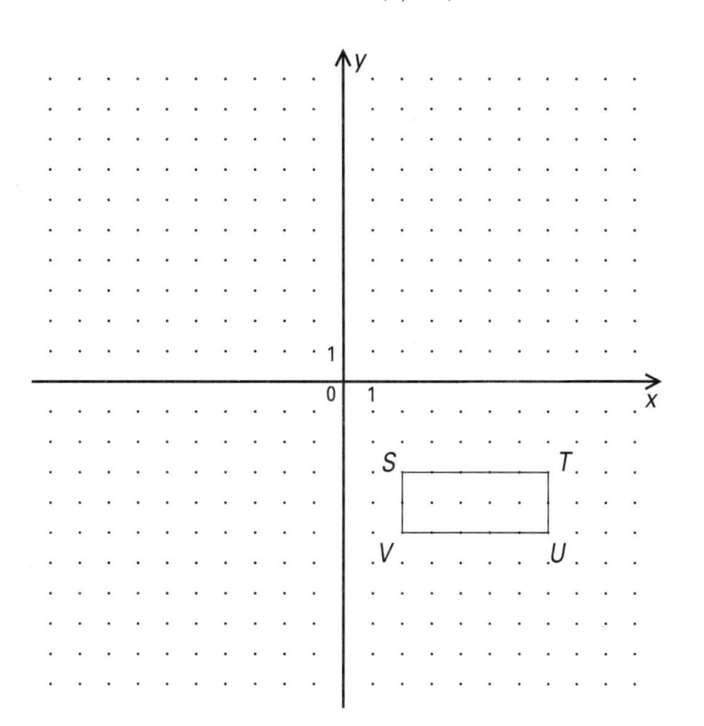

**13** On a composé deux translations dont la première associe la figure initiale à l'image et dont la seconde associe l'image à la figure initiale. On donne le nom de **translation réciproque** à la seconde translation et on la note $t^{-1}$.

***a)*** Quel est le résultat de la composition $t^{-1} \circ t$?

***b)*** Compare ces deux translations en ce qui concerne le sens, la direction et la distance.

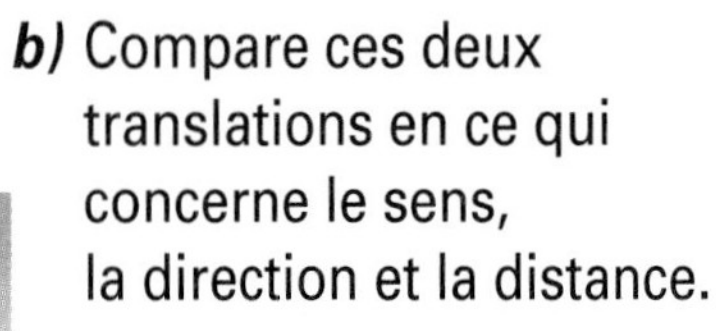

*Quelle est l'origine des oeufs de Pâques?*

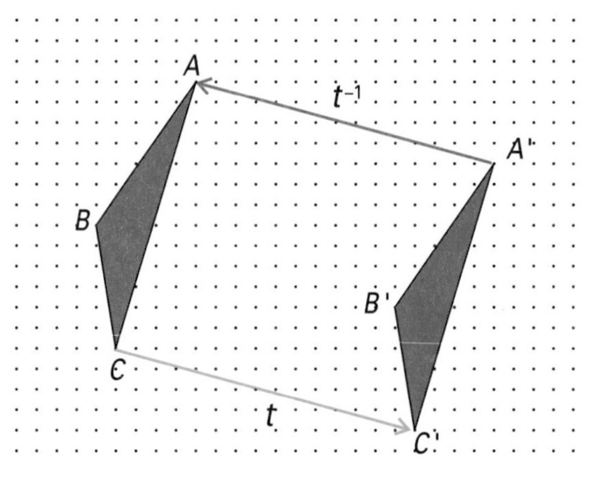

**14** Décris la rotation réciproque de la rotation illustrée.

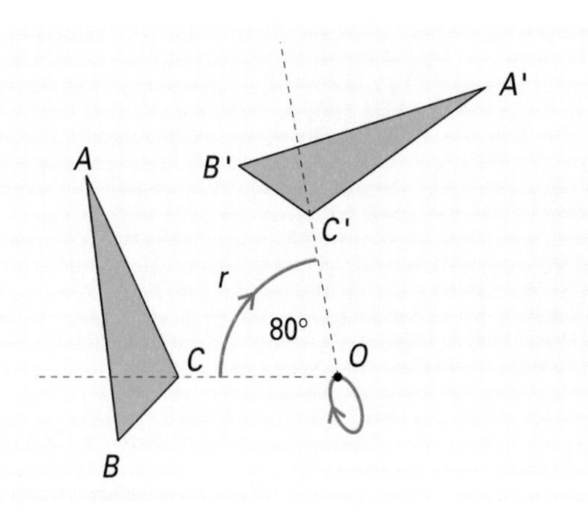

**15** Qu'ont en commun deux rotations réciproques? Qu'est-ce qui les différencie?

**16** Décris la rotation réciproque de chacune des rotations suivantes.

***a)*** $r_{(O,\,90°)}$ ***b)*** $r_{(O,\,180°)}$ ***c)*** $r_{(O,\,-270°)}$ ***d)*** $r_{(O,\,-90°)}$

**17** Quelle est la réciproque de la réflexion $s$?

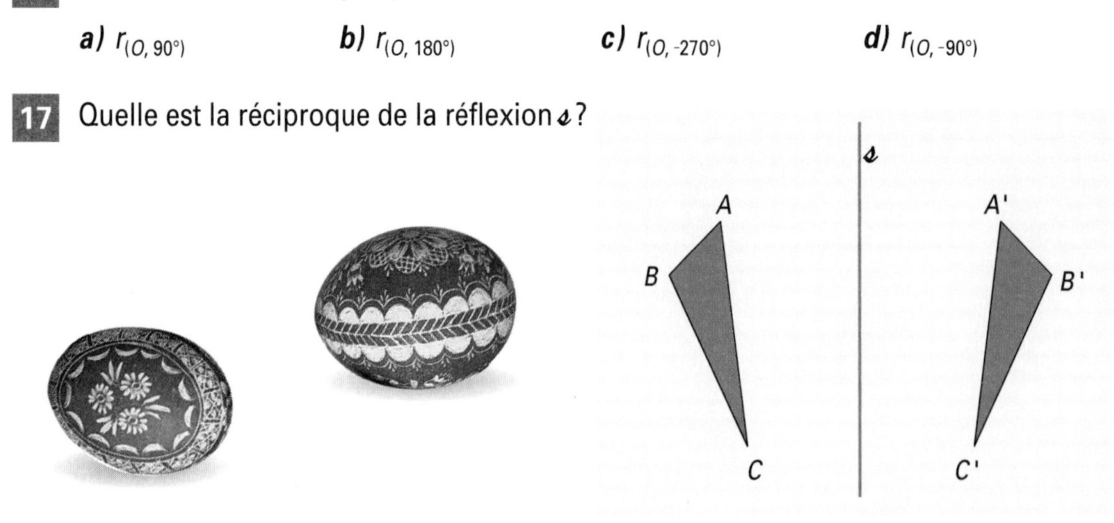

**18** Pourquoi une réflexion est-elle aussi une symétrie glissée?

**19** Nous savons que les isométries conservent les distances. Alors, la composition de deux isométries donne nécessairement une isométrie. Reproduis cette table de composition et remplis-la en t'inspirant des compositions suivantes.

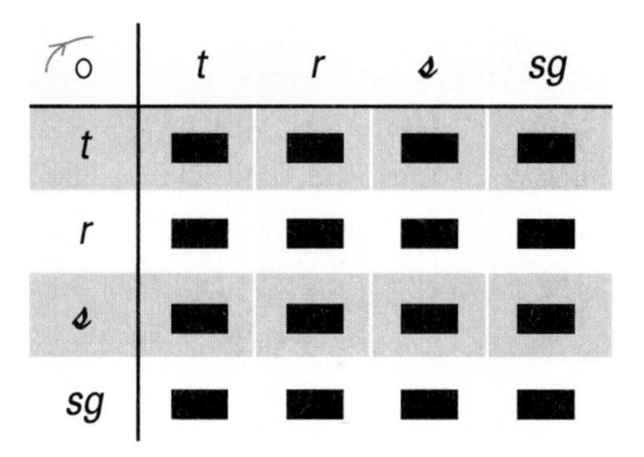

| ∘ | $t$ | $r$ | $s$ | $sg$ |
|---|---|---|---|---|
| $t$ | | | | |
| $r$ | | | | |
| $s$ | | | | |
| $sg$ | | | | |

**1° $t \circ t$**

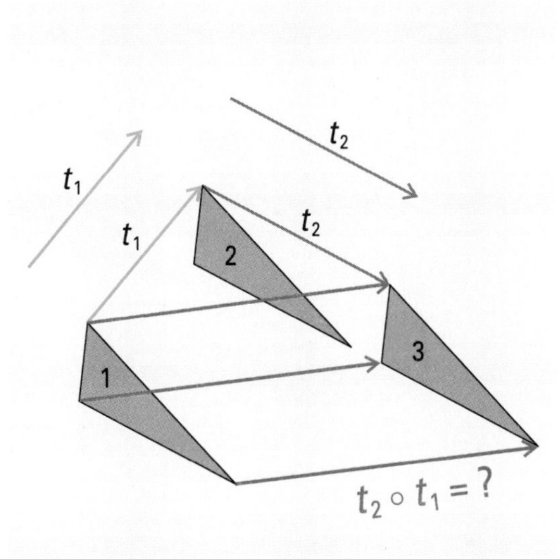


**2° $r \circ r$** ou Cas spécial : les deux rotations sont de même grandeur et de sens contraire.

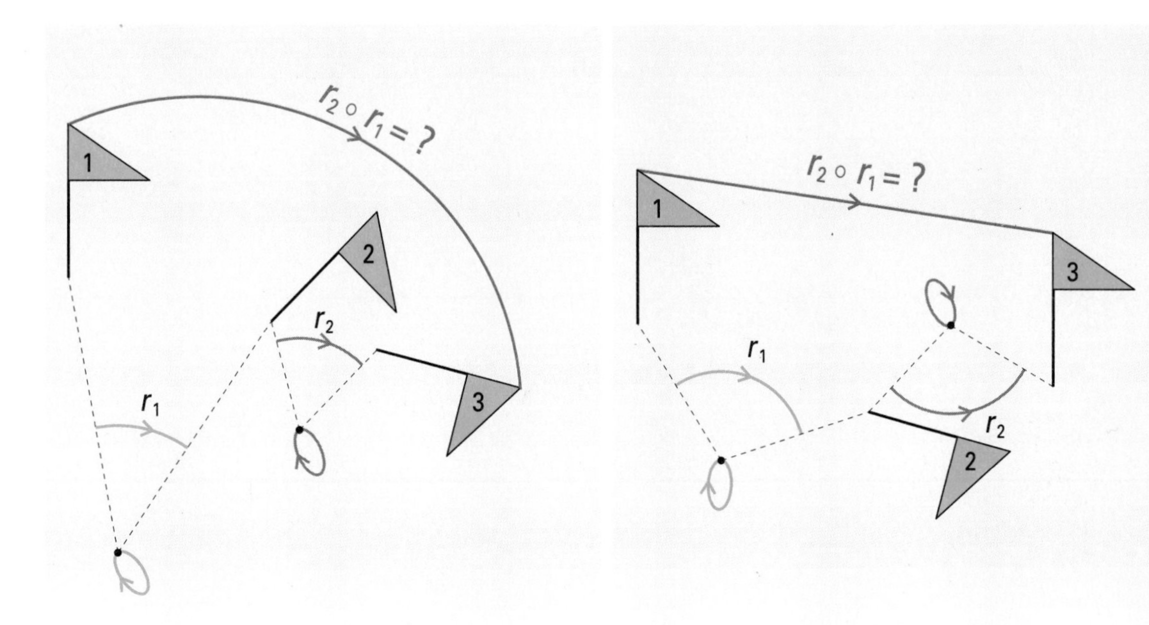

## 3° $s \circ s$

Les axes sont parallèles. Les axes sont sécants.

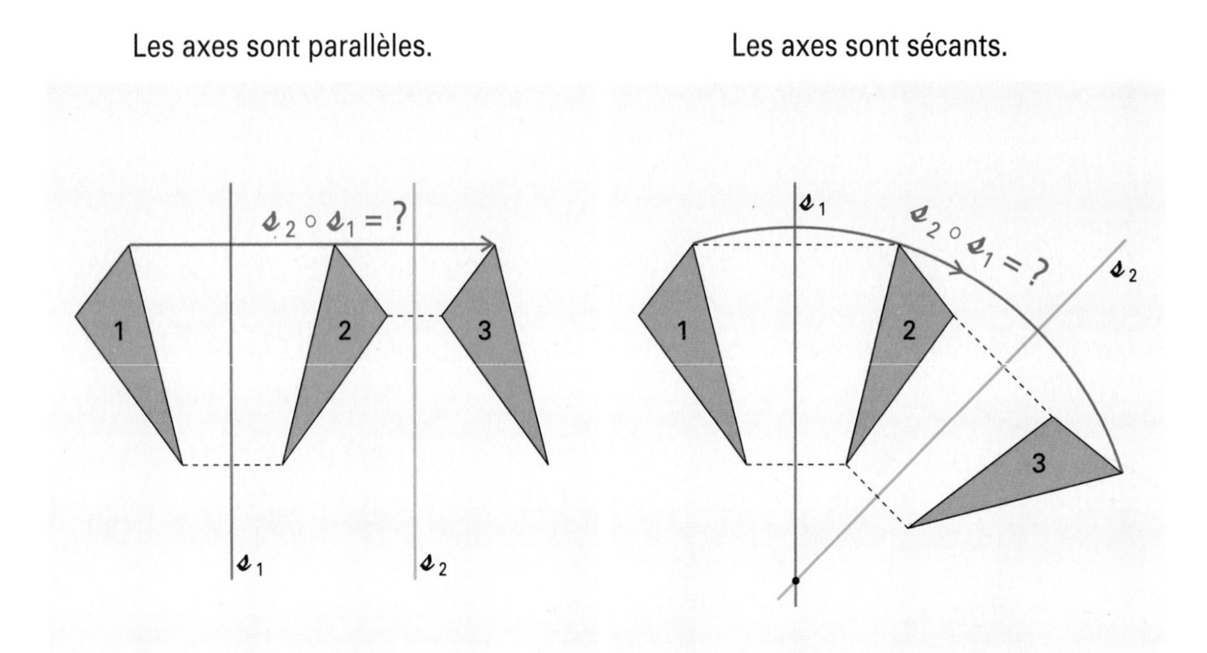


## 4° $r \circ t$ ou $t \circ r$

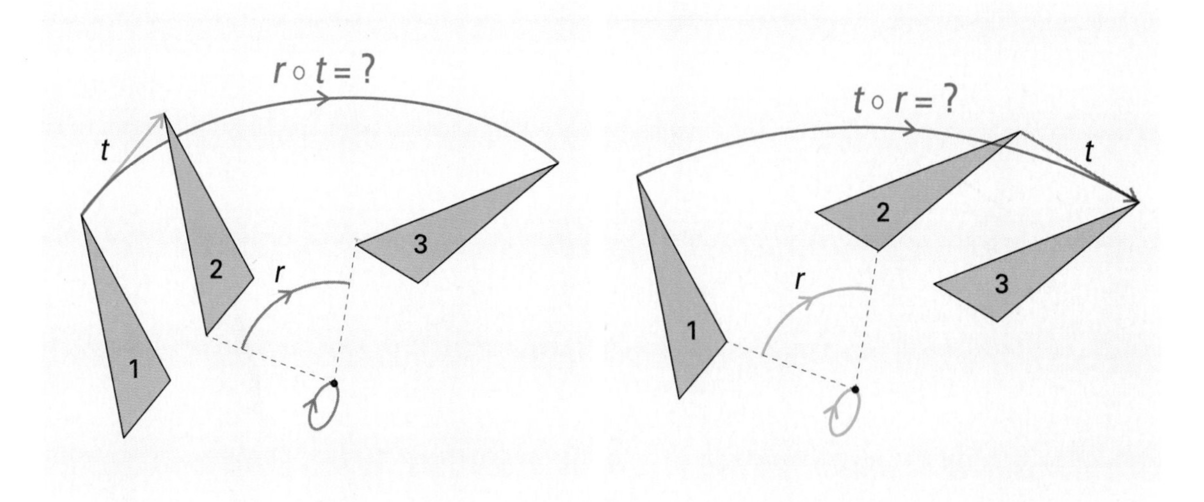

## 5° $s \circ t$ ou $t \circ s$

Et si la translation est perpendiculaire à l'axe de réflexion ?

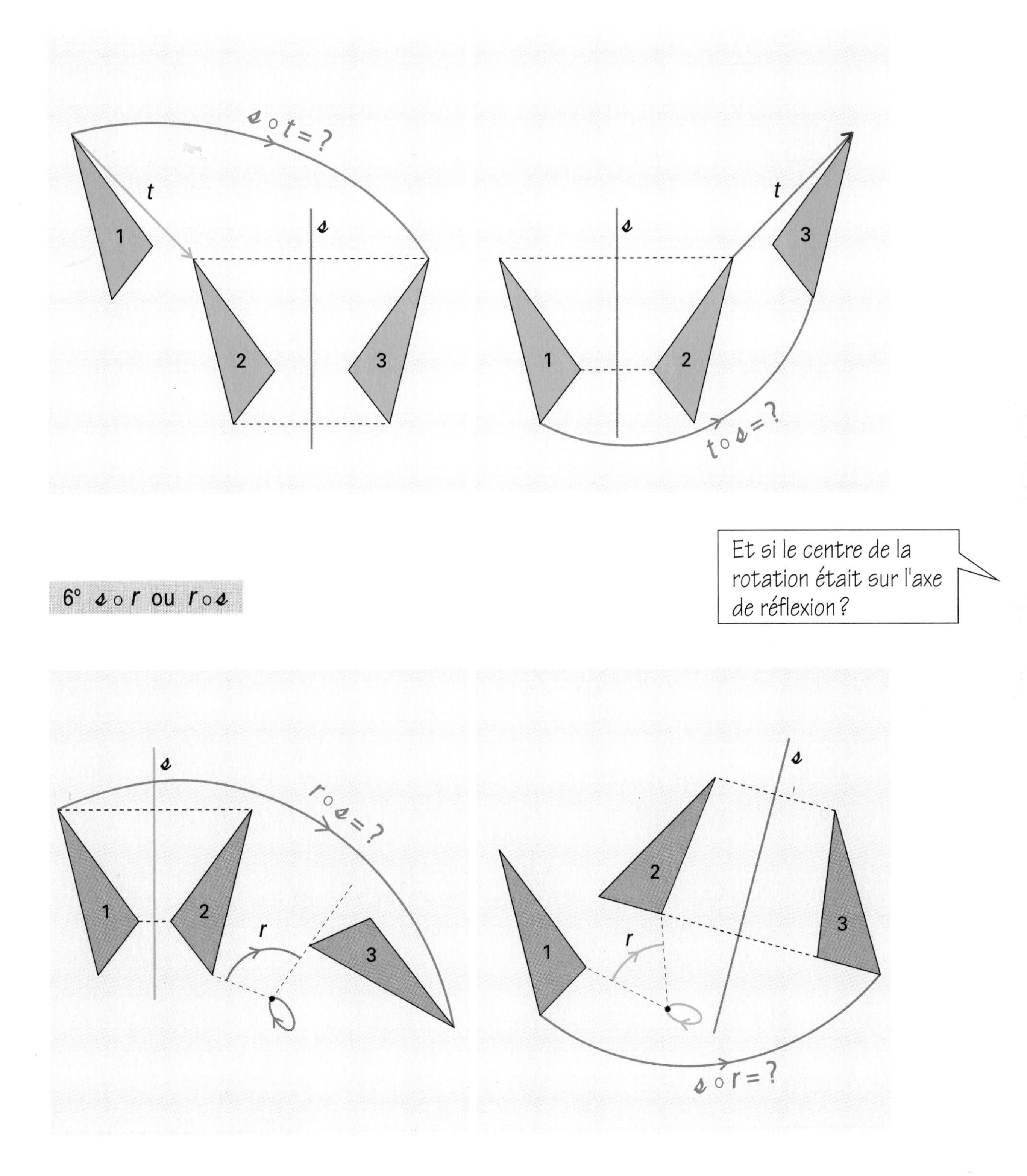

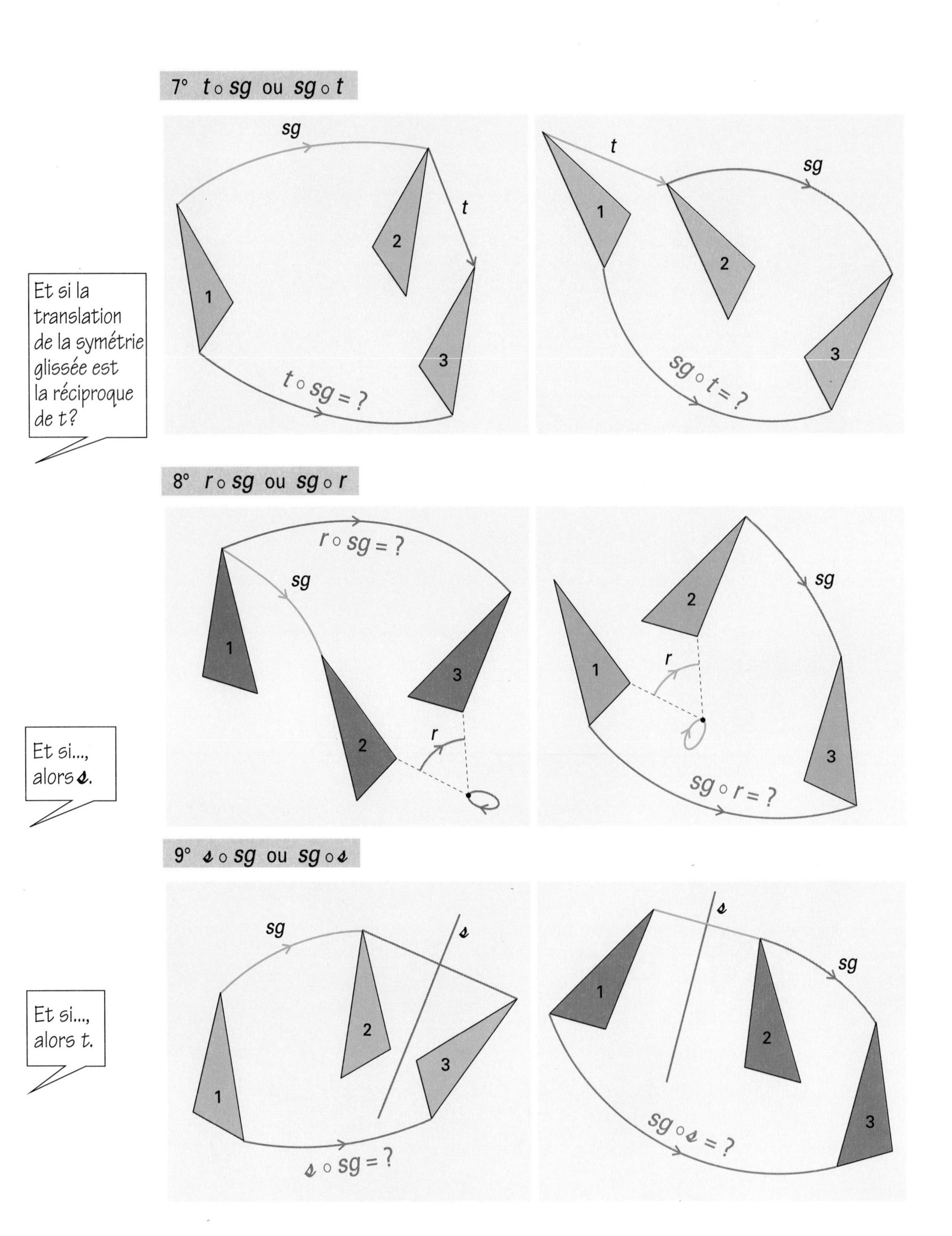
7° t ∘ sg ou sg ∘ t
sg
t
1
2
3
t ∘ sg = ?
t
sg
1
2
3
sg ∘ t = ?
Et si la translation de la symétrie glissée est la réciproque de t?
8° r ∘ sg ou sg ∘ r
r ∘ sg = ?
sg
1
2
3
r
sg
2
1
r
3
sg ∘ r = ?
Et si..., alors s.
9° s ∘ sg ou sg ∘ s
sg
s
1
2
3
s ∘ sg = ?
s
sg
1
2
3
sg ∘ s = ?
Et si..., alors t.

10° $sg \circ sg$

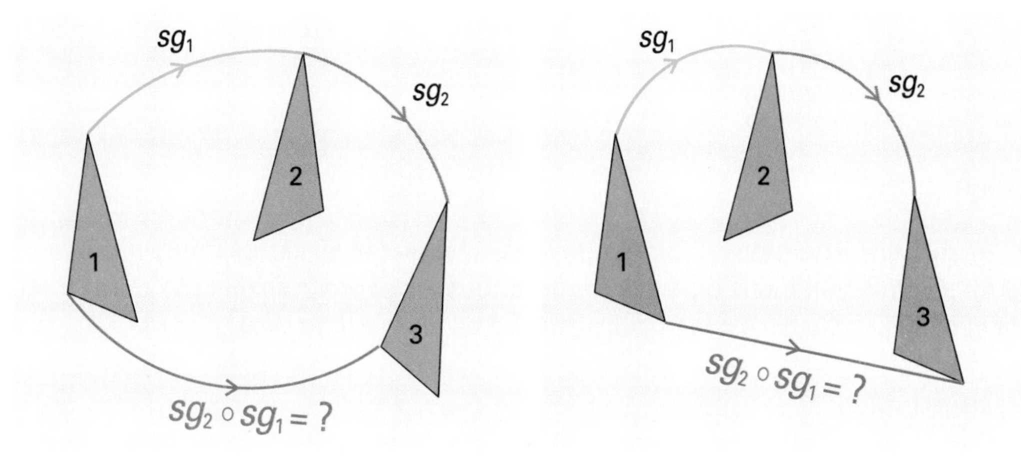


**20** Est-il vrai que toute isométrie est finalement une composée d'un nombre fini de réflexions ? Justifie ta réponse.

**21** La composée de deux réflexions d'axes sécants est une rotation. Exprime la relation entre l'angle formé par les deux axes des réflexions et l'angle de la rotation.

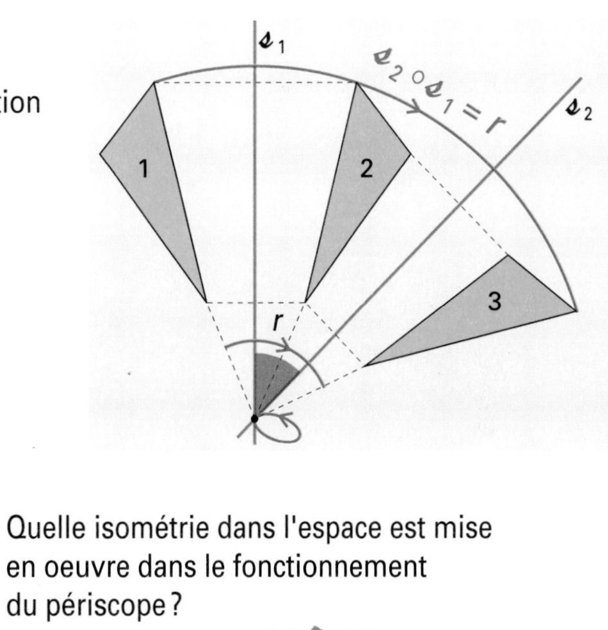

Miroir

Oculaire

Miroir

**22** Quelle isométrie dans l'espace est mise en oeuvre dans le fonctionnement du périscope ?

*Le périscope est un appareil optique formé de lentilles et de prismes à réflexion totale servant à voir au-dessus d'un obstacle.*

**23** Décris les principaux mouvements que l'on doit faire pour jouer de la guitare.

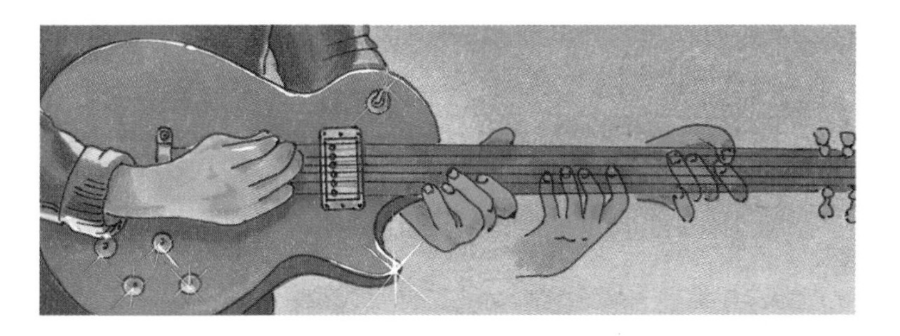

Stratégie : Utiliser une variable et rechercher une équation.

**Dallage**

Un jeu de dallage comprend 40 triangles équilatéraux et 60 carrés dont les côtés ont tous la même dimension. La somme de tous les périmètres de ces figures atteint 4680 cm. Quelle est la mesure du côté de chacune de ces figures ?

**Le salaire horaire**

Sylvain s'est déniché un emploi d'été. Il reçoit un salaire selon le nombre d'heures de travail. Après 35 h de travail, son salaire horaire est majoré de 50 %. La semaine dernière, il a reçu 338,40 $ pour ses 43 h de travail. Quel est son salaire horaire ?

**Au magasin**

Éric doit monter un escalier mécanique chaque fois qu'il se rend au travail. Quand il est pressé, il grimpe l'escalier à raison de deux marches à la seconde. Il atteint le haut après avoir posé le pied sur 32 marches. Quand il est fatigué, il monte à raison d'une marche à la seconde. Il atteint alors le haut après avoir posé le pied sur 20 marches. À quelle vitesse l'escalier monte-t-il et combien de marches séparent les deux étages ? La variable est la vitesse de l'escalier, soit un nombre de marches à la seconde.

# LES HOMOTHÉTIES

## Situation Les galaxies

Plusieurs spécialistes de l'astrophysique travaillent à éclaircir le mystère qui entoure la naissance de l'Univers. La théorie du « big bang », ou de la grande explosion est l'hypothèse la plus admise jusqu'à maintenant.

Dans les études sur l'Univers, les scientifiques ont observé que les galaxies s'éloignent de nous d'autant plus vite qu'elles sont loin. En représentant chaque galaxie par un point et sa vitesse par une flèche, on obtient la représentation plane suivante.

*Placé en orbite par la navette spatiale* Discovery, *le 24 avril 1990, le télescope* Hubble *est d'une précision extraordinaire.*

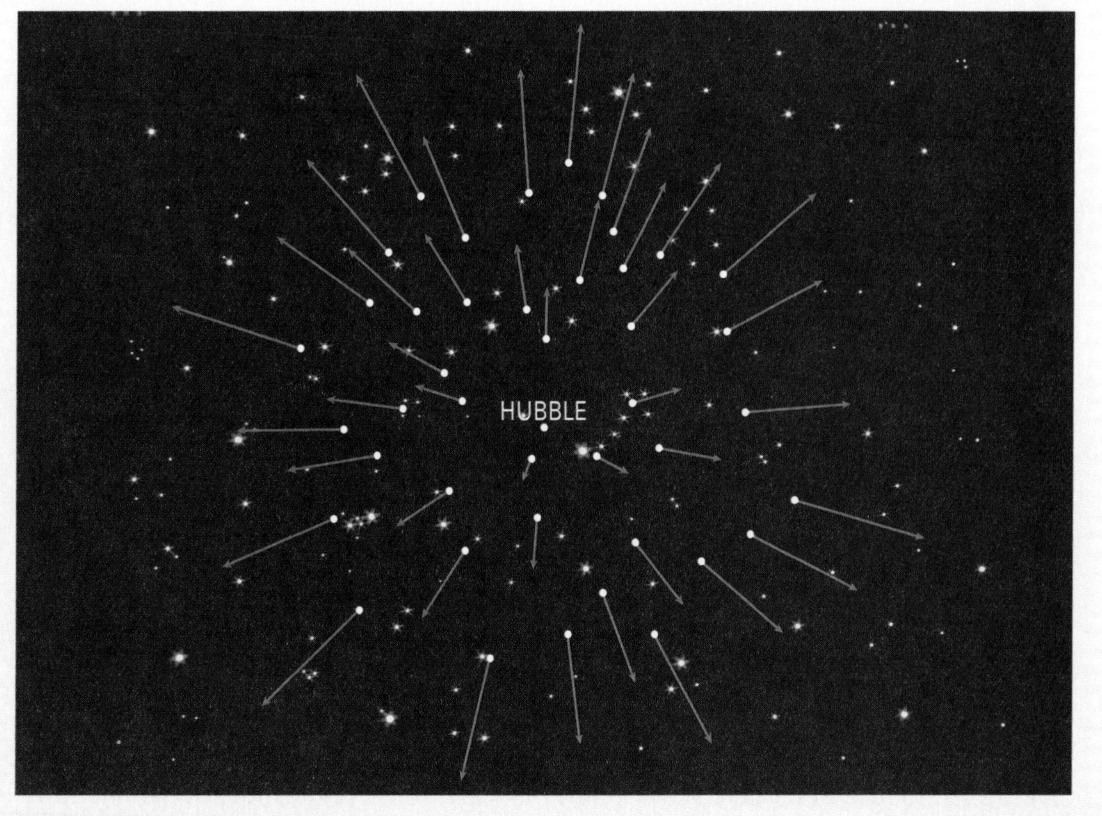


① Quel est le nom de notre galaxie ?

② Quelle est la galaxie la plus proche de la nôtre ?

③ Quel est le rôle du télescope *Hubble* ?

Cette représentation possède un centre qui est ici le télescope *Hubble.* Les flèches sont de plus en plus longues au fur et à mesure que le point s'éloigne du centre. Plus encore, les distances joignant le centre à l'extrémité des flèches et les distances joignant le centre à l'origine des flèches sont dans un même rapport pour tous les points.

***a)*** Quelle est approximativement la valeur du rapport dans la transformation illustrant la vitesse des galaxies ?

***b)*** Quel nom donne-t-on à une transformation qui associe les points d'un plan en respectant ces conditions ?

Toute homothétie a un point fixe appelé **centre.** Toutes ses traces passent par ce centre et tous ses points ont une image déterminée par un seul et même **rapport.**

Le **rapport d'homothétie** que l'on désigne par *k* provient d'un rapport de mesures de segments auquel on attribue un signe.

- Rapport des mesures des segments reliant le centre à l'image et le centre au point initial : $\frac{\text{m}\,\overline{OP'}}{\text{m}\,\overline{OP}}$.

- Signe :

**positif** si un point et son image sont du même côté du centre de l'homothétie ;

$$k = +\frac{\text{m}\,\overline{OP'}}{\text{m}\,\overline{OP}}$$

**négatif** si un point et son image sont situés de part et d'autre du centre de l'homothétie.

$$k = -\frac{\text{m}\,\overline{OP'}}{\text{m}\,\overline{OP}}$$

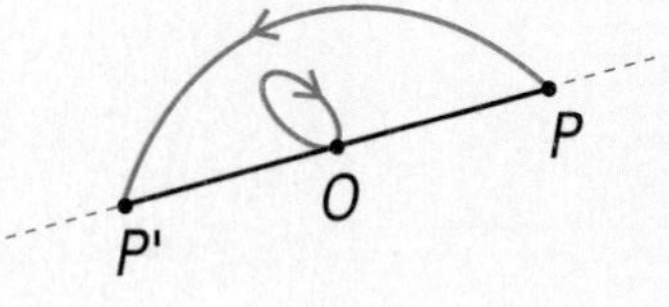


Une homothétie est complètement déterminée par son centre et son rapport. Cela signifie que, à partir de ce centre et de ce rapport, on peut trouver l'image de tout point du plan.

Voici une homothétie de centre $O$ et de rapport 2.

Un rapport 2 signifie que, pour tout point, la distance du centre à l'image vaut le double de la distance du centre au point initial. Ainsi :

$m\ \overline{OP'} = 2\ (m\ \overline{OP})$
$m\ \overline{OM'} = 2\ (m\ \overline{OM})$
$m\ \overline{OX'} = 2\ (m\ \overline{OX})$
...

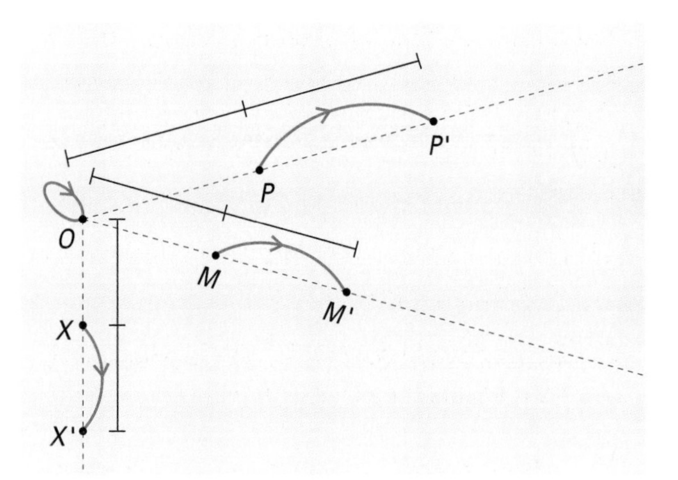


Les homothéties permettent d'associer à la figure initiale une figure image agrandie, réduite ou isométrique selon la valeur du rapport $k$.

Si $|k| > 1$, la figure image est un agrandissement de la figure initiale.

Si $|k| = 1$, la figure image est isométrique à la figure initiale.
(On a l'identité si $k = 1$ et une rotation de180° si $k = -1$.)

Si $|k| < 1$, la figure image est une réduction de la figure initiale.
On exclut la valeur 0 pour $k$.

Les homothéties ont inspiré deux techniques pour **agrandir** ou **réduire** les figures : la «toile d'araignée» et le «faisceau».

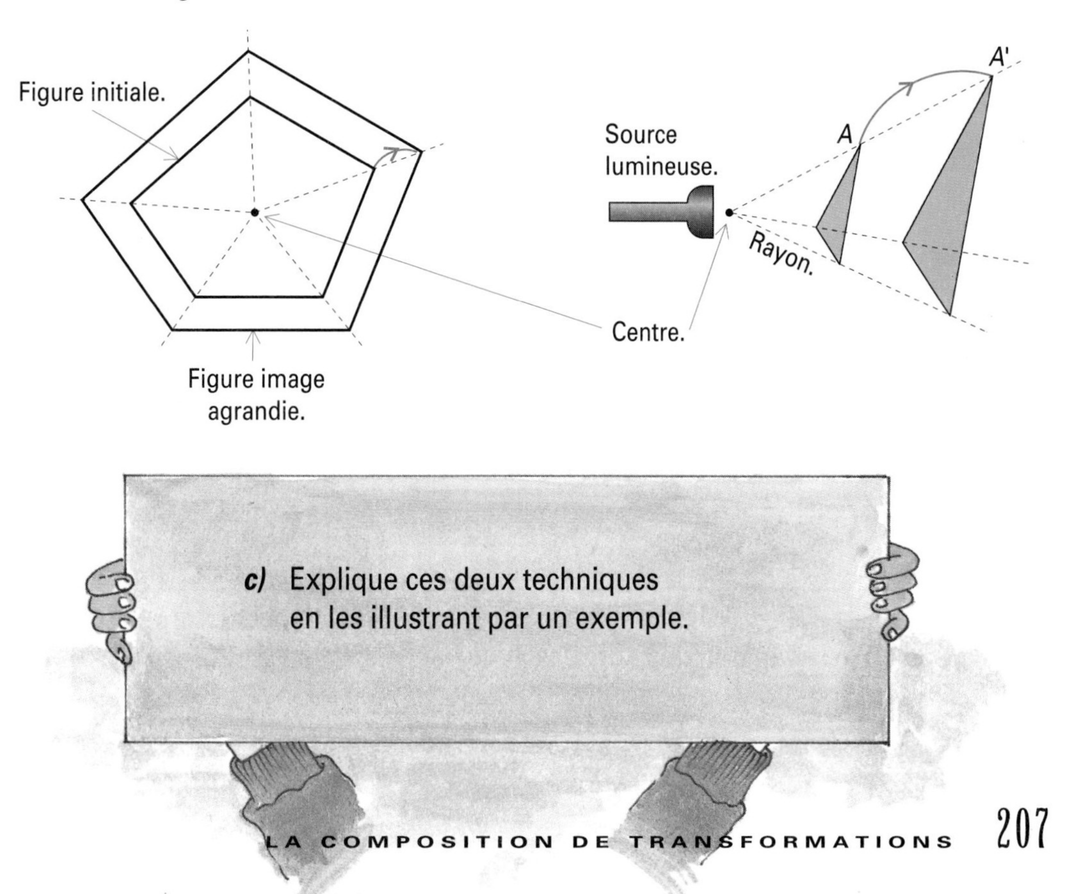

**1** Trouve l'image de *T* et *X* par l'homothétie *h* de centre *O* et de rapport 3.

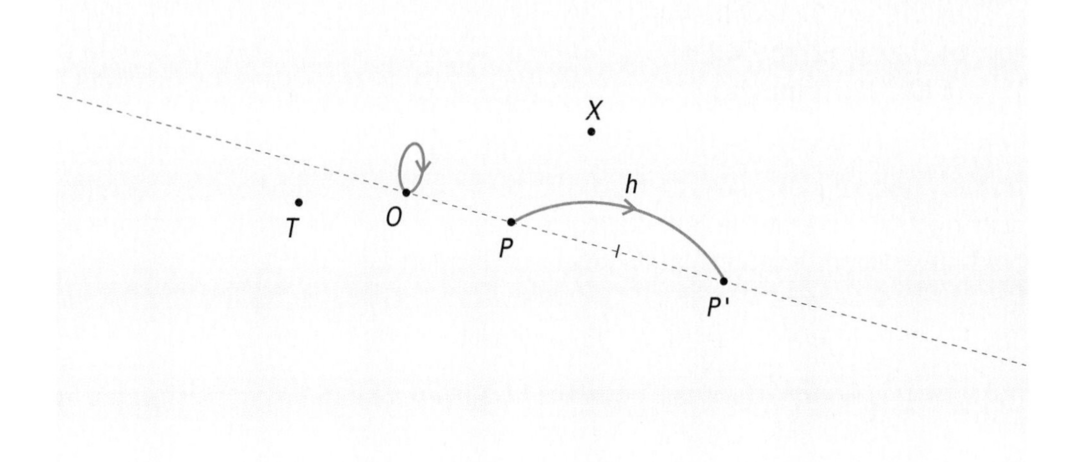


**2** Détermine le rapport de l'homothétie dans chaque cas et trouve l'image de *S*.

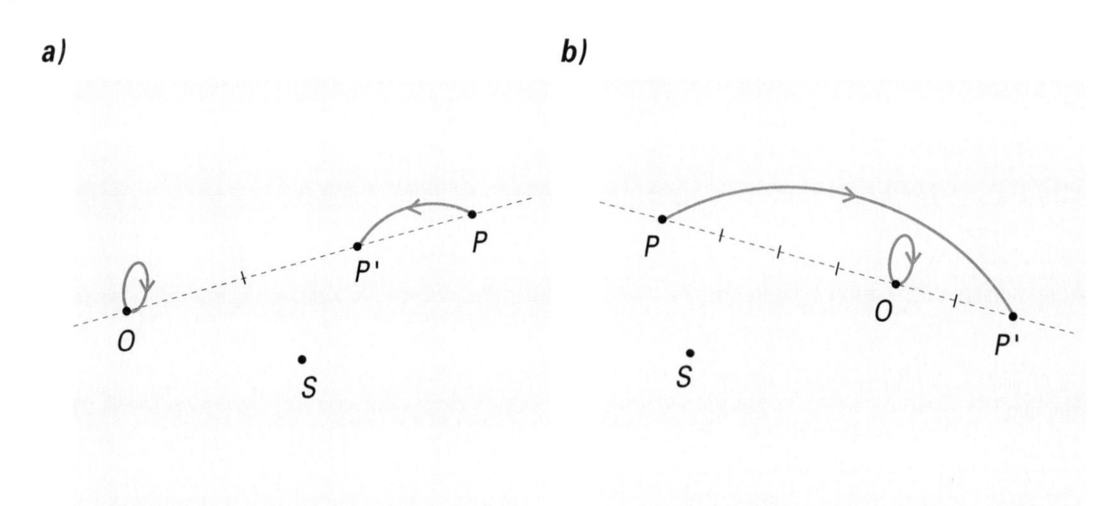

**3** Trace les droites *P'S'* et *PS* dans chaque cas ci-dessus. Que peut-on dire de la position qu'occupent ces deux droites l'une par rapport à l'autre ?

**4** Pour trouver l'image d'un point quelconque par une homothétie, on peut utiliser la propriété qu'ont les homothéties de transformer toute droite en une droite parallèle.

1° On construit la trace passant par le point dont on veut l'image (ici $X$).

2° On trace la droite passant par deux éléments de départ (ici par $P$ et $X$).

3° On trace une droite parallèle à $PX$ passant par l'image $P'$.

4° L'image $X'$ est au point d'intersection.

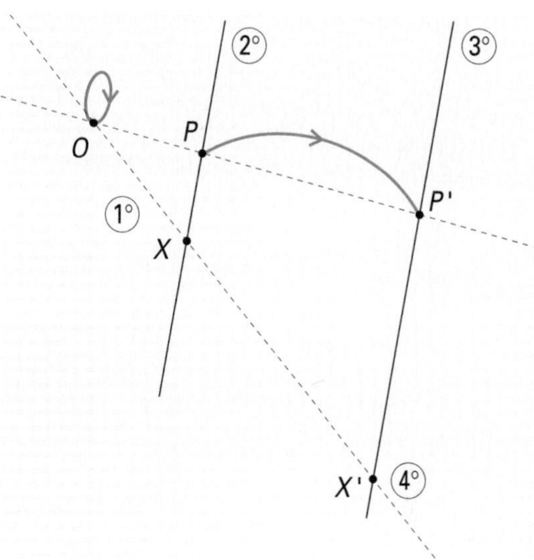


En utilisant cette propriété, trouve l'image des points $M$, $N$ et $S$.

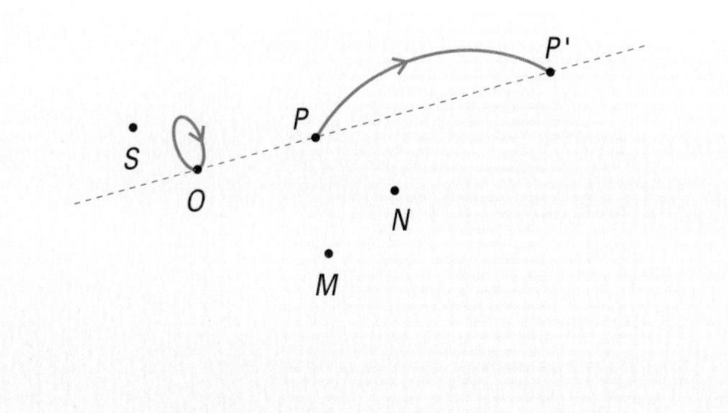


**5** Trouve l'image de cette figure par l'homothétie décrite selon la méthode de ton choix.

***a)*** Homothétie de centre $A$ et de rapport $\frac{3}{2}$.

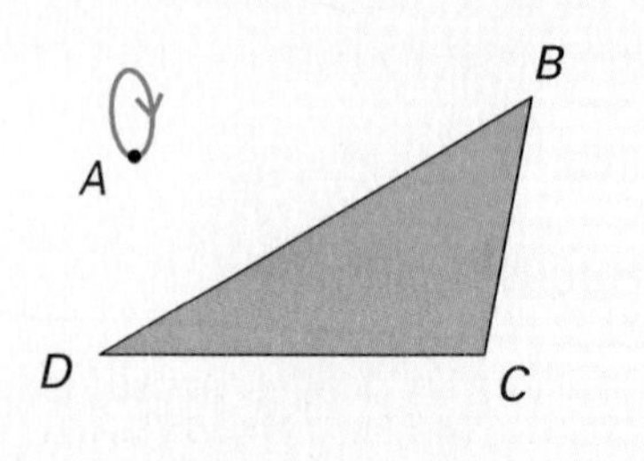

***b)*** Homothétie de centre $N$ et de rapport $-\frac{1}{2}$.

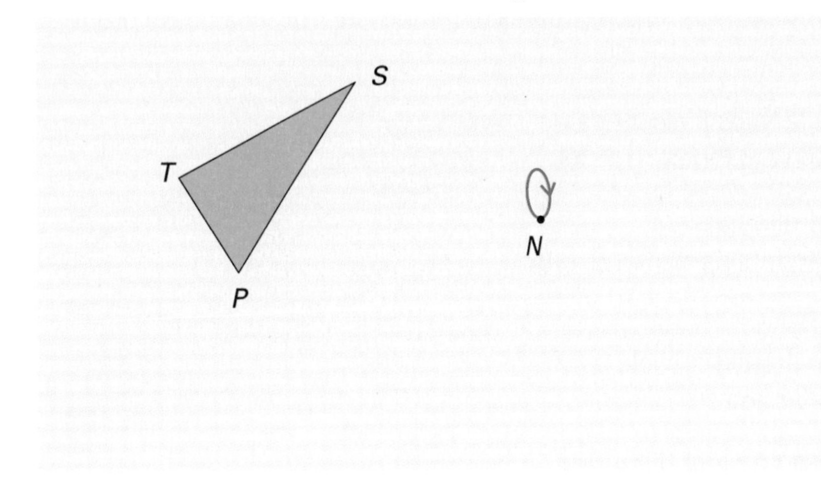


***c)*** Homothétie de centre $V$ et de rapport 1.

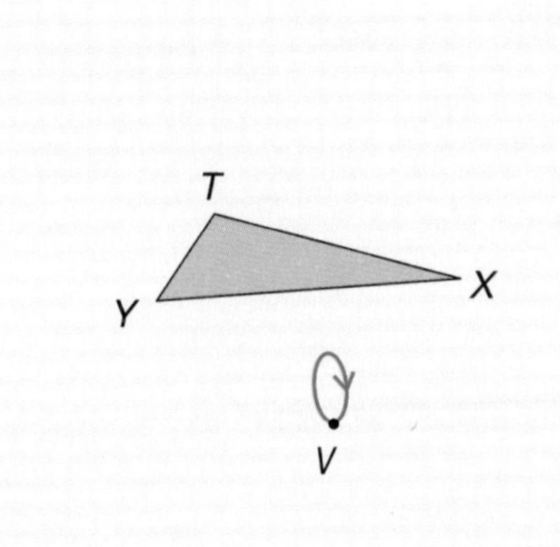


**6** Indique si l'image est une figure agrandie, réduite ou isométrique de la figure initiale lorsque le rapport de l'homothétie est :

***a)*** $\frac{1}{5}$ ***b)*** $-\frac{3}{2}$ ***c)*** $-1$ ***d)*** $\frac{5}{4}$ ***e)*** $-\frac{7}{5}$

**7** En te référant aux constructions réalisées jusqu'ici, peut-on dire que :

***a)*** l'homothétie conserve l'orientation des figures ?

***b)*** l'homothétie transforme les droites en droites ?

***c)*** l'homothétie transforme les droites en droites parallèles ?

***d)*** l'homothétie conserve les mesures des angles ?

***e)*** l'homothétie conserve les distances ?

**8** L'homothétie ne conserve pas les distances entre les points. Cependant, elle modifie les distances de façon à respecter le rapport de l'homothétie. Montre ce fait en mesurant les segments et leur image en millimètres.

***a)***

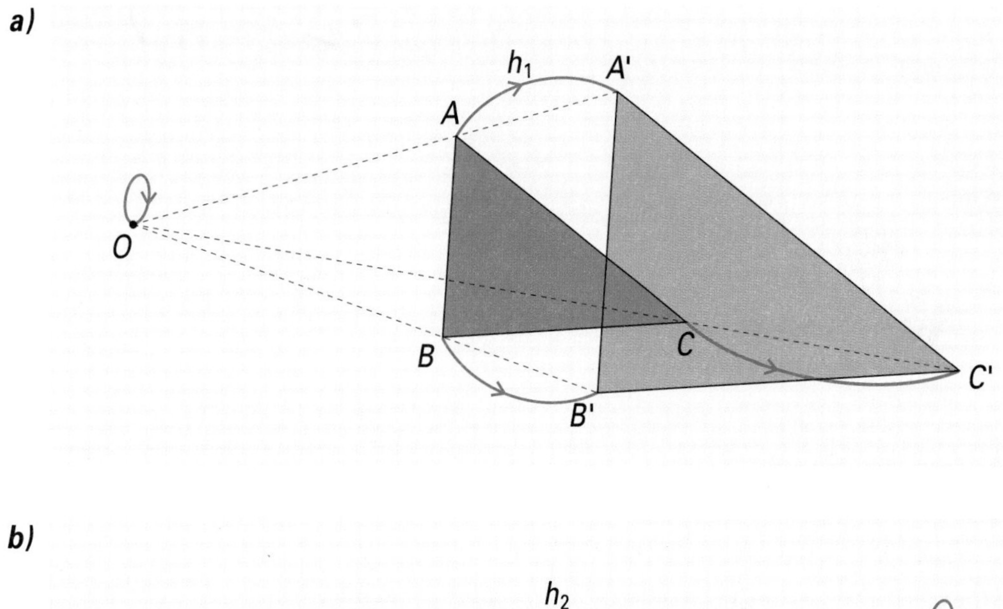


***b)***

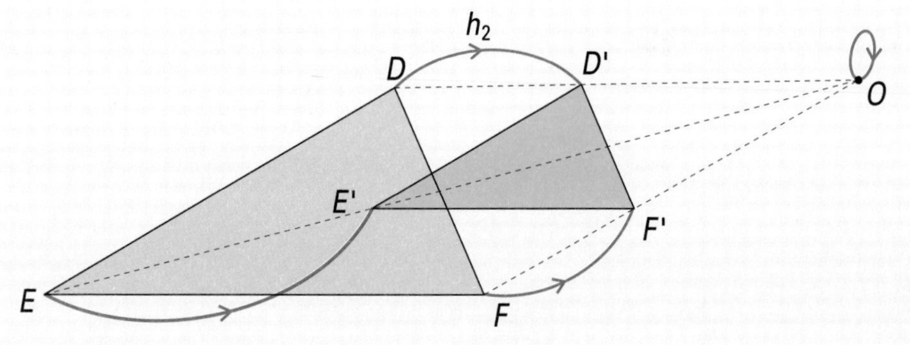


**9** Explique en quoi les homothéties peuvent être considérées comme des situations de variation directe.

**10**

Que veut dire Gaëlle par cet énoncé ?

**11** Une homothétie de centre $O$ et de rapport $k$ est définie dans le plan cartésien de la façon suivante : $h_{(O,\,k)} : (x, y) \mapsto (kx, ky)$. Trouve l'image de chaque triangle par l'homothétie décrite.

***a)*** $h_{(O,\,\frac{3}{2})} : (x, y) \mapsto (\frac{3}{2}x, \frac{3}{2}y)$

***b)*** $h_{(O,\,-2)} : (x, y) \mapsto (-2x, -2y)$

***c)*** $h_{(O,\,\frac{3}{4})} : (x, y) \mapsto (\frac{3}{4}x, \frac{3}{4}y)$

***d)*** $h_{(O,\,-\frac{1}{3})} : (x, y) \mapsto (-\frac{1}{3}x, -\frac{1}{3}y)$

**12** Donne la règle de l'homothétie représentée.

***a)***

***b)***

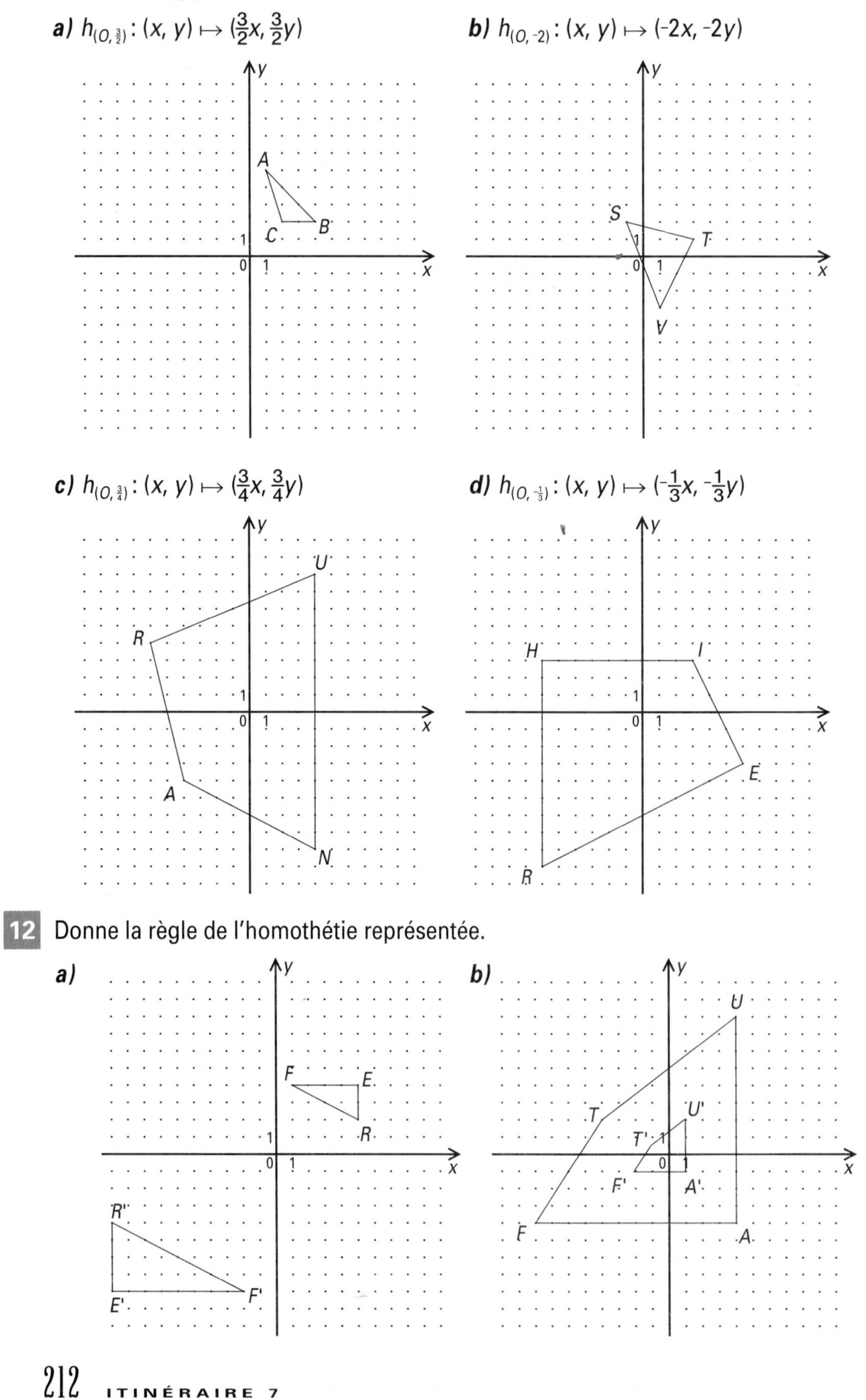

**13** En quoi est changé un triangle transformé par une homothétie dont le rapport tend vers 0 ?

**14** Voici une homothétie de centre $O$ et de rapport 2 qui au $\Delta\, ABC$ associe le $\Delta\, A'B'C'$. Décris l'homothétie qui opère l'association dans le sens inverse, c'est-à-dire l'homothétie réciproque de $h$, que l'on note $h^{-1}$.

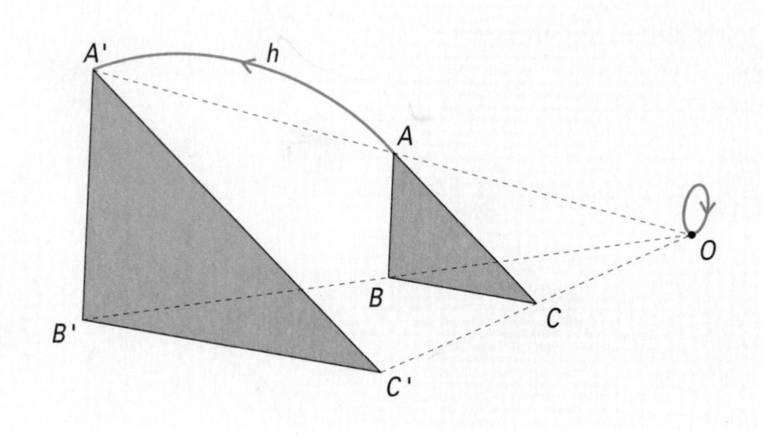


**15** Quel est le produit des rapports d'une homothétie et de sa réciproque ?

**16** Décris la réciproque de l'homothétie donnée.

***a)*** $h_{(O,\,2)}$ ***b)*** $h_{(O,\,-1)}$

**17** Donne la règle de la réciproque de chaque transformation donnée.

***a)*** $t: (x, y) \mapsto (x - 3, y + 4)$

***b)*** $r_{(O,\,90°)}: (x, y) \mapsto (-y, x)$

***c)*** $s: (x, y) \mapsto (-x, y)$

***d)*** $h_{(O,\,2)}: (x, y) \mapsto (2x, 2y)$

**18** Donne la règle de l'homothétie équivalente à une rotation de 180° autour de l'origine.

**19** Reproduis ces figures en les calquant. Ensuite, par la technique de ton choix, agrandis ou réduis la figure selon le facteur donné.

***a)*** $\frac{3}{2}$ ***b)*** 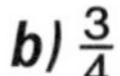

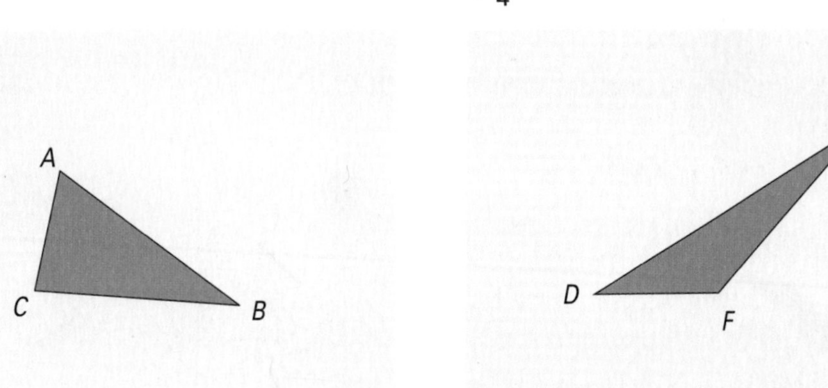

# LES SIMILITUDES

## LES FIGURES SEMBLABLES

### Situation Le photocopieur

Voici un photocopieur et son tableau de commande.

Avec ce photocopieur, Alex veut reproduire une figure de différentes façons.

① Si cela est possible, explique comment il peut obtenir :

***a)*** une image agrandie de la figure ;

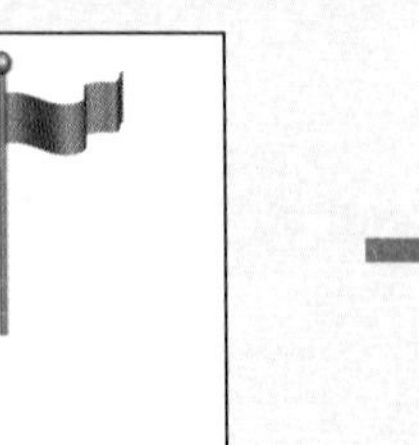

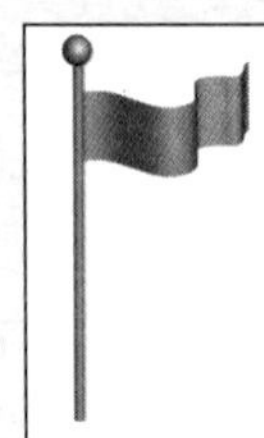

***b)*** une image réduite et tournée de la figure ;

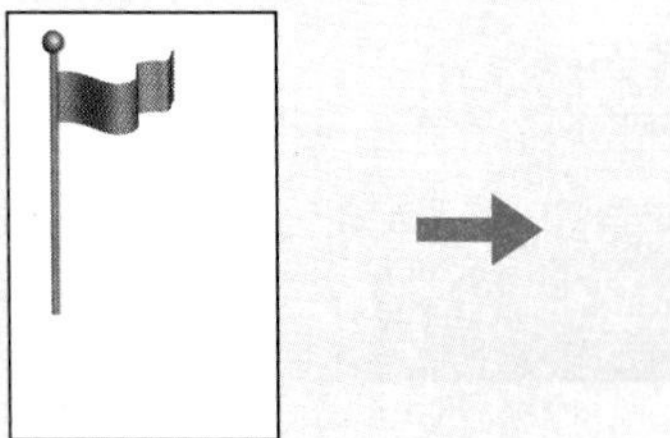

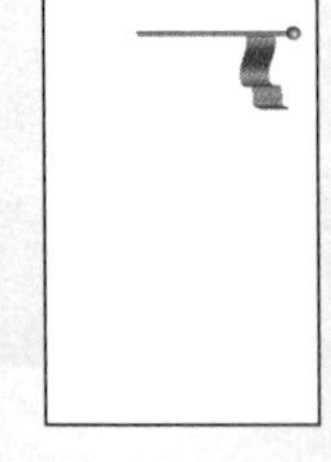

***c)*** une image retournée et agrandie de la figure.

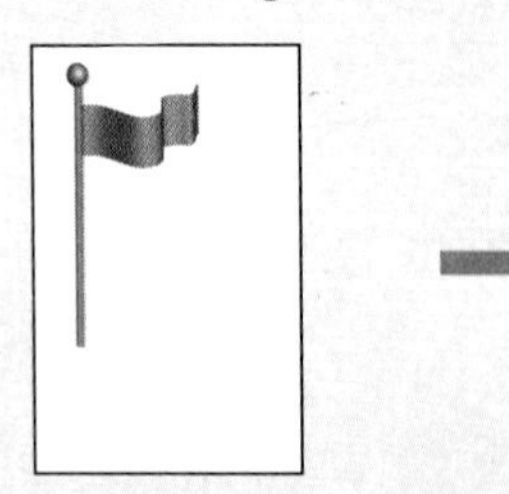

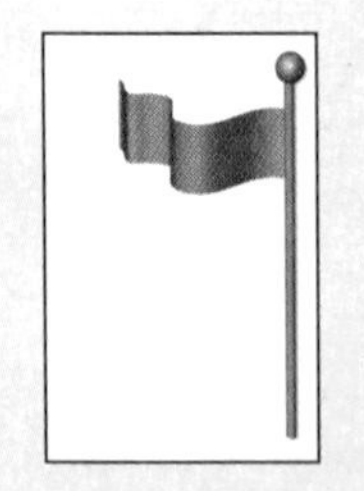

② Toutes ces images ont-elles **la même forme** que la figure initiale ?

On peut également faire suivre ou composer des isométries et des homothéties dans un plan.

| ∘ | *t* | *r* | *s* | *sg* | *h* |
|---|---|---|---|---|---|
| *t* | **t** | **r** | *s* ou *sg* | *s* ou *sg* | **t ∘ h** |
| *r* | **r** | **t** ou **r** | *s* ou *sg* | *s* ou *sg* | **r ∘ h** |
| *s* | *s* ou *sg* | *s* ou *sg* | **t** ou **r** | **t** ou **r** | ***s* ∘ h** |
| *sg* | *s* ou *sg* | *s* ou *sg* | **t** ou **r** | **t** ou **r** | *sg* ∘ **h** |
| *h* | **h ∘ t** | **h ∘ r** | **h ∘ *s*** | **h** ∘ *sg* | **h ∘ h** |

Encore ici, nous pouvons nous demander si ces nouvelles composées sont équivalentes à une translation, une rotation, une réflexion, une symétrie glissée ou une homothétie unique. Nous allons le vérifier ensemble dans le *Jogging*.

Ce sont toutes ces isométries, homothéties et composées d'isométries et d'homothéties que l'on appelle les **similitudes**.

| ∘ | *t* | *r* | *s* | *sg* | *h* |
|---|---|---|---|---|---|
| *t* | ***Sim*** | ***Sim*** | ***Sim*** | ***Sim*** | ***Sim*** |
| *r* | ***Sim*** | ***Sim*** | ***Sim*** | ***Sim*** | ***Sim*** |
| *s* | ***Sim*** | ***Sim*** | ***Sim*** | ***Sim*** | ***Sim*** |
| *sg* | ***Sim*** | ***Sim*** | ***Sim*** | ***Sim*** | ***Sim*** |
| *h* | ***Sim*** | ***Sim*** | ***Sim*** | ***Sim*** | ***Sim*** |

Les similitudes permettent de définir les figures semblables.

On appelle **figures semblables** des figures associées par une similitude.

Les figures associées par une similitude et que l'on dit **semblables** sont soit des figures isométriques, soit des agrandissements ou des réductions l'une de l'autre.

QU'EN PENSEZ-VOUS ?

***a)*** La position de deux figures semblables peut-elle être quelconque ?

***b)*** Deux figures semblables sont-elles toujours associées par une homothétie ?

**1** On a composé une isométrie et une homothétie. Dans chaque cas, indique si la composée est une isométrie ou une homothétie, ou autre chose.

***a)*** *t* ∘ *h*

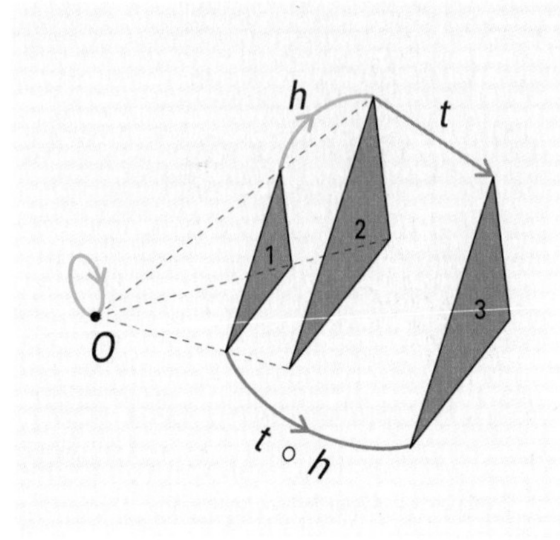


***b)*** *h* ∘ *t*

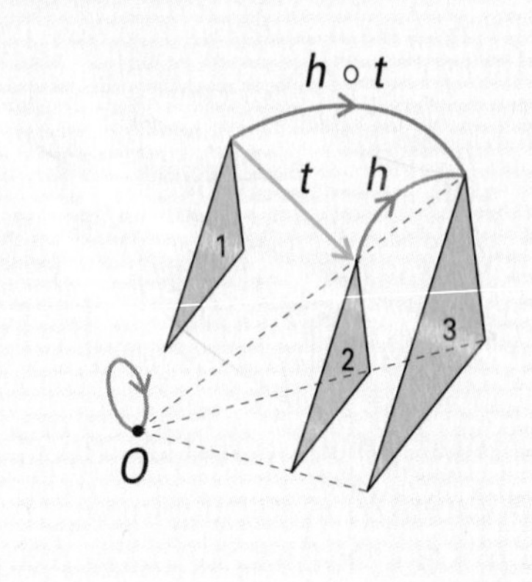

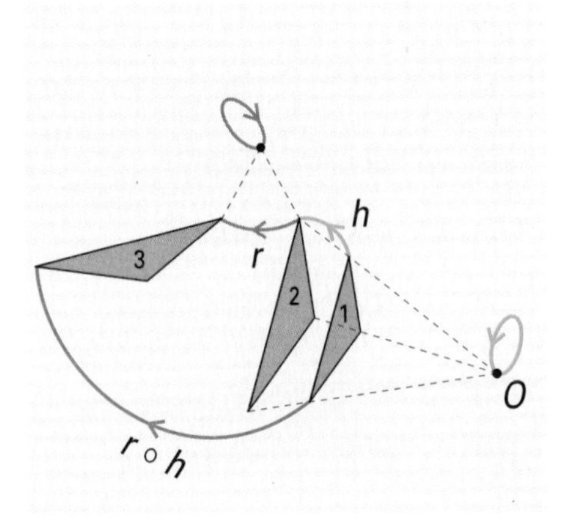


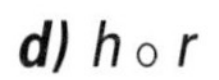


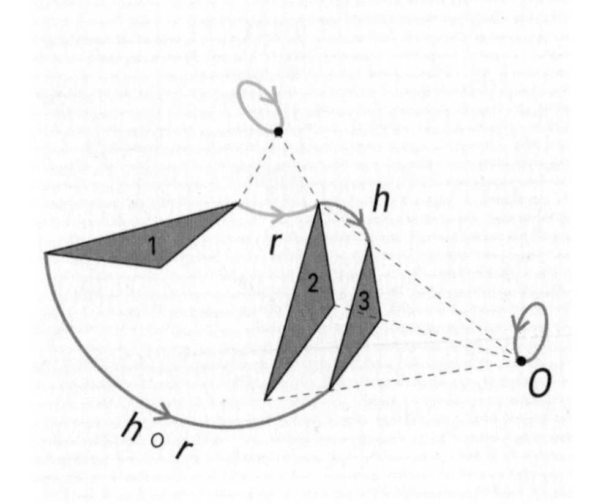

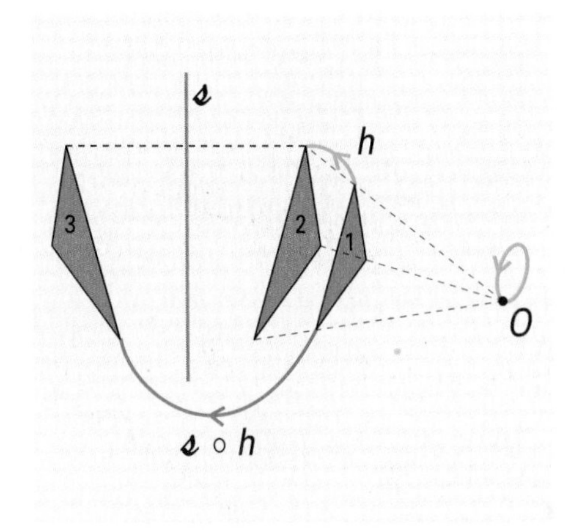

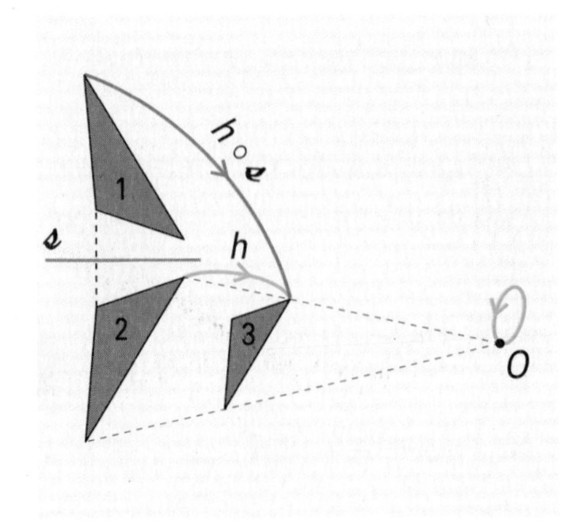

***g)*** $h \circ sg$

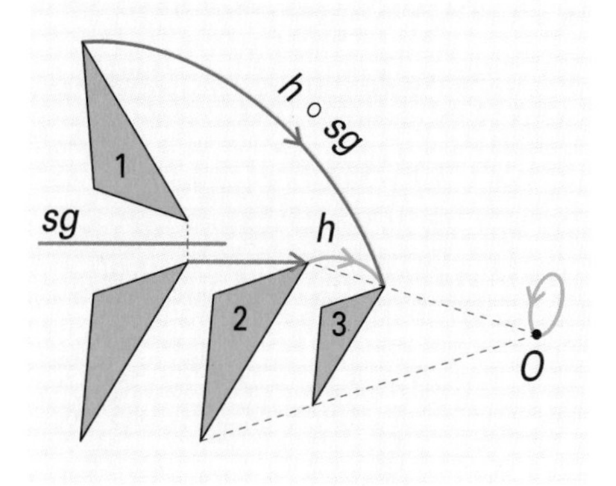


***h)*** $sg \circ h$

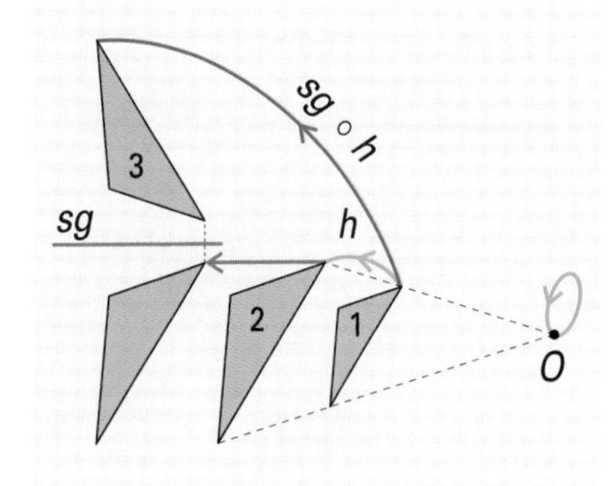


***i)*** $h_2 \circ h_1$

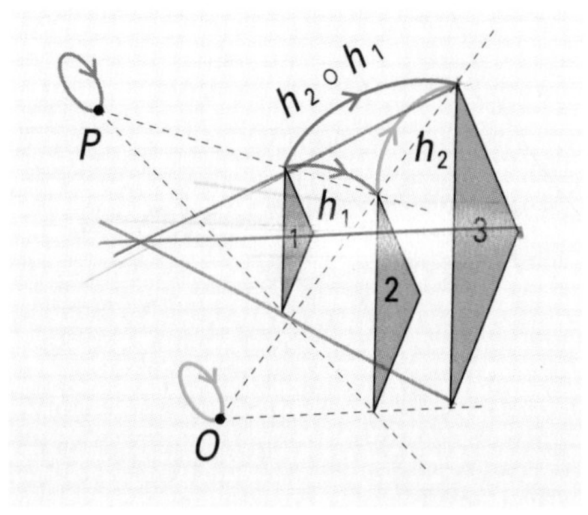


***j)*** $h_2 \circ h_1$

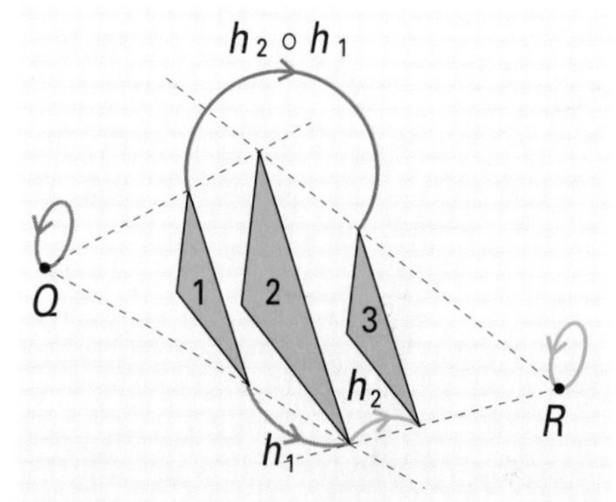


**2** Quels sont les deux seuls cas de composition d'une isométrie et d'une homothétie qui sont équivalents à une homothétie ?

**3** Pour que la composée de deux homothéties soit une translation, il faut absolument que les rapports respectent une certaine condition. Quelle est cette condition ?

**4** On compose deux homothéties et la composée est équivalente à une autre homothétie. Existe-t-il un lien entre les trois rapports ? Si oui, quelle relation exprime ce lien ?

**5** Complète l'énoncé suivant par le mot approprié : « Dire que les isométries sont des similitudes revient à dire que les figures isométriques sont ■. »

**6** Quelles sont les deux grandes propriétés des figures semblables quant aux mesures de leurs angles et de leurs côtés ?

**7** Combien y a-t-il de types d'isométries dans l'ensemble des similitudes ?

**8** On a fait suivre une translation d'une homothétie de centre $P$ et de rapport 2. Trace la seconde image de cette composition.

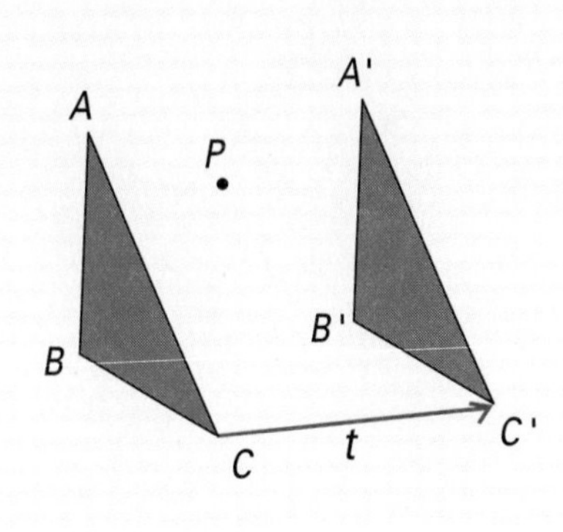


**9** On a fait suivre une rotation d'une homothétie de centre $X$ et de rapport $\frac{3}{2}$. Trace la seconde image de cette composition.

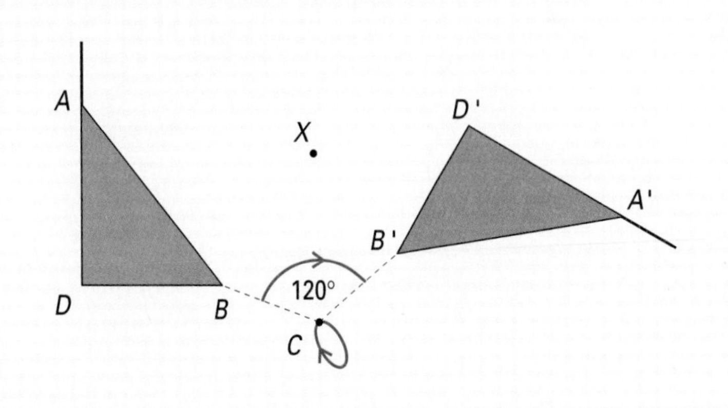


**10** Trace l'image du trapèze $SETR$ par l'homothétie de centre $H$ et de rapport $-\frac{1}{2}$ suivie de la réflexion $\mathscr{s}$.

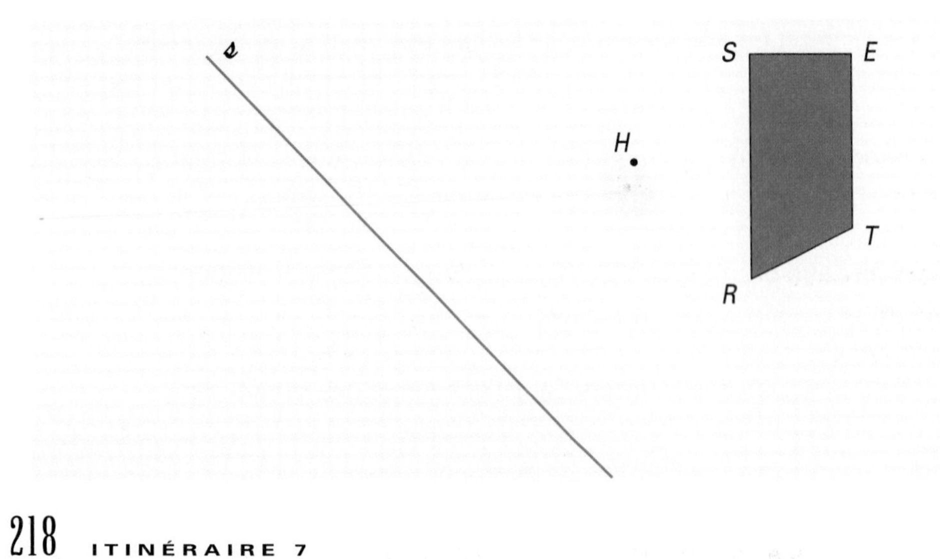

**11** Trace l'image du Δ *NBV* par l'homothétie de centre *A* et de rapport 2 suivie de l'homothétie de centre *D* et de rapport $-\frac{1}{2}$.

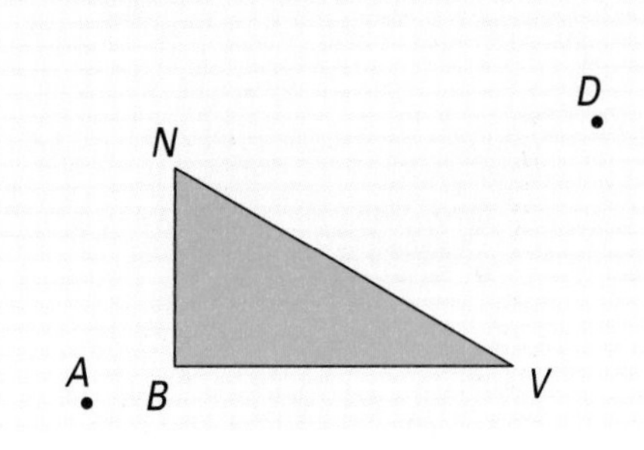


**12** Trace l'image du Δ *ABC* par une symétrie glissée suivie d'une homothétie de centre *E* et de rapport -2.

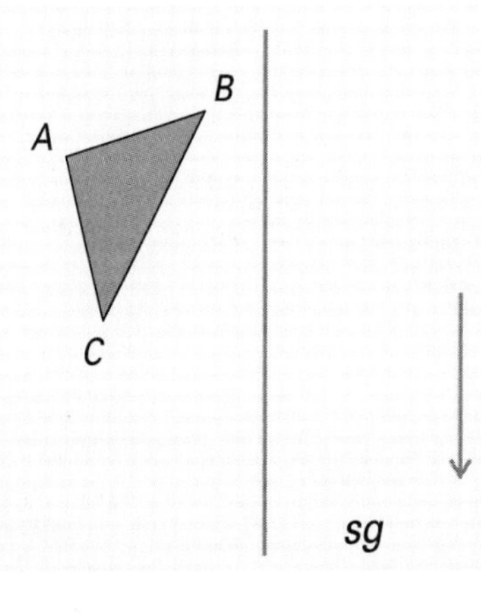


**13** Dans chaque cas, la composée est une homothétie. Trouve le centre de cette homothétie.

***a)***

$h_1$ $h_2$ 1 2 3

***b)***

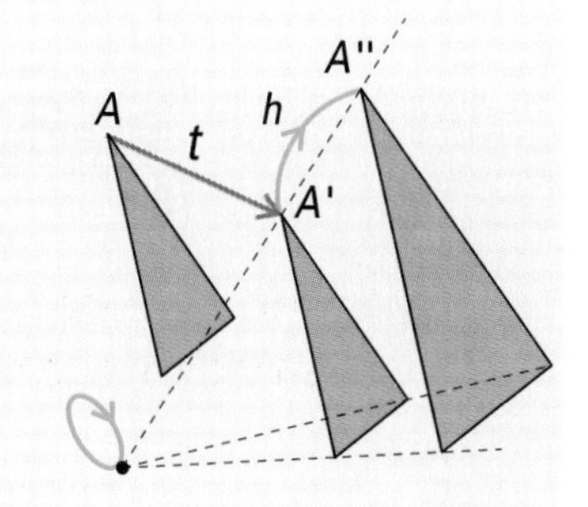


**14** On a composé ici deux homothéties de centres différents et de rapports inverses. Quelle similitude associe les figures 1 et 3?

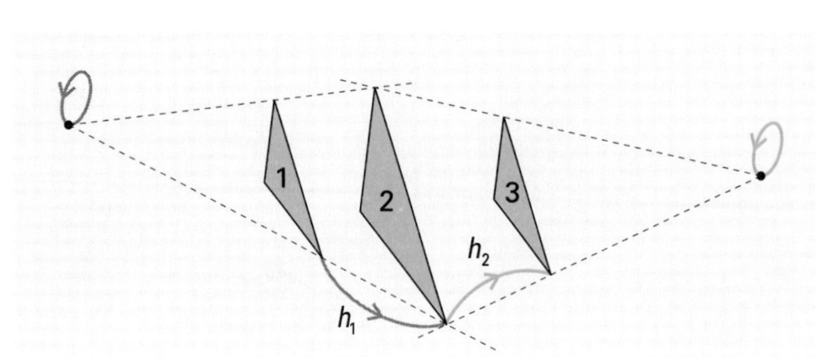

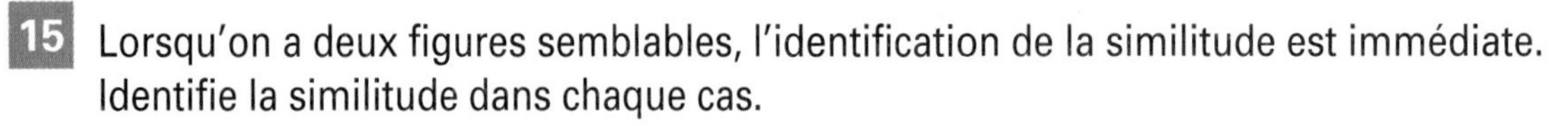

**15** Lorsqu'on a deux figures semblables, l'identification de la similitude est immédiate. Identifie la similitude dans chaque cas.

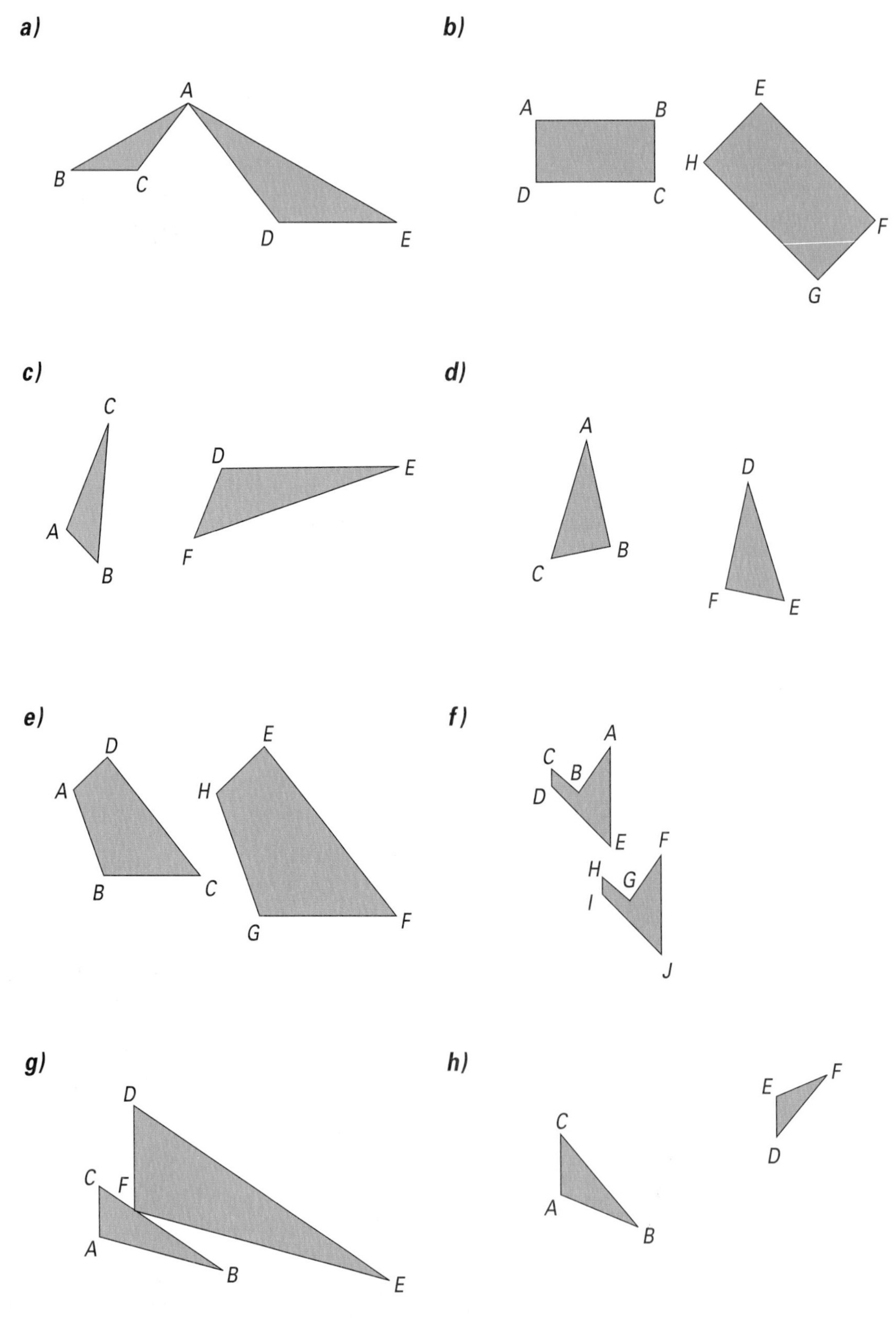

## Projet 1 Les fractales

Dans les fractales, on observe un processus de fragmentation des lignes. L'orme se fragmente principalement en deux, tandis que le chêne se fragmente surtout en trois. Ils créent ainsi des formes fractales.

On peut également subdiviser les côtés de polygone en suivant un certain processus pour créer des fractales. En voici une qui est faite à partir d'un triangle équilatéral. On pourrait poursuivre le processus si l'on disposait d'un ordinateur.

Le processus est simple : d'une figure à l'autre, on remplace chaque segment ——— par ce motif _/_ .

***a)*** Fais une recherche de quelques pages (3) sur les fractales.

***b)*** En utilisant le même processus (ou un autre processus comme le zigzag), dessine au moins trois fractales à partir de figures comme un carré, un hexagone, un cercle, etc.

## Projet 2 Les flocons de neige

Les flocons de neige présentent un désordre ou un chaos structuré. Respectant la seule contrainte de présenter 6 pointes, chaque flocon a une forme différente de celle des autres. Invente 6 formes de flocons.

## DÉTECTEZ L'INTRUS

- Dans chaque cas, quelle composition peut être considérée comme une intruse ?

**a)**
1) $t \circ h$
2) $h \circ h$
3) $h \circ t$
4) $r \circ h$

**b)**
1) $t \circ s$
2) $sg \circ r$
3) $h \circ sg$
4) $r \circ s$

**c)**
1) $t \circ t$
2) $h_{(A,\,2)} \circ h_{(B,\,\frac{1}{2})}$
3) $r_{(O,\,90°)} \circ r_{(O,\,-90°)}$
4) $s_x \circ s_y$

## À LA MENSA

- Voici deux figures symétriques. Quelle caractéristique présente chacune d'elles ?

- Décris comment, à partir d'un motif, on peut engendrer les autres motifs.

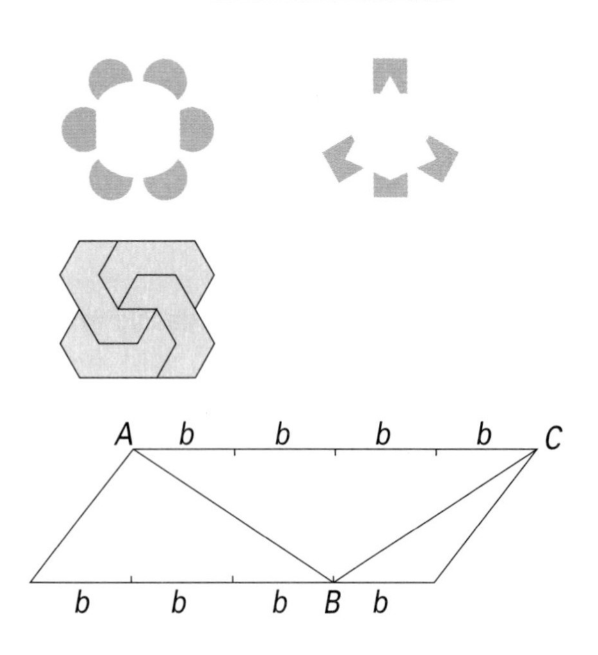


## PROUVE-LE DONC !

- On a partagé les bases d'un parallélogramme en 4 parties congrues. La hauteur issue de *A* rencontre la base au premier point de division. On joint les points *A* et *C* au point *B*. Lequel des segments *AB* ou *BC* est le plus long ? Prouve ta réponse.

- Démontre que $s \circ t \circ r \circ sg$ ne peut être autre chose qu'une translation ou une rotation.

## SUR LES TRACES DE LOGIC

- Mme Loiselle est en voyage dans un pays étranger. Elle vient de se faire voler son sac à main et sa valise à la gare. Il lui faudra une semaine pour récupérer ses chèques de voyage. Elle se présente à un petit hôtel qui lui inspire plus ou moins confiance. On peut la loger, mais on exige un dépôt de 50 $ par soir. Il lui reste une seule solution : celle de déposer en garantie chaque soir un nouvel anneau d'or provenant de son collier. Chaque anneau vaut plus de 50 $ et son collier compte 7 anneaux.

  Mme Loiselle s'interroge toutefois sur le nombre minimal d'anneaux qu'elle devra couper pour défaire son collier. Un petit appel à Logic la rassure très vite. Combien de coupures Logic lui propose-t-il ? Montre que sa proposition réduit au minimum le nombre de coupures.

## Je connais la signification des expressions suivantes :

**Transformation du plan** : relation entre les points du plan telle que tout point du plan a une et une seule image.

**Composition de transformations** : opération sur les transformations qui consiste à faire suivre une transformation d'une autre transformation.

**Composée** : transformation qui constitue le résultat d'une composition de deux ou plusieurs transformations.

**Transformation réciproque** : transformation qui effectue l'association dans le sens inverse de la transformation donnée.

**Orientation du plan** : l'un des deux sens de rotation dans un plan.

**Point fixe** : point qui est sa propre image par une transformation.

**Figure invariante ou invariant** : figure qui est sa propre image par une transformation.

**Trace d'un point** : droite passant par un point et son image.

**Isométrie** : transformation qui conserve les distances.

**Similitude** : toute isométrie, toute homothétie ou toute composée d'isométries et d'homothéties.

## Je maîtrise les habiletés suivantes :

**Décrire** des transformations.

**Énumérer** et **reconnaître** les principales propriétés des transformations.

**Identifier** une isométrie ou une similitude.

**Construire** l'image d'une figure par une composée d'isométries ou d'homothéties ou d'isométries et d'homothéties.

**Nommer** la transformation qui est équivalente à une composée d'isométries ou d'homothéties ou d'isométries et d'homothéties.

**Décrire** la réciproque d'une transformation donnée du plan.

# Des transformations en série

1. **Donne le nom** d'une transformation qui n'est pas une isométrie.

2. **Vrai** ou **faux** ?

   ***a)*** Dans une transformation, tout point n'a qu'une seule image.

   ***b)*** Dans toute transformation, l'image d'un triangle est un triangle.

   ***c)*** Dans toute transformation, les images sont toujours différentes des points initiaux.

   ***d)*** Dans toute transformation, les droites sont associées à des droites.

3. **Décris** une transformation en utilisant une règle algébrique.

4. Dans un certain logiciel, on a deux fonctions de dessin désignées par les mots *fractalisation* et *adoucissement*. Voici ce que chacune associe au même carré. **Ces deux transformations sont-elles des isométries** ? Justifie ta réponse.

   ***a)*** FRACTALISATION ***b)*** ADOUCISSEMENT

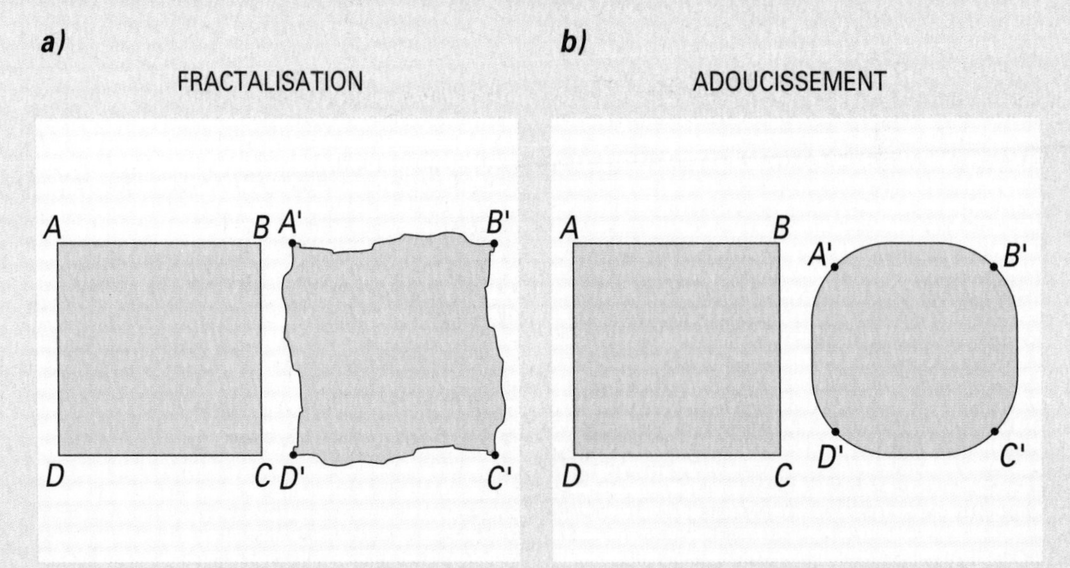


5. Une isométrie associe le point $(x, y)$ au point $(x + 2, y + 3)$.
   **De quelle isométrie s'agit-il** ?

6. Une isométrie associe le point $(x, y)$ au point $(-y, -x)$. **De quelle isométrie s'agit-il** ?

7. Une transformation a associé au segment dont les extrémités sont $A$ (2, 4) et $B$ (5, -6) le segment dont les extrémités sont $A'$ (1, 2) et $B'$ (3, -4).
   **S'agit-il d'une isométrie** ? Justifie ta réponse.

8. **Nomme les types d'isométries** qui possèdent :

*a)* un seul point fixe ;

*b)* une droite de points fixes ;

*c)* aucun point fixe.

9. Une transformation $T$ est définie par la règle $T : (x, y) \mapsto (2x, x + y)$.
**Montre** que cette transformation **ne conserve pas la mesure des angles.** Utilise l'angle $AOB$ avec $A(2, 0)$, $O(0, 0)$ et $B(0, 2)$.

10. On met en relation deux figures par une isométrie. **Identifie les types d'isométries** désignés par les énoncés suivants.

*a)* Les figures ont la même orientation et les traces ne sont pas parallèles.

*b)* Les figures n'ont pas la même orientation et les traces sont parallèles.

*c)* Les figures n'ont pas la même orientation et les traces ne sont pas parallèles.

11. Deux figures $A$ et $B$ sont associées par une translation. Ensuite, on associe la figure $B$ à une figure $C$ par une réflexion. **De quelle information** a-t-on besoin pour identifier l'isométrie qui associe la figure $A$ à la figure $C$?

12. On donne deux figures isométriques. **Identifie l'isométrie** qui les met en relation.

*a)*

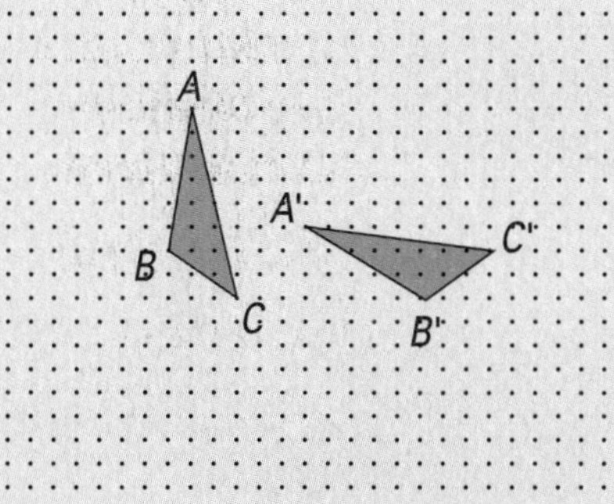

A
B
C
A'
C'
B'

*b)*

P
M
N
M'
P'
N'

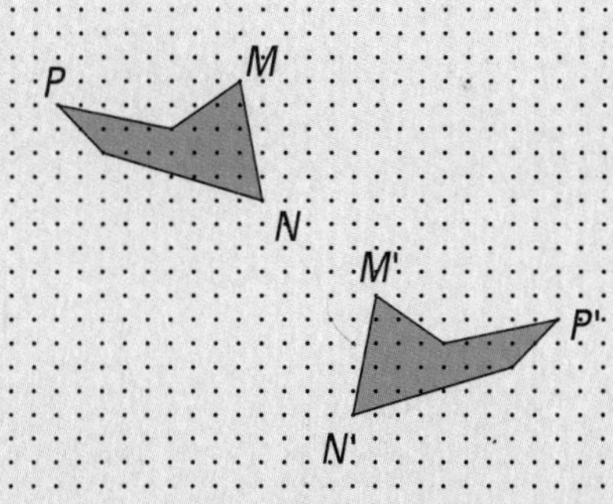

13. On donne deux figures semblables. **Identifie la similitude** qui les associe.

*a)*

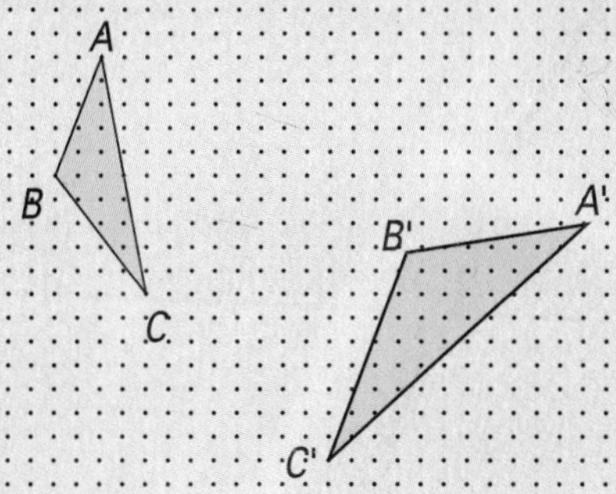

A
B
C
A'
B'
C'

*b)*

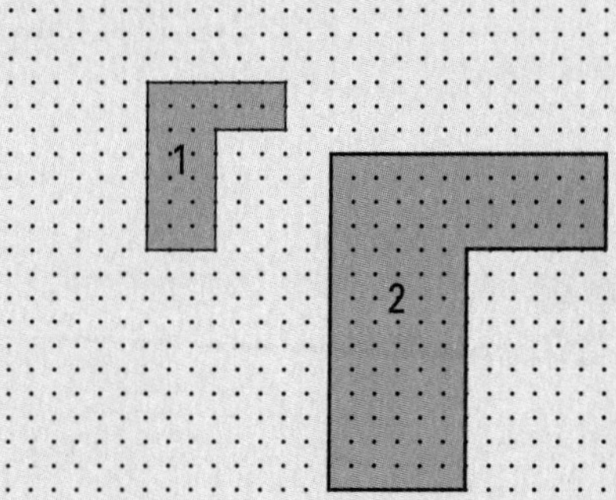

1
2

14. **Trace l'image** du $\Delta$ *ABC* par la composition demandée.

*a)* $t \circ s$ *b)* $h_2 \circ h_1$

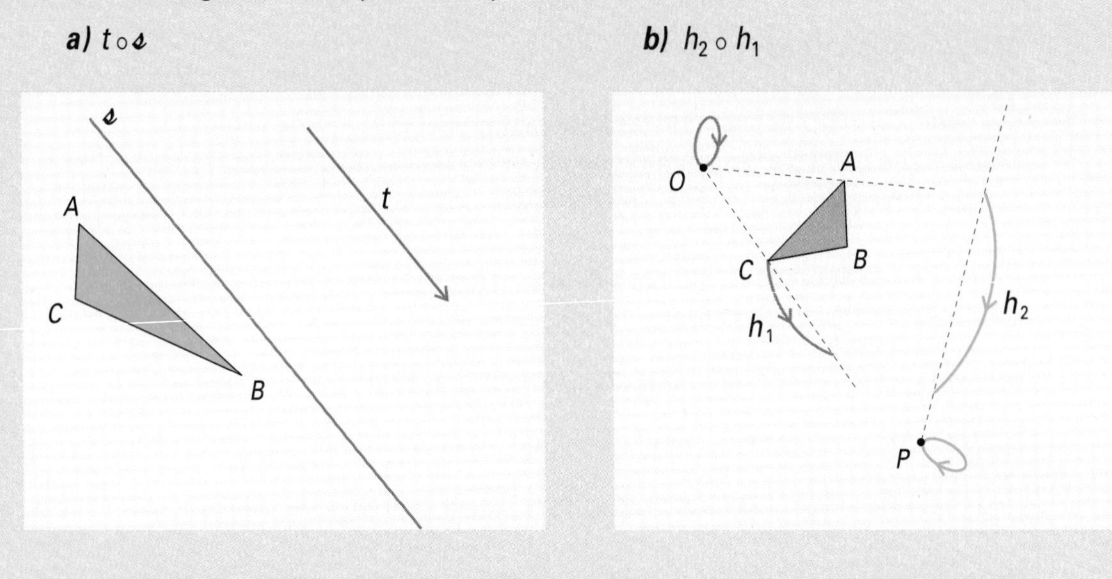


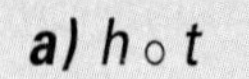

15. **Trace l'image** de la figure par la composition demandée. La première image a déjà été tracée.

*a)* $h \circ t$ *b)* $s \circ h$

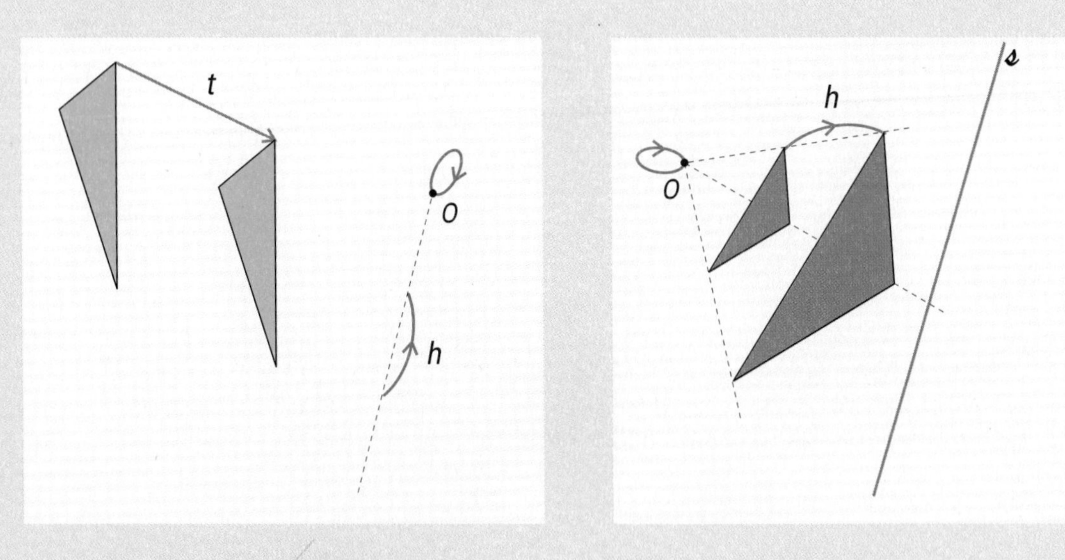


16. **Détermine** si chacune des compositions de l'exercice précédent est équivalente à une transformation unique. Si oui, donne le nom précis de cette transformation.

17. **Construis l'image** du $\Delta\ ABC$ par $h \circ r$. On a déjà construit l'image par $r$.

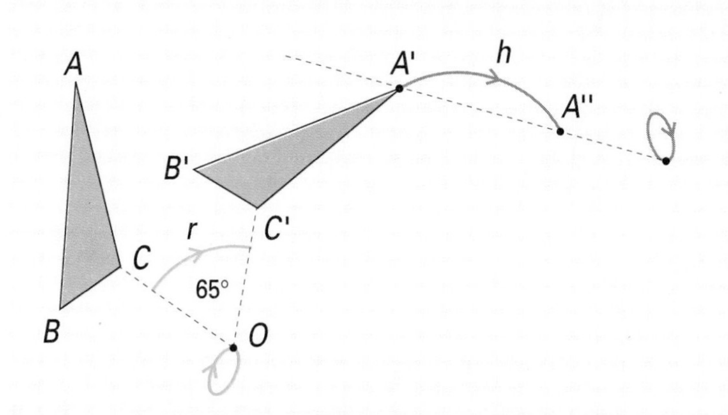


18. Dans chaque cas, on donne une composition d'isométries. **Quel est le nom de l'isométrie** unique équivalente à cette composition ?

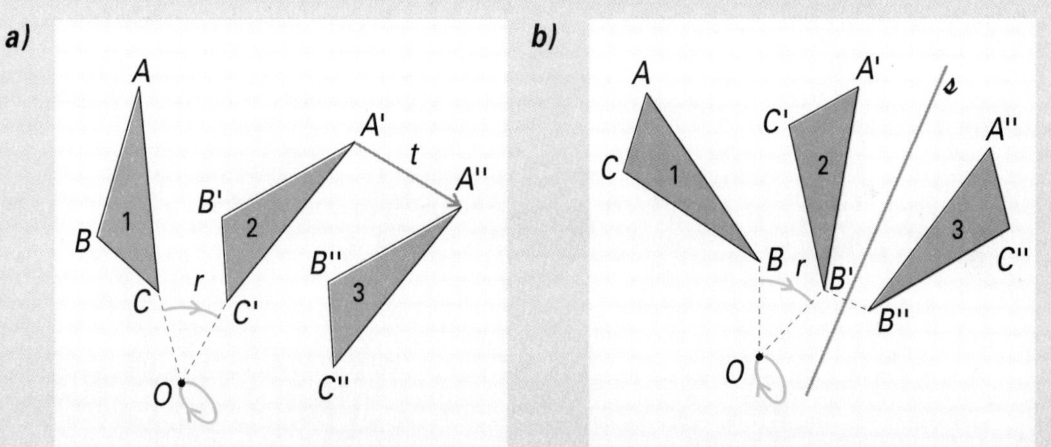


19. Dans chaque cas, on donne une composition de similitudes. **Donne le nom de la transformation** unique équivalente à cette composition, si elle existe.

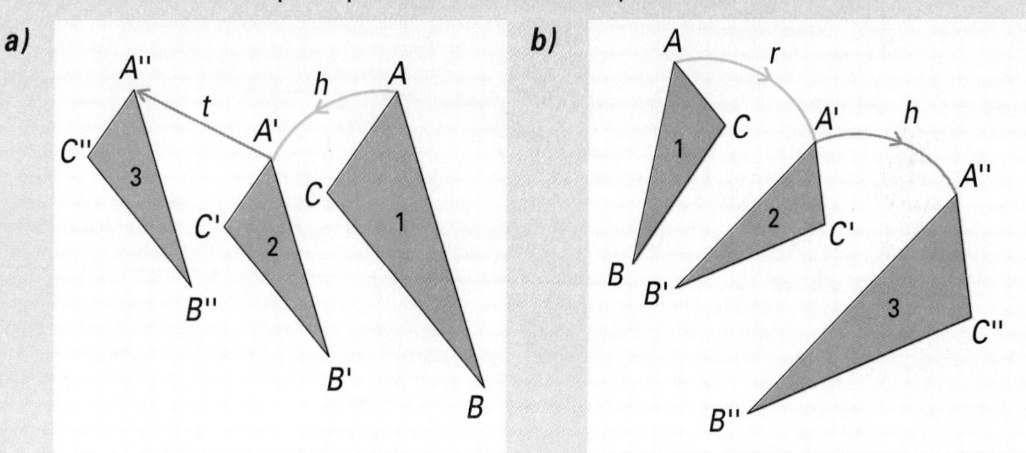

20. **Quelle** est l'image du $\Delta ABC$ par la composée $t \circ t^{-1}$?

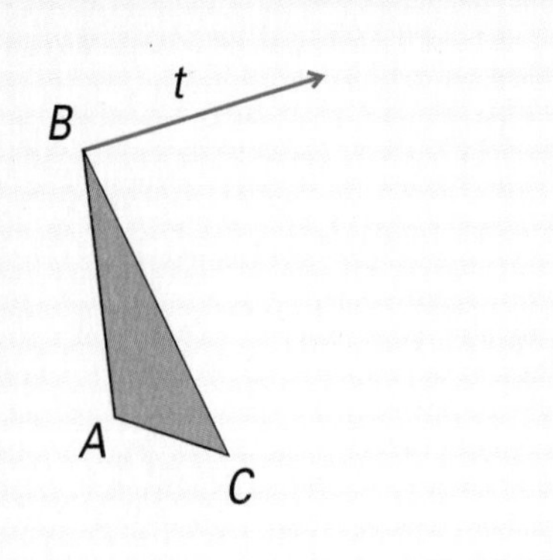


21. **Donne** ou **décris** la transformation réciproque de celle donnée.

***a)*** $r_{(O, -90°)}$ ***b)*** $h_{(O, -2)}$ ***c)*** $s_x$ ***d)*** $t_{(2, -3)}$

22. Les mesures des côtés d'un triangle sont 3 nombres entiers consécutifs. Son périmètre est de 57 cm. **Quelle** est la mesure de son plus grand côté ? (Utilise une équation.)

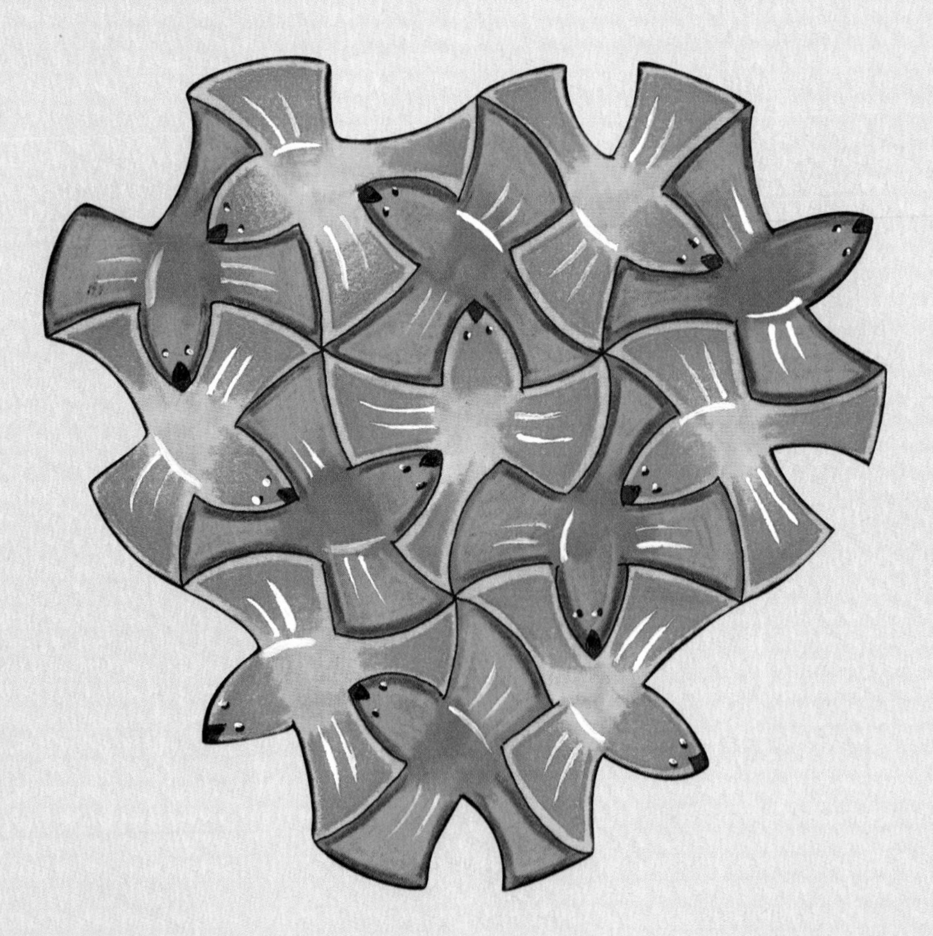

# ITINÉRAIRE 8

# ANALYSE DE DONNÉES STATISTIQUES

**Les grandes idées :**

- Organisation de données.
- Construction de tableaux de distribution.
- Construction d'histogrammes.
- Calcul de l'étendue, de la moyenne, de la médiane et du mode.
- Interprétation de ces mesures.

**Objectif terminal :**

Résoudre des problèmes issus de situations fournissant une distribution statistique à un caractère.

...VERS L'ANALYSE DE DONNÉES

# LES DONNÉES STATISTIQUES

## PRÉSENTATION DE DONNÉES

### Situation Qui êtes-vous?

On veut connaître l'opinion des élèves de troisième secondaire sur divers sujets. Répondez aux questions suivantes. La compilation des données de chacun et chacune permettra d'y voir plus clair.

① Combien de soirs par semaine l'élève de troisième secondaire sort-il de la maison pour rencontrer des amis ou amies?

② Quelle somme l'élève de troisième secondaire débourse-t-il chaque semaine pour ses dépenses personnelles?

③ Combien d'amis ou amies véritables l'élève de troisième secondaire a-t-il?

④ Combien de temps l'élève de troisième secondaire consacre-t-il à :
*a)* ses études? *b)* un travail rémunéré?

⑤ À quelle heure l'élève de troisième secondaire se couche-t-il?

⑥ Pendant combien d'années l'élève de troisième secondaire envisage-t-il de poursuivre ses études?

⑦ Quelles sont les raisons qui portent un ou une élève de troisième secondaire à abandonner ses études?

⑧ Quels sont les 5 plus gros problèmes que peuvent éprouver les élèves de troisième secondaire?

⑨ Quel degré de confiance l'élève de troisième secondaire a-t-il envers ses parents? (Faible, moyen, élevé.)

⑩ Est-ce que l'élève de troisième secondaire est un être superstitieux?

⑪ Quel est le chiffre préféré des élèves de troisième secondaire?

⑫ L'élève de troisième secondaire croit-il en l'existence de Dieu?

***a)*** À quel sujet chacune des questions précédentes se rapporte-t-elle?

***b)*** Les réponses à ces questions constituent des données. Qu'est-ce qu'une donnée?

*c)* Une donnée est-elle nécessairement un nombre ?

En statistique, on peut recueillir des données sur toutes sortes de sujets. Les données recueillies peuvent être des **nombres**, des **numéros** ou des **mots.**

Chaque réponse fournie par chaque élève à chacune des questions constitue une **donnée.** Cependant, plusieurs réponses peuvent être identiques. La liste des données différentes correspond à la liste des **valeurs** des données.

*d)* Donne le nombre de valeurs que comportent les données aux deux premières questions de l'activité.

Les sujets sur lesquels porte la recherche de données sont appelés des **caractères.**

Les données recueillies qui sont des nombres sont dites **quantitatives** ou **numériques** et celles qui sont des numéros ou des mots sont dites **qualitatives** ou **alphanumériques.**

Les **valeurs** d'un caractère sont les formes différentes que prennent les données recueillies.

*e)* Que veut dire cette phrase : « La statistique est la science qui fait parler les données ou donne un sens aux données » ?

*f)* À quoi sert de faire de la statistique ? Quand doit-on recourir à la statistique ?

*g)* Les réponses que nous fournit la statistique sont-elles des réponses fiables ? certaines ?

La statistique est la science de l'incertitude. Elle tente d'éliminer cette incertitude par la recherche de données suffisamment nombreuses. Mais elle ne réussit pas à éliminer tout doute.

Dès que l'on fait de la statistique, on se retrouve donc devant un grand nombre de données qu'il faut dépouiller et organiser.

L'organisation de données en tableaux requiert quelques connaissances et habiletés.

Une excellente façon d'enregistrer manuellement des données est d'utiliser un **tableau de dépouillement** en trois colonnes : une pour les valeurs, une pour le dépouillement et une pour les effectifs.

L'**effectif** indique le nombre de fois que la valeur est apparue.

Les tableaux de dépouillement donnent naissance aux tableaux de distribution, que nous allons analyser en profondeur.

**Tableau de dépouillement**

| Valeur | Dépouillement | Effectif |
|---|---|---|
| ▬ | ~~||||~~ ~~||||~~ \|\| | |
| | | |
| | | |
| | | |

# LES DIFFÉRENTS TYPES DE TABLEAUX ET DE GRAPHIQUES

## LES TABLEAUX ET LES GRAPHIQUES

### Situation La caisse étudiante

Pour encourager les élèves à épargner, on a mis sur pied une caisse étudiante. Félix est le trésorier de la caisse étudiante. Il a préparé un rapport annuel destiné aux membres. Voici quatre tableaux qu'il leur a présentés lors de l'assemblée générale.

**Actifs de la caisse**

| Valeur<br>Item | Somme<br>(en $) |
|---|---|
| Placements | 76 000 |
| Prêts | 5 080 |
| Liquidités | 2 200 |
| Immobilisations | 600 |
| Divers | 200 |

**Provenance des membres**

| Valeur<br>Degré | Effectif |
|---|---|
| 1re sec. | 70 |
| 2e sec. | 205 |
| 3e sec. | 98 |
| 4e sec. | 132 |
| 5e sec. | 45 |

**Âge des membres**

| Valeur<br>Âge (en a) | Effectif |
|---|---|
| 12 | 72 |
| 13 | 235 |
| 14 | 50 |
| 15 | 144 |
| 16 | 37 |
| 17 | 12 |

**Épargnes des membres**

| Classe<br>Somme (en $) | Effectif |
|---|---|
| [0, 100[ | 235 |
| [100, 200[ | 156 |
| [200, 300[ | 92 |
| [300, 400[ | 34 |
| [400, 500[ | 15 |
| [500, 600[ | 7 |
| [600, 700[ | 6 |
| [700, 800[ | 3 |
| [800, 900[ | 2 |

① À quoi est consacrée la majeure partie des épargnes des membres ?

② Auprès de quel degré devrait-on travailler pour augmenter les avoirs de la caisse ?

③ À quel âge a-t-on le plus le goût d'épargner ?

④ Quelle somme la plupart des membres ont-ils épargnée ?

Cette situation présente quatre tableaux de distribution.

***a)*** Dans le premier tableau, le nombre 76 000 signifie-t-il que la valeur « placements » est apparue 76 000 fois ?

***b)*** Dans le deuxième tableau, le nombre 70 signifie-t-il que la valeur « 1re sec. » est apparue 70 fois ?

***c)*** Dans le troisième tableau, le nombre 144 signifie-t-il que la valeur « 15 » est apparue 144 fois ?

***d)*** Dans le quatrième tableau, que signifie le nombre 92, qui correspond à la classe [200, 300[ ?

Dans un tableau de distribution, la première colonne correspond toujours aux valeurs des données. La deuxième correspond à des quantités qui caractérisent les valeurs ou aux effectifs des valeurs. Les valeurs peuvent être alphanumériques ou numériques.

On compte donc deux grands types de tableaux :

1° les tableaux **valeurs-quantités**;

2° les tableaux **valeurs-effectifs.**

***e)*** Classe chacun des tableaux présentés dans la situation de départ selon ces deux grands types.

## Tableaux valeurs-quantités

Dans un tableau **valeurs-quantités,** les valeurs sont généralement peu nombreuses (de 5 à 15). Les quantités de la deuxième colonne sont généralement des mesures de différents types (longueur, étendue, masse, capacité, débit, etc.).

Pour représenter de telles distributions, on utilise principalement les **diagrammes à bandes verticales** ou les **pictogrammes.**

Exemples :

**Fleuves du Canada**

| Fleuve | Longueur (en km) |
|---|---|
| Saint-Laurent | 3700 |
| Mackenzie | 4100 |
| Yukon | 3290 |
| Churchill | 1600 |
| Fraser | 1200 |
| Nelson | 650 |

Source : *Encyclopédie Hachette*, 1988.

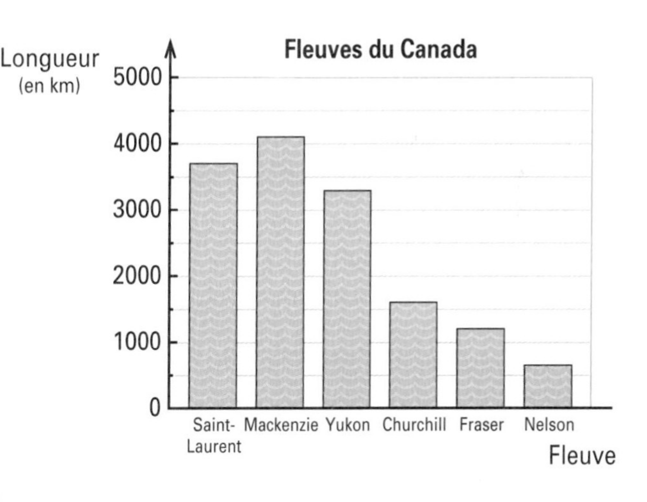

*Le delta du fleuve Fraser, en Colombie-Britannique.*

Si les valeurs sont des suites chronologiques, comme des jours, des mois, des années, etc., et que les quantités représentent une évolution, on privilégie le **diagramme à ligne brisée.** Si les valeurs traduisent l'idée d'un tout partagé en parties, alors on opte pour le **diagramme circulaire.**

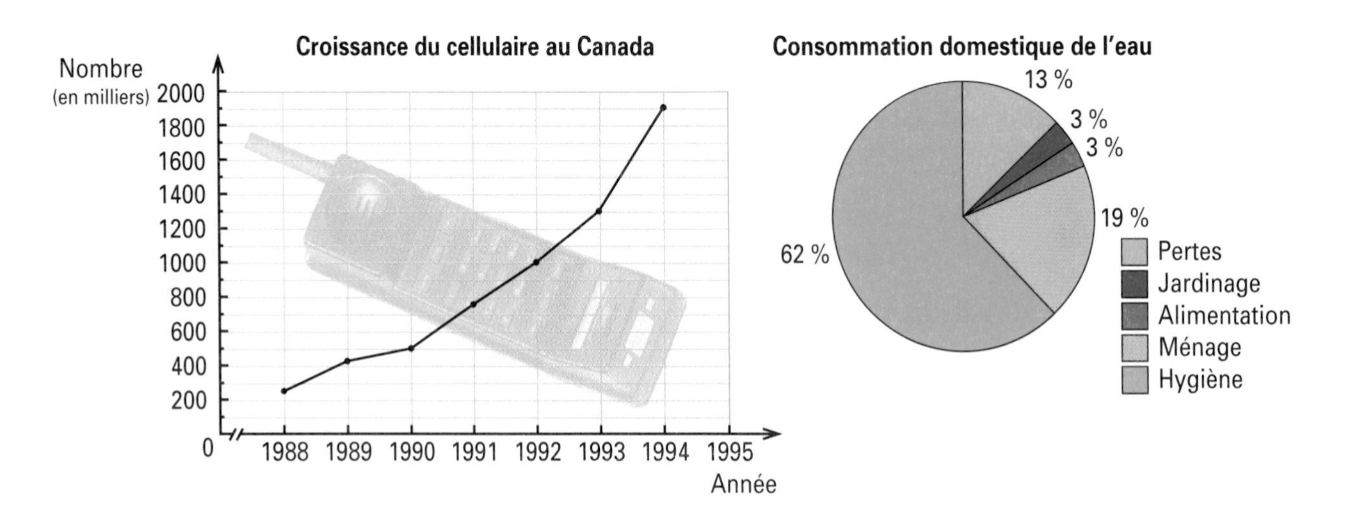


*f)* Construis un tableau des âges des personnes de ta famille et représente ce tableau par un graphique approprié.

## Tableaux valeurs-effectifs

Dans les tableaux **valeurs-effectifs,** on rencontre deux cas :

1° Les données sont nombreuses et ont tendance à se répéter, de telle sorte que les valeurs sont peu nombreuses.

2° Les données sont nombreuses et ont tendance à ne pas se répéter, de telle sorte que les valeurs sont également nombreuses.

### Premier cas : données nombreuses et valeurs peu nombreuses

Dans de tels tableaux, les valeurs relevées sont placées en première colonne et l'effectif de chacune est placé en deuxième colonne. Ce type de tableaux est appelé **tableaux à données condensées.**

Pour représenter de telles distributions, on utilise généralement les mêmes graphiques que pour les distributions précédentes.

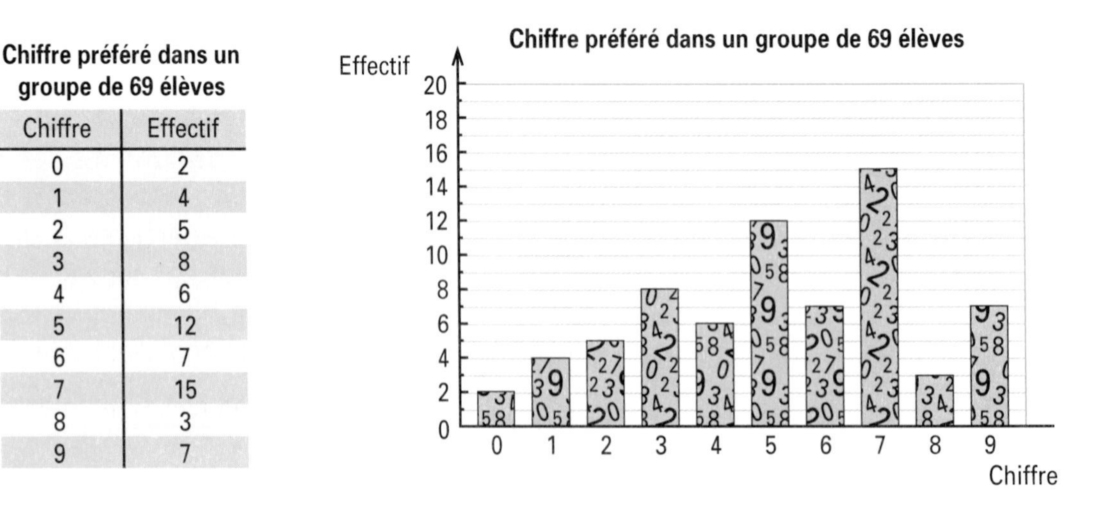

**Chiffre préféré dans un groupe de 69 élèves**

| Chiffre | Effectif |
|---|---|
| 0 | 2 |
| 1 | 4 |
| 2 | 5 |
| 3 | 8 |
| 4 | 6 |
| 5 | 12 |
| 6 | 7 |
| 7 | 15 |
| 8 | 3 |
| 9 | 7 |

**Répartition des choix de centres de ski pour une journée d'activités dans la région de Québec**

| Centre de ski | Effectif |
|---|---|
| Mont-Sainte-Anne | 24 |
| Mont Saint-Castin | 12 |
| Stoneham | 22 |
| Le Relais | 10 |

**Répartition des choix de centres de ski pour une journée d'activités dans la région de Québec**

Effectif

28
24
20
16
12
8
4
0

Mont-Sainte-Anne Mont Saint-Castin Stoneham Le Relais

Centre

Dans de telles distributions, l'effectif de chaque valeur peut être comparé avec l'effectif total pour former une troisième colonne, celle des fréquences relatives.

***g)*** Les Canadiens de Montréal ont vaincu de justesse les Flyers de Philadelphie par une marque de 9 à 8. Donne une distribution possible des buts selon les périodes du match.

### Deuxième cas : données nombreuses et valeurs nombreuses

Lorsque les données sont nombreuses et que les valeurs sont, elles aussi, nombreuses, on groupe les données par paquets en indiquant combien il y a de données dans chacun. Les paquets sont appelés des **classes** et chaque classe a son **effectif.** On utilise la notation suivante pour désigner les classes : [limite inférieure, limite supérieure[.

Résultats à l'examen de biologie : 60, 38, 87, 49, 93, 56, 87, 56, 67, 73, 77, 83, 90, 87, 70, 49, 60, 75, 78, 45, 69, 97, 56, 78, 75, 70, 34, 76, 74, 77, 98, 46.

**Résultats à l'examen de biologie**

| Classe | Dépouillement | Effectif |
|---|---|---|
| [30, 40[ | II | |
| [40, 50[ | IIII | |
| [50, 60[ | III | |
| [60, 70[ | IIII | |
| [70, 80[ | ~~IIII~~ ~~IIII~~ I | |
| [80, 90[ | IIII | |
| [90, 100[ | IIII | |

De tels tableaux sont appelés **tableaux à données regroupées.**

***h)*** Donne le tableau de distribution qui correspond à ce tableau de dépouillement.

Lorsque l'on groupe des données en classes, les données sont nécessairement numériques.

Comme on le verra, de tels tableaux de distribution sont représentés à l'aide de deux graphiques spéciaux : le **diagramme à tige et feuilles** et l'**histogramme.**

**1** Le fichier des membres d'un vidéoclub comporte les données suivantes : numéro du membre, nom du membre, adresse, code postal, nombre de vidéocassettes louées, somme versée pour retards, nombre de jours avant le renouvellement de l'abonnement. Parmi ces données, lesquelles sont numériques et lesquelles sont alphanumériques ?

**2** Le service de cafétéria de l'école a fait un sondage auprès de la clientèle pour connaître le degré d'appréciation de la nourriture servie. Les personnes sondées avaient 4 choix de réponses : très satisfait, satisfait, insatisfait et très insatisfait. On a compté 130 répondants et répondantes. Personne ne s'est déclaré très insatisfait et 50 personnes se sont dites satisfaites.

*a)* De quel type sont les données de ce sondage ?

*b)* Combien de valeurs y a-t-il ?

*c)* Le nombre 50 est-il une donnée, une valeur ou un effectif ?

*d)* Quelle valeur a 0 comme effectif ?

*e)* Quel est l'effectif total de ce sondage ?

**3** Rachelle est responsable des inscriptions aux activités sur glace de son quartier. Elle veut répondre aux besoins de la population. Aussi, pour se faire une meilleure idée des besoins, elle a préparé une fiche que rempliront tous ceux et celles qui désirent participer à l'une ou l'autre des activités offertes à l'aréna local. Voici cette fiche :

1- NOM : ____________ PRÉNOM : ____________
2- ÂGE AU 30 SEPTEMBRE : ________
3- OCCUPATION :
ÉTUDES PRIMAIRES ☐
SECONDAIRES ☐
COLLÉGIALES ☐
TRAVAIL ☐
SANS TRAVAIL ☐
4- ADRESSE : ____________
5- TÉL. : ____________
6- SPORT CHOISI : ________
1- HOCKEY
2- RINGUETTE
3- PATINAGE ARTISTIQUE
4- BALLON SUR GLACE
7- SOIR PRÉFÉRÉ : ________
8- MASSE (en kg) : ________
9- TAILLE (en cm) : ________

Quels renseignements demandés dans cette fiche donneront lieu à des données :

*a)* alphanumériques ?

*b)* numériques ?

**4** Mira s'intéresse au mois de naissance de ses élèves.

*a)* De quel type sont les données qu'elle obtiendra ?

*b)* Quel type de tableau convient le mieux pour organiser ces données ?

*c)* Quel diagramme serait le plus approprié pour représenter cette distribution ?

**5** Cathy possède une trentaine de cassettes sur lesquelles elle a enregistré les pièces musicales qu'elle a interprétées avec son groupe. Elle s'intéresse d'abord à la durée maximale des cassettes. Voici les durées données en minutes.

30, 90, 90, 60, 120, 90, 30, 30, 90, 120, 60, 60, 60, 90, 120, 30, 120, 60, 60, 90, 30, 30, 60, 120, 90, 30, 30, 60, 60, 120.

*a)* Quel type de tableau devrait-elle construire pour présenter ces données ?

*b)* Construis ce tableau de distribution.

**6** Marco possède un certain nombre de cassettes de groupes rock. Voici les prix (en dollars) qu'il a payés pour ces cassettes, sans compter les taxes :

| | | | | | | | | | | |
|---|---|---|---|---|---|---|---|---|---|---|
| 5,99 | 6,99 | 6,49 | 8,98 | 7,99 | 12,99 | 4,98 | 1,99 | 3,75 | 10,50 | 5,97 |
| 6,66 | 4,00 | 3,99 | 4,98 | 4,99 | 7,50 | 9,00 | 4,67 | 2,95 | 4,33 | 7,25 |
| 3,95 | 11,00 | 3,98 | 8,25 | 6,98 | 4,44 | | | | | |

Il en a également acheté 5 autres pour 19,99 $. Son ami Victor lui en a vendu 8 pour 15,00 $.

*a)* Indique le type de tableau qu'il devrait construire pour organiser ces données.

*b)* Construis ce tableau.

**7** Karina consulte un catalogue pour connaître le prix de certains baladeurs laser. Voici ce qu'elle obtient : S : 189,98 $ ; R : 159,98 $ ; C : 149,98 $ ; K : 199,98 $ ; A : 139,99 $ ; G : 169,99 $. Présente ces données dans un tableau approprié.

**8** La provenance des joueurs de hockey de la ligue nationale se diversifie de plus en plus. En 1995, on comptait 372 joueurs provenant du Canada, 107 des États-Unis, 46 de la Russie et 80 d'autres pays.

*a)* Présente ces données dans un tableau de distribution.

*b)* Quel type de graphique se prête le mieux à la représentation de ces données ?

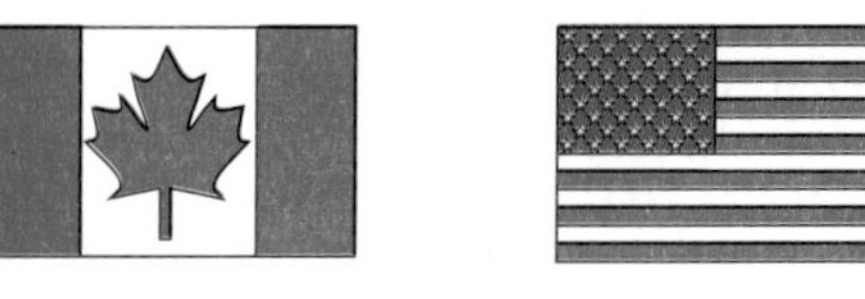

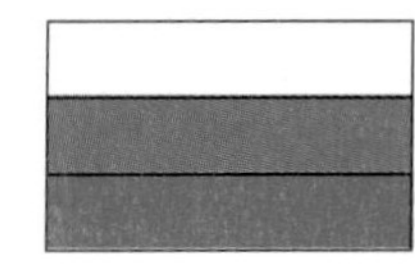

**9** Une firme spécialisée dans les sondages a interrogé 1100 personnes de 18 ans et plus choisies au hasard. On leur a posé trois questions :

> *George Gallup fonda le premier institut de sondage d'opinion, en 1936.*

1° Quel est votre âge ?

2° Combien de langues parlez-vous suffisamment bien pour entretenir une conversation ?

3° À combien de revues, quotidiens ou périodiques êtes-vous actuellement abonné ?

Pour quelle ou quelles questions serait-il préférable de grouper les données en classes et quelles seraient ces classes ?

**10** Au cours des deux dernières semaines, le courtier de M. Richard a noté, jour après jour, les fluctuations des actions de son client. Présente ces données sous la forme d'un graphique afin que M. Richard soit le mieux renseigné possible sur l'évolution de la valeur de ses actions.

Valeurs des actions : 5,85 ; 5,75 ; 5,90 ; 5,90 ; 5,90 ; 6,00 ; 5,95 ; 6,00 ; 6,15 ; 6,25 ; 6,15 ; 6,00 ; 4,80 ; 4,95 ; 5,00.

**11** Le diagramme suivant représente, pour 4 catégories d'objets, le pourcentage des déchets qui ont été recyclés aux États-Unis, en 1994. Ce graphique provient d'un tableau valeurs-quantités dans lequel les quantités correspondent à des pourcentages.

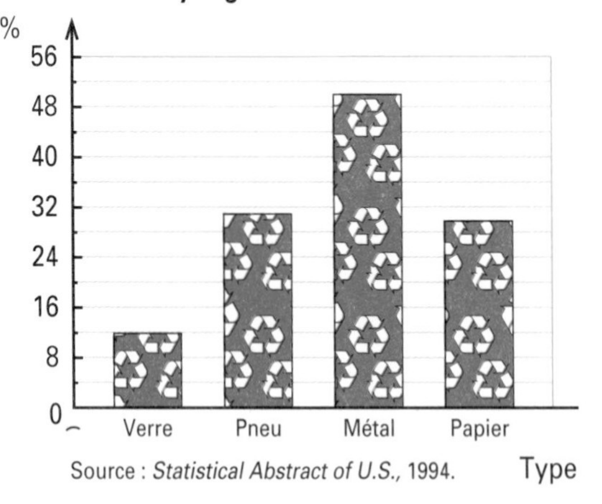


Source : *Statistical Abstract of U.S.*, 1994.

***a)*** Quel pourcentage des déchets de verre sont recyclés ?

***b)*** Pourquoi un diagramme circulaire ne peut-il pas convenir pour représenter cette distribution ?

**12** Lise-Marie a noté le nombre de pages des 10 derniers livres qu'elle a lus : 245, 321, 199, 429, 304, 167, 264, 378, 228, 389. Que faudrait-il connaître pour pouvoir présenter ces données sous la forme d'un tableau valeurs-quantités ?

**13** Dans un ancien numéro du journal de l'école, Nancy a retrouvé les résultats d'un sondage portant sur l'émission de télévision préférée des élèves de troisième secondaire. Elle constate que 22 garçons et 48 filles ont choisi *Scoop*, 90 garçons et 88 filles, *La petite vie*, 70 garçons et 94 filles, *Chambre en ville*, 50 garçons et 72 filles, *Watatatow* et 68 garçons et 58 filles, *Piment fort*. Construis un tableau de distribution qui permettra de se faire une meilleure idée de la situation et de comparer les habitudes des garçons et des filles.

**14** On a effectué 40 fois l'expérience consistant à éteindre une bougie en la recouvrant d'un bocal ayant une capacité de 1 l d'air. Voici les temps en secondes qu'a mis la bougie à s'éteindre :

8; 10; 12; 7; 5; 8; 12; 15; 10; 9; 8; 6; 9; 12; 12; 9; 8; 10; 9; 11; 12; 9; 8; 7; 9; 12; 13; 10; 9; 8; 6; 9; 8; 7; 9; 10; 11; 12; 10; 7.

*a)* Construis un tableau de distribution de ces données.

*b)* Pourquoi le temps pris par la bougie pour s'éteindre peut-il varier ?

**15** Les employés et employées d'une petite entreprise sont invités à répondre à un sondage sur une base volontaire. On leur pose deux questions :

1° Quel est votre état civil ?

2° Quel moyen de transport utilisez-vous pour vous rendre au travail ?

Voici les données recueillies :

| | | |
|---|---|---|
| marié, autobus | marié, voiture | célibataire, à pied |
| marié, voiture | séparé, covoiturage | mariée, avec un ami en voiture |
| divorcé, autobus | marié, voiture | célibataire, transport en commun |
| séparée, à pied | marié, autobus | divorcée, voiture |
| mariée, voiture | célibataire, à pied | marié, ma voiture |
| célibataire, voiture | mariée, voiture | seul, jamais marié, avec un copain |
| séparé, voiture | divorcé, à pied | célibataire, autobus |
| marié, autobus | mariée, voiture | divorcé, transport en commun |
| séparé, voiture | marié, autobus | célibataire, voiture de ma mère |
| mariée, autobus | marié, voiture | marié, métro et autobus |
| célibataire, à pied | marié, autobus | mariée, avec une copine du bureau |
| marié, voiture | célibataire, voiture | marié, ma femme me laisse en passant |
| divorcée, autobus | séparée, à pied | célibataire, ma Camaro bleue |
| mariée, voiture | divorcé, voiture | mariée, covoiturage |

*a)* Organise ces données en tableaux de distribution.

*b)* Ces tableaux de distribution t'inspirent-ils quelques conclusions ? Si oui, lesquelles ?

**16** Voici la liste des premiers ministres du Québec et l'année de leur entrée en fonction.

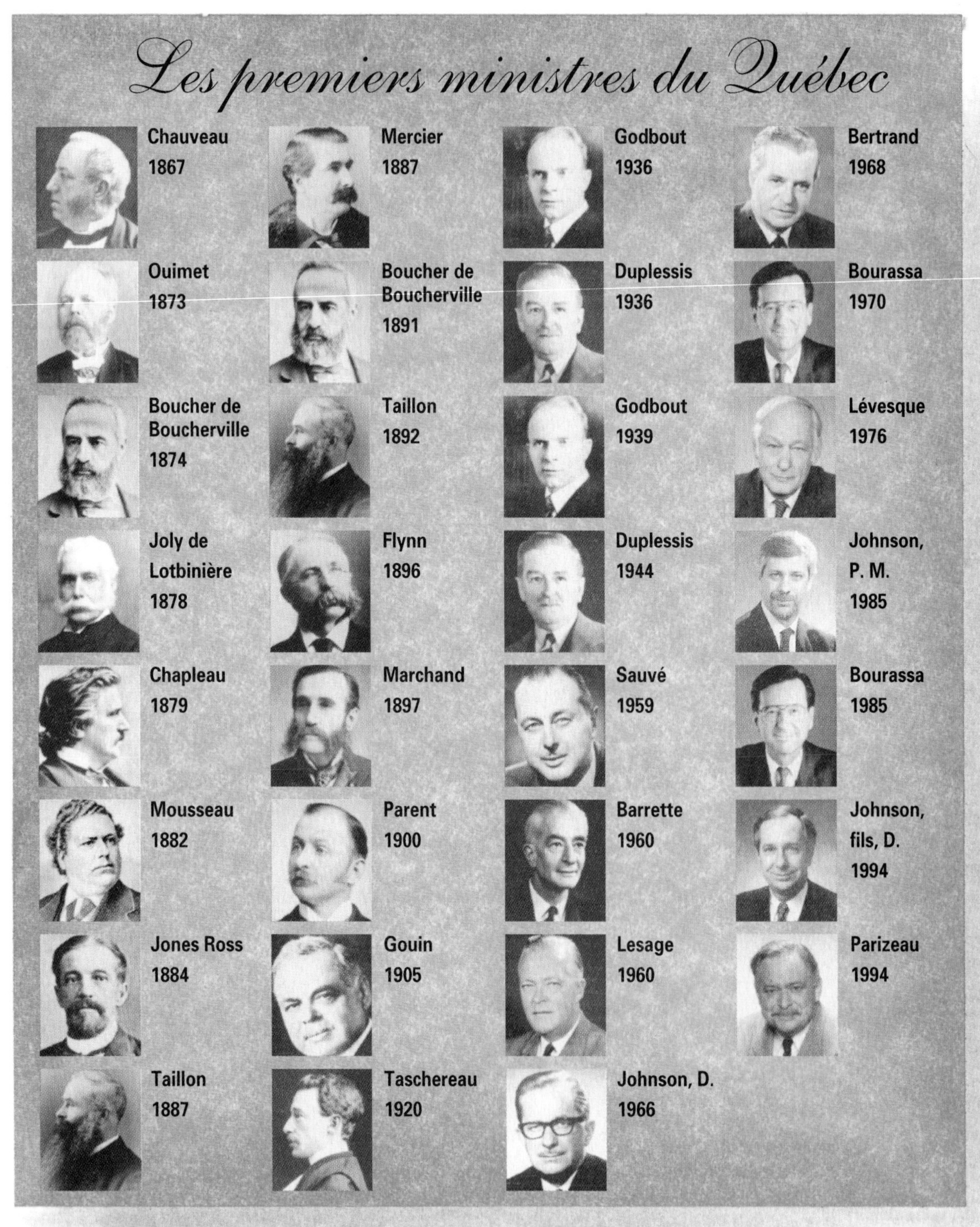


On s'intéresse à la durée de chaque mandat exprimée en un nombre entier d'années. (S'il a été premier ministre moins d'un an, on comptera 0 année.)

Construis le tableau de distribution approprié pour ce caractère.

**17** Voici la liste des pays d'Amérique avec leur population, la principale langue parlée et la température moyenne maximale atteinte durant l'année.

| Pays | Population | Langue | Température (en °C) |
|---|---|---|---|
| Antigua-et-Barbuda | 82 000 | anglais | 30 |
| Argentine | 32 322 000 | espagnol | 29 |
| Bahamas | 241 000 | anglais | 32 |
| Barbade | 261 000 | anglais | 30 |
| Belize | 175 000 | espagnol | 25 |
| Bermudes | 55 000 | anglais | 32 |
| Bolivie | 7 314 000 | espagnol | 25 |
| Brésil | 150 368 000 | portugais | 35 |
| Canada | 26 525 000 | français-anglais | 26 |
| Chili | 13 173 000 | espagnol | 29 |
| Colombie | 31 819 000 | espagnol | 28 |
| Costa Rica | 3 015 000 | espagnol | 27 |
| Cuba | 10 324 000 | espagnol | 35 |
| République dominicaine | 7 170 000 | espagnol | 31 |
| Dominique | 80 000 | anglais | 32 |
| Équateur | 10 782 000 | espagnol | 26 |
| États-Unis | 249 235 000 | anglais | 31 |
| Grenade | 100 000 | anglais | 28 |
| Guatemala | 9 197 000 | espagnol | 35 |
| Guyana | 1 040 000 | anglais | 31 |
| Haïti | 6 504 000 | français | 30 |
| Honduras | 5 138 000 | espagnol | 32 |
| Jamaïque | 2 521 000 | anglais | 32 |
| Mexique | 88 598 000 | espagnol | 30 |
| Nicaragua | 3 871 000 | espagnol | 35 |
| Panama | 2 418 000 | espagnol | 32 |
| Paraguay | 4 277 000 | espagnol | 35 |
| Pérou | 22 332 000 | espagnol | 28 |
| Saint-Vincent-et-les-Grenadines | 112 000 | anglais | 30 |
| Salvador | 5 252 000 | espagnol | 25 |
| Surinam | 403 000 | néerlandais | 32 |
| Trinité-et-Tobago | 1 283 000 | anglais | 26 |
| Uruguay | 3 128 000 | espagnol | 28 |
| Venezuela | 19 736 000 | espagnol | 30 |

**?** *De qui l'Amérique tire-t-elle son nom ?*

Construis des tableaux de distribution à partir de chacune des trois dernières colonnes.

**18** Le petit frère de Lydia éprouve des difficultés de comportement. Sa mère a demandé à l'enseignante de noter d'une lettre son comportement durant chaque semaine. Voici le relevé de ces notes pour chaque semaine :

B ; C ; B ; $B^+$ ; $A^-$ ; B ; A ; C ; $C^-$ ; $B^+$ ; $A^-$ ; B ; D ; $D^-$ ; $A^+$ ; D ; C ; $C^-$ ; $B^+$ ; C ; $C^-$ ; A ; $A^+$ ; $B^-$ ; C ; D ; $A^+$ ; $A^-$ ; B ; B ; C ; $A^-$ ; B ; C ; $C^+$ ; B ; A ; B ; C ; $C^-$.

***a)*** Organise ces données en tableau de distribution afin de pouvoir porter un jugement global sur le comportement du petit frère de Lydia.

***b)*** Qu'est-ce qui permet de dire, dans la liste des notes, que le petit garçon a fait des efforts pour s'améliorer ?

**19** Un programme permet d'afficher aléatoirement des nombres décimaux de 2 décimales. Ces nombres sont ensuite saisis et leur arrondi au dixième près est affiché. Jean s'est amusé à dénombrer ceux qui sont inchangés, ceux qui ont augmenté et ceux qui ont diminué. Attribue à chaque résultat un effectif qui t'apparaît réaliste. Son expérience a porté sur 100 nombres.

**Arrondi au dixième près**

| Résultat | Effectif |
|---|---|
| Inchangé | ■ |
| Augmenté | ■ |
| Diminué | ■ |

**20** Depuis un an, le propriétaire d'un dépanneur a soigneusement noté chaque jour le nombre de quotidiens qu'il a vendus. Il a toujours commandé le même nombre de journaux. Mais, certains jours, il n'a pu suffire à la demande, alors que d'autres jours il lui en est resté un grand nombre. Indique comment il pourrait se servir des données qu'il a recueillies pour améliorer ses profits.

**21** Régine est présidente du fan-club des Beatles de son village. Elle a divisé les 80 membres du fan-club en 5 groupes selon leur chanson préférée. Le groupe A est formé de ceux et celles qui préfèrent *Help,* le groupe B de ceux et celles qui optent pour *She Loves You,* le groupe C préfère *Yesterday* et le groupe D, *Yellow Submarine.* L'autre groupe comprend les 10 membres qui ont choisi une chanson autre que les 4 mentionnées. Régine constate que le groupe B est 2 fois plus nombreux que le A, que le C est 3 fois plus nombreux que le A et que le D est 2 fois plus nombreux que le B. Représente cette situation par le diagramme que tu juges le plus approprié.

**22** Dans le domaine des sports, invente un tableau valeurs-quantités.

**23** Au sujet des habitudes alimentaires des skieuses, donne un exemple de tableau de données condensées dont l'effectif total est 30 et qui comporte 7 valeurs numériques.

**24** À propos de l'achat de cadeaux de Noël dans une famille, donne un exemple de distribution où les données sont groupées en classes. L'effectif total doit être plus grand que 100 et il doit être réparti dans moins de 8 classes.

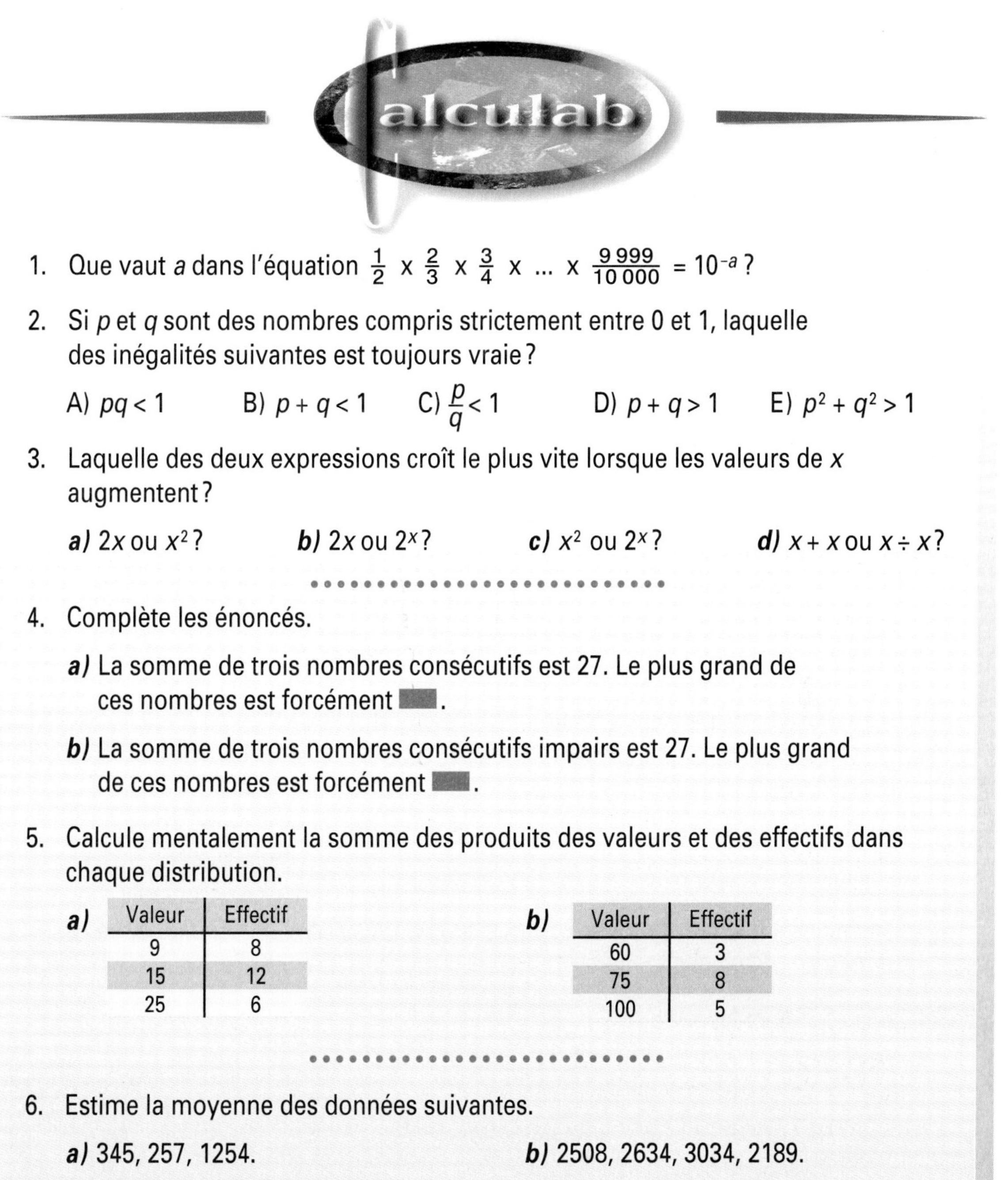


1. Que vaut $a$ dans l'équation $\frac{1}{2} \times \frac{2}{3} \times \frac{3}{4} \times \ldots \times \frac{9\,999}{10\,000} = 10^{-a}$ ?

2. Si $p$ et $q$ sont des nombres compris strictement entre 0 et 1, laquelle des inégalités suivantes est toujours vraie ?

   A) $pq < 1$ B) $p + q < 1$ C) $\frac{p}{q} < 1$ D) $p + q > 1$ E) $p^2 + q^2 > 1$

3. Laquelle des deux expressions croît le plus vite lorsque les valeurs de $x$ augmentent ?

   ***a)*** $2x$ ou $x^2$ ? ***b)*** $2x$ ou $2^x$ ? ***c)*** $x^2$ ou $2^x$ ? ***d)*** $x + x$ ou $x \div x$ ?

4. Complète les énoncés.

   ***a)*** La somme de trois nombres consécutifs est 27. Le plus grand de ces nombres est forcément ■.

   ***b)*** La somme de trois nombres consécutifs impairs est 27. Le plus grand de ces nombres est forcément ■.

5. Calcule mentalement la somme des produits des valeurs et des effectifs dans chaque distribution.

   ***a)***

| Valeur | Effectif |
|---|---|
| 9 | 8 |
| 15 | 12 |
| 25 | 6 |

   ***b)***

| Valeur | Effectif |
|---|---|
| 60 | 3 |
| 75 | 8 |
| 100 | 5 |

6. Estime la moyenne des données suivantes.

   ***a)*** 345, 257, 1254. ***b)*** 2508, 2634, 3034, 2189.

   ***c)*** $\frac{1}{2}, \frac{2}{3}, \frac{3}{4}, \frac{4}{5}, \frac{5}{6}$. ***d)*** 0,85 ; 1,01 ; 0,000 62 ; 0,99.

7. Estime la somme des expressions numériques en utilisant la moyenne des termes.

   ***a)*** 2489 + 2678 + 2275 + 2712 ***b)*** 24 + 28 + 32 + 39

   ***c)*** 0,12 + 0,45 + 0,8 + 1,25 + 1,34 ***d)*** $\frac{1}{2} + \frac{5}{6} + \frac{7}{6} + \frac{8}{5}$

8. La correctrice m'informe que ma moyenne à un examen de 5 questions est de 66 % et que mes 4 premiers résultats sur 10 sont 6, 10, 5 et 9. Quel est approximativement mon dernier résultat sur 10 ?

9. Quelle est approximativement ma note sur 100 si la correction d'un examen noté sur 40 points montre deux résultats de 8 points, un de 7 points et un dernier de 6 points ?

# DIAGRAMMES POUR DONNÉES REGROUPÉES EN CLASSES

## DIAGRAMME À TIGE ET FEUILLES ET HISTOGRAMME

Les diagrammes à tige et feuilles et les histogrammes sont deux façons d'illustrer des données regroupées en classes.

### Situation 1 Le rallye familial

Jean-Sébastien a organisé un rallye familial pour la première fin de semaine de l'automne. Son amie Nancy a soigneusement noté les heures de départ et les heures d'arrivée des participants et participantes. Voici la liste des heures d'arrivée :

13:38 ; 13:49 ; 13:52 ; 14:01 ; 14:09 ; 14:09 ; 14:23 ; 14:25 ; 14:39 ; 14:44 ; 14:45 ; 14:59 ; 15:00 ; 15:03 ; 15:04 ; 15:08 ; 15:09 ; 15:12 ; 15:21 ; 15:29 ; 15:35 ; 15:39 ; 15:44 ; 15:51 ; 15:54 ; 15:57 ; 16:02 ; 16:07 ; 16:15 ; 16:19 ; 16:28 ; 16:35 ; 16:47 ; 16:49 ; 16:56 ; 17:00 ; 17:35 ; 17:36 ; 17:39 ; 18:07.

① Qu'est-ce qu'il est important de bien faire dans un rallye pour augmenter ses chances de gagner ?

② Quelles sont les deux grandes composantes du résultat d'une équipe dans un rallye ?

③ Voici comment Nancy a organisé les heures d'arrivée pour les présenter au comité du rallye. Explique ce qu'elle a fait.

**Heures d'arrivée**

| | |
|---|---|
| 13 : | 38-49-52 |
| 14 : | 01-09-09-23-25-39-44-45-59 |
| 15 : | 00-03-04-08-09-12-21-29-35-39-44-51-54-57 |
| 16 : | 02-07-15-19-28-35-47-49-56 |
| 17 : | 00-35-36-39 |
| 18 : | 07 |

④ Comme les départs ont été donnés toutes les 5 min à partir de 10:00, Nancy a aussi préparé le graphique suivant montrant les arrivées attendues et les arrivées réelles.

**Heures d'arrivée**

| attendues | | réelles |
|---|---|---|
| 55-50-45-40-35-30-25-20-15-10-05-00 | 13 : | 38-49-52 |
| 55-50-45-40-35-30-25-20-15-10-05-00 | 14 : | 01-09-09-23-25-39-44-45-59 |
| 55-50-45-40-35-30-25-20-15-10-05-00 | 15 : | 00-03-04-08-09-12-21-29-35-39-44-51-54-57 |
| 15-10-05-00 | 16 : | 02-07-15-19-28-35-47-49-56 |
| | 17 : | 00-35-36-39 |
| | 18 : | 07 |

Tire quelques conclusions à partir de ce graphique.

***a)*** Quels sont les avantages d'un tel graphique ?

***b)*** D'où peut provenir le nom de « tige et feuilles » ?

## Situation 2 Les revenus des élèves

Philippe doit rédiger un article dans le journal étudiant concernant le travail d'été des élèves de troisième secondaire. Au lieu d'écrire une opinion sans fondement, il décide de faire une enquête. Il choisit d'interroger 100 élèves rencontrés au hasard.



*Données*

| | | | | | |
|---|---|---|---|---|---|
| 180 | 615 | 0 | 2000 | 500 | 100 |
| 235 | 780 | 100 | 1765 | 635 | 300 |
| 1245 | 695 | 1440 | 150 | 250 | 50 |
| 590 | 375 | 800 | 75 | 495 | 870 |
| 1030 | 0 | 545 | 265 | 665 | 1555 |
| 200 | 125 | 1450 | 800 | 225 | 180 |
| 1340 | 1000 | 300 | 50 | 1000 | 600 |
| 0 | 50 | 400 | 1075 | 2050 | 3000 |
| 930 | 1455 | 120 | 115 | 830 | 150 |
| 400 | 200 | 705 | 805 | 330 | 40 |
| 10 | 585 | 960 | 1070 | 1045 | |
| 650 | 805 | 1605 | 40 | 2155 | |
| 280 | 1115 | 200 | 125 | 2000 | |
| 165 | 775 | 340 | 880 | 365 | |
| 770 | 1330 | 625 | 1205 | 0 | |
| 450 | 2030 | 1000 | 0 | 560 | |
| 0 | 675 | 1250 | 290 | 280 | |
| 345 | 1170 | 0 | 980 | 400 | |

① De quelle façon Philippe devrait-il présenter ces données dans le journal étudiant pour qu'elles puissent avoir une signification pour le lecteur ou la lectrice ?

② Philippe veut présenter ces données en utilisant entre 5 et 10 classes. Quelle doit être la grandeur des intervalles ?

③ Dans quelle classe la donnée 500 devrait-elle être placée : [0, 500[ ou [500, 1000[ ?

④ Après avoir déterminé la largeur des classes, fais le dépouillement et le tableau de distribution de ces données.

Une **classe** est un intervalle permettant de regrouper les données. La **limite inférieure** de la classe est la plus petite valeur qu'on pourra placer dans cette classe. Les données placées dans une classe seront toutes inférieures à la **limite supérieure.**
La limite supérieure d'une classe est la limite inférieure de la classe suivante.

Généralement les limites sont des multiples de 5, 10, 100, 1 000, ... Le nombre de classes se situe habituellement entre 5 et 10. Autant que possible, les classes ont la même **longueur.**

***a)*** Comment peut-on calculer la longueur d'une classe?

Les tableaux à données regroupées se représentent graphiquement à l'aide d'un **histogramme.** Voici un histogramme :

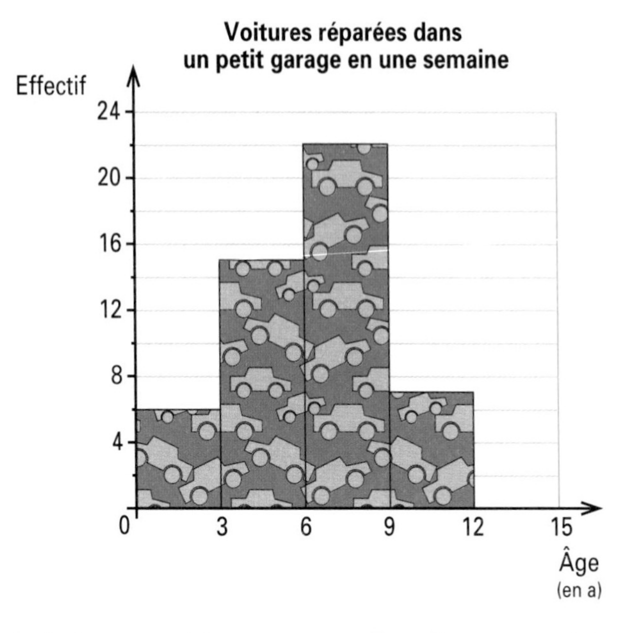


***b)*** Qu'est-ce qui distingue un histogramme d'un diagramme à bandes?

***c)*** À quoi correspondent la largeur et la hauteur de chaque bande?

***d)*** Comment indique-t-on les classes sur l'axe horizontal?

Dans la construction d'un histogramme, on tiendra compte des points suivants :

1° Comme tous les graphiques, l'histogramme nécessite un titre et l'identification de ses axes.

2° On porte les classes (généralement de même longueur) sur l'axe horizontal en y indiquant les limites ou encore les milieux des classes.

3° Les effectifs (parfois les fréquences relatives) sont portés en ordonnées.

4° À moins que la première classe ne commence à 0, on introduit une classe de plus au début et à la fin.

5° Les bandes s'élèvent aux limites des classes jusqu'à l'effectif ne laissant aucun espace vide entre elles.

***e)*** Représente par un histogramme le tableau de distribution obtenu par Philippe dans sa recherche sur les revenus des élèves.

# JOGGING

**1** Une entreprise fabrique des balles de golf. On prélève 30 balles d'un lot de 1000 pour tester la distance qu'elles peuvent parcourir sous l'effet d'un impact équivalent. Voici les distances parcourues par ces balles, exprimées en mètres :

280, 315, 324, 305, 289, 333, 295, 306, 312, 299, 317, 322, 303, 296, 289, 321, 326, 287, 298, 302, 290, 296, 324, 311, 296, 306, 321, 319, 296, 327.

Représente ces données à l'aide d'un diagramme à tige et feuilles. Utilise les deux premiers chiffres pour la tige et le dernier pour les feuilles.

**2** Voici la taille en centimètres des élèves de la classe d'Anne-Julie :

Filles : 162, 155, 161, 146, 154, 134, 144, 152, 138, 163, 144.
Garçons : 148, 175, 157, 133, 158, 156, 173, 140, 163, 172, 152.

*a)* Trace un diagramme à tige et feuilles. D'un côté de la tige, place les données relatives aux filles et, de l'autre côté, les données relatives aux garçons.

*b)* Que remarques-tu en examinant le diagramme ?

**3** On a fait une enquête dans un groupe de filles pour connaître l'âge auquel elles ont commencé à se maquiller. Voici les données recueillies. Peut-on représenter ces données par un diagramme à tige et feuilles ?

12 ; 15 ; 18 ; 16 ; 15 ; 18 ; 11 ; 12 ; 14 ; 14 ; 14 ; 15 ; 13 ; 14 ; 14 ; 13 ; 12 ; 15 ; 16 ; 14 ; 12 ; 13 ; 14 ; 15 ; 14 ; 13 ; 12 ; 11 ; 15 ; 14 ; 13 ; 14 ; 15 ; 12 ; 14 ; 15 ; 16 ; 14 ; 13.
(Six filles ont répondu qu'elles ne se maquillaient pas.)

**4** Voici des données recueillies sur le nombre de redressements assis exécutés en une minute par des sportifs et sportives :

Garçons : 20 ; 31 ; 42 ; 38 ; 50 ; 28 ; 29 ; 41 ; 30 ; 43 ; 42 ; 32 ; 44 ; 35 ; 38 ; 42 ; 40 ; 21 ; 18 ; 28 ; 31 ; 52 ; 20 ; 28 ; 40 ; 62.
Filles : 20 ; 30 ; 33 ; 41 ; 23 ; 12 ; 32 ; 20 ; 19 ; 24 ; 44 ; 38 ; 51 ; 16 ; 23 ; 24 ; 28 ; 30 ; 41 ; 56 ; 31 ; 34 ; 44 ; 35 ; 18.

Représente ces données sous la forme d'un diagramme à tige et feuilles.

**5** Voici les points marqués par les 30 équipes de football de la NFL après 10 matchs : 195, 255, 186, 167, 161, 228, 238, 181, 218, 168, 245, 250, 219, 169, 222, 259, 207, 164, 180, 207, 258, 246, 219, 161, 236, 210, 205, 250, 175 et 181.

*a)* Construis un tableau de distribution de ces données.

*b)* Construis un histogramme représentant ces données.

**6** Les données ci-contre concernent la distance parcourue par les camions d'une compagnie de transport durant les trois premiers mois de l'année.

Construis l'histogramme de cette distribution.

**Kilométrage de camions**

| Distance (en milliers de km) | Nombre de camions |
|---|---|
| [0, 10[ | 10 |
| [10, 20[ | 15 |
| [20, 30[ | 22 |
| [30, 40[ | 17 |
| [40, 50[ | 6 |

**7** Un jeu vidéo enregistre les points accumulés par les joueurs ou joueuses au cours de chaque partie.

Voici ce qu'il y a dans le registre de la mémoire : 12 000 ; 12 800 ; 18 500 ; 8 900 ; 12 450 ; 15 000 ; 16 250 ; 24 000 ; 18 750 ; 7 600 ; 3 500 ; 9 000 ; 8 900 ; 12 400 ; 14 800 ; 12 800 ; 23 850 ; 10 800 ; 7 500 ; 15 600 ; 28 400 ; 14 600 ; 9 800 ; 10 200 ; 8 600 ; 12 400 ; 8 900 ; 8 600 ; 17 800 ; 12 400 ; 12 500 ; 4 800 ; 6 700 ; 8 400 ; 14 800 ; 16 250 ; 24 000 ; 16 800 ; 4 800 ; 8 200.

Organise ces données en tableau et construis le graphique le plus approprié.

**8** On fait des tests sur le temps de réaction d'une personne qui doit appuyer sur un bouton dès qu'elle voit un feu rouge s'allumer. Par la suite, on lui fait prendre un litre de bière et on la soumet de nouveau au test une demi-heure plus tard. Voici les données (en secondes) accumulées au cours de ces tests.

Avant consommation : 0,2 ; 0,36 ; 0,86 ; 0,29 ; 0,17 ; 0,34 ; 0,67 ; 0,28 ; 0,4 ; 0,89 ; 0,9 ; 0,24 ; 0,48 ; 0,65 ; 0,38 ; 0,54 ; 0,56 ; 0,78 ; 0,8 ; 0,72 ; 0,46 ; 0,84 ; 0,38 ; 0,48 ; 0,24 ; 0,38 ; 0,45 ; 0,34 ; 0,75 ; 0,6 ; 0,82 ; 0,84 ; 0,56 ; 0,54 ; 0,5 ; 0,3 ; 0,38 ; 0,7 ; 0,45 ; 0,45.

Après consommation : 1,34 ; 0,85 ; 1,28 ; 1,12 ; 1,9 ; 1,14 ; 0,9 ; 1,08 ; 1,25 ; 0,8 ; 1,14 ; 0,98 ; 0,65 ; 0,95 ; 1,2 ; 1,05 ; 1,4 ; 0,82 ; 0,98 ; 1,02 ; 2,04 ; 1,5 ; 0,6 ; 1,34 ; 1,1 ; 1,08 ; 1,2 ; 0,9 ; 1,45 ; 0,75 ; 0,8 ; 1,25 ; 1,4 ; 0,76 ; 0,9 ; 1,25 ; 1,34 ; 1,1 ; 1,6 ; 0,78.

Organise ces données en tableau, puis construis le graphique qui est le plus approprié.

**9** Cet histogramme montre le temps de réparation de plusieurs voitures dans une petite station-service en une journée de travail.

*a)* Construis le tableau de distribution correspondant à cet histogramme.

*b)* À ton avis, combien de mécaniciens ou mécaniciennes travaillent dans cette station-service ?

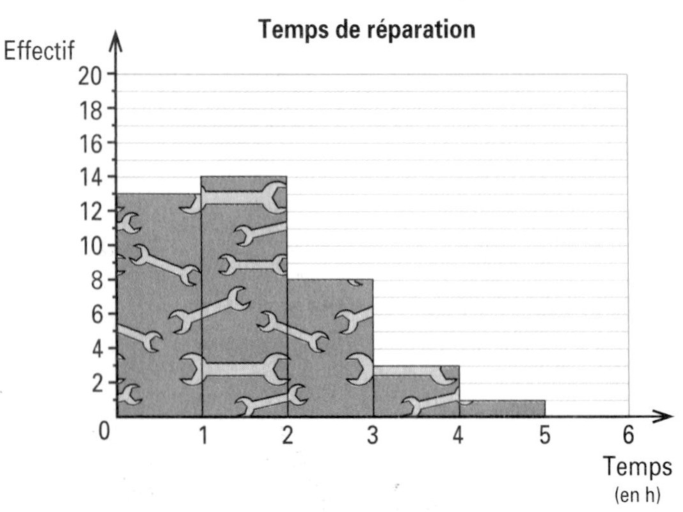

**10** Voici des données concernant le nombre de personnes actives au Québec selon l'âge (en 1993).

**Main-d'oeuvre active au Québec en 1993**

| Âge (en a) | Effectif (population active en milliers) | Effectif cumulé | Fréquence relative (en %) |
|---|---|---|---|
| [15, 25[ | 529 | 529 | ■ |
| [25, 35[ | 954 | 1483 | ■ |
| [35, 45[ | 964 | ■ | ■ |
| [45, 55[ | 664 | ■ | ■ |
| [55, 65[ | 260 | ■ | ■ |
| [65, + | 33 | ■ | ■ |

Source : Statistique Canada.

L'effectif cumulé correspond à la somme des effectifs des classes précédentes, y compris cette classe.

***a)*** Reproduis ce tableau de distribution et complète-le.

***b)*** Construis un histogramme dans lequel l'axe vertical correspond aux fréquences relatives.

**11** Le diagramme ci-dessous représente la distance parcourue chaque matin par les élèves d'une école.

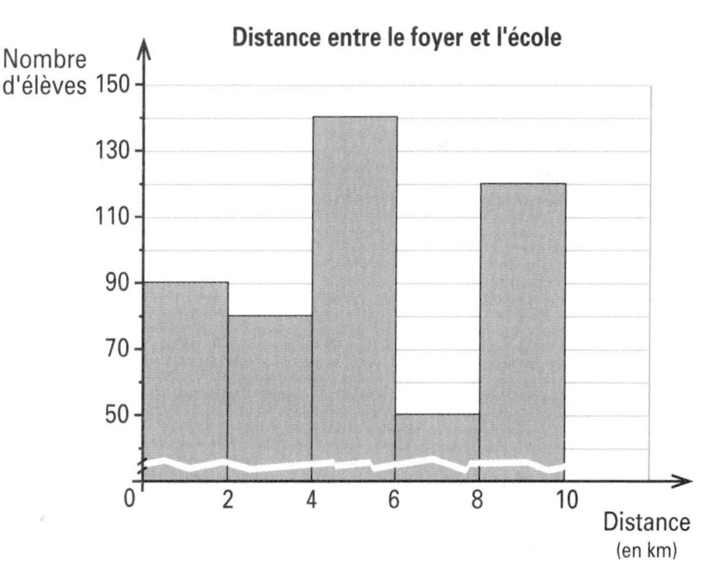


***a)*** Combien d'élèves y a-t-il dans cette école?

***b)*** Quel nom donne-t-on à cette dernière quantité?

***c)*** Construis le tableau de distribution de ces données en y ajoutant la colonne des fréquences relatives exprimées en pourcentage.

***d)*** On sait que 60 élèves viennent à l'école à pied et que les autres utilisent le transport scolaire. Combien d'autobus sont requis (au minimum) pour le transport des élèves?

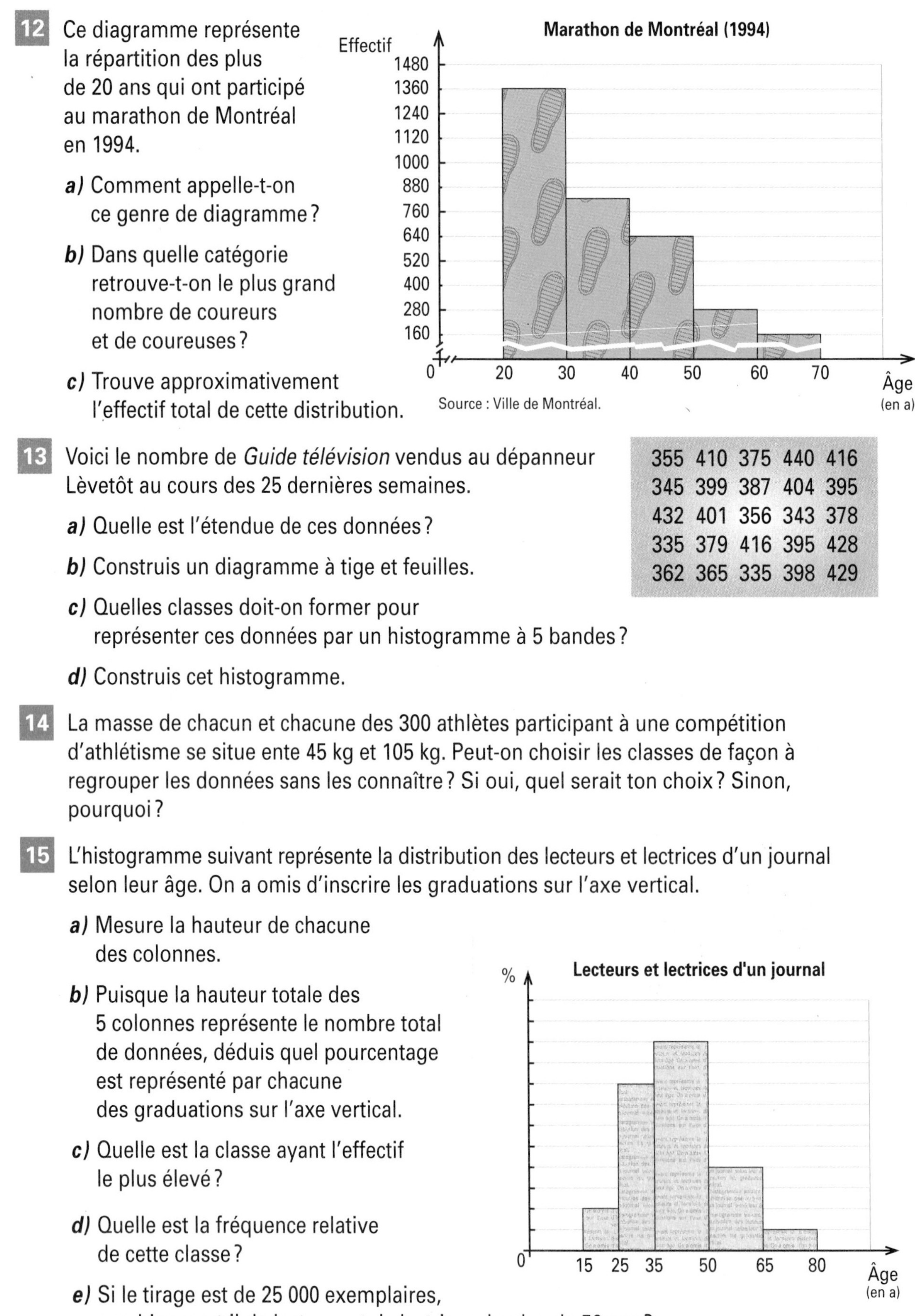


**12** Ce diagramme représente la répartition des plus de 20 ans qui ont participé au marathon de Montréal en 1994.

*a)* Comment appelle-t-on ce genre de diagramme ?

*b)* Dans quelle catégorie retrouve-t-on le plus grand nombre de coureurs et de coureuses ?

*c)* Trouve approximativement l'effectif total de cette distribution.

**13** Voici le nombre de *Guide télévision* vendus au dépanneur Lèvetôt au cours des 25 dernières semaines.

| | | | | |
|---|---|---|---|---|
| 355 | 410 | 375 | 440 | 416 |
| 345 | 399 | 387 | 404 | 395 |
| 432 | 401 | 356 | 343 | 378 |
| 335 | 379 | 416 | 395 | 428 |
| 362 | 365 | 335 | 398 | 429 |

*a)* Quelle est l'étendue de ces données ?

*b)* Construis un diagramme à tige et feuilles.

*c)* Quelles classes doit-on former pour représenter ces données par un histogramme à 5 bandes ?

*d)* Construis cet histogramme.

**14** La masse de chacun et chacune des 300 athlètes participant à une compétition d'athlétisme se situe ente 45 kg et 105 kg. Peut-on choisir les classes de façon à regrouper les données sans les connaître ? Si oui, quel serait ton choix ? Sinon, pourquoi ?

**15** L'histogramme suivant représente la distribution des lecteurs et lectrices d'un journal selon leur âge. On a omis d'inscrire les graduations sur l'axe vertical.

*a)* Mesure la hauteur de chacune des colonnes.

*b)* Puisque la hauteur totale des 5 colonnes représente le nombre total de données, déduis quel pourcentage est représenté par chacune des graduations sur l'axe vertical.

*c)* Quelle est la classe ayant l'effectif le plus élevé ?

*d)* Quelle est la fréquence relative de cette classe ?

*e)* Si le tirage est de 25 000 exemplaires, combien y a-t-il de lecteurs et de lectrices de plus de 50 ans ?

# Expo-math

## LES VISAGES DE LA STATISTIQUE

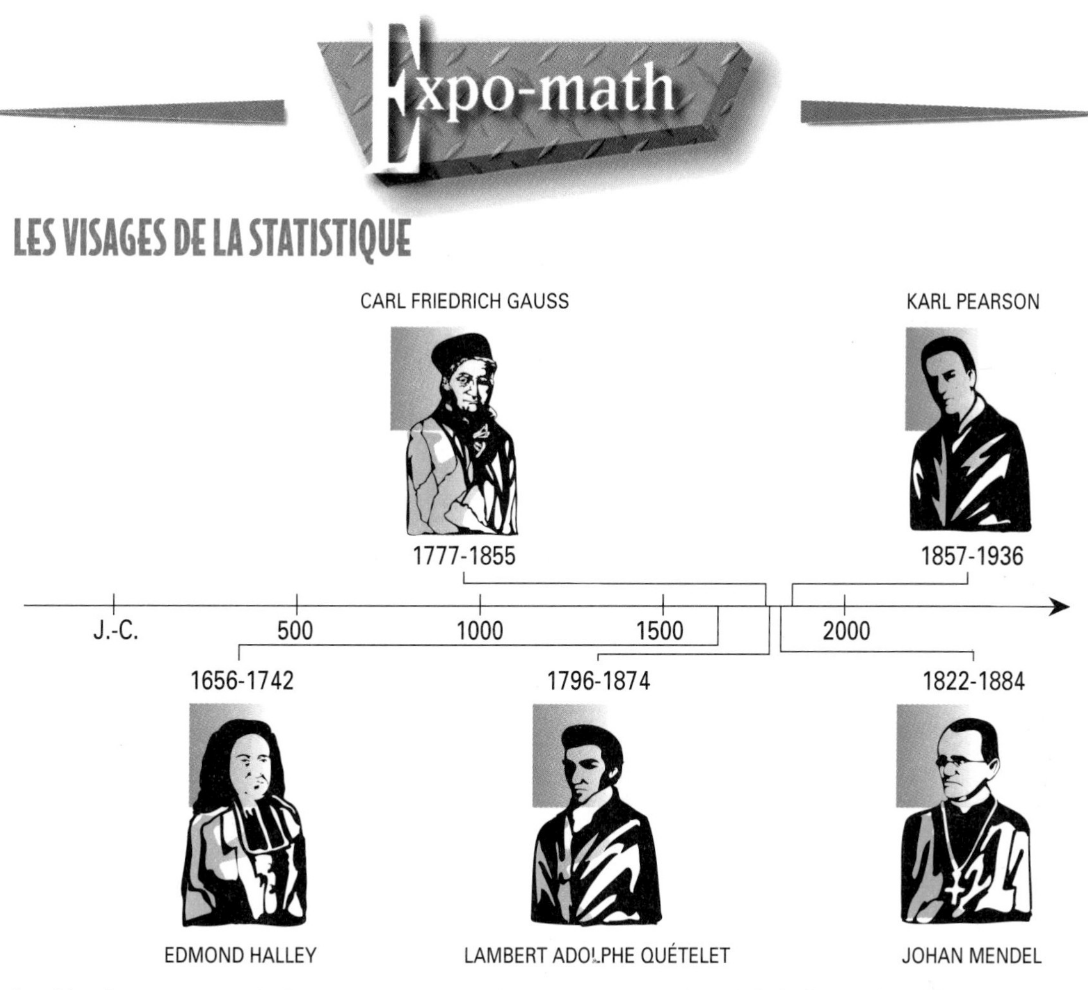


Le développement de la statistique est étroitement lié à celui de la probabilité.

## LES CONNAISSEZ-VOUS ?

Parmi ces scientifiques, identifiez celui qui :

***a)*** appliqua ses connaissances de la statistique au monde financier pour amasser une colossale fortune. Surnommé le « prince des mathématiques », il laissa son nom à une célèbre courbe en forme de cloche représentant une distribution normale ;

***b)*** a associé son nom à une comète qui nous visite tous les 76 ans. Il est considéré comme un pionnier de la statistique sociale. Il a calculé les annuités de la table de mortalité de l'espèce humaine ;

***c)*** appliqua la théorie des probabilités et de la statistique à la biologie, particulièrement dans des recherches sur l'hérédité et l'évolution, créant ainsi ce que l'on nomme aujourd'hui la biométrie. Ce statisticien anglais a joué un rôle important dans le développement de la méthode statistique ;

***d)*** fit des travaux sur la reproduction des petits pois. En reliant les probabilités aux données qu'il recueillait, il énonça les lois fondamentales de la génétique ;

***e)*** a été le premier à utiliser la statistique pour analyser les données de recensement ou de recherches sur le crime, la mortalité, la météorologie, les pluies de météorites, etc. Il mit au point des méthodes de comparaison et d'évaluation de données. On lui doit la notion de « l'homme moyen », homme imaginaire ayant toutes les caractéristiques moyennes d'une population.

## CURIOSITÉS

***a)*** Le calcul de la moyenne d'un ensemble de données peut s'effectuer à partir d'une moyenne estimée.

$$\overline{x} = \text{moyenne estimée} + \frac{\text{somme des écarts à la moyenne estimée}}{\text{nombre de données}}$$

ou, symboliquement, si $x_n$ représente chaque donnée et $n$ le nombre de données :

$$\overline{x} = \overline{x}_{\text{estimée}} + \frac{\sum(\overline{x}_{\text{estimée}} - x_n)}{n}$$

Calcule la moyenne arithmétique des données suivantes à l'aide de cette méthode. Estime d'abord une moyenne qui te semble raisonnable, puis fais l'ajustement nécessaire.

1) 53, 65, 58, 45, 64, 48, 72. 2) 0,25 ; 0,34 ; 0,4 ; 0,28 ; 0,44.

*Vers 1900, le statisticien anglais Karl Pearson lança 24 000 fois une pièce de monnaie. La pièce tomba 12 012 fois du côté « face », ce qui correspond à un rapport de 0, 5005.*

***b)*** En mathématique, il existe différents types de moyennes, entre autres les moyennes arithmétique, quadratique, géométrique et harmonique. Voici en quoi consiste chacune de ces moyennes. On considère $x_1, x_2, x_3, ..., x_n$ comme les données et $n$ est le nombre de données.

$$\text{moyenne arithmétique} = \frac{x_1 + x_2 + x_3 + ... + x_n}{n}$$

$$\text{moyenne quadratique} = \sqrt{\frac{x_1^2 + x_2^2 + x_3^2 + ... + x_n^2}{n}}$$

$$\text{moyenne géométrique} = \sqrt[n]{x_1 \cdot x_2 \cdot x_3 \cdot ... \cdot x_n}$$

$$\text{moyenne harmonique} = \frac{n}{\frac{1}{x_1} + \frac{1}{x_2} + \frac{1}{x_3} + ... + \frac{1}{x_n}}$$

La racine 4$^e$ est la racine carrée de la racine carrée.

Calcule chaque moyenne pour les données suivantes : 3, 4, 9, 12.

***c)*** La recherche menée par les compagnies d'assurance-vie sur les taux de mortalité et l'espérance de vie de l'espèce humaine a été un facteur important du développement de la statistique. Quel est le taux de mortalité chez les individus de 15 ans et quel est leur espérance de vie ?

**Taux de mortalité selon le groupe d'âge**
(Sexes réunis, Québec, 1990-1992)

| Âge | Taux de mortalité |
|---|---|
| Moins de 1 ans | 0,005 899 |
| De 1 à 4 ans | 0,000 318 |
| De 5 à 9 ans | 0,000 209 |
| De 10 à 14 ans | 0,000 234 |
| De 15 à 19 ans | 0,000 596 |
| De 20 à 24 ans | 0,000 802 |

Source : Bureau de la statistique du Québec.

**Espérance de vie selon le groupe d'âge**
(Sexes réunis, Québec, 1990-1992)

| Âge | Espérance de vie (en a) |
|---|---|
| Moins de 1 ans | 77,31 |
| De 1 à 4 ans | 76,77 |
| De 5 à 9 ans | 72,86 |
| De 10 à 14 ans | 67,94 |
| De 15 à 19 ans | 63,01 |
| De 20 à 24 ans | 58,19 |

Source : Bureau de la statistique du Québec.

Le taux de mortalité chez les filles est plus faible que chez les garçons.
L'espérance de vie des filles compte trois années de plus que celle des garçons.

# ÉTENDUE ET MODE D'UNE DISTRIBUTION

## Situation Au Mont-Sainte-Anne

Un groupe d'élèves ont joué au statisticien et à la statisticienne au centre de ski Mont-Sainte-Anne. Voici quelques tableaux de distribution qu'ils ont construits.

Maria a recherché la dénivellation de quelques pistes du versant sud.

**Versant sud**

| Piste | Dénivellation (en m) |
|---|---|
| La Crête | 625 |
| L'Express | 454 |
| La Pichard | 354 |
| La Gondoleuse (B) | 297 |

Par la suite, ils ont relevé des données sur la fréquentation des pistes entre 14:00 et 15:00.

**Fréquentation**

| Piste | Effectif |
|---|---|
| L'Espoir | 425 |
| La Dolce Vita | 300 |
| La Super S | 125 |
| La Miche | 250 |

Ils ont aussi interrogé 100 skieurs ou skieuses sur le nombre de descentes effectuées en une heure de ski.

**Nombre de descentes en une heure**

| Valeur | Effectif |
|---|---|
| 1 | 18 |
| 2 | 45 |
| 3 | 35 |
| 4 | 2 |

Marco a relevé, à partir des enregistrements de la caisse au guichet, les montants des 160 premières transactions.

**Sommes déboursées**

| Classe (en $) | Effectif |
|---|---|
| [20, 30[ | 20 |
| [30, 40[ | 37 |
| [40, 50[ | 33 |
| [50, 60[ | 28 |
| [60, 70[ | 15 |
| [70, 80[ | 12 |
| [80, 90[ | 8 |
| [90, 100[ | 5 |
| [100, 110[ | 2 |

① Observe chaque tableau de distribution et indique une question que te suggère chacun.

② Parmi ces distributions, lesquelles sont les moins sujettes à changement?

Des nombreuses mesures que l'on peut prendre à partir des données d'une distribution, l'étendue et le mode sont les plus simples.

On entend par **étendue** :

- **d'un ensemble de données non regroupées en classes,** la différence entre la plus grande et la plus petite donnée;
- **d'un ensemble de données regroupées en classes,** la différence entre la limite supérieure de la classe la plus élevée et la limite inférieure de la classe la moins élevée.

On entend par **mode** :

- **d'un ensemble de données non regroupées en classes,** la valeur la plus fréquente, si elle existe;
- **d'un ensemble de données regroupées en classes,** la classe ayant le plus grand effectif.

Dans le cas d'une classe, on parle de « classe modale ».

Le mode correspond à une concentration de la distribution des données et l'étendue à la largeur de la distribution des données.

On utilise le mode avec des données alphanumériques et numériques. L'étendue ne peut se calculer qu'avec des données numériques.

Le symbole du mode est **Mo**. Il n'existe pas de symbole pour l'étendue, mais on pourrait toujours l'inventer.

*a)* Détermine le mode et l'étendue pour chacune des distributions de la situation de départ.

*b)* Est-ce que cela a du sens de parler de l'étendue des effectifs?

**1** On a pesé deux douzaines de pommes. Voici les données en grammes :

125; 186; 132; 114; 145; 140; 142; 136; 132; 128; 118; 128; 120; 132; 148; 125; 124; 108; 125; 129; 132; 126; 125; 114.

*a)* Quelle est l'étendue de ces données?

*b)* Quel est le mode de cet ensemble de données?

**2** On a relevé la température la plus élevée atteinte entre 12:00 et 14:00 pendant une semaine. Les mesures sont en degrés Celsius : 3, -5, 8, 14, 12, 4, -2.

*a)* Quelle est l'étendue de cet ensemble de mesures?

*b)* Pourquoi n'y a-t-il pas de mode?

*c)* A-t-on suffisamment d'informations pour dire en quelle saison ces mesures ont été prises?

**3** Au début de la saison, les capitaines des six équipes d'une ligue de soccer féminine ont fait un pari amical au sujet du nombre de points qu'amassera leur équipe durant la saison. Voici leurs prédictions : 30, 36, 40, 33, 29, 36.

*a)* Quelle est l'étendue de cet ensemble de données ?

*b)* Quel en est le mode ?

*c)* Si chaque équipe joue 24 matchs et que 2 points sont attribués pour chaque match, les prévisions des capitaines sont-elles pessimistes, réalistes, optimistes ou franchement déraisonnables ?

**4** On veut offrir aux élèves un tee-shirt humoristique représentatif de leur école. L'entreprise qui fabrique ces articles a présenté les différents modèles et les jeunes ont donné leur avis : 45 préfèrent le tee-shirt blanc, 147 le noir, 34 le rouge, 84 le gris et 23 le vert.

*a)* Construis un tableau de distribution qui convient dans cette situation.

*b)* Quel est le mode de cette distribution ?

*c)* Quel est l'effectif du mode ?

*d)* Pourquoi n'est-il pas possible de calculer l'étendue de cette distribution ?

**5** Voici la répartition des titulaires de permis de conduire en 1991 au Québec, selon leur âge. (On ne tient pas compte des titulaires de moins de 15 ans et de 75 ans et plus.)

**Titulaires de permis de conduire en 1991 au Québec**

| Classe (en a) | Effectif |
|---|---|
| [15, 25[ | 22 763 |
| [25, 35[ | 45 516 |
| [35, 45[ | 42 828 |
| [45, 55[ | 27 950 |
| [55, 65[ | 19 273 |
| [65, 75[ | 12 070 |

*a)* Quelle est la classe modale ?

*b)* Quelle est l'étendue de cette distribution ?

*c)* Construis l'histogramme.

**6** Une boulangerie produit des petits pains aux raisins. On veut vérifier si les raisins sont bien répartis dans les pains. Pour cela, on compte le nombre de raisins dans une centaine de petits pains.

*a)* Quelle est l'étendue des données dans cette distribution ?

*b)* Quel en est le mode ?

**Quantité de raisins par pain**

| Nombre de raisins | Effectif |
|---|---|
| 3 | 2 |
| 4 | 15 |
| 5 | 38 |
| 6 | 27 |
| 7 | 7 |
| 8 | 4 |
| 9 | 2 |
| 10 | 1 |

**7** Lors d'une compétition automobile, les voitures sont classées selon leur cylindrée. Les plus petites voitures acceptées ont 150 cl de cylindrée et les plus puissantes, 4,2 l. Quelle est l'étendue de cette distribution ?

**8** La plus grande valeur d'une distribution est $x$ et l'étendue est 80. Quelle expression algébrique représente la valeur la moins élevée dans cette distribution ?

**9** Compose une distribution qui a 2 modes.

**10** Compose une distribution qui n'a pas de mode.

**11** Dans un magasin, on a relevé les pointures des chaussures pour femmes vendues au cours de la saison.

Quelle est l'utilité pour la gérante de ce magasin :

***a)*** de l'étendue de cette distribution ?

***b)*** du mode de cette distribution ?

**Pointures des chaussures pour femmes**

| Pointure | Effectif |
|---|---|
| 34 | 6 |
| 35 | 9 |
| 36 | 28 |
| 37 | 32 |
| 38 | 67 |
| 39 | 56 |
| 40 | 15 |
| 41 | 5 |

**12** Lors d'une journée thématique, les participants et participantes disposaient d'une heure pour contacter le plus grand nombre de personnes étrangères possible par téléphone, par radio ou par ordinateur. Le gagnant a pu établir 14 contacts. Les cinq qui ont le moins bien réussi ont parlé à trois personnes étrangères chacun et chacune. La plupart ont réussi à établir 6 contacts chacun et chacune.

***a)*** Quel est le mode ?

***b)*** Quelle est l'étendue ?

***c)*** L'effectif du mode est-il indiqué dans la présentation de la situation ?

***d)*** Que représente l'effectif du mode dans cette situation ?

**13** Une marche pour la paix a été organisée sur une piste d'athlétisme. L'histogramme ci-contre représente la répartition des participants et participantes selon le nombre de tours parcourus. On a indiqué ici le milieu des classes.

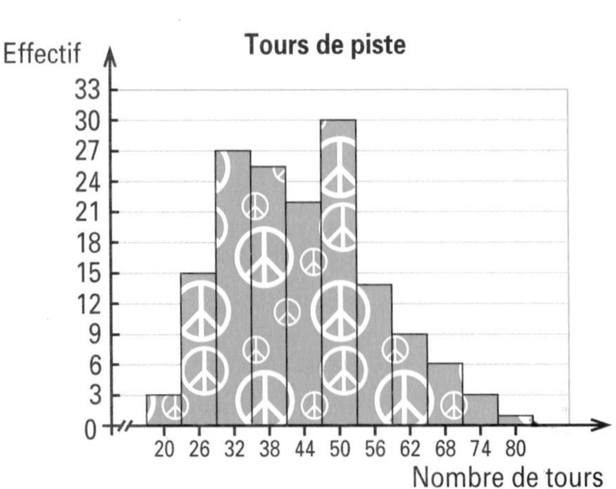


***a)*** En quoi l'étendue de cette distribution s'exprime-t-elle : en nombre de tours ou en nombre de participants et participantes ?

***b)*** Calcule l'étendue de cette distribution.

***c)*** Quelle est la classe modale ?

***d)*** Si on voulait parler du succès de l'événement en une seule phrase, que pourrait-on dire ?

# LA MOYENNE

## Situation Le bilan annuel

Fabienne est la trésorière de la coopérative scolaire de son école. Elle a préparé le rapport annuel pour les sociétaires. Elle leur a présenté différents tableaux.

① Est-il normal que les montants des ventes de janvier et de juin soient inférieurs à ceux des autres mois ?

**Ventes mensuelles enregistrées**

| Mois | Ventes (en $) |
|---|---|
| Septembre | 2245 |
| Octobre | 2305 |
| Novembre | 2150 |
| Décembre | 835 |
| Janvier | 930 |
| Février | 2275 |
| Mars | 2395 |
| Avril | 2015 |
| Mai | 2285 |
| Juin | 540 |

② Quelle est l'étendue des ventes mensuelles ?

③ Quelle est la moyenne mensuelle des ventes enregistrées par cette coopérative ?

④ Combien d'articles à la fois les clients et clientes achètent-ils en moyenne ?

**Nombre d'articles par achat**

| Nombre | Effectif |
|---|---|
| 1 | 384 |
| 2 | 215 |
| 3 | 86 |
| 4 | 12 |
| 5 | 3 |

⑤ Quelle est la somme moyenne dépensée par achat ?

**Montant des achats des clients et clientes**

| Achat (en $) | Effectif |
|---|---|
| [0, 5[ | 230 |
| [5, 10[ | 60 |
| [10, 15[ | 29 |
| [15, 20[ | 22 |
| [20, 25[ | 12 |
| [25, 30[ | 7 |

La moyenne est une mesure très utilisée dans la vie de tous les jours. Elle est souvent mal comprise et mal interprétée.

***a)*** Les notes d'un bulletin constituent un ensemble de données. Que veut dire l'expression « moyenne d'un bulletin » ?

***b)*** Si la moyenne de Mathieu est de 70 %, cela signifie-t-il que :

1) Mathieu obtient le plus souvent des notes de 70 % ?

2) ses notes tournent autour de 70 % ?

3) Mathieu a obtenu, dans la majorité des cas, une note de 70 % ?

4) ses notes sont en général de 70 % ?

5) ses notes seraient toutes de 70 % si elles étaient toutes égales ?

***c)*** Invente une distribution de 6 notes dont l'étendue est de 80 % et dont la moyenne est de 70 %.

***d)*** À quoi peut servir le fait de calculer la moyenne de son bulletin ?

***e)*** Un élève peut-il avoir une forte moyenne et craindre de montrer son bulletin à ses parents ? Si oui, dans quels cas ?

***f)*** On donne 2 macarons à Rob, 10 à Karl et 21 à Laurent. Que doit faire chacun d'eux pour en avoir autant que la moyenne ?

***g)*** Donne une définition de ce qu'on appelle « moyenne d'un ensemble de données ».

On note généralement la **moyenne** d'un ensemble de données ou d'une distribution par le symbole $\bar{x}$. Avant de calculer la moyenne, il faut clairement déterminer s'il s'agit d'un ensemble de données regroupées ou non.

Selon le cas, on **calcule la moyenne** de la façon suivante.

1° S'il s'agit d'un ensemble de données, il suffit de faire la somme des données et de diviser cette somme par le nombre de données.

$$\overline{x} = \frac{\text{somme des données}}{\text{nombre de données}}$$

2° S'il s'agit de données avec effectifs, il faut compter toutes les données. On multiplie alors toutes les valeurs par leur effectif. On additionne ces produits. On divise la somme obtenue par le nombre de données.

$$\overline{x} = \frac{\text{somme des produits des valeurs par leur effectif}}{\text{nombre de données}}$$

3° S'il s'agit de données regroupées en classes, on procède de la même façon, sauf que l'on prend le milieu des classes au lieu des valeurs.

$$\overline{x} \approx \frac{\text{somme des produits des milieux des classes par leur effectif}}{\text{nombre de données}}$$

Dans certaines situations, on peut modifier le calcul de la moyenne, comme dans les cas de **moyennes pondérées.** Analysons la situation suivante.

Voici le bulletin de Françoise.

***h)*** Calcule la moyenne de Françoise sans tenir compte des crédits par matière. Quelle est cette moyenne ?

***i)*** Que veut dire l'expression « moyenne pondérée » ?

***j)*** La moyenne pondérée se calcule exactement de la même façon que la moyenne de données avec effectifs. Calcule alors la moyenne pondérée du bulletin de Françoise.

**Bulletin de Françoise**

| Matière | Note (en %) | Crédits |
|---|---|---|
| Français | 76 | 6 |
| Mathématique | 82 | 6 |
| Anglais | 86 | 4 |
| Géographie | 77 | 4 |
| Biologie | 63 | 4 |

**1** Exprime en tes propres mots ce que tu comprends de chacune des phrases suivantes.

*a)* Chaque année, les Québécois et les Québécoises dépensent en moyenne 276 $ pour l'achat de leurs cadeaux de Noël.

*b)* La moyenne d'âge des adeptes du ski alpin est de 28 ans.

*c)* Au Québec, chaque famille compte en moyenne 1,2 enfant.

**2** À la ringuette, Josée est une excellente joueuse de centre. Voici le nombre des buts qu'elle a marqués au cours des 12 derniers matchs : 2, 3, 2, 0, 1, 4, 2, 1, 3, 2, 3, 4.

*a)* Estime sa moyenne de buts par match.

*b)* Calcule cette moyenne et explique comment tu as procédé.

*c)* Quel est le mode de cet ensemble de données ?

*d)* Quel genre de diagramme serait-il intéressant d'utiliser pour illustrer cette situation ? Justifie ton choix

**3** Juan-Carlo a une famille de six enfants qui ont respectivement 3 ans, 4 ans, 6 ans, 8 ans, 9 ans et 12 ans.

*a)* Estime l'âge moyen des enfants de Juan-Carlo.

*b)* Détermine précisément l'âge moyen des enfants.

*c)* Quel sera l'âge moyen des enfants lorsque le plus vieux deviendra majeur (18 ans) ?

**4** Jessica a obtenu une moyenne de 12 points sur 20 pour ses 5 derniers devoirs d'anglais. Elle sait que ses 4 premiers résultats furent : 13, 15, 10 et 11. Quel résultat a-t-elle obtenu pour son dernier devoir ?

**5** Voici la liste des nombres de jours de précipitations par mois dans une région donnée.

8, 11, 16, 8, 11, 11,
7, 9, 11, 12, 14, 12.

*a)* Sans faire de calcul et d'un simple coup d'oeil, indique si la moyenne du nombre de jours de précipitations par mois est inférieure, égale ou supérieure à 11 jours.

*b)* Quelle est l'étendue des nombres de jours de précipitations ?

*c)* Détermine le mode et l'effectif de ce mode.

*d)* Calcule le nombre moyen de jours de précipitations par mois.

*e)* Combien de données sont inférieures à la moyenne ? supérieures à la moyenne ?

*f)* Explique pourquoi il y a ici plus de données supérieures à la moyenne.

**6** Julien a obtenu les notes suivantes : 48 %, 75 %, 53 %, 73 % et 41 %.

*a)* Quelle est sa moyenne actuelle ?

*b)* Quelle note lui faudra-t-il au prochain test pour obtenir une moyenne de 60 % (la note de passage) ?

*c)* Si le dernier test compte pour la moitié des points de l'année, quelle note lui faudra-t-il à ce dernier test pour obtenir la note de passage ?

**7** Dans un ensemble de données, la moyenne est-elle généralement l'une de ces données ?

**8** Peter, Julie, Lucia et Chang ont en moyenne 12 $ chacun et chacune. Quelles sommes peuvent-ils avoir (donne une possibilité) si :

*a)* Julie n'a pas d'argent ?

*b)* Chang a 40 $ ?

*c)* deux d'entre eux ont exactement 12 $ (mais pas les autres) ?

*d)* trois d'entre eux ont moins de 5 $ ?

**9** On a relevé la masse en grammes des boîtes de différentes marques de céréales.

| | | | | | | | |
|---|---|---|---|---|---|---|---|
| 325 | 450 | 625 | 450 | 425 | 450 | 525 | 625 |
| 550 | 625 | 800 | 825 | 450 | 625 | 450 | 825 |
| 800 | 625 | 550 | 800 | 460 | 325 | 380 | 425 |
| 400 | 1250 | 730 | 450 | 540 | 435 | 250 | 425 |
| 450 | 350 | 450 | 400 | 500 | 375 | 275 | 400 |
| 375 | 400 | 450 | 525 | 375 | 750 | 450 | 425 |
| 500 | 475 | 525 | 770 | 425 | 475 | 675 | 400 |

*a)* Organise ces données en un tableau convenable.

*b)* Quelle est la masse moyenne d'une boîte de céréales ?

*c)* Quelle est la signification du nombre que tu viens de calculer ?

*d)* Si on ajoute 25 g à chacune des boîtes, quelle en sera la masse moyenne ?

*e)* Si on ajoute une nouvelle boîte de céréales à cet échantillon, quelle devra être la masse de cette boîte pour que la moyenne demeure la même ?

*f)* Quelle devrait être la masse de cette nouvelle boîte pour que la moyenne augmente de 1 g ?

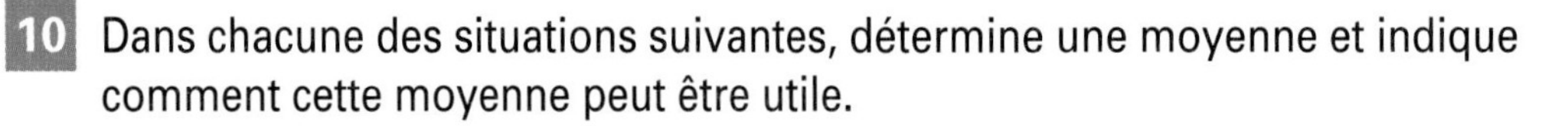

**10** Dans chacune des situations suivantes, détermine une moyenne et indique comment cette moyenne peut être utile.

*a)* Camille a invité 15 amis et amies à une fête où l'on sert des hot dogs.

*b)* Samantha doit préparer un cocktail pour le 40e anniversaire de mariage de ses parents.

*c)* On soupçonne un bénévole d'être coupable de fraude à la suite d'une collecte effectuée auprès des habitants d'un quartier.

*d)* Un entraîneur de hockey rencontre une équipe inconnue lors d'un tournoi provincial.

**11** Décris une situation dans laquelle la moyenne peut être très utile.

**12** Explique pourquoi une note d'examen de 70 % peut être une note désastreuse.

**13** Écris une expression qui représente la moyenne des ensembles de données suivantes :

*a)* $a, 2a, 3a + 3$

*b)* $x_1, x_2, x_3, x_4$

*c)* $x, y, z$

*d)* $x_1, x_2, x_3, ..., x_n$

**14** On s'interrogeait sur le nombre d'enfants par famille pour les élèves d'une classe. Voici les données recueillies :

*a)* Quel est le nombre moyen d'enfants par famille ?

*b)* Cette moyenne peut-elle représenter le nombre moyen d'enfants par famille pour tout le territoire desservi par cette école ? Justifie ta réponse.

**Nombre d'enfants par famille**

| Valeur | Effectif |
|---|---|
| 1 | 18 |
| 2 | 8 |
| 3 | 4 |
| 4 | 1 |

**15** Calcule la moyenne de chacune des distributions suivantes.

*a)* Voici la répartition des joueurs de l'équipe de football de l'école selon le nombre d'années d'expérience dans le football organisé.

**Expérience des joueurs de l'équipe de football**

| Nombre d'années d'expérience | Nombre de joueurs |
|---|---|
| 0 | 2 |
| 1 | 3 |
| 2 | 8 |
| 3 | 12 |
| 4 | 10 |
| 5 | 1 |

*b)* Distribution des élèves d'une école selon le nombre d'activités parascolaires auxquelles ils ou elles sont inscrits.

**Choix des activités parascolaires**

| Nombre d'activités parascolaires | Nombre d'élèves |
|---|---|
| 0 | 231 |
| 1 | 327 |
| 2 | 157 |
| 3 | 51 |
| 4 | 22 |
| 5 | 3 |
| 6 | 1 |

*c)* Distribution des élèves d'une classe selon le temps entre le moment du lever et le moment du départ pour l'école le matin.

**Préparatifs du matin**

| Temps (en min) | Nombre d'élèves |
|---|---|
| [0, 20[ | 2 |
| [20, 40[ | 4 |
| [40, 60[ | 8 |
| [60, 80[ | 10 |
| [80, 100[ | 6 |
| [100, 120[ | 3 |

*d)* Distribution des clients et des clientes d'un fournisseur de services Internet selon le temps d'utilisation mensuel.

**Utilisation d'Internet**

| Temps (en h) | Nombre de clients et de clientes |
|---|---|
| [0, 5[ | 90 |
| [5, 10[ | 65 |
| [10, 15[ | 128 |
| [15, 20[ | 78 |
| [20, 25[ | 42 |
| [25, 30[ | 23 |
| [30, 35[ | 12 |
| [35, 40[ | 4 |
| [40, 45[ | 1 |
| [45, 50[ | 2 |

**16** Chloé est inquiète. Sa note en biologie provient de la moyenne de 5 examens qui ont la même valeur. Après 4 examens, elle a une moyenne de 57 %.

***a)*** Quelle note lui faut-il au 5e examen pour obtenir la note de passage de 60 % ?

***b)*** Quelle est la moyenne maximale que Chloé peut obtenir pour ses 5 examens ?

***c)*** Quelle est la note minimale que Chloé peut obtenir en biologie ?

**17** Dans une entreprise, 25 employées gagnent 9,50 $ l'heure et les 12 autres gagnent 14,75 $ l'heure.

***a)*** Estime le salaire horaire moyen des employées de cette entreprise.

***b)*** Calcule ce salaire horaire moyen.

***c)*** Quel serait le salaire horaire moyen si on augmentait le salaire de chacune de 5 % ?

***d)*** Quel serait le salaire horaire moyen si on augmentait le salaire de chacune de 0,50 $ l'heure ?

***e)*** Laquelle des deux augmentations précédentes les employées qui gagnent le moins souhaitent-elles ?

**18** Dix jeunes comparent le nombre de calendriers qu'ils et elles ont vendus pour le financement d'un voyage à l'étranger. Voici ces nombres : 6, 7, 9, 10, 14, 15, 15, 21, 33 et 40.

***a)*** Combien de calendriers chaque jeune a-t-il vendus en moyenne ?

***b)*** Qu'obtient-on en multipliant la moyenne par l'effectif total ?

***c)*** On appelle écart à la moyenne la différence entre une donnée et la moyenne : $6 - \overline{x}$, $7 - \overline{x}$, ..., $40 - \overline{x}$. Calcule tous les écarts à la moyenne et fais-en la somme. Que constates-tu ?

**19** Sophie prétend que 1000 est la moyenne des nombres suivants : 993, 994, 997, 999, 1009, 1010. Sans calculer la moyenne, peux-tu dire si Sophie a raison ? (Utilise les écarts à la moyenne suggérée par Sophie.)

**20** La moyenne de la classe à un test est de 81. Après avoir vérifié sa copie, Mélanie constate une erreur. Son résultat devrait être 82 au lieu de 67. Une fois l'erreur corrigée, la moyenne de la classe augmente de 0,5. Combien d'élèves y a-t-il dans cette classe ?

**21** Un ensemble de données numériques a un effectif total de 10, une étendue de 20, un mode de 40 et une moyenne de 50. Invente un ensemble de données ayant ces mesures.

**22** Pour déterminer l'athlète de l'année, les candidats et les candidates devaient passer trois épreuves de valeur pondérée. Voici les résultats des quatre personnes les plus performantes. Détermine celui ou celle qui a été nommé athlète de l'année.

| Épreuve | Pondération | Fredo | Marietta | Lugy | Manon |
|---|---|---|---|---|---|
| Course à pied | (8) | 14 | 18 | 16 | 15 |
| Vélo | (6) | 18 | 16 | 16 | 17 |
| Natation | (4) | 16 | 12 | 15 | 16 |

**23** Lucia a obtenu les résultats suivants.

| | | |
|---|---|---|
| Mathématique | (6) | 78 % |
| Français | (6) | 65 % |
| Anglais | (4) | 81 % |
| Biologie | (4) | 76 % |

Pour être admise au cours de mathématique 436 l'an prochain, Lucia doit conserver une moyenne de 75 % en mathématique et pour l'ensemble de ses matières, en tenant compte de la pondération indiquée entre parenthèses. Lucia sera-t-elle acceptée ? Explique ta réponse.

**24** Quelle est la moyenne des résultats à cet examen?

**Examen de catéchèse**

| | |
|---|---|
| 5 | 4, 4, 6, 8 |
| 6 | 0, 0, 0, 3, 4, 4, 5, 6, 6, 7, 8, 9 |
| 7 | 0, 0, 3, 7, 9, |
| 8 | 0, 1, 1, 3, 3, 5 |
| 9 | 1, 2 |

**25** Étienne a obtenu les résultats suivants.

Étant donné la pondération indiquée entre parenthèses, Étienne a une moyenne de 78 %. Quelle est sa note en français?

| | | |
|---|---|---|
| Mathématique | (5) | 82 % |
| Français | (5) | ■ % |
| Anglais | (2) | 68 % |
| Biologie | (3) | 73 % |

**26** Il y a cinq représentants et représentantes au conseil étudiant. Margot, la plus jeune d'entre eux, raconte que deux des membres ont deux ans de plus qu'elle et que les deux autres ont trois ans de plus qu'elle.

***a)*** Si $x$ représente l'âge de Margot, quelle expression représente la moyenne d'âge au conseil étudiant?

***b)*** Quelle est la différence entre l'âge de Margot et l'âge moyen des membres du conseil?

***c)*** Si Margot est remplacée au conseil par un élève plus âgé qu'elle de deux ans, quelle expression représentera alors l'âge moyen des membres du conseil étudiant?

**27** À un groupe d'élèves ayant une moyenne de 72 %, on ajoute deux élèves ayant des notes de 76 % et 68 %.

***a)*** Peut-on calculer la nouvelle moyenne? Si oui, calcule-la. Sinon, indique pourquoi.

***b)*** S'il y a 31 élèves en tout dans cette classe, y compris les deux élèves ajoutés, calcule cette nouvelle moyenne.

**28** Dans un groupe de 24 élèves, la moyenne est de 72 % et, dans un autre groupe de 22 élèves, la moyenne est de 67 %. Si on réunit tous ces élèves, quelle sera la moyenne du nouveau groupe?

**29** Voici deux tableaux de distribution au sujet des lectrices du magazine *Filles d'aujourd'hui.*

**Âge des lectrices**

| Âge (en a) | Effectif |
|---|---|
| [14, 24[ | 229 000 |
| [24, 34[ | 32 000 |
| [34, 44[ | 31 000 |
| [44, 54[ | 34 000 |
| [54, 64[ | 12 000 |

**Revenu familial des lectrices**

| Revenu (en $) | Effectif |
|---|---|
| [5000, 20 000[ | 53 000 |
| [20 000, 35 000[ | 75 000 |
| [35 000, 50 000[ | 60 000 |
| [50 000, 65 000[ | 55 000 |
| [65 000, 80 000[ | 75 000 |

***a)*** Calcule l'âge moyen des lectrices du magazine *Filles d'aujourd'hui.*

***b)*** Calcule leur revenu familial moyen.

**30** Lors de l'Omnium de golf du Québec, le gagnant a terminé le tournoi avec 5 coups sous la normale. Les résultats sont présentés dans le diagramme suivant.

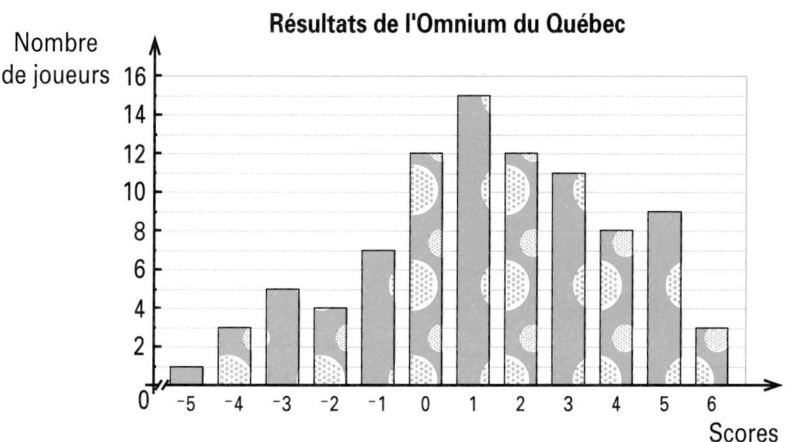

*a)* Estime la moyenne des scores des joueurs.

*b)* Calcule avec précision la moyenne des scores des joueurs.

**31** Si les fréquences relatives sont connues, on peut calculer la moyenne en procédant de la même façon que pour les moyennes pondérées. Calcule l'âge moyen des enfants qui fréquentaient le centre de loisirs l'été dernier à partir du tableau de distribution ci-contre.

**Âge des enfants inscrits au centre de loisirs**

| Âge | Fréquence relative |
|---|---|
| 7 ans | 10 % |
| 8 ans | 20 % |
| 9 ans | 25 % |
| 10 ans | 30 % |
| 11 ans | 15 % |

**32** À chacune des heures de la journée, la préposée au contrôle de la qualité d'une manufacture de vêtements procède à des tests, et ce, pendant 10 jours consécutifs. Voici le nombre de défectuosités relevées dans un lot de 100 vêtements pour chacune de ces périodes.

| Jour \ Heures | 8 à 9 | 9 à 10 | 10 à 11 | 11 à 12 | 13 à 14 | 14 à 15 | 15 à 16 | 16 à 17 |
|---|---|---|---|---|---|---|---|---|
| Lundi | 0 | 1 | 2 | 4 | 3 | 5 | 3 | 5 |
| Mardi | 2 | 1 | 4 | 6 | 2 | 1 | 4 | 7 |
| Mercredi | 1 | 2 | 3 | 2 | 3 | 4 | 4 | 6 |
| Jeudi | 3 | 2 | 4 | 7 | 2 | 2 | 3 | 8 |
| Vendredi | 1 | 4 | 7 | 3 | 4 | 1 | 9 | 7 |
| | | | | | | | | |
| Lundi | 2 | 5 | 2 | 3 | 3 | 2 | 6 | 4 |
| Mardi | 3 | 2 | 4 | 5 | 1 | 0 | 3 | 3 |
| Mercredi | 1 | 3 | 1 | 2 | 3 | 3 | 9 | 8 |
| Jeudi | 2 | 0 | 2 | 6 | 3 | 1 | 3 | 7 |
| Vendredi | 5 | 3 | 4 | 6 | 5 | 7 | 5 | 9 |

*a)* Quelles conclusions le calcul des moyennes permet-il de tirer sur la qualité du travail du personnel aux différentes heures de la journée ?

*b)* Par le même procédé, quelles sont les conclusions que l'on peut tirer sur la qualité du travail pendant les différents jours de la semaine ?

**De nouveaux problèmes**

La **recherche de nouveaux problèmes** est un des aspects intéressants de la résolution de problèmes. Afin de créer de nouveaux problèmes, on peut modifier un problème déjà connu. Il existe différentes façons de modifier un problème. En voici quelques-unes :

1° Modifier le contexte ou la situation décrite dans le problème.

2° Modifier les nombres dans le problème.

3° Modifier, ajouter ou enlever une ou plusieurs conditions dans le problème.

4° Remplacer les données connues par des inconnues, et vice-versa.

5° Combiner l'une ou l'autre des façons précédentes.

Voici un problème à partir duquel on a créé d'autres problèmes. Résous-les.

« Les longueurs des trois côtés d'un triangle sont $a$, $b$ et $c$. Ces trois longueurs sont des nombres entiers. Elles sont telles que $a < b < c$. Combien de triangles est-il possible de construire si $c = 5$ ? »

1) Un fabricant construit des sections de clôture de 1, 2, 3, 4 et 5 m de longueur. Combien de formes triangulaires peut-on faire avec 3 sections de longueurs différentes ?

2) Les longueurs des trois côtés d'un triangle sont $a$, $b$ et $c$. Ces trois longueurs sont des nombres entiers. Elles sont telles que $a < b < c$. Combien de triangles est-il possible de construire si $c = 7$ ?

3) Les longueurs des trois côtés d'un triangle sont $a$, $b$ et $c$. Ces trois longueurs sont des nombres entiers. Deux d'entre elles sont égales. Combien de triangles isocèles est-il possible de construire si $c = 6$ ?

4) Les longueurs des trois côtés d'un triangle sont $a$, $b$ et $c$. Ces trois longueurs sont des nombres entiers. Elles sont telles que $a < b < c$. Quelle doit être la valeur de $c$ s'il est possible de construire exactement 4 triangles qui respectent ces conditions ?

5) On a 3 pailles dont les longueurs sont $a$, $b$ et $c$. Les mesures des 3 pailles sont des nombres entiers. Elles sont telles que $a < b < c$. Combien de triangles est-il possible de construire avec ces pailles si la mesure de la plus longue ($c$) ne peut dépasser 8 ?

# LA MÉDIANE

## Situation 1 Le basket-ball

Afin de suivre les performances des joueurs et des joueuses de ses deux équipes de basket-ball, l'entraîneur a inscrit leurs prénoms au tableau avec leur taille et le nombre de paniers réussis lors d'une pratique de lancers.

**Équipe masculine**

| Prénom | Taille (en cm) | Paniers |
|---|---|---|
| Bob | 168 | 25 |
| Mathieu | 180 | 32 |
| Pierre-Luc | 176 | 26 |
| Christian | 162 | 41 |
| Abdul | 187 | 27 |
| Carlos | 181 | 23 |
| Benjamin | 182 | 34 |
| Kevin | 175 | 24 |
| Laurent | 177 | 28 |
| Étienne | 166 | 39 |
| Hugo | 184 | 29 |

**Équipe féminine**

| Prénom | Taille (en cm) | Paniers |
|---|---|---|
| Nathalie | 168 | 28 |
| Mireille | 166 | 24 |
| Luce | 170 | 25 |
| Shirley | 172 | 21 |
| Mado | 177 | 18 |
| Carla | 171 | 13 |
| Alexandra | 180 | 45 |
| Tanya | 175 | 20 |
| Nadine | 178 | 23 |
| Paule | 168 | 29 |
| Biga | 169 | 30 |
| Johanne | 167 | 12 |

1. Pour certains exercices particuliers, l'entraîneur veut diviser chacune de ses équipes en deux groupes : les plus grands et les plus petits. Comment procédera-t-il ?
2. Quelle est la taille qui se situe au milieu de chaque distribution ?
3. Pour chaque équipe, quelle performance se situe au milieu des performances enregistrées ?

Il est souvent intéressant de connaître le milieu d'une **distribution ordonnée,** c'est-à-dire de trouver une valeur qui répartit les données en deux ensembles contenant le même nombre de données. L'un contient toutes les données qui lui sont inférieures et l'autre toutes les données qui lui sont supérieures. Cette valeur s'appelle la **médiane** et son symbole est **Méd.**

On convient de ce qui suit dans une suite ordonnée de données :

- Si les données sont en nombre **impair**, la médiane est la **donnée** située exactement au milieu.
- Si les données sont en nombre **pair**, la médiane est la moyenne des deux données du milieu.

***a)*** Quelle est la médiane de ces données?

1) 1, 8, 15, 25, 32.   2) 8, 9, 16, 20.   3) 8, 10, 10, 10.   4) 9, 9, 9, 9, 9.

***b)*** Explique en quoi la médiane d'un ensemble de données se distingue de la moyenne de ces données.

***c)*** Dans chaque cas, calcule ou détermine si la moyenne est aussi la médiane.

1) 2, 4, 9, 14, 16.   2) 0, 8, 9, 14, 25.   3) 0, 1, 9, 10, 11.

## Situation 2 Le tournoi d'échecs

Le club d'échecs de l'école a organisé un tournoi interscolaire où l'on compte les points selon le système suisse. Une seule personne a réussi une note parfaite de 4. Les pointages se distribuent de la façon suivante.

| Pointage | Effectif |
|---|---|
| 4 | 1 |
| $3\frac{1}{2}$ | 3 |
| 3 | 9 |
| $2\frac{1}{2}$ | 12 |
| 2 | 6 |
| $1\frac{1}{2}$ | 6 |
| 1 | 5 |
| $\frac{1}{2}$ | 5 |
| 0 | 3 |

① Quel était le nombre de joueurs ou de joueuses?

② Quelle est la moyenne des pointages accumulés?

③ Les participants et les participantes qui se sont classés dans la moitié supérieure du tableau accèdent au niveau régional. Quelle valeur sépare ceux et celles qui pourront continuer de ceux et celles qui sont éliminés?

On peut également parler de **médiane dans une distribution de données avec effectifs.** On applique les mêmes règles que pour les ensembles de données.

***a)*** Détermine la médiane pour chaque distribution.

1)

| Valeur | Effectif |
|---|---|
| 2 | 10 |
| 4 | 6 |
| 5 | 2 |
| 6 | 9 |
| 9 | 7 |

2)

| Valeur | Effectif |
|---|---|
| 1 | 3 |
| 3 | 16 |
| 5 | 6 |
| 7 | 12 |
| 9 | 13 |

3)

| Valeur | Effectif |
|---|---|
| 20 | 2 |
| 25 | 8 |
| 30 | 5 |
| 40 | 8 |
| 50 | 6 |

***b)*** Détermine la médiane dans ces diagrammes à tige et feuilles.

1)

| | |
|---|---|
| 10 | 1-4-6 |
| 11 | 0-3-8-8-9 |
| 12 | 1-1-1-2-3-4-5-7-8 |
| 13 | 1-2-3-4-5-5-5-6-9 |
| 14 | 0-1-2-2-3-4-5-7-9 |
| 15 | 1-2-2-3-4-6-6-8 |
| 16 | 2-2-4-5-6 |

2)

| | |
|---|---|
| 0 | 11-34-86 |
| 1 | 10-23-88-98-99 |
| 2 | 08-12-35-62-73-89-99 |
| 3 | 01-25-38-41-51-55-65-86 |
| 4 | 00-01-27-29-63-74-75-87 |
| 5 | 10-20-27-38-49-69-86-98 |
| 6 | 43 |

***c)*** Indique dans quelle classe se trouve la médiane dans chaque distribution.

1) **Répartition des âges dans la famille Bourdeau**

| Classe | Effectif |
|---|---|
| [0, 20[ | 4 |
| [20, 40[ | 8 |
| [40, 60[ | 10 |
| [60, 80[ | 7 |
| [80, 100[ | 1 |

2) **Vitesse observée dans une zone de 50 km**

| Classe | Effectif |
|---|---|
| [0, 30[ | 4 |
| [30, 60[ | 38 |
| [60, 90[ | 20 |
| [90, 120[ | 7 |
| [120, 150[ | 5 |

Dans le cas d'une distribution de données regroupées en classes, le calcul de la médiane est un peu plus compliqué. On se contentera donc d'indiquer dans quelle classe elle se trouve.

Le **mode**, la **moyenne** et la **médiane** sont appelés des **mesures de tendance centrale.** Le mode est un centre de **concentration,** la moyenne un centre d'**équilibre** et la médiane un centre de **position.**

QU'EN PENSEZ-VOUS ?

*d)* La recherchiste d'une émission de télévision a demandé à la direction de l'école de déléguer un élève de troisième secondaire pour participer à une discussion sur l'apprentissage des mathématiques.

Claudia prétend qu'elle devrait être déléguée, car la note de 75 % est celle obtenue par le plus grand nombre d'élèves et qu'elle a justement cette note.

Mimi affirme pour sa part que la moyenne en mathématique est de 73 % et qu'elle est la seule élève à avoir obtenu ce résultat. Elle devrait donc représenter le groupe.

Enfin, Jason dit qu'il y a 129 élèves en troisième secondaire et que son résultat de 72 % le place 65$^{e}$, en plein milieu des résultats. C'est donc lui qui devrait être le représentant.

À votre avis, qui devrait être choisi ? Justifiez votre choix.

**1** Nadia examine les notes qui lui ont été attribuées par les juges lors de sa dernière compétition de gymnastique.

| | |
|---|---|
| Barres asymétriques : | 8,5 ; 8,4 ; 8,8 ; 9,0 ; 8,6. |
| Poutre : | 7,9 ; 8,2 ; 7,9 ; 8,3 ; 7,8. |
| Cheval-sautoir : | 9,0 ; 8,4 ; 8,8 ; 8,5 ; 8,9 ; 8,6. |
| Sol : | 8,4 ; 8,6 ; 8,6 ; 8,8 ; 8,7 ; 8,3. |

*a)* Quelle est sa note médiane pour chacun des appareils ?

*b)* Quelle est la médiane de l'ensemble de ses notes ?

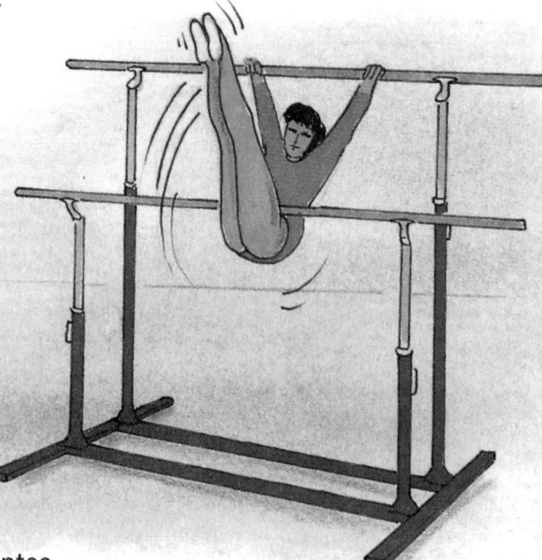

**2** Détermine la médiane des données suivantes.

*a)* 12, 15, 9, 12, 16, 14, 13.

*b)* 13, 14, 9, 12, 7, 15, 14.

*c)* 12, 17, 8, 11, 9, 16, 18.

*d)* 19, 17, 10, 12, 11, 17, 12.

**3** Détermine la médiane de chacune des distributions suivantes.

***a)***

21 | 0-1-7-7
22 | 0-2-2-6-9
23 | 3-3-6-8
24 | 2-7-8
25 | 1-2-4-5-7

***b)***

| Valeur | Effectif |
|---|---|
| 7 | 3 |
| 9 | 12 |
| 11 | 14 |
| 13 | 21 |
| 15 | 37 |

***c)***

| Valeur | Effectif |
|---|---|
| −100 | 12 |
| −50 | 9 |
| 0 | 11 |
| 50 | 33 |

***d)***

1 | 14-27-57-81
2 | 7-98
3 | 44-59
4 | 21-49-57-72-98
5 | 10-24-64
6 | 68
7 | 43-67-82

**4** Dans quelle classe la médiane de chacune des distributions suivantes est-elle située ?

***a)***

| Classe | Effectif |
|---|---|
| [0, 20[ | 41 |
| [20, 40[ | 5 |
| [40, 60[ | 3 |
| [60, 80[ | 2 |
| [80, 100[ | 43 |

***b)***

| Classe | Effectif |
|---|---|
| [1000, 2000[ | 12 |
| [2000, 3000[ | 15 |
| [3000, 4000[ | 21 |
| [4000, 5000[ | 41 |
| [5000, 6000[ | 52 |
| [6000, 7000[ | 60 |
| [7000, 8000[ | 17 |

**5** Voici les notes en pourcentage d'un groupe de 16 élèves pour les 4 premières étapes.

***a)*** Quelle est la moyenne des notes de l'étape 1 ?

***b)*** Quelle est la médiane des notes de l'étape 2 ?

***c)*** Quelle est l'étendue des notes de l'étape 3 ?

***d)*** Quel est le mode des notes de l'étape 4 ?

***e)*** Quelle est la médiane des notes de l'élève 5 ?

| Élève | Étape 1 | Étape 2 | Étape 3 | Étape 4 |
|---|---|---|---|---|
| 01 | 94 | 62 | 80 | 82 |
| 02 | 66 | 67 | 62 | 78 |
| 03 | 89 | 83 | 91 | 96 |
| 04 | 86 | 57 | 83 | 84 |
| 05 | 94 | 97 | 87 | 92 |
| 06 | 94 | 78 | 65 | 92 |
| 07 | 93 | 62 | 81 | 88 |
| 08 | 95 | 99 | 59 | 82 |
| 09 | 86 | 54 | 48 | 82 |
| 10 | 87 | 72 | 37 | 84 |
| 11 | 67 | 69 | 47 | 72 |
| 12 | 77 | 54 | 68 | 78 |
| 13 | 79 | 44 | 72 | 69 |
| 14 | 73 | 63 | 47 | 61 |
| 15 | 65 | 52 | 66 | 81 |
| 16 | 94 | 83 | 87 | 90 |

**6** On a fait une enquête auprès d'une centaine d'élèves pour connaître le temps approximatif qu'ils consacrent chaque semaine aux activités physiques. Voici les résultats :

| Nombre d'heures | Effectif |
|---|---|
| 0 | 13 |
| 1 | 39 |
| 2 | 17 |
| 3 | 11 |
| 4 | 8 |
| 5 | 9 |
| 6 | 2 |
| 7 | 1 |

*a)* Quelle est la médiane de cette distribution ?

*b)* Quelle est la différence entre la moyenne et la médiane ?

**7** Gérald a observé des bulles de savon et a noté leur durée en secondes : 20, 15, 9, 16, 21, 15, 16, 18, 15, 20, ...

*a)* Si la médiane est 18, combien de bulles au minimum a-t-il observées ?

*b)* Complète ces données de manière à obtenir une moyenne identique à la médiane 18.

?

*Pourquoi peut-on faire des bulles avec l'eau savonneuse ?*

**8** Construis une suite de 9 données ayant 12 comme médiane et comme moyenne.

**9** Pour se maintenir en bonne forme, les 7 membres de l'équipe de natation font des redressements assis. Les 6 premiers ont réussi respectivement 38, 53, 44, 48, 54 et 43 redressements.

*a)* Combien de redressements le dernier membre de l'équipe devra-t-il exécuter pour que l'étendue soit 16 et la médiane 44 ? Donne toutes les réponses possibles.

*b)* Combien de redressements devrait-il faire pour que la moyenne soit 46 ?

**10** À la dernière représentation de *L'Avare*, de Molière, par la troupe de théâtre de l'école, on a vendu 43 billets de loges à 10 $ chacun, 203 billets de parterre à 5 $ chacun et 112 billets de balcons à 3 $ chacun. On a donné aussi 22 billets de faveur.

*a)* Dresse un tableau de distribution de cette situation.

*b)* Combien de personnes ont assisté à cette représentation ?

*c)* Quelles ont été les recettes de cette représentation ?

*d)* Quel est le coût moyen des billets ?

*e)* Quelle est la médiane de cette distribution ?

*La fameuse pièce* L'Avare*, de Molière, tourne en ridicule les travers des gens qui aiment trop l'argent.*

**11** De quelle façon peut-on ajouter une donnée à un ensemble sans changer la médiane ?

**12** Comment peut-on ajouter deux données distinctes à un ensemble sans changer la médiane ?

**13** Une enseignante corrige un test sur 10 points. Les scores sont tous entiers. Après avoir corrigé un certain nombre de copies, la médiane des résultats est 7,5. Est-il possible que la médiane demeure la même après avoir corrigé la copie suivante?

**14** Une enquête montre qu'il y a un téléviseur dans 35 % des foyers, 2 téléviseurs dans 30 %, 3 dans 25 %, 4 dans 8 % et 5 dans 1,5 %. De plus, 0,5 % des foyers n'ont aucun téléviseur. Quelle est la médiane dans cette distribution?

**15** Dans un concours de danse, les couples sont notés sur 10. À la première épreuve, 7 couples se sont inscrits. Le couple classé 4e a obtenu la note 7.

*a)* Donne une distribution possible des notes si l'étendue est 5 et si la moyenne est plus grande que la médiane.

*b)* Montre une distribution possible si la note minimale est 4 et si la moyenne est plus petite que la médiane.

**16** Dans un laboratoire de biologie, on a consigné le nombre de souriceaux dans 121 portées de souris.

| Nombre de souriceaux par portée | Effectif |
|---|---|
| 1 | 7 |
| 2 | 11 |
| 3 | 16 |
| 4 | 17 |
| 5 | 26 |
| 6 | 31 |
| 7 | 11 |
| 8 | 1 |
| 9 | 1 |

*a)* Quel est le mode?

*b)* Quel est l'effectif du mode?

*c)* Quelle est la médiane?

*d)* Combien de données sont égales à la médiane?

*e)* Quelle est la moyenne de souriceaux par portée?

*f)* Combien de portées comptaient plus de souriceaux que la moyenne?

**17** Invente une situation qui donne lieu à une distribution dont le mode, la médiane et la moyenne ont la même valeur.

**18** Ajoute deux données à cet ensemble de données afin que la moyenne dépasse la médiane.

12, 15, 19, 25, 28, 28, 30.

**19** Invente un ensemble de données toutes différentes pour lesquelles la moyenne égale la médiane, qui est 18.

**20** Quel peut être l'effectif manquant si la médiane est dans la classe [12, 15[ dans la distribution ci-dessous ?

| Classe | Effectif |
|---|---|
| [6, 9[ | 6 |
| [9, 12[ | 8 |
| [12, 15[ | 3 |
| [15, 18[ | ? |

**21** Un producteur de porcs a livré 100 bêtes au marché. On lit sur le reçu de vente la distribution de la masse de ses bêtes. On y voit que la classe modale a un effectif de 80. Que peut-on dire à propos des porcs ?

**22** Détermine la moyenne et la médiane de cet ensemble de données, sachant que son étendue est 20.

80, 82, 86, 88, 90, 90, 96, ■

**23** Quelle est la moyenne des données suivantes, sachant qu'elles sont ordonnées et que la médiane est 19 ?

$$n - 3,\ n,\ n + 2,\ 2n,\ 2n + 1,\ n + 12,\ 3n - 4,\ 4n,\ 5n - 2.$$

**24** Donne un ensemble de 9 données entières dont le mode a un effectif de 7, dont la moyenne est 15 et qui a une étendue de 30.

**25** Imagine une distribution des 10 premiers marqueurs de la Ligue nationale de hockey, sachant que leur moyenne est de 30 points, que l'écart entre le 1er et le 10e n'est que de 5 points et que le premier marqueur a 33 points.

**26** Décris un ensemble de 5 fractions dont la moyenne est $\frac{1}{2}$ et dont l'étendue est $\frac{5}{4}$.

**27** Décris une distribution qui a les caractéristiques quantitatives suivantes :

Étendue : 40
Classe de la moyenne : [60, 70[
Effectif de la classe modale : 8
Classe de la médiane : [70, 80[
Classe modale : [60, 70[

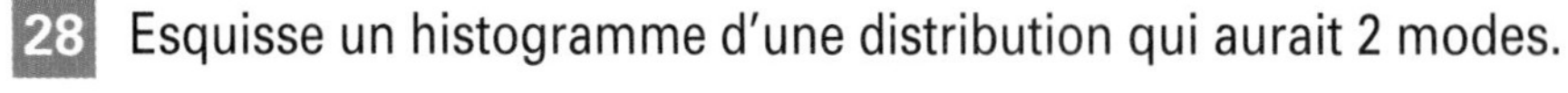

**28** Esquisse un histogramme d'une distribution qui aurait 2 modes.

**29** Esquisse un histogramme d'une distribution dont la médiane est de beaucoup inférieure à la moyenne.

**30** Esquisse un histogramme d'une distribution ayant une petite étendue et un grand mode.

Stratégie : Éliminer des possibilités par vérification ou par raisonnement.

**Les timbres de collection**

Trois timbres de collection représentent des mathématiciens. Le prix du premier est 4 fois plus élevé que celui du deuxième. Le deuxième vaut le tiers du troisième et le troisième vaut 2 $ de moins que le premier. Quel timbre vaut 6 $?

A)

B)

C)

**Les pièces d'or**

En participant à un concours, Maxime a gagné plusieurs pièces d'or. Fier de sa récolte, il s'amuse à les disposer en rangées. Quand il les dispose en 2 rangées, il lui reste 1 pièce. Quand il les dispose en 3 ou 5 rangées, il lui reste 2 pièces. Finalement, il réussit à toutes les placer en 7 rangées. Combien de pièces a-t-il gagnées?

**Les éliminatoires de hockey**

Trois équipes bantam participent à une demi-finale. On prévoit que chaque équipe recevra et visitera une fois les deux autres à raison d'une seule rencontre par jour. Voici le calendrier :

| Lundi | Mardi | Mercredi | Jeudi | Vendredi | Samedi |
|---|---|---|---|---|---|
| Tigres vs Lynx | Lynx vs Couguars | Couguars vs Tigres | Lynx vs Tigres | Couguars vs Lynx | Tigres vs Couguars |

On sait que les Tigres n'ont jamais battu les Lynx et que même si les Couguars ont perdu deux matchs, ils n'ont jamais perdu à domicile. Quel est le classement final s'il n'y a eu aucun match nul?

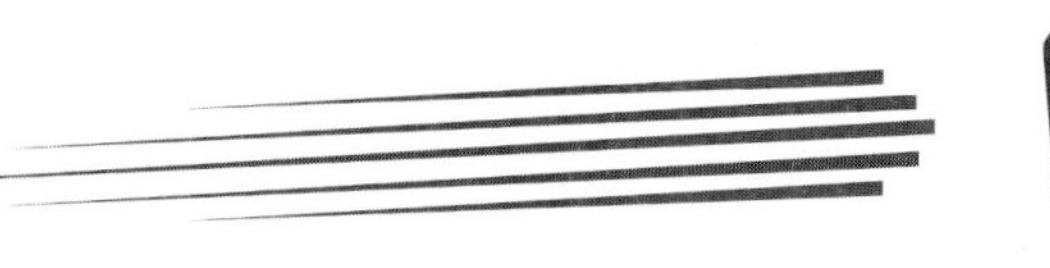

# ANALYSE D'UNE DISTRIBUTION

## DES DONNÉES QUI PARLENT

### Situation Nez rouge

Chaque année, avant Noël, on met en branle l'Opération nez rouge dans plusieurs municipalités du Québec. Voici quelques données de la dernière opération dans une ville du Québec.

Nombre d'appels pour les 12 jours de l'opération : 23, 42, 95, 232, 264, 29, 16, 59, 79, 231, 173, 85.

Commandites : 10 commanditaires pour un total de 12 000 $.

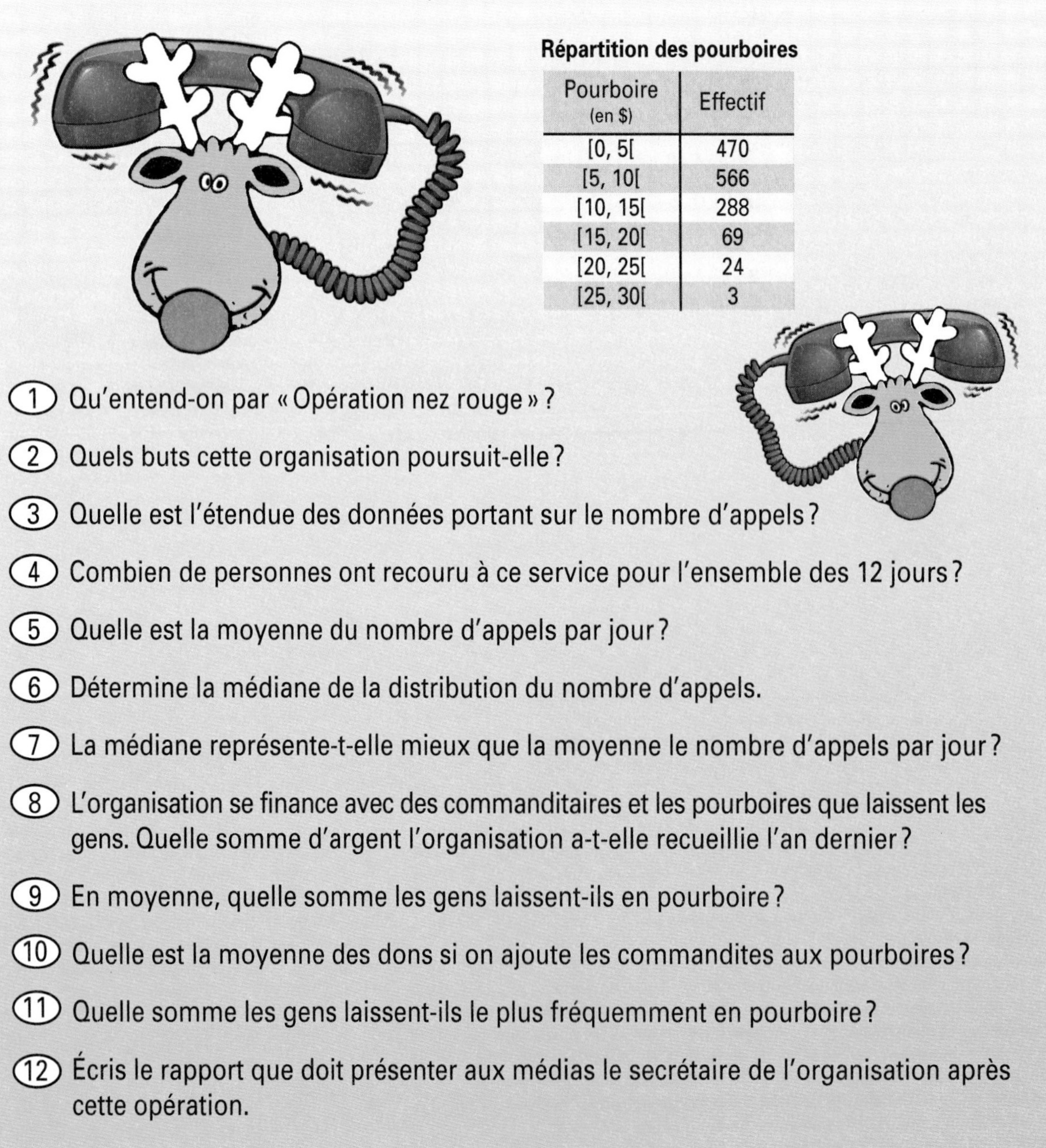

**Répartition des pourboires**

| Pourboire (en $) | Effectif |
|---|---|
| [0, 5[ | 470 |
| [5, 10[ | 566 |
| [10, 15[ | 288 |
| [15, 20[ | 69 |
| [20, 25[ | 24 |
| [25, 30[ | 3 |

1. Qu'entend-on par « Opération nez rouge » ?
2. Quels buts cette organisation poursuit-elle ?
3. Quelle est l'étendue des données portant sur le nombre d'appels ?
4. Combien de personnes ont recouru à ce service pour l'ensemble des 12 jours ?
5. Quelle est la moyenne du nombre d'appels par jour ?
6. Détermine la médiane de la distribution du nombre d'appels.
7. La médiane représente-t-elle mieux que la moyenne le nombre d'appels par jour ?
8. L'organisation se finance avec des commanditaires et les pourboires que laissent les gens. Quelle somme d'argent l'organisation a-t-elle recueillie l'an dernier ?
9. En moyenne, quelle somme les gens laissent-ils en pourboire ?
10. Quelle est la moyenne des dons si on ajoute les commandites aux pourboires ?
11. Quelle somme les gens laissent-ils le plus fréquemment en pourboire ?
12. Écris le rapport que doit présenter aux médias le secrétaire de l'organisation après cette opération.

Comme on vient de le constater, la statistique nous aide à mieux analyser et comprendre une situation.

L'analyse statistique d'une situation commence par la construction de tableaux de distribution ou de diagrammes appropriés qui permettent de **mieux percevoir l'ensemble de toutes les données.** Elle se poursuit, entre autres, par le calcul de l'étendue, du mode, de la moyenne et de la médiane, qui permettent de dégager certaines **caractéristiques** importantes de la distribution.

L'**étendue** permet de savoir jusqu'à quel point les données sont regroupées ou éloignées les unes des autres.

Le **mode** ou la **classe modale** permet de déceler les regroupements ou les concentrations de données.

La **moyenne** donne la valeur qu'auraient les données si elles étaient toutes égales.

La **médiane** permet de localiser le centre de la distribution. Souvent, cette mesure est plus significative et représentative que la moyenne, surtout lorsqu'il y a des données très élevées ou très basses par rapport aux autres.

Une **moyenne près de la médiane** indique que les données plus élevées sont en nombre et en valeurs comparables aux données les moins élevées. Une **moyenne supérieure à la médiane** indique l'existence de données très élevées et une **moyenne inférieure à la médiane** indique l'existence de données très faibles.

Selon les situations, on peut attacher plus d'importance à l'une de ces mesures qu'aux autres.

Appliqués aux situations, ces éléments d'analyse augmentent la compréhension de la situation. Mais il ne faut pas perdre de vue que la situation elle-même et les connaissances qu'on peut en avoir nous aident à améliorer notre compréhension des situations.

La statistique apporte un éclairage utile et nécessaire aux prises de décisions. Cependant, et même si elle est l'ennemi principal de l'incertain, elle ne peut l'éliminer tout à fait.

**1** Voici un tableau de distribution montrant les plus grandes fortunes érigées dans le domaine de la musique.

*a)* Calcule l'étendue des données que constituent ces fortunes.

*b)* Que signifie une étendue élevée dans ce contexte ?

*c)* Quelle est la moyenne de ces données ?

**Fortunes amassées par la musique**

| Nom | Fortune (en $) |
|---|---|
| Paul McCartney | 1 025 000 000 |
| Phil Collins | 287 000 000 |
| Bono | 159 000 000 |
| Mark Knopfler | 138 000 000 |
| Mick Jagger | 40 000 000 |

*d)* La moyenne représente-t-elle bien la fortune de ces 5 super-vedettes ?

*e)* Quelle est la médiane de ces données ?

*f)* La médiane représente-t-elle mieux les fortunes de ces vedettes que la moyenne ? Justifie ta réponse.

**2** La distribution ci-dessous est celle des salaires des plus grands mannequins féminins du début des années 90.

**Salaires des plus grands mannequins**

| Nom | Salaire (en $) |
|---|---|
| Cindy Crawford (É.-U.) | 9 200 000 |
| Claudia Schiffer (All.) | 7 600 000 |
| Christy Turlington (É.-U.) | 6 800 000 |
| Linda Évangilista (Can.) | 4 200 000 |
| Elle McPherson (É.-U.) | 4 200 000 |

*a)* Calcule l'étendue de ces données.

*b)* Pour les données relatives aux salaires, calcule :

1) la moyenne ;

2) la médiane.

*c)* Quel serait le revenu de chacune d'elles si elles se partageaient leurs salaires ?

*d)* Pourquoi la moyenne est-elle inférieure à la médiane ?

*e)* Après avoir pris connaissance de cette distribution et de ces mesures, écris à un ami ou une amie un petit paragraphe (5 lignes) de ce que tu sais des salaires de ces vedettes.

**3** Voici un histogramme représentant l'âge des enfants de l'école primaire et préscolaire de la Rose Bleue.

*a)* Quelle anomalie cette distribution présente-t-elle ?

*b)* À cause de compressions budgétaires, cette école doit choisir son orientation entre la maternelle, le primaire premier cycle ou le primaire second cycle. Quel doit être son choix ? Justifie ta réponse en t'appuyant sur des mesures statistiques.

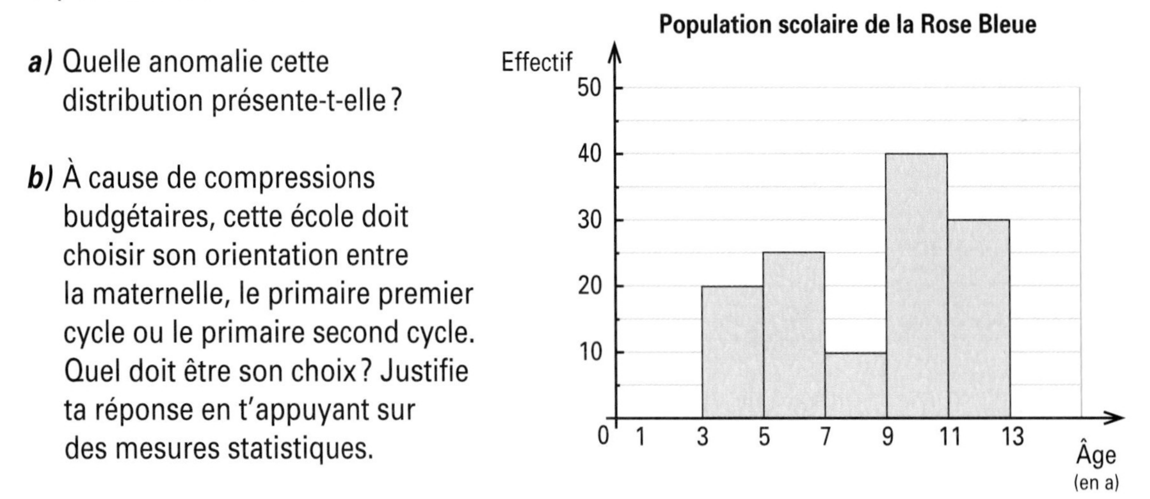


*c)* Jeannot affirme qu'on devrait tout simplement fermer cette école.

1) Donne deux arguments que peut invoquer Jeannot.

2) Donne deux arguments que peut faire valoir un opposant ou une opposante au choix de Jeannot.

**4** Selon un sondage effectué en 1995, 20 % des répondants et des répondantes ont dépensé moins de 100 $ pour les cadeaux de Noël, 27 % entre 100 $ et 200 $ et 24 % entre 200 $ et 300 $. Peu de Québécois et de Québécoises ont consacré plus d'argent à leurs achats des Fêtes. Seulement 10 % ont investi entre 300 $ et 400 $, 10 % entre 400 $ et 500 $, 6 % entre 500 $ et 600 $. De plus, 3 % des répondants et des répondantes disent qu'ils n'ont fait aucun achat de cadeau.

***a)*** Quel diagramme serait le plus approprié pour présenter ces données? Construis-le.

***b)*** Complète la phrase suivante : « Les Québécois et les Québécoises dépensent ▬ en moyenne pour leurs cadeaux de Noël. »

***c)*** Ce sondage a été commenté par un journal local. Complète cette manchette : « Plus de la moitié des Québécois et des Québécoises dépensent au moins ▬ pour leurs cadeaux de Noël. »

**5** Voici la répartition de la population du Québec par groupes d'âge selon le recensement de 1991.

**Population du Québec en 1991**

| Âge (en a) | Population | Femmes | Hommes |
|---|---|---|---|
| [0, 10[ | 904 030 | 446 490 | 457 540 |
| [10, 20[ | 947 014 | 463 428 | 483 586 |
| [20, 30[ | 1 083 345 | 538 792 | 544 553 |
| [30, 40[ | 1 187 660 | 596 275 | 591 385 |
| [40, 50[ | 971 093 | 488 728 | 482 365 |
| [50, 60[ | 722 905 | 369 625 | 353 280 |
| [60, 70[ | 555 526 | 299 208 | 256 318 |
| [70, 80[ | 354 368 | 207 210 | 147 158 |
| [80, 90[ | 148 935 | 96 310 | 52 625 |

***a)*** Quel phénomène inquiétant observe-t-on dans ce tableau?

***b)*** Quelle observation peut-on faire à propos des effectifs d'hommes et de femmes des différentes classes?

***c)*** Lesquels des hommes ou des femmes ont l'âge moyen le plus élevé?

***d)*** Quel est le groupe d'âge médian de la population du Québec?

**6**

Les membres du personnel chez Obélix inc. sont en grève. Leur salaire moyen est de 40 200 $ par année !

Le commentateur a calculé ce salaire à partir du tableau suivant publié par la direction. La partie syndicale est furieuse et a émis un communiqué démentant les propos du journaliste.

| Salaire (en milliers $) | [20, 25[ | [25, 30[ | [30, 35[ | [35, 40[ | [40, 45[ | [45, 50[ | [60, 65[ | [140, 145[ |
|---|---|---|---|---|---|---|---|---|
| Effectif | 5 | 8 | 18 | 12 | 1 | 1 | 2 | 3 |

***a)*** Pourquoi les employées et employés sont-ils furieux ?

***b)*** Dans quelle classe le salaire médian se situe-t-il ?

***c)*** Est-ce que le salaire médian leur rendrait plus justice ? Pourquoi ?

**7** *La Presse* du 27 novembre 1993 publiait un rapport d'enquête sur le ski alpin.

Dans l'article qui accompagnait le graphique ci-contre, on affirmait que :

- la moyenne d'âge des skieurs et skieuses alpins actifs est de 28 ans ;
- près de 50 % des skieurs et skieuses alpins ont plus de 24 ans.

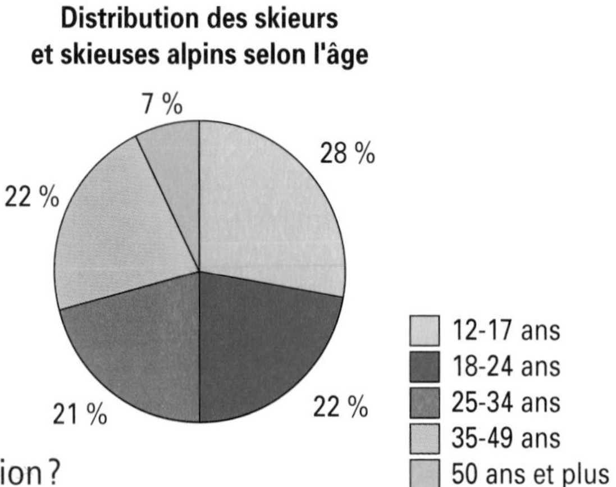


***a)*** Le graphique confirme-t-il ces affirmations ?

***b)*** Quelle manchette pourrais-tu formuler au sujet de la classe modale dans cette distribution ?

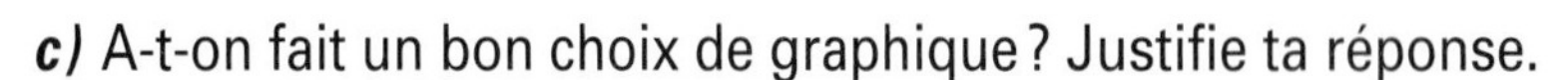

***c)*** A-t-on fait un bon choix de graphique ? Justifie ta réponse.

***d)*** Quelles critiques pourrait-on formuler quant à la longueur des classes dans cette distribution ?

**8** Voici les 80 premières décimales du nombre π.

3,141 592 653 589 793 238 462 643 383 279 502 884 197 169
399 375 105 820 974 944 592 307 816 406 286 208 99

Le développement décimal de π n'a pas de période. On s'interroge sur la fréquence d'apparition des chiffres dans le développement décimal du nombre π.

*Les deux frères américains, d'origine soviétique, David et Grégory Chudnovsky, ont trouvé en 1989 un milliard de chiffres après la virgule pour le nombre π.*

***a)*** Construis un tableau de distribution à partir de ces données.

***b)*** Laquelle des trois mesures de tendance centrale a ici le meilleur sens ?

**9** Voici la liste du nombre d'athlètes inscrits aux Jeux olympiques d'été depuis le début.

**Participation aux Jeux olympiques d'été**

| | | | | | |
|---|---|---|---|---|---|
| 1896 (Athènes) | 285 | 1932 (Los Angeles) | 1 503 | 1968 (Mexico) | 6 059 |
| 1900 (Paris) | 1 066 | 1936 (Berlin) | 3 959 | 1972 (Munich) | 6 659 |
| 1904 (Saint Louis) | 554 | 1940 | - | 1976 (Montréal) | 6 152 |
| 1908 (Londres) | 2 059 | 1944 | - | 1980 (Moscou) | 5 872 |
| 1912 (Stockholm) | 2 541 | 1948 (Londres) | 4 105 | 1984 (Los Angeles) | 7 055 |
| 1916 | - | 1952 (Helsinki) | 4 925 | 1988 (Séoul) | 9 581 |
| 1920 (Anvers) | 2 608 | 1956 (Melbourne) | 3 184 | 1992 (Barcelone) | 9 364 |
| 1924 (Paris) | 3 075 | 1960 (Rome) | 5 337 | 1996 (Atlanta) | ? |
| 1928 (Amsterdam) | 3 292 | 1964 (Tokyo) | 5 558 | | |

***a)*** Lors d'une séance tenue en vue du choix de la prochaine ville, un promoteur a affirmé que les villes européennes avaient une meilleure moyenne de participation. A-t-il raison ?

***b)*** Tu écris à ta correspondante sur les Jeux olympiques d'été. Que lui diras-tu ?

**10** Voici les résultats en minutes de la première séance de qualification du Grand Prix de formule 1 du Japon, le 27 octobre 1995, selon le *Journal de Québec*.

| | | | | | |
|---|---|---|---|---|---|
| 1. Schumacher | 1,640 | 9. Herbert | 1,673 | 17. Wendlinger | 1,727 |
| 2. Hill | 1,651 | 10. Barichello | 1,674 | 18. Badoer | 1,732 |
| 3. Hakkinen | 1,652 | 11. Panis | 1,680 | 19. Inoue | 1,740 |
| 4. Alesi | 1,653 | 12. Salo | 1,689 | 20. Diniz | 1,777 |
| 5. Coulthard | 1,654 | 13. Katayama | 1,700 | 21. Montermini | 1,781 |
| 6. Frentzen | 1,666 | 14. Suzuki | 1,709 | 22. Gachot | 1,814 |
| 7. Irvine | 1,669 | 15. Morbidelli | 1,710 | 23. Moreno | 1,835 |
| 8. Berger | 1,672 | 16. Lamy | 1,723 | 24. Blundell | 16,711 |

***a)*** On appelle donnée aberrante une donnée très éloignée des autres données. Quelle est la donnée aberrante dans cette distribution ?

***b)*** Donne une explication plausible de cette donnée aberrante.

***c)*** Quel est le temps moyen des qualifications si l'on tient compte de toutes les données ?

***d)*** Quel est le temps moyen des qualifications si l'on ne tient pas compte de la donnée aberrante ?

***e)*** Laquelle des deux moyennes est la plus représentative de la situation ?

***f)*** Quelle est la médiane des temps de qualification ?

***g)*** Dans cette situation, la médiane est-elle plus représentative des temps de qualification que la moyenne ?

**11** Au service de la maternité d'un grand hôpital de la région de Montréal, on a enregistré les jours de naissance des bébés. Voici la distribution obtenue. Les effectifs ont été exprimés en fréquences relatives.

*a)* Représente cette distribution par le graphique le plus approprié.

*b)* Lequel, du mode, de la moyenne ou de la médiane, a ici une plus grande signification ? Justifie ta réponse.

*c)* Quelle constatation importante peut-on faire à propos de cette distribution ?

**Répartition des naissances selon le jour**

| Jour | Fréquence relative |
|---|---|
| Lundi | 14,5 % |
| Mardi | 15,5 % |
| Mercredi | 15,6 % |
| Jeudi | 15,7 % |
| Vendredi | 15,9 % |
| Samedi | 11,7 % |
| Dimanche | 11,1 % |

**12** Voici un diagramme à bandes montrant le nombre d'enfants par femme selon la région administrative du Québec.

*a)* Donne deux observations pertinentes qu'autorise ce graphique.

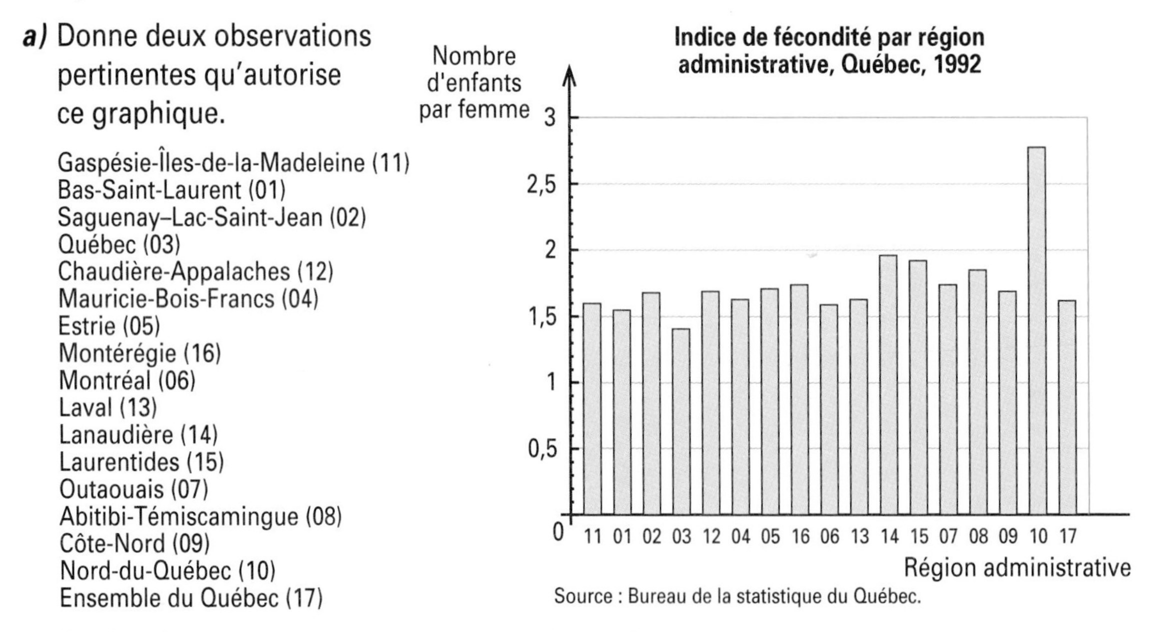


Source : Bureau de la statistique du Québec.

*b)* Quel ordre a-t-on privilégié pour placer les régions administratives sur l'axe horizontal ?

**13** Ce graphique montre l'augmentation du salaire annuel moyen au Canada au XX^e siècle.

Écris à une de tes tantes pour lui parler de l'évolution du salaire moyen sans lui envoyer le graphique.

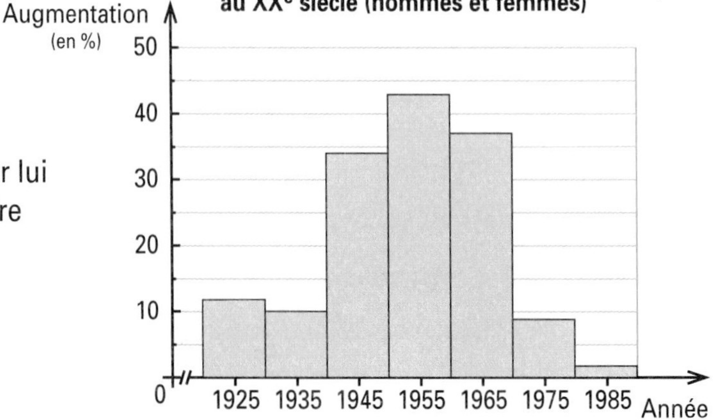

**14** Voici deux histogrammes de la distribution des âges de la population de Montréal à différents moments.

***a)*** Analyse ces deux histogrammes et tire quelques conclusions de cette évolution.

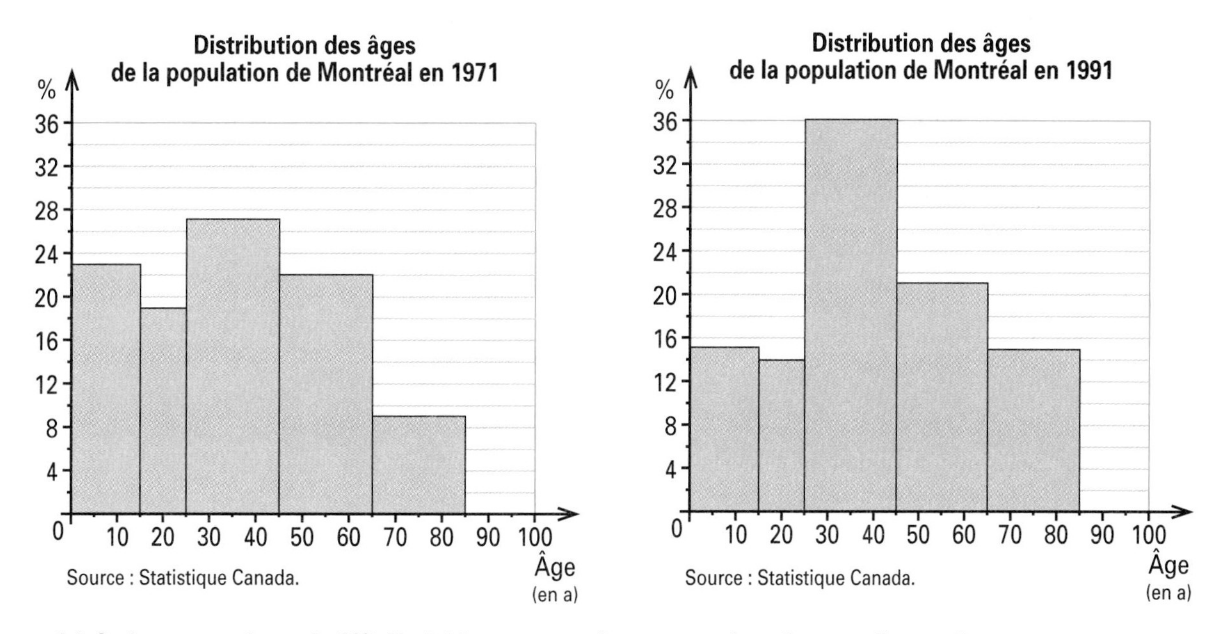


***b)*** Qu'est-ce qui rend difficile ici la comparaison entre les classes d'un même histogramme ?

**15** Cet histogramme montre le temps libre moyen par jour des Québécois et des Québécoises.

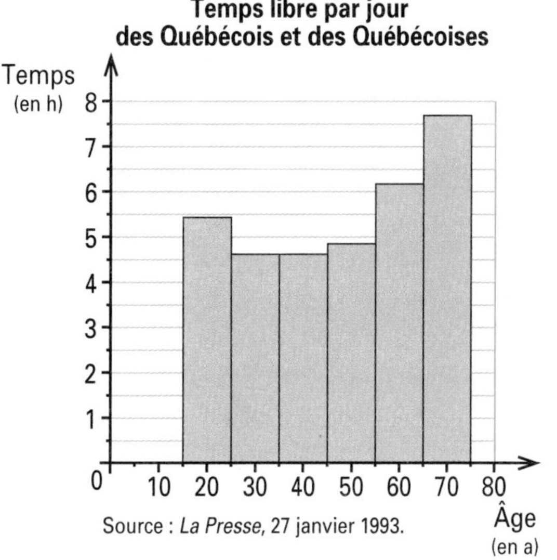


***a)*** Que peut-on affirmer au sujet du temps libre dont dispose une personne vivant au Québec relativement à son âge ?

***b)*** Quelle est la moyenne de temps libre par jour pour un adulte ?

***c)*** Pourquoi ne donne-t-on pas la moyenne de temps libre par jour des 0 à 15 ans ?

**16** Martin et Anna ont répondu aux 100 questions d'un test de calcul mental à l'aide d'un ordinateur. L'ordinateur a enregistré le temps de réponse de chacun à chaque question en centièmes de seconde.

Voici les données pour Martin :

| | | | | | | |
|---|---|---|---|---|---|---|
| 0,36 | 0,37 | 0,39 | 0,39 | 0,39 | 0,39 | 0,42 |
| 0,42 | 0,43 | 0,43 | 0,43 | 0,43 | 0,44 | 0,44 |
| 0,44 | 0,44 | 0,44 | 0,44 | 0,44 | 0,45 | 0,45 |
| 0,45 | 0,45 | 0,45 | 0,45 | 0,46 | 0,46 | 0,46 |
| 0,46 | 0,46 | 0,47 | 0,47 | 0,47 | 0,47 | 0,47 |
| 0,47 | 0,47 | 0,48 | 0,48 | 0,48 | 0,48 | 0,48 |
| 0,48 | 0,48 | 0,48 | 0,49 | 0,49 | 0,49 | 0,49 |
| 0,49 | 0,49 | 0,50 | 0,50 | 0,50 | 0,50 | 0,50 |
| 0,50 | 0,50 | 0,50 | 0,51 | 0,51 | 0,51 | 0,51 |
| 0,51 | 0,51 | 0,51 | 0,51 | 0,51 | 0,52 | 0,52 |
| 0,52 | 0,52 | 0,53 | 0,53 | 0,53 | 0,53 | 0,53 |
| 0,53 | 0,53 | 0,54 | 0,54 | 0,54 | 0,55 | 0,55 |
| 0,55 | 0,55 | 0,55 | 0,56 | 0,56 | 0,56 | 0,56 |
| 0,56 | 0,56 | 0,57 | 0,57 | 0,57 | 0,58 | 0,60 |
| 0,60 | 0,61 | | | | | |

Nombre de données : 100 Somme des données : 49,21 Erreurs : 5

Voici les données pour Anna :

| | | | | | | |
|---|---|---|---|---|---|---|
| 0,39 | 0,40 | 0,41 | 0,41 | 0,41 | 0,42 | 0,42 |
| 0,43 | 0,43 | 0,43 | 0,43 | 0,44 | 0,44 | 0,44 |
| 0,44 | 0,44 | 0,44 | 0,44 | 0,44 | 0,45 | 0,45 |
| 0,45 | 0,45 | 0,45 | 0,45 | 0,45 | 0,45 | 0,45 |
| 0,45 | 0,46 | 0,46 | 0,46 | 0,46 | 0,46 | 0,46 |
| 0,46 | 0,46 | 0,46 | 0,46 | 0,47 | 0,47 | 0,47 |
| 0,47 | 0,47 | 0,47 | 0,47 | 0,47 | 0,47 | 0,48 |
| 0,47 | 0,47 | 0,47 | 0,48 | 0,48 | 0,48 | 0,49 |
| 0,48 | 0,48 | 0,48 | 0,48 | 0,48 | 0,48 | 0,49 |
| 0,48 | 0,48 | 0,48 | 0,48 | 0,49 | 0,49 | 0,51 |
| 0,49 | 0,49 | 0,49 | 0,50 | 0,50 | 0,50 | 0,52 |
| 0,51 | 0,51 | 0,51 | 0,51 | 0,52 | 0,52 | 0,52 |
| 0,53 | 0,53 | 0,53 | 0,54 | 0,54 | 0,54 | 0,55 |
| 0,55 | 0,58 | 0,58 | 0,59 | 0,59 | 0,59 | 0,62 |
| 0,62 | 0,63 | 0,64 | 0,65 | 0,67 | 0,70 | 0,72 |
| 0,84 | 0,95 | | | | | |

Nombre de données : 100 Somme des données : 53,40 Erreurs : 5

Les garçons prétendent que c'est Martin qui est le meilleur. Cependant, les filles prétendent que c'est Anna. Formule ton opinion et trouve au moins 3 raisons qui expliquent ton choix. Les raisons doivent s'appuyer sur des arguments statistiques (distribution, graphiques ou mesures de tendance centrale).

**17** Linda est responsable de l'affectation des policiers et des policières dans une municipalité de la Rive-Sud. Comme elle veut bien protéger la population, elle observe les données rassemblées par le Service de statistique de la ville.

**Accidents routiers au cours du mois de juillet dernier**

| Journée | Heure | Type d'accident | Cause | Dommages matériels (en $) |
|---|---|---|---|---|
| 3 (lundi) | 05:15 | Auto-auto | Brume | 8 000 |
| 3 | 05:30 | Auto | Brume | 5 500 |
| 3 | 05:45 | Moto | Brume | 3 000 |
| 3 | 08:00 | Auto-moto | Vitesse excessive | 1 200 |
| 3 | 09:15 | Camion-auto | Freins défectueux | 35 000 |
| 4 | 10:05 | Auto-piéton | Inattention | 200 |
| 4 | 10:15 | Autobus-auto | Dépassement | 10 000 |
| 4 | 10:30 | Auto-auto | Inattention | 600 |
| 5 | 14:05 | Auto-auto | Dépassement | 6 000 |
| 5 | 15:30 | Auto | Flaque d'eau | 1 500 |
| 5 | 18:30 | Auto-auto | Panne | 3 500 |
| 5 | 18:45 | Auto | Chaussée glissante | 800 |
| 5 | 19:00 | Camion-vélo | Chaussée glissante | 100 |
| 5 | 20:00 | Moto | Chaussée glissante | 200 |
| 5 | 20:15 | Auto-auto | Chaussée glissante | 12 000 |
| 6 | 14:00 | Auto-auto | Feu rouge | 2 500 |
| 6 | 17:30 | Auto-auto | Vitesse excessive | 14 000 |
| 7 | 14:15 | Auto | Boisson alcoolisée | 1 500 |
| 7 | 22:30 | Auto-auto | Vitesse excessive | 500 |
| 8 | 01:15 | Auto | Vitesse excessive | 3 000 |
| 9 | 22:50 | Auto | Sommeil | 500 |
| 10 (lundi) | 23:00 | 4 x 4 | Vitesse excessive | 1 200 |
| 12 | 19:25 | Auto-auto | Feu rouge | 600 |
| 14 | 20:30 | Auto | Inattention | 300 |
| 14 | 23:30 | Auto-vélo | Vitesse excessive | 150 |
| 14 | 23:45 | Auto | Vandalisme | 300 |
| 15 | 00:30 | Autobus-piéton | Boisson alcoolisée | 0 |
| 15 | 01:45 | Auto | Boisson alcoolisée | 600 |
| 15 | 23:00 | Auto-auto | Boisson alcoolisée | 7 500 |
| 16 | 00:30 | Auto | Boisson alcoolisée | 2 100 |
| 16 | 01:15 | Auto | Vitesse excessive | 800 |
| 17 (lundi) | 09:15 | Camion-auto | Inattention | 6 000 |
| 18 | 05:30 | Auto | Freins défectueux | 4 000 |
| 18 | 05:45 | 4 x 4 | Mauvaise signalisation | 2 500 |
| 19 | 08:00 | Auto-moto | Vitesse excessive | 3 500 |
| 20 | 09:15 | Camion-auto | Vitesse excessive | 800 |
| 21 | 10:05 | Auto-piéton | Inattention | 300 |
| 21 | 10:15 | Autobus-auto | Boisson alcoolisée | 1 700 |
| 22 | 10:30 | Auto-auto | Fausse manoeuvre | 18 000 |
| 22 | 14:05 | Auto | Vandalisme | 500 |
| 23 | 15:30 | Auto | Crevaison | 4 500 |
| 23 | 18:30 | Auto-auto | Panne | 6 500 |
| 23 | 18:45 | Auto | Vandalisme | 300 |
| 24 (lundi) | 19:00 | Autobus-auto | Fausse manoeuvre | 800 |
| 25 | 23:00 | Moto-vélo | Vitesse excessive | 500 |
| 27 | 23:15 | Auto-auto | Boisson alcoolisée | 10 000 |
| 28 | 02:00 | Auto-auto | Boisson alcoolisée | 900 |
| 28 | 17:30 | Auto-auto | Vitesse excessive | 2 800 |
| 29 | 14:15 | Auto | Boisson alcoolisée | 4 000 |
| 30 | 22:30 | Auto-auto | Feu rouge | 800 |
| 31 (lundi) | 12:30 | Auto | Fausse manoeuvre | 1 200 |

*a)* Organise ces données en tableaux, calcule les mesures d'étendue et de tendance centrale, s'il y a lieu, et donne quelques caractéristiques de chaque distribution.

*b)* Indique à quel moment elle devrait affecter le plus de policiers ou de policières durant le prochain mois de juillet.

**18** Les vendeurs et les vendeuses de l'entreprise Québecauto sont payés à commission. La directrice de l'entreprise a dressé la liste des salaires gagnés en dollars par les vendeurs et vendeuses l'année dernière.

**Salaires chez Québecauto** (en $)

| | | | | |
|---|---|---|---|---|
| 13 500 | 20 450 | 26 730 | 29 300 | 32 560 |
| 13 800 | 21 550 | 27 230 | 29 300 | 34 125 |
| 14 140 | 22 700 | 27 670 | 29 700 | 36 875 |
| 14 890 | 24 890 | 27 940 | 29 980 | 37 150 |
| 15 250 | 25 000 | 28 200 | 31 400 | 38 450 |
| 18 050 | 26 460 | 28 840 | 32 045 | 38 900 |

*a)* Calcule l'étendue de cette distribution.

*b)* En te fiant à l'étendue, indique si l'écart des salaires gagnés est important ou non.

*c)* Quelle interprétation peut-on donner au fait que l'écart entre le plus bas salaire et le plus élevé soit aussi grand ?

*d)* Calcule la moyenne des salaires gagnés et indique si, dans cette profession, on gagne bien sa vie. (Seuil de pauvreté : 25 000 $.)

*e)* Construis un tableau de distribution en classes pour cet ensemble de données en prenant comme première classe [10 000, 15 000[.

*f)* Existe-t-il une classe modale ? Quelle interprétation peut-on donner au fait que plusieurs personnes se retrouvent dans la même classe ?

*g)* Dans quelle classe la médiane se trouve-t-elle ?

*h)* Quelle interprétation peut-on donner au fait que la médiane et la moyenne sont dans la classe modale ?

*i)* Construis un histogramme représentant cette distribution.

**19** La Sûreté du Québec effectue des opérations radar pour surveiller la vitesse sur les routes. Sur une certaine route très passante, on a repéré deux endroits permettant le déploiement de l'opération : avant et après une longue descente. Voici des données de vitesse prélevées aux deux endroits dans une zone de 90 km/h.

Avant : 90 ; 123 ; 104 ; 89 ; 60 ; 69 ; 108 ; 120 ; 78 ; 56 ; 119 ; 108 ; 85 ; 83 ; 96 ; 92 ; 98 ; 100 ; 105 ; 112 ; 98 ; 65 ; 100 ; 104 ; 72 ; 78 ; 90 ; 95 ; 78 ; 80 ; 85 ; 96 ; 110 ; 65 ; 98 ; 105 ; 98 ; 123 ; 135 ; 98 ; 124 ; 100 ; 87 ; 85 ; 95 ; 98 ; 90 ; 78 ; 84 ; 97 ; 69 ; 89 ; 90 ; 96 ; 100 ; 78 ; 110 ; 87 ; 89 ; 90 ; 98 ; 106 ; 99 ; 100 ; 87 ; 89 ; 98 ; 112 ; 108 ; 98 ; 96 ; 95 ; 89 ; 76 ; 87 ; 132 ; 76 ; 89 ; 93 ; 92 ; 89 ; 78 ; 89 ; 86 ; 109 ; 95 ; 85 ; 85 ; 86 ; 94 ; 88 ; 89 ; 92 ; 85 ; 97 ; 99 ; 89 ; 117 ; 108 ; 94.

Après : 100 ; 87 ; 90 ; 112 ; 106 ; 105 ; 78 ; 98 ; 145 ; 109 ; 112 ; 123 ; 98 ; 106 ; 98 ; 104 ; 112 ; 98 ; 78 ; 95 ; 99 ; 104 ; 107 ; 105 ; 105 ; 98 ; 109 ; 114 ; 134 ; 125 ; 96 ; 108 ; 110 ; 90 ; 87 ; 98 ; 108 ; 110 ; 125 ; 128 ; 100 ; 94 ; 78 ; 109 ; 88 ; 95 ; 100 ; 105 ; 86 ; 105 ; 125 ; 110 ; 95 ; 98 ; 102 ; 110 ; 134 ; 112 ; 76 ; 98 ; 109 ; 111 ; 94 ; 98 ; 132 ; 100 ; 105 ; 90 ; 110 ; 87 ; 98 ; 103 ; 113 ; 114 ; 124 ; 138 ; 127 ; 117 ; 104 ; 120 ; 119 ; 105 ; 78 ; 89 ; 96 ; 87 ; 118 ; 134 ; 109 ; 132 ; 87 ; 109 ; 98 ; 94 ; 85 ; 87 ; 98 ; 109 ; 112 ; 126.

On accorde aux automobilistes une marge de tolérance de 10 km/h, après quoi une amende de 50 $ plus 5 $ par tranche de 5 km est facturée au conducteur ou à la conductrice en faute. Analyse ces données du point de vue de la rentabilité de l'opération. Fais des recommandations au directeur de ce district en les appuyant sur des faits statistiques.

**20** Voici différentes distributions de données statistiques relativement au cégep et à l'université.

**Inscriptions au baccalauréat dans quelques facultés ou écoles à l'Université de Montréal pour les années 1975 et 1993**

| Faculté ou école | Hommes 1975 (en %) | Hommes 1993 (en %) | Femmes 1975 (en %) | Femmes 1993 (en %) |
|---|---|---|---|---|
| Arts et sciences | 2333 (49,8) | 3423 (41,2) | 2354 (50,2) | 4885 (58,8) |
| Droit | 565 (62,9) | 351 (37,4) | 334 (37,1) | 587 (62,6) |
| Éducation physique | 178 (54,6) | 219 (57,5) | 148 (45,4) | 162 (42,5) |
| Médecine | 678 (47,6) | 398 (26,4) | 746 (52,4) | 1110 (73,6) |
| Médecine dentaire | 252 (76,6) | 147 (42,9) | 77 (23,4) | 196 (57,1) |
| Médecine vétérinaire | 186 (72,1) | 75 (26,5) | 72 (27,9) | 208 (73,5) |
| Optométrie | 63 (51,6) | 44 (27,5) | 59 (48,4) | 116 (72,5) |
| Pharmacie | 218 (47,4) | 168 (34,3) | 242 (52,6) | 322 (65,7) |
| HEC | 1152 (80,1) | 1237 (49,6) | 286 (19,9) | 1255 (50,4) |
| Polytechnique | 1758 (95,6) | 2407 (78,5) | 81 (4,4) | 660 (21,5) |
| TOTAL | 8054 (59,2) | 9562 (44,6) | 5546 (40,8) | 11 895 (55,4) |

Source : Université de Montréal.

**Taux de réussite des nouveaux inscrits au cégep dans un programme pré-universitaire**

| Pourcentage de réussite | Sc. de la nature | | Sc. humaines | | Arts | | Lettres | |
|---|---|---|---|---|---|---|---|---|
| | G | F | G | F | G | F | G | F |
| À 100 % | 55,9 % | 58,6 % | 29,0 % | 45,1 % | 26,2 % | 42,6 % | 25,4 % | 39,7 % |
| 50 % ou moins | 16,7 % | 9,8 % | 37,4 % | 21,1 % | 34,4 % | 20,5 % | 44,9 % | 27,5 % |

Source : Ministère de l'Éducation du Québec.

**Les femmes dans les universités au Québec**

| Année | Pourcentage de femmes sur la population étudiante totale |
|---|---|
| 1960 | 20 % |
| 1972 | 40 % |
| 1980 | 50 % |
| 1992 | 57 % |

Source : Conseil supérieur de l'éducation.

**Proportion garçons-filles de 17 ans dans les cégeps**

| Année | Garçons | Filles |
|---|---|---|
| 1980 | 46,7 % | 53,3 % |
| 1992 | 42,9 % | 57,1 % |

Source : Ministère de l'Éducation.

***a)*** En raison de ces distributions, *La Presse* du 8 mars 1994 titrait : « L'école, c'est l'affaire des filles. » Ce titre reflète-t-il bien la situation ?

***b)*** L'article débutait comme suit : « Les filles sont meilleures que les garçons à l'école : elles décrochent moins, étudient plus et obtiennent des notes nettement supérieures. En fait, le fossé séparant les garçons des filles est tellement important qu'il risque de bouleverser l'équilibre actuel de la société. »

Quelle est ta réaction devant ce début d'article ? Cela t'apparaît-il exagéré ? Cela t'inquiète-t-il ?

***c)*** Comment expliquer le fait que les filles réussissent mieux que les garçons au cégep et à l'université ?

***d)*** Quelle est l'importance de la troisième secondaire dans ce constat ?

## Projet 1 Le décrochage d'élèves de troisième secondaire

Préparer et mener une enquête sur le décrochage scolaire.

*a)* Définir un échantillon d'une cinquantaine d'élèves qui ont abandonné l'école.

*b)* Préparer un questionnaire qui permettra de :

1° déterminer les causes du décrochage scolaire ;

2° faire ressortir les moyens dont disposent la société, les parents, les élèves et l'école pour y remédier.

*c)* Prévoir la façon de procéder et de recueillir les données.

*d)* Dépouiller les données et construire les tableaux de distribution et les graphiques appropriés.

*e)* Analyser les distributions et les graphiques à partir des différentes mesures statistiques connues.

*f)* Produire et faire connaître le rapport de cette enquête dans le journal de l'école ou les journaux locaux. On pourrait même organiser une rencontre pour discuter des résultats avec ceux et celles que cela intéresse.

## Projet 2 Recherche

Réaliser une recherche ou produire un texte sur l'un ou l'autre des sujets suivants en ayant soin d'appuyer les conclusions sur des données, des distributions, des graphiques ou des mesures statistiques.

1° L'avenir des jeunes face au travail.

2° Les causes de la diminution des admissions des garçons au cégep et à l'université.

3° L'effet de l'endettement des pouvoirs publics sur la vie au XXIe siècle.

4° Les exigences salariales des athlètes dans différents sports.

5° Les conséquences du refus de certaines personnes de s'engager dans la voie technologique.

6° Tout autre sujet qui suscite notre intérêt.

# À LA LOGICOMATHÈQUE

## DÉTECTEZ L'INTRUS

- Dans chaque cas, quelle distribution est une intruse?

| *a)* | *b)* | *c)* |
|---|---|---|
| 1) 13, 15, 16, 20 | 1) 20, 22, 22, 24 | 1) 12, 15, 16, 17, 20 |
| 2) 10, 15, 16, 19 | 2) 19, 21, 21, 23 | 2) 11, 14, 15, 17, 18 |
| 3) 12, 15, 18, 19 | 3) 16, 22, 22, 24 | 3) 11, 16, 17, 18, 18 |
| 4) 13, 14, 15, 18 | 4) 22, 23, 23, 24 | 4) 13, 16, 16, 17, 18 |

## À LA MENSA

- En utilisant 10 notes sur 10 points, invente une distribution dont le mode est 1, la médiane 2 et la moyenne 3.
- Si $m$ et $n$ sont diminués de 25 %, de quelle fraction est diminuée l'expression $m \cdot n^2$?

## PROUVE-LE DONC!

- La moyenne de 3 nombres entiers consécutifs est toujours celui du milieu.
- Quatre nombres ont une moyenne de 30. Si l'on soustrait 8 de chacun, la moyenne diminue également de 8. Prouve que cela est vrai.

## SUR LES TRACES DE LOGIC

- Un camionneur est accusé de l'assassinat de sa femme. Plusieurs indices laissent entendre qu'il est coupable. Seul un alibi peut le sauver. Il affirme posséder cet alibi.

« Je suis parti vers midi livrer des marchandises à la montagne dans un village situé à 360 km d'ici. J'ai fait le trajet aller-retour. À l'aller, j'ai roulé à la vitesse moyenne de 30 km/h et au retour à la vitesse moyenne de 90 km/h. Je suis revenu vers 4:00 du matin. »

L'avocate de la partie adverse a démoli cet alibi devant les jurés en démontrant qu'à 1:00, le moment du crime, il était de retour. « L'aller-retour, dit-elle, représente une distance totale de 720 km. Une vitesse de 30 km/h à l'aller et de 90 km/h au retour correspond à une vitesse moyenne de 60 km/h et 720 km ÷ 60 km/h = 12 h. Donc, l'accusé était de retour vers minuit. »

Pourtant, le camionneur proteste toujours de son innocence et maintient son alibi. Son avocat fait donc appel à Logic qui, à l'aide de quelques calculs, innocente le camionneur. Quels sont ces calculs?

## Je connais la signification des expressions suivantes :

**Valeurs** : différentes formes que peuvent prendre les données.

**Données numériques** : données dont les valeurs sont des nombres.

**Données alphanumériques** : données dont les valeurs sont des mots ou des numéros.

**Effectif** : nombre de fois qu'apparaît une valeur.

**Fréquence relative** : rapport de chaque effectif à l'effectif total ; ce rapport peut s'exprimer en pourcentage, en fraction ou en nombre décimal.

**Classe** : intervalle permettant de regrouper les données.

**Limite inférieure d'une classe** : la plus petite valeur qui peut être placée dans cette classe.

**Limite supérieure d'une classe** : la limite inférieure de la classe suivante.

**Mesures de tendance centrale** : mesures caractérisant le centre d'une distribution, telles que la moyenne, le mode et la médiane.

**Mode (Mo)** : valeur dont l'effectif est le plus élevé.

**Classe modale** : classe dont l'effectif est le plus élevé.

**Moyenne ($\bar{x}$)** : quotient de la somme des données par le nombre de données.

**Médiane (Méd)** : nombre qui partage un ensemble de données ordonnées en deux groupes de même effectif.

**Étendue** : différence entre la donnée la plus élevée et la donnée la plus basse.

**Histogramme** : graphique formé de deux axes gradués et montrant l'effectif de chaque classe à l'aide de rectangles accolés les uns aux autres.

## Je maîtrise les habiletés suivantes :

**Organiser** des données sous forme de tableau.

**Organiser** des données sous forme d'histogramme.

**Calculer** la moyenne, la médiane, le mode et l'étendue d'une distribution de données non groupées en classes.

**Décrire** une distribution dont la moyenne, la médiane, le mode ou l'étendue sont donnés.

**Dégager** de l'information de nature qualitative concernant une distribution de données à l'aide de la moyenne, de la médiane, du mode ou de l'étendue.

## La lunette statistique

1. On a testé la durée de vie en heures de 25 piles d'une certaine marque. Voici les données recueillies :

   56, 67, 63, 70, 38, 48, 50, 55, 46, 57, 59, 71, 67, 58, 62, 80, 74, 65, 55, 49, 60, 55, 59, 55, 64.

   *a)* **Quelle est l'étendue** de cet ensemble de données ?

   *b)* **Calcule la moyenne** de vie de ces piles.

   *c)* **Quelle est la médiane** de cet ensemble de données ?

   *d)* **Quel est le mode** de cet ensemble de données ?

   *e)* **Organise** ces données sous la forme de tableau.

2. Voici une distribution des victimes de la route au Québec selon l'âge en 1993.

   *a)* **Quelle est la classe modale** de cette distribution ?

   *b)* **Esquisse l'histogramme** de cette distribution.

**Âge des victimes de la route en 1993 au Québec**

| Classe d'âge | Effectif |
|---|---|
| [5, 15[ | 66 |
| [15, 25[ | 237 |
| [25, 35[ | 194 |
| [35, 45[ | 142 |
| [45, 55[ | 128 |
| [55, 65[ | 74 |
| [65, 75[ | 126 |

Source : Société de l'assurance automobile du Québec.

3. Une expérience a été menée dans une plantation de pins rouges. Après 5 ans, on a mesuré la hauteur d'un certain nombre d'arbres qui avaient été plantés en même temps. Voici la distribution obtenue :

**Croissance de pins rouges**

| Hauteur (en cm) | Effectif |
|---|---|
| [50, 65[ | 11 |
| [65, 80[ | 24 |
| [80, 95[ | 46 |
| [95, 110[ | 44 |
| [110, 125[ | 6 |

   *a)* **Construis un histogramme** représentant cette distribution.

   *b)* **Quelle est la classe modale** de cette distribution ?

   *c)* **Dans quelle classe** la médiane se trouve-t-elle ?

4. Voici une liste d'édifices montréalais ayant plus de 100 m de hauteur.

| Édifice | Nombre d'étages | Hauteur (en m) | Année de construction | Hauteur par étage (en m) |
|---|---|---|---|---|
| Lavalin | 45 | 204 | 1990 | 4,53 |
| Marathon-IBM | 45 | 195 | 1990 | 4,33 |
| Place Montréal Trust | 32 | 137 | 1988 | 4,28 |
| Les Coopérants | 34 | 149 | 1987 | 4,38 |
| La Laurentienne | 27 | 101 | 1985 | 3,74 |
| Bell-Banque Nationale | 34 | 125 | 1983 | 3,68 |
| Centre Sheraton | 38 | 148 | 1976 | 3,89 |
| Compl. Desjardins-SUD | 40 | 152 | 1975 | 3,80 |
| Compl. Desjardins-EST | 32 | 130 | 1975 | 4,06 |
| Compl. Desjardins-NORD | 27 | 108 | 1975 | 4,00 |
| OACI | 28 | 112 | 1974 | 4,00 |
| 2020 University | 27 | 105 | 1972 | 3,89 |
| 500 René-Lévesque | 27 | 104 | 1972 | 3,85 |
| Place Alexis-Nihon | 33 | 101 | 1970 | 3,06 |
| Banque Nationale | 32 | 119 | 1968 | 3,72 |
| Château Champlain | 38 | 128 | 1967 | 3,37 |
| 1455 Sherbrooke O. | 33 | 102 | 1966 | 3,09 |
| Place du Canada | 26 | 104 | 1965 | 4,00 |
| Port-Royal | 33 | 122 | 1965 | 3,70 |
| Édifice Terminal | 31 | 112 | 1965 | 3,61 |
| Tour de la Bourse | 47 | 190 | 1963 | 4,04 |
| Le Grand Hôtel | 34 | 123 | 1963 | 3,62 |
| Place Victoria | 47 | 190 | 1963 | 4,04 |
| Hydro-Québec | 27 | 110 | 1962 | 4,07 |
| Canadienne Impériale | 45 | 188 | 1962 | 4,18 |
| Place Ville-Marie | 45 | 186 | 1962 | 4,13 |
| Édifice CIL | 32 | 131 | 1962 | 4,09 |
| Sun Life | 26 | 119 | 1933 | 4,58 |
| Banque Royale | 22 | 121 | 1928 | 5,50 |

*a)* Sans grouper les données en classes, **construis le tableau de distribution** du nombre d'étages des édifices de cette liste.

*b)* **Quel est le nombre moyen** d'étages ?

*c)* **Quelle est la médiane** de cette distribution ?

*d)* **Écris une phrase** qui décrit bien ces édifices quant à leur nombre d'étages.

*e)* **Construis un tableau de distribution** de la hauteur de ces édifices. Regroupe les données en 6 classes.

*f)* **Écris une phrase** qui caractérise bien ces édifices quant à leur année de construction.

*g)* On s'interroge sur la hauteur à donner à chaque étage d'un édifice. **Donne une réponse** en t'appuyant sur ces données.

5. Olivier a comptabilisé le nombre de descentes qu'il a effectuées pendant ses 50 premières journées de ski de la saison dernière.

**Nombre de descentes de ski par jour**

| Descente | Effectif |
|---|---|
| 3 | 4 |
| 4 | 2 |
| 5 | 3 |
| 6 | 4 |
| 7 | 14 |
| 8 | 12 |
| 9 | 8 |
| 10 | ? |

*a)* Olivier a calculé que sa moyenne de descentes par jour était de 7,1. **Pendant combien de jours** a-t-il fait 10 descentes?

*b)* **Quel est le mode** de cette distribution?

*c)* **La médiane est-elle plus grande, égale ou plus petite** que la moyenne dans cette distribution?

*d)* **Écris deux phrases** qui décrivent bien **les journées** de ski d'Olivier.

6. Anne-Marie déclare à ses élèves que la moyenne du dernier examen était inférieure à la médiane.

*a)* S'il y a 31 élèves dans cette classe, **la majorité des notes est-elle au-dessus ou au-dessous** de la moyenne?

*b)* Si la moyenne est de 77 % et que l'étendue est de 30 %, **peut-on être absolument certain** que tous les élèves ont obtenu plus que 60 %?

7. **Donne un exemple** de distribution dont la médiane est 85, l'étendue 40, le mode 75 et l'effectif total 9.

8. **Calcule la moyenne pondérée** pouvant constituer la note de français de Sabrina suivant le facteur de pondération.

**Résultats en français**

| Composante | Note (en %) | Facteur |
|---|---|---|
| Composition | 75 | 4 |
| Analyse écrite | 80 | 4 |
| Exposé oral | 72 | 2 |
| Orthographe | 68 | 2 |

9. **Combien de multiples** de 5, inférieurs à 100, ont une somme de chiffres qui est impaire?

# INDEX

# Source des photos

**Avertissement**

Il a été impossible de retrouver certains propriétaires de droits d'auteur.
Une entente pourra être conclue avec ces personnes
dès qu'elles prendront contact avec l'Éditeur.

*Nous tenons à remercier les personnes et les organismes qui nous ont gracieusement fourni des documents photographiques et qui ont collaboré lors des séances de photographie.*

Photo de la page couverture : Stock Imagery/Réflexion Photothèque
Fractales de la page couverture : © Imtek Imagineering (Computer generated)/ Masterfile

p. 7 Voluvision : Jacques Beauchamp
p. 21 Colibris : Stock Imagery/Réflexion Photothèque
p. 23 Manchots empereurs : Mauritius-A./Réflexion Photothèque
p. 36 Couple et boîte de carton : Viesti-Siteman/Réflexion Photothèque
Boîte de chocolat : Élise Guévremont
p. 41 Pyramide et prisme : Élise Guévremont
Enseignant et élèves : Élise Guévremont
p. 49 Pyramide du Soleil : R. Burch/Réflexion Photothèque
p. 50 Sphinx et pyramides : R. Burch/Réflexion Photothèque
p. 53 Trois adolescents : International Stock/Réflexion Photothèque
p. 54 Boule et cylindre : Élise Guévremont
Enseignant et élèves : Élise Guévremont
p. 55 Boule et cône : Élise Guévremont
Enseignant et élèves : Élise Guévremont
p. 57 Demi-pomme et quart de pomme : Élise Guévremont
p. 58 Biosphère : M. Gagné/Réflexion Photothèque
p. 59 Ampoule : Stock Imagery/Réflexion Photothèque
p. 69 Bonbons : Élise Guévremont
p. 72 Dôme de la Roche : Paparazzi/Publiphoto
Cône : Élise Guévremont
Perle : S. O'Neill/Réflexion Photothèque
Champignon : S. Naiman/Réflexion Photothèque
Minéral : B. Livingstone/CMN. Publishing
p. 75 Morceau de polystyrène : Élise Guévremont
p. 78 Architecte : Stock Imagery/Réflexion Photothèque
Homme et billots de bois : International Stock/Réflexion Photothèque
p. 81 Balles de foin : Magella Chouinard/MAPAQ
p. 82 Boîte à lettres : © 1996, Photodisc Inc.
p. 84 Cabane à sucre : Y. Tessier/Réflexion Photothèque
p. 86 Enfant : Carole Lortie
Planchette à pince : Élise Guévremont
Stéthoscope : © 1996, Photodisc Inc.
p. 90 Enfants et citrouilles : Viesti/Réflexion Photothèque
p. 99 Adolescente dans un restaurant à service rapide : Élise Guévremont
p. 104 Canettes de boisson gazeuse : Stock Imagery/ Réflexion Photothèque
p. 105 Chimiste : International Stock/Réflexion Photothèque
p. 106 Boussole : © 1996, CMCD Inc.
p. 111 Groupe de travail : © 1996, Photodisc Inc.
p. 121 Dominos : Élise Guévremont
p. 123 Nageur : Stock Imagery/Réflexion Photothèque
p. 126 Coureur : Stock Imagery/Réflexion Photothèque
p. 135 Chevaux : International Stock/Réflexion Photothèque
p. 146 Place des Arts : T. Bognar/Réflexion Photothèque
p. 153 Circle Limit III, de M. C. Escher, Cornelius Van S. Roosevelt Collection, © 1995 Board of Trustees, National Gallery of Art, Washington, 1959
p. 159 Plante aquatique : Viesti-Dimeo/Réflexion Photothèque
p. 161 Compas et règle : Élise Guévremont
p. 162 Adolescents : S. O'Neill/Réflexion Photothèque
p. 167 Crayon et règle : Élise Guévremont
p. 169 Adolescent : Élise Guévremont
p. 171 Adolescente : Mauritius-Hoffman/Réflexion Photothèque
p. 183 Loupe : Élise Guévremont
p. 191 Feuilles d'automne : Camerique/Réflexion Photothèque
p. 198 Oeufs de Pâques : Mauritius-Arthur/Réflexion Photothèque
p. 205 Télescope *Hubble* : Gamma/Ponopresse
Fond étoilé : Mauritius-Hackenberg/Réflexion Photothèque
p. 229 Illustration : Stock Imagery/Réflexion Photothèque
p. 232 Adolescents : International Stock/Réflexion Photothèque
p. 235 Skieur : Stock Imagery/Réflexion Photothèque
p. 238 Téléphonistes : © 1996, Photodisc Inc.
Recyclage : Mauritius-Hoffman/Réflexion Photothèque
p. 240 Chauveau, Ouimet, Boucher de Boucherville, Joly de Lotbinière, Chapleau, Mousseau, Jones Ross, Taillon, Mercier, Flynn, Marchand, Parent, Gouin, Taschereau, Godbout, Sauvé, Barrette, Johnson, D. : Archives nationales du Québec à Québec ; Duplessis : Roger Bédard, Archives nationales du Québec à Québec ; Lesage : L. Bouchard, Office du film du Québec, Archives nationales du Québec à Québec ; Bertrand : Office du film du Québec, Archives nationales du Québec à Québec ; Bourassa : Jean-Yves Bruel ; Lévesque : Kedl ; Johnson, P. M. : Marc Lajoie, M. C. Q. ; Johnson, fils, D. : Jean-Yves Bruel ; Parizeau : Daniel Lessard ; source : Direction des communications, Assemblée nationale du Québec
p. 247 Joueur de football : Stock Imagery/Réflexion Photothèque
p. 249 Autobus scolaire : © 1996, Photodisc Inc.
p. 253 Mont-Sainte-Anne : Y. Tessier/Réflexion Photothèque
Flocons de neige : Stock Imagery/Réflexion Photothèque
p. 260 Illustration : Calvin Nicholls/Masterfile
p. 267 Golfeur : Stock Imagery/Réflexion Photothèque
p. 269 Joueurs de basket-ball : © 1996, Photodisc Inc.
Ballon de basket-ball : © 1996, CMCD Inc.
p. 274 Nageuse : Stock Imagery/Réflexion Photothèque
Coureurs : Stock Imagery/Réflexion Photothèque
Patineurs : International Stock/Réflexion Photothèque
p. 289 Adolescents : International Stock/Réflexion Photothèque

# NOTATIONS ET SYMBOLES

{...} : ensemble
$\mathbb{N}$ : ensemble des nombres naturels = {0, 1, 2, 3, ...}
$\mathbb{N}^*$ : ensemble des nombres naturels, sauf zéro = {1, 2, 3, ...}
$\mathbb{Z}$ : ensemble des nombres entiers = {..., -3, -2, -1, 0, 1, 2, 3, ...}
$\mathbb{Z}_+$ : ensemble des nombres entiers positifs = {0, 1, 2, 3, ...}
$\mathbb{Z}_-$ : ensemble des nombres entiers négatifs = {0, -1, -2, -3, ...}
$\mathbb{Q}$ : ensemble des nombres rationnels
$\mathbb{Q}'$ : ensemble des nombres irrationnels
$\mathbb{R}$ : ensemble des nombres réels
$A \cup B$ : A union B
$A \cap B$ : A intersection B
$A'$ : A complément
$A \setminus B$ : A différence B
$\in$ : ... est élément de ... ou ... appartient à ...
$\notin$ : ... n'est pas élément de ... ou ... n'appartient pas à ...
$\subseteq$ : ... est inclus ou égal à ...
$\subset$ : ... est un sous-ensemble propre de ...
$\not\subset$ : ... n'est pas inclus ...
$\frac{a}{b}$ : fraction *a*, *b*
$a : b$ : le rapport de *a* à *b*
$-a$ : opposé du nombre *a*
$a^2$ : *a* au carré
$\frac{1}{a}$ : inverse du nombre *a*
$a^x$ : *a* exposant *x*
$a!$ : factorielle *a*
$|a|$ : valeur absolue de *a*
$\sqrt{a}$ : racine carrée positive de *a*
$-\sqrt{a}$ : racine carrée négative de *a*
$\overline{x}$ : moyenne des valeurs de *x*
$\Sigma(x)$ : somme des *x*
Méd : médiane
Mo : mode
$a \cdot 10^n$ : notation scientifique avec $1 \leq a < 10$ et $n \in \mathbb{Z}$
$(a, b)$ : couple *a*, *b*
$[a, b[$ : intervalle *a*, *b* ou classe *a*, *b*

$f(x)$ : f de $x$, valeur de la fonction f à $x$, image de $x$ par f
$x_1, x_2, ...$ : valeurs spécifiques de $x$
$y_1, y_2, ...$ : valeurs spécifiques de $y$
$\neq$ : ... n'est pas égal à ... ou ... est différent de ...
$<$ : ... est inférieur à ...
$>$ : ... est supérieur à ...
$\leq$ : ... est inférieur ou égal à ...
$\geq$ : ... est supérieur ou égal à ...
$\approx$ : ... est approximativement égal à ...
$\cong$ : ... est congru à ... ou ... est isométrique à ...
$\equiv$ : ... est identique à ...
$\sim$ : ... est semblable à ...
$\triangleq$ : ... correspond à ...
$\wedge$ : et
$\vee$ : ou
$\Rightarrow$ : ... implique que ...
$\Leftrightarrow$ : ... est logiquement équivalent à ...
$\mapsto$ : ... a comme image ...
$\Omega$ : univers des possibles ou ensemble des résultats
$P(A)$ : probabilité de l'événement $A$
$\overline{AB}$ : segment $AB$
m $\overline{AB}$ ou mes $\overline{AB}$ : mesure du segment $AB$
$AB$ : droite $AB$
$//$ : ... est parallèle à ...
$\not\parallel$ : ... n'est pas parallèle à ...
$\perp$ : ... est perpendiculaire à ...
$\angle A$ : angle $A$
$\overset{\frown}{AB}$ : arc d'extrémités $A$ et $B$
$\overset{\frown}{AOB}$ : arc $AB$ passant par $O$
m $\angle A$ ou mes $\angle A$ : mesure de l'angle $A$
$n°$ : $n$ degré
$\llcorner$ : angle droit
$\Delta ABC$ : triangle $ABC$
$t$ : translation $t$
$r$ : rotation $r$
$\mathcal{s}$ : réflexion $\mathcal{s}$
sg : symétrie glissée
$h$ : homothétie $h$
$... \circ ...$ : opération composition
$\mathcal{I}$ : ensemble des isométries
Sim : ensemble des similitudes
k$ : millier de dollars
M$ : million de dollars
G$ : milliard de dollars
km/h : kilomètre par heure
m/s : mètre par seconde
°C : degré Celsius
$C$ : circonférence
$P$ : périmètre
$P_b$ : périmètre de la base
$d$ : diamètre
$r$ : rayon $r$
$\pi$ : 3,141 59... ou $\approx$ 3,14
$A_l$ : aire latérale
$A_b$ : aire des bases
$A_t$ : aire totale
$V$ : volume